여러분의 합격을 응원하는

해커스공[illegible] 특별 혜택

FREE 공무원 공중보건 **특강**

해커스공무원(gosi.Hackers.com) 접속 후 로그인 ▶ 상단의 [무료강좌] 클릭 ▶ [교재 무료특강] 클릭

해커스공무원 온라인 단과강의 **20% 할인쿠폰**

848C9BCFA4FED5CR

해커스공무원(gosi.Hackers.com) 접속 후 로그인 ▶ 상단의 [나의 강의실] 클릭 ▶
좌측의 [쿠폰등록] 클릭 ▶ 위 쿠폰번호 입력 후 이용

* 등록 후 7일간 사용 가능(ID당 1회에 한해 등록 가능)

합격예측 **온라인 모의고사 응시권 + 해설강의 수강권**

83989FCF467C46BT

해커스공무원(gosi.Hackers.com) 접속 후 로그인 ▶ 상단의 [나의 강의실] 클릭 ▶
좌측의 [쿠폰등록] 클릭 ▶ 위 쿠폰번호 입력 후 이용

* ID당 1회에 한해 등록 가능

쿠폰 이용 관련 문의 **1588-4055**

단기 합격을 위한 해커스공무원 커리큘럼

입문

탄탄한 기본기와 핵심 개념 완성!

누구나 이해하기 쉬운 개념 설명과 풍부한 예시로 부담없이 쌩기초 다지기

TIP 베이스가 있다면 **기본 단계**부터!

기본+심화

필수 개념 학습으로 이론 완성!

반드시 알아야 할 기본 개념과 문제풀이 전략을 학습하고
심화 개념 학습으로 고득점을 위한 응용력 다지기

기출+예상 문제풀이

문제풀이로 집중 학습하고 실력 업그레이드!

기출문제의 유형과 출제 의도를 이해하고 최신 출제 경향을 반영한
예상문제를 풀어보며 본인의 취약영역을 파악 및 보완하기

동형문제풀이

동형모의고사로 실전력 강화!

실제 시험과 같은 형태의 실전모의고사를 풀어보며 실전감각 극대화

최종 마무리

시험 직전 실전 시뮬레이션!

각 과목별 시험에 출제되는 내용들을 최종 점검하며 실전 완성

* 커리큘럼 및 세부 일정은 상이할 수 있으며,
자세한 사항은 해커스공무원 사이트에서 확인하세요.

해커스공무원

최성희 공중보건

기본서 | 1권

해커스공무원

최성희

약력

한양대학교 일반대학원 간호학 박사 수료
현 | 해커스 공무원 보건직·간호직 강의
현 | 해커스독학사 간호학 강의
현 | 전북과학대학교 간호학과 초빙교수

저서

해커스공무원 최성희 공중보건 기본서
해커스공무원 최성희 보건행정 기본서
해커스공무원 최성희 공중보건 실전동형모의고사
해커스공무원 최성희 보건행정 실전동형모의고사

공무원 시험 합격을 위한 필수 기본서!

공무원 공부, 어떻게 시작해야 할까?

수험생 여러분, 안녕하세요.
해커스공무원에서 강의를 하고 있는 매사가 즐거운 강사 최성희입니다. 각 전공과목을 떠올려 보면 어렵고 지루하고 불편하다고 느껴졌던 시절이 있었습니다. 우리는 지금 공무원이라는 높은 장벽의 시험에 도전합니다. 저도 그 불편했던 시절을 경험했기 때문에 여러분의 그 장벽을 조금이나마 낮춰드리고자 더욱 더 효과적인 내용으로 『해커스공무원 최성희 공중보건 기본서』를 집필하였으며, 본 교재는 다음과 같은 특징을 가지고 있습니다.

첫째, 최신 이론을 집약하여 구성하였습니다.
공무원 수험서가 아닌 대학 전공교재는 매우 다양합니다. 우리가 이것을 전부 다 공부할 수 없기 때문에, 여러분은 일부 교재를 선정하여 공부하셨을 것입니다. 그러나 공무원 시험은 그 다양한 교재의 많은 내용을 출제 범위에 포함시키고 있기 때문에 방대한 영역을 효율적으로 정리하는 것이 해결해야 할 첫 번째 숙제입니다. 그래서 『해커스공무원 최성희 공중보건 기본서』는 그 많은 다양한 교재들의 내용을 한 권으로 해결할 수 있도록 구성하였습니다.

둘째, 출제경향을 철저히 분석하고 이론을 효율적으로 정리하였습니다.
공무원 시험은 기출문제 분석을 얼마나 잘했느냐에 따라 합격의 여부가 판가름난다해도 과언이 아닙니다. 『해커스공무원 최성희 공중보건 기본서』는 기출문제의 중심 이론과 그 중심 이론으로부터 파생되는 핵심 내용을 엄선하여 정리한 교재입니다. 이론은 변화합니다. 매년 달라지는 출제경향 속에서, 우리는 문제의 정답을 향한 효율적인 학습방법이 필요하기 때문에 이론의 목차를 출제경향에 맞추어 흐름에 따라 자연스럽게 학습할 수 있도록 구성하였습니다.

셋째, 법령+정책의 흐름을 잡을 수 있도록 이론을 정리하였습니다.
우리는 반드시 법령과 정책의 방향을 확실히 잡고 정리하여야 합니다. 우리가 잘 알지 못하는 법령과 정책들은 기본적으로 시험에서 2문제 이상 출제되기 때문에 놓쳐서는 안 되는 부분이며, 이러한 법령과 정책에 대해 학습하여 1차 시험의 합격과 함께 면접시험도 대비할 수 있습니다.

더불어, 공무원 시험 전문 사이트 해커스공무원(gosi.Hackers.com)에서 교재 학습 중 궁금한 점을 나누고 다양한 무료 학습 자료를 함께 이용하여 학습 효과를 극대화할 수 있습니다.

"왕관을 쓰려는 자, 그 무게를 견뎌라!"
『해커스공무원 최성희 공중보건 기본서』와 함께 이 선택의 길의 끝에서 왕관을 쓸 준비를 하시길 바랍니다.

최성희

1권

2권

제5편 식품위생과 영양

제6편 보건행정과 보건의료체계 관리

제7편 분야별 보건관리

제8편 생애주기별 보건관리

이 책의 구성

『해커스공무원 최성희 공중보건 기본서』는 수험생 여러분들이 보다 효율적으로 정확하게 공중보건 과목을 학습할 수 있도록 상세한 내용과 다양한 학습장치들을 수록·구성하였습니다. 아래 내용을 참고하여 본인의 학습 과정에 맞게 체계적으로 학습 전략을 세워 효과적으로 학습하시기 바랍니다.

 이론의 세부적인 내용을 정확하게 이해하기

공중보건

1 공중보건학의 개념 기출 11, 14, 15, 16, 17, 18, 19, 20

1. 공중보건학의 정의

(1) 윈슬로(C. E. A. Winslow, 미국 예일대 교수, 1920년)

공중보건이란 조직화된 지역사회의 노력으로 환경위생 관리, 전염병 관리, 개인위생에 관한 보건교육, 질병의 조기발견과 예방적 치료를 할 수 있는 의료 및 간호사업의 체계화, 그리고 모든 사람이 자기의 건강을 유지하는 데 적합한 생활수준을 보장하도록 사회적 제도를 발전시킴으로써 질병을 예방하고 수명을 연장하며 건강을 유지 및 증진시키는 과학이요, 기술이다.

(2) 미국한림의학원(Institute of Medicine, IOM, 1988년) 기출 6급 18

공중보건은 국민이 건강할 수 있는 여건을 보장하기 위한 사회의 집단적 노력이다.

(3) 디즈레일리(B. Disrali, 영국 수상, 1804 ~ 1881년)

공중보건은 국민의 행복과 국력이 걸려 있는 기초적인 것이며, 공중보건을 보살핀다는 것은 정치가로서 제일 중요한 임무이다.

(4) WHO의 제25차 회의에서 제시한 공중보건의 정의

환경위생의 개선, 전염병의 예방, 개인위생의 원리에 기초를 둔 위생교육, 질병의 조기 진단과 예방적 치료를 위한 의료 및 간호 업무의 조직화, 지역사회의 모든 주민이 건강을 유지하기에 충분한 생활수준을 보장하는 사회기구의 발전을 겨냥하고 행하며, 지역사회의 노력을 통해서 질병을 예방하고, 생명을 연장하며, 건강과 인간적 능률의 증진을 꾀하는 과학이자 기술이다.

최신 출제경향을 반영한 이론

철저한 기출분석으로 도출한 최신 출제경향을 바탕으로, 교재 내 수록된 이론의 핵심 키워드나 문구에 밑줄 또는 색자로 강조하고 기출연도를 표기하였습니다. 이를 통해 방대한 공중보건 과목의 내용 중 시험에 자주 출제되거나 출제가 예상되는 이론만을 효과적으로 빠르게 학습할 수 있습니다.

2 시험에 자주 출제되는 주요 관련 법령 확인하기

(2) 자녀의 의미

① **넓은 의미:** 0 ~ 14세까지의 소아 인구를 의미한다.
② **좁은 의미:** 영유아, 즉 태아에서부터 미취학 아동까지를 의미한다.

4. 모자보건사업의 개념 및 범위

(1) 개념

모자보건사업이란 모성과 영유아에게 전문적인 보건의료서비스 및 그와 관련된 정보를 제공하고 모성의 생식건강관리, 임신·출산·양육지원을 통하여 이들이 신체적·정신적·사회적으로 건강을 유지하게 하는 사업을 의미한다.

(2) 범위

자녀의 출생부터 성장, 발육 및 출산기여성의 건강관리까지 매우 광범위하다.

관련 법령

「모자보건법」 제2조 【정의】 이 법에서 사용하는 용어의 뜻은 다음과 같다.

기출 11, 14, 17, 18, 19, 20

1. "임산부"란 임신 중이거나 분만 후 6개월 미만인 여성을 말한다.
2. "모성"이란 임산부와 가임기(可姙期) 여성을 말한다.
3. "영유아"란 출생 후 6년 미만인 사람을 말한다.
4. "신생아"란 출생 후 28일 이내의 영유아를 말한다.
5. "미숙아(未熟兒)"란 신체의 발육이 미숙한 채로 출생한 영유아로서 대통령령으로 정하는 기준에 해당하는 영유아를 말한다.
6. "선천성이상아(先天性異常兒)"란 선천성 기형(奇形) 또는 변형(變形)이 있거나 염색체에 이상이 있는 영유아로서 대통령령으로 정하는 기준에 해당하는 영유아를 말한다.

이론에 대한 법령을 알 수 있는 '관련 법령'

출제가능성이 높은 조문들을 이론과 함께 학습할 수 있도록 '관련 법령'을 수록하였습니다. '관련 법령'에는 공중보건 과목에 대한 많은 법령들 중 현재 시행 중인 내용뿐만 아니라 추후 시행될 내용까지 교재 전반에 꼼꼼히 반영하여 수록하였습니다. 이를 통해 공중보건과 관련 있는 법령의 정확한 최신 내용을 효과적으로 학습할 수 있습니다.

3 학습 장치를 통해 이론 완성하기

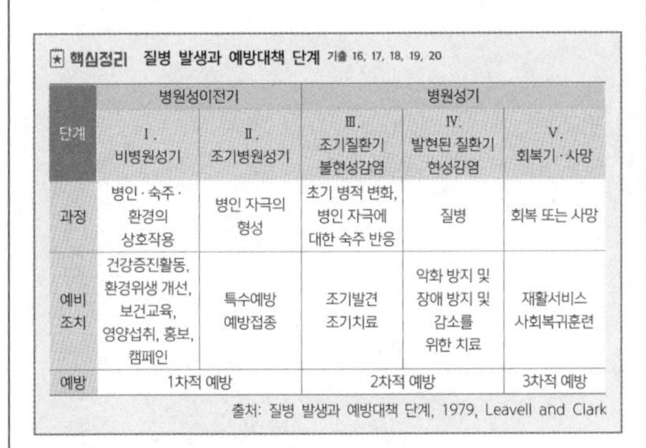

★ 핵심정리 질병 발생과 예방대책 단계 기출 16, 17, 18, 19, 20

단계	병원성이전기		병원성기		
	Ⅰ. 비병원성기	Ⅱ. 조기병원성기	Ⅲ. 조기질환기 불현성감염	Ⅳ. 발현된 질환기 현성감염	Ⅴ. 회복기·사망
과정	병인·숙주·환경의 상호작용	병인 자극의 형성	초기 병적 변화, 병인 자극에 대한 숙주 반응	질병	회복 또는 사망
예비 조치	건강증진활동, 환경위생 개선, 보건교육, 영양섭취, 홍보, 캠페인	특수예방 예방접종	조기발견 조기치료	악화 방지 및 장애 방지 및 감소를 위한 치료	재활서비스 사회복귀훈련
예방	1차적 예방		2차적 예방		3차적 예방

출처: 질병 발생과 예방대책 단계, 1979, Leavell and Clark

Plus⁺ POINT

질병(Disease)과 상병(Illness)의 개념

질병과 상병은 보통 같은 의미로 사용되고 있지만 분명한 차이가 있다.

1. 질병(Disease)
   ① 의미: 수명의 단축과 능력의 쇠퇴를 초래하는, 신체 기능이 변화하는 것이다.
   ② 정신적·신체적 기능 또는 구조에서 병리학적 변화를 의미하는 의학적 용어로, 특정한 증상과 원인을 갖는다.
   ③ 질병의 원인: 생물학적 요인(virus, bacteria, fungus, rickettsia, protozoa 등), 유전적 요인, 화학적 요인(중금속, 약물, 강한 산과 염기 등), 물리적 요인(극심한 온도, 방사선, 전기 등), 스트레스, 화학적 혹은 대사성 장애, 자극 혹은 손상에 대한 조직반응 등
   ④ 질병의 분류: 급성 질병, 만성 질병으로 나누어진다.

학습 내용 정리와 실력 향상을 위한 다양한 학습 장치

1. 핵심정리

시험에 자주 출제되는 개념을 '핵심정리'에 요약 및 정리하여 수록하였습니다. 이를 통해 공중보건의 중요한 이론을 한눈에 파악하고 학습한 이론을 확실하게 비교 및 정리할 수 있습니다.

2. Plus + POINT

본문 내용과 함께 더 알아두면 좋을 개념이나 이론을 'Plus+POINT'에 정리하여 수록하였습니다. 이를 통해 본문만으로 이해가 어려웠던 이론을 더 쉽게 보충하여 이해할 수 있고 심화된 내용까지 학습할 수 있습니다.

4 이론 이해를 돕는 다양한 자료 활용하기

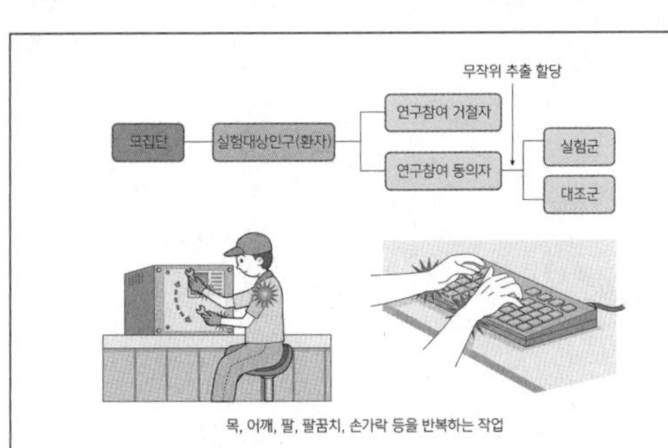

목, 어깨, 팔, 팔꿈치, 손가락 등을 반복하는 작업

전통의학과 공중보건학 비교 기출 18

구분	전통의학	공중보건학
목적	질병치료	질병예방, 수명연장, 신체적·정신적 건강과 능률의 향상
책임소재	각 개인	국가의 지역사회
연구소재	각 개인	지역사회, 국가, 인류
진단방법	임상의 진단	보건통계자료와 조사를 통한 집단
내용	질병치료	불건강의 원인이 되는 사회적 요인 제거, 집단건강 향상

효율적인 학습을 위한 풍부한 자료 수록

공중보건 과목을 처음 학습하는 수험생들도 쉽게 이해하고, 다양한 자료들을 활용하여 효과적으로 학습할 수 있도록 책을 구성하였습니다. 생소할 수 있는 공중보건 관련 이론들을 쉽게 이해할 수 있도록 체계도, 그림, 표 등 다양한 자료들을 관련 이론과 함께 수록하였습니다. 이를 통해 이론 학습의 완성도를 높이고 깊이 있게 학습할 수 있습니다.

제1편

공중보건학

제1장 공중보건

1 공중보건학의 개념 기출 11, 14, 15, 16, 17, 18, 19, 20

1. 공중보건학의 정의

(1) 윈슬로(C. E. A. Winslow, 미국 예일대 교수, 1920)

공중보건이란 조직화된 지역사회의 노력으로 환경위생 관리, 전염병 관리, 개인위생에 관한 보건교육, 질병의 조기발견과 예방적 치료를 할 수 있는 의료 및 간호사업의 체계화, 그리고 모든 사람이 자기의 건강을 유지하는 데 적합한 생활수준을 보장하도록 사회적 제도를 발전시킴으로써 질병을 예방하고 수명을 연장하며 건강을 유지 및 증진시키는 과학이자 기술이다.

(2) 미국한림의학원(Institute of Medicine, IOM, 1988) 기출 18(6급)

공중보건은 국민이 건강할 수 있는 여건을 보장하기 위한 사회의 집단적 노력이다.

(3) 디즈레일리(B. Disrali, 영국 수상, 1804 ~ 1881)

공중보건은 국민의 행복과 국력이 걸려 있는 기초적인 것이며, 공중보건을 보살핀다는 것은 정치가로서 제일 중요한 임무이다.

(4) WHO의 제25차 회의에서 제시한 공중보건의 정의

환경위생의 개선, 전염병의 예방, 개인위생의 원리에 기초를 둔 위생교육, 질병의 조기 진단과 예방적 치료를 위한 의료 및 간호 업무의 조직화, 지역사회의 모든 주민이 건강을 유지하기에 충분한 생활수준을 보장하는 사회기구의 발전을 겨냥하고 행하며, 지역사회의 노력을 통해서 질병을 예방하고, 생명을 연장하며, 건강과 인간적 능률의 증진을 꾀하는 과학이자 기술이다.

> **핵심정리 윈슬로(C. E. A. Winslow, 1920)가 제시한 공중보건학의 정의**
>
> 1. 공중보건학이란 조직적인 지역사회의 노력을 통하여 질병을 예방하고 수명을 연장시키며 신체적 · 정신적 효율을 증진시키는 기술이자 과학이다.
> 2. 조직적인 지역사회의 노력
>   환경위생 관리, 전염병 관리, 개인위생에 관한 보건교육, 의료 및 간호서비스의 조직화, 사회제도의 발전 등이 있다.
> 3. 조직화된 지역사회의 의미
>   ① 환경위생 관리
>   ② 전염병 관리
>   ③ 개인위생에 관한 보건교육
>   ④ 질병의 조기발견, 조기진단을 위한 의료 · 간호사업의 체계화
>   ⑤ 자신의 건강유지에 적합한 생활수준을 보장받도록 사회제도를 개선

2. 공중보건의 목표와 활동

(1) 공중보건의 직능을 추진하는 주체는 국가와 공공단체 및 조직화된 지역사회나 직장사회 등이다.

(2) 공중보건의 주요 목표는 질병을 예방하고 생활환경(공기 · 수도 · 주택 등)을 위생적으로 하여 수명을 연장하는 것 외에 정신적 · 신체적 능률 향상을 도모하는 데 있다.

(3) 공중보건의 활동을 추진하는 데는 과학과 기술이 중요하며 동시에 관계기관이 사회의 협력을 얻어 조직적으로 활동하는 것이 중요하다.

공중보건 실무의 목표
모든 사람이 건강할 수 있는 상태를 보장해 주는 것을 목표로 한다.

3. 공중보건의 실행방법

조직적인 지역사회의 공동노력으로 이루어지며, 공중보건의 최소단위는 지역사회이다.

4. 공중보건사업의 대상 기출 11, 15, 16, 17, 18

개인 및 가족이 아닌 지역사회 전체의 주민, 즉 지역사회 및 지역사회 주민(전 국민)이 대상이다.

5. 공중보건의 3대 핵심 원칙(WHO) – 참여, 형평, 협동 기출 14, 15, 17, 18, 19, 21

(1) 참여(Participation)

공중보건사업을 기획하고 실시할 때에 다양한 집단의 사람들을 참여시켜야 한다.

(2) 형평(평등, Equity)

영국의 블랙(Black) 보고서, 애치슨(Acheson) 보고서에서 밝혔듯이 사회 · 경제적 불평등을 극복하는, 즉 형평성을 제고하는 공중보건정책을 수립 · 시행하여야 한다.

(3) 협동(Collaboration)

공유된 프로젝트에 대하여 다른 사람들과 함께 일을 하고 파트너십을 구축하는 것이다. 가령 정부 간행물을 발간할 때 지방기관들은 해당 지역 주민의 의견을 물어볼 필요가 있고, 건강증진을 위해 다양한 단체와 협력하여야 한다.

6. 앤더슨(Anderson)의 공중보건수단(공중보건사업 수행의 3대 요소)

기출 12, 17, 19

(1) 보건서비스에 의한 봉사행정
(2) 법규에 의한 통제행정
(3) 교육에 의한 조장행정(= 보건교육, 가장 중요한 구성요소)

7. 애쉬턴과 시모어(Ashton & Seymour)의 공중보건 4단계

(1) 1차 단계(산업보건 대두 시기)

19세기 중반 산업화와 도시화로 인한 보건문제 대처가 대두되었다.

(2) 2차 단계(개인위생중점 시기)

1870년 이후 개인 중심의 개인위생과 예방접종이 중요시되었다.

(3) 3차 단계(치료의학 전성기)

신의의 개발로 감염성 질환이 급격히 감소하였다.

(4) 4차 단계(신공중보건 단계)

1970년 이후 개인보건문제에서 사회적 문제 해결을 위한 보건의료서비스가 제공되었다.

8. 공중보건사업의 내용

(1) 환경보건 분야

환경위생학, 위생곤충학, 환경학, 의복보건, 주택보건, 식품위생학, 보건공학, 산업보건학, 환경오염 관리 등이 있다.

(2) 보건관리 분야

보건행정, 보건교육, 학교보건, 국민영양, 모자보건, 간호학, 인구보건, 정신보건, 보건법규, 보건통계, 성인병 관리, 정신병 관리 등이 있다.

(3) 질병관리 분야

역학, 전염병 관리, 보건기생충 관리, 성인병 관리 등이 있다.

9. 공중보건과 유사한 용어

(1) 사회의학

사회적 환경요인에 의한 인간집단의 건강을 추구하는 학문이다.

(2) 예방의학

개인을 대상으로 질병예방에 역점을 두는 학문이다.

(3) 건설의학

현재의 건강상태를 최고도로 증진하는 데 역점을 두는 적극적인 건강관리방법을 연구하는 학문 이외에도 기타 위생학, 지역사회의학, 사회의학, 포괄보건의학 등이 있다.

2 의학의 분류

1. 치료의학(Therapeutic medicine)

개체의 질병, 손상 및 기형 등을 치료하여 주는 소극적 의학이다.

2. 예방의학(Preventive medicine)

공중보건학과 목적은 동일하나 개인을 대상으로 건강의 위해요인을 사전에 예방하는 학문이다. 건강 및 건강과 관련된 인자(위험요인 등)의 분포를 조사하고 그 관련성을 연구하여 건강을 증진하는 것을 목표로 하는 의학의 한 분야이다.

3. 재활의학(Physical medicine and rehabilitation)

일단 발생한 건강장해요인을 최소한으로 줄이고, 후유증을 극소화하며, 남아 있는 기능에 대한 활용방안을 강구하는 사후적 의학이다.

4. 건설의학(Constructive medicine) 기출 18

최고 수준의 건강을 목표로 심신을 육성하는 건강증진 이념을 포함한 적극적 의학이다.

5. 사회의학(Department of Social and Preventive medicine)

사회적 환경요인에 의한 인간집단의 건강을 추구하는 의학으로 공중위생, 농촌학, 예방의학, 사회의료운동 등에 대한 관심이다. 질병 발생 원인의 규명과 예방, 국민건강의 보호 및 증진을 위하여 연구, 보건정책 및 사업의 개발 등 광범위한 분야를 연구하는 학문이다.

6. 지역사회의학(Community medicine) 기출 12

건강은 지역사회의 책임이라는 기본적인 철학하에 지역사회를 기반으로 예학 및 생태학적 방법으로 접근하는 포괄적 의학이다.

치료의학과 지역사회의학 비교

구분	치료의학	지역사회의학
목표	개인의 건강 회복	지역사회 주민의 건강과 복지 증진
대상	개인	인구집단
관심	환자	환자를 포함한 지역사회 전 주민
관계	의사 - 환자	보건의료종사자 - 지역사회 주민
증상	두통, 발열, 설사 등의 개별증상	유병률, 사망률 등 지역보건지표
진단	개인 질병 발견	지역보건문제 발견
치료	질병의 치료와 상담 및 보건교육	보건사업과 보건교육
의료의 범위	진단과 치료 위주	접근도, 지속성, 효율성을 포함한 전 범위
효율과 효과	효과에 관심	효율에 관심
팀 개념	없음	있음
지역사회의 참여	지역사회의 자발적인 참여 없음	지역사회의 자발적인 참여 필요

3 전통의학과 공중보건학

1. 전통의학(치료의학, 임상의학)

(1) 연구대상

건강에 대한 책임을 각 개인에게 두고, 각 개인을 연구대상으로 한다.

(2) 목적

의료인이 병원에서 의료기술을 사용하여 아픈 환자를 치료하는 것이 전통의학의 목적이다.

(3) 진단방법

환자가 병원을 찾으면 체열을 재고, 대·소변 및 혈액검사 등 임상적 진단으로 질병의 원인을 찾는다.

2. 공중보건학

(1) 연구대상

건강에 대한 책임을 개인이 아닌 지역사회에 두고, 지역사회 주민을 연구대상으로 한다.

공중보건사업의 목적

건강에 관한 대중의 이익을 위하여 조직화된 지역사회의 공동노력을 활성화함에 있어 과학적·기술적인 지식을 적용하여 질병을 예방하고 건강증진을 도모하는 데 있다(IOM, Institute of Medicine, 1988).

(2) 목적

공중보건학의 목적은 조직적인 지역사회의 공동노력을 통한 질병 예방, 수명연장, 신체적·정신적 건강과 능률의 향상이다.

(3) 진단방법

지역사회의 조사망률, 영아사망률, 질병이환율 등의 보건통계자료와 의료수혜도 등의 조사를 통한 진단이 있다.

전통의학과 공중보건학 비교 기출 18

구분	전통의학	공중보건학
목적	질병치료	질병예방, 수명연장, 신체적·정신적 건강과 능률의 향상
책임소재	각 개인	국가의 지역사회
연구소재	각 개인	지역사회, 국가, 인류
진단방법	임상의 진단	보건통계자료와 조사를 통한 집단
내용	질병치료	불건강의 원인이 되는 사회적 요인 제거, 집단건강 향상

임상의학과 예방의학과 공중보건학의 특성 비교

구분	임상의학(치료의학)	예방의학	공중보건학
대상	환자 개인	건강한 사람에게 회복에 있는 사람까지 포함한 개인, 가족 또는 인구집단	인구집단
목적	수명연장		
목표	환자의 건강 회복, 고통 경감 및 장애 방지 및 재활	건강보호와 건강증진, 질병예방	
서비스 제공 전문인력	임상의사	예방의학자, 예방의학전문의, 임상의사	예방의학자, 예방의학전문의, 임상의사, 공중보건학 전문가, 보건학 관련 전문가 등이 포함된 지역사회 조직
시술 장소	의료기관	의료기관, 직장, 가정	지역사회
바탕학문	기초 및 임상의학	치료의학의 바탕학문, 통계학, 역학, 보건행정 및 관리	예방의학의 바탕학문, 인문학, 사회과학, 자연과학
진단도구 및 목표	면담, 신체검사, 영상의학, 진단검사의학, 초음파 등을 이용한 각종 검사로 병의 원인과 병든 장기·조직 발견	역학적 연구방법과 통계학을 이용한 질병의 원인인자 및 위험요인 규명	역학적 연구방법과 통계학을 이용한 지역사회 진단을 통해 인구의 건강수준 평가, 의료수요·요구도·이용양상 파악, 지역사회 특성과 자원 파악
처방	투약, 수술, 재활, 상담, 보건교육	1차, 2차, 3차 예방의료서비스	법, 조례, 규제, 의료체계관리, 보건사업, 식품 및 환경위생관리

3. 신공중보건사업(New Public Health)

(1) 신공중보건의 특징

① 감염병 시대에서 만성 퇴행성 질환으로 바뀌면서 공중보건 시대에서 신공중보건 시대로 진화하였다.

② 특정 보건문제를 위한 세분화된 지역사회보건사업으로 변화하고 발전하였다.

③ 신공중보건은 "위생적, 환경적, 건강증진적, 개인적 및 지역사회 중심의 예방서비스 간의 균형에 기반을 두고 치료, 재활, 장기요양서비스와의 조화를 통해 개인 및 사회의 건강상태를 보호하고 증진하려는 포괄적인 노력"으로 정의(임국환 외, 2014)한다.

1986 캐나다 Ottawa 총회 건강증진사업 권고안(오타와헌장)

건강 공공정책 확립, 건강지향적 환경 조성, 지역사회활동 강화, 기술 개발, 서비스 재정비 및 방향 조정

신공중보건사업의 주요 핵심요소

1. 보건의료서비스제공
2. 라이프스타일
3. 행동요인
4. 환경공해
5. 생체적 요인

(2) 신공중보건사업의 영역별 내용

① **생활습관 개선**: 영양개선, 운동, 휴식 및 정신안정, 금연, 절주

② **건강지원환경 조성**: 식품안전, 산업장안전, 학교안전, 주거안전, 지역사회안전, 지역사회 건강생활환경 조성

③ **질병예방**: 만성질병 예방, 장애 예방, 구강질환 예방, 전염병 예방과 통제, 여행관련 질병 통제 및 예방, 조기검진

(3) 공중보건과 신공중보건의 차이

공중보건	신공중보건
물리적 환경개선에 초점(적절한 주택공급, 깨끗한 식수, 위생 등)	물리적 환경 개선 외 사회적 지원, 행태, 생활습관에도 초점을 맞춤
의료분야의 전문가 중심	• 여러 분야에 걸친 활동에 대한 중요성 인식 • 의료분야는 기여하는 여러 전문분야 중 하나
19세기 공중보건은 생활조건개선을 위한 일련의 사회운동 중 하나로서 주로 전문가가 주도	지역사회의 참여를 강력히 강조
역학적 조사 방법	다양한 방법론 도입
질병예방에 중점	• 질병예방 외 건강증진에도 중점 • 건강에 대한 긍정적(명문적) 정의
주된 관심사는 건강에 위협을 주는 전염병의 예방	• 건강에 대한 모든 위협에 관심을 가짐(만성질환과 정신 건강을 포함) • 그 밖에 물리적 환경의 지속성과 생활력에도 관심 증대

출처: Baum. F(1988), The new public health: an Australian perspective

(4) 신공중보건사업의 주요 핵심 요소

① 보건의료서비스 제공

② 생활습관

③ 행동요인

④ 환경공해

⑤ 생체적 요인

(5) 국내 · 외의 신공중보건사업

① **미국**: 'Health People 2010', 'Health People 2020'이 있다.

② **일본**: 1988년 '건강가꾸기사업', 최근 '건강일본 21'을 추진하였다.

③ **우리나라**

㉠ 1995년 건강증진법을 제정하였고, 건강증진기금을 조성하였다. 1998년부터 건강증진사업을 전개하였다(신공중보건사업에 못 미침).

㉡ Health Plan(2011 ~ 2020, 2020)이 있다.

4. 공중보건의 필수 기능

(1) 공중보건서비스의 정의

공중보건의 중심적 목적인 인구의 건강 향상을 성취하기 위하여 수행되어야 할 행동을 가리킨다. 이것은 기능을 범주화한 것으로 세계 여러 나라의 공중보건의 실적과 투자소요의 평가 등에 도움을 준다.

(2) 공중보건의 기능(범미보건기구, Pan American Health Organization)

① 건강증진
② 사회적인 참여와 역량 강화
③ 공중보건규칙 제정과 준수
④ 공중보건인력 개발 및 교육
⑤ 건강상태에 대한 모니터링과 분석
⑥ 보건의료서비스의 균등한 분배와 개선을 위한 평가
⑦ 개인과 인구집단의 보건의료서비스에 대한 질 관리
⑧ 공중보건의 위험요소와 위해요소에 대한 감독 및 연구
⑨ 응급 및 재난 상황에서 피해를 최소화하기 위한 대책 개발
⑩ 혁신적인 보건의료문제 해결방안에 대한 연구, 개발 및 중재
⑪ 공중보건 분야 간의 협력과 국가적 차원의 보건정책 기획, 계획, 관리능력 개발

공중보건의 필수 서비스

1. **인구집단에 대한 사정**
   인구집단의 특성, 건강 수준, 환경 상태, 건강에 위협을 주는 요인 등에 대한 체계적 정보를 수집한다.
2. **정책 개발**
   지역사회의 상태가 건강에 미치는 영향에 대한 정보를 제공하고, 인적 자원의 역량을 강화시킨다.
3. **질 보장**
   지역사회보건과 안전 보장에 대한 법과 규칙이 잘 수행되고 있는지 감시하는 활동을 수행한다.

5. 제프리 로즈(Geoffrey Arthur Rose)의 예방의학전략 기출 21

(1) 고위험 예방전략

① **정의**: 선별검사를 통해 고위험 개인들을 가려내고 이들에게 예방서비스를 제공하는 접근이다.
② **특징**: 질병 발생가능성이 가장 높은 이들에게 노력을 집중하고, 기존 보건의료체계의 틀을 활용한다.
③ **장점**: 치료에 초점을 두는 기본의 의학적 기풍과 조직에 잘 부합하며, 비용에 있어서 효과적으로 자원을 활용할 수 있다.
④ **단점**: 예방의 의료화, 사회와 동떨어진 개인의 행동 변화는 지속되기 어려우며, 타당하고 저렴한 선별검사와 관리 수단이 불충분하다는 문제가 존재한다. 개인별 위험을 예측하는 능력은 여전히 제한적이며, 고위험군이 상대적으로 소수이기 때문에 인구집단 차원의 예방효과는 미미하다.

(2) 인구집단 예방전략

① **정의**: 인구집단의 위험 분포 전체를 이동시키는 접근이다.
② **특징**: 현실에서는 관리를 위해 질병과 건강상태를 임의로 구분하지만 실제로 질병 위험은 연속성을 가지며, 인구집단 내 대부분 환자는 상대적으로 위험은 낮지만 유병률은 높은 집단에서 발생한다는 관찰로부터의 출발이다.
③ **장점**: 질병의 근본적 결정요인에 개입하며, 인구집단 전체에 미치는 영향이 크고, 개인 건강행동의 맥락을 고려하는 타당한 접근이다.

④ **단점**: 선별검사처럼 임상의사와 개인들에게 익숙한 방법이 아니며, 질병의 근본적 결정요인에 대한 사회적 · 정치적 관심이 높지 않고 인구집단 전체를 대상으로 할 때 의도하지 않은 안전문제가 발생할 수 있다.

(3) 고위험 예방전략과 인구집단 예방전략이 서로 배타적이지 않으며, 예방의학은 두 가지 접근전략의 장 · 단점을 충분히 이해하고 받아들여야 하고, 그 과정에서 과학적 근거, 민주적 의사결정, 선택의 자유보장과 정부의 책무성이 중요하게 고려되어야 한다. 제프리 로즈(G. Rose)는 질병의 일차적 결정요인이 주로 경제적 · 사회적이라는 점에서 예방의학은 인구집단 예방전략에 좀 더 힘을 실을 필요가 있다는 점을 강조한다.

6. 프리든(Frieden)의 건강영향 피라미드 기출 21

(1) 특징

① 제프리 로즈(Geoffrey Arthur Rose)의 예방의학 접근전략은 프리든(Frieden)이 제시한 건강피라미드를 통해 구체화되었다.
② 건강영향 피라미드는 모두 5단계로 이루어져 있는 피라미드 형태로, 아래쪽으로 갈수록 인구집단에 미치는 영향이 크고, 위쪽으로 갈수록 개인의 노력이 더 요구된다.
③ 가장 아래쪽이 1단계, 가장 위쪽이 5단계이다.
④ 프리든(Frieden)의 건강영향 피라미드 5단계는 국민의 건강을 향상시키기 위해 개별적인 접근보다는 인구집단을 대상으로 한 정책적인 접근이 더 효율적이라는 것을 잘 보여주며, 예방의학과 공중보건학의 중요성을 강조한다.

(2) 건강영향 피라미드의 5단계 기출 21

단계	내용
1단계 사회경제적 요인	① 국가 또는 지역사회 차원의 사회경제적 요인으로서 국민의 전반적인 건강 수준에 미치는 영향이 가장 큼 ② 세계보건기구에서 건강의 결정요인으로서 사회경제적 요인을 가장 중요시하는 것과 같은 개념
2단계 건강한 선택을 할 수 있는 환경 조성	① 개인의 의사나 결정과 상관 없이 건강한 선택을 할 수 있는 환경을 조성하는 것 ② 금연을 유도하기 위해 담뱃값을 인상 ③ 금연구역을 확대 ④ 심혈관 질환을 예방하기 위해 판매식품의 나트륨 함량을 법적으로 규제하는 것
3단계 장기간 지속되는 예방대책	① 장기간 지속가능한 예방대책을 실시하는 것 ② 예방접종, 대장내시경 검사를 통한 용종(폴립, polyp) 제거 ③ 금연치료 등
4단계 임상적 개입	임상적인 치료, 관리로서 고혈압, 고지혈증, 당뇨병 치료 등
5단계 상담 및 교육	① 개인이나 인구집단을 대상으로 하며, 생활습관을 바꾸기 위한 교육이나 상담이 이 단계에 해당함 ② 교육이나 상담을 받은 사람이 실제 행동으로 옮겨야 효과를 볼 수 있으므로 개인의 노력이 절대적으로 요구됨

7. 보건활동 관점 서비스 유형 기출 21

(1) 1차 보건의료

① 지역사회에서 발생하는 기본적인 보건활동을 시행하는 전통적인 보건활동이다.

② 모자보건사업, 풍토병관리사업, 예방접종사업, 영양개선활동사업, 식수위생사업 등이 있다.

(2) 2차 보건의료

전문 활동이 요구되고, 급성 질환의 관리와 병원에서의 입원치료를 요하는 환자 관리사업으로 전문적인 인력과 입원시설, 장비 등이 있다.

(3) 3차 보건의료

① 환자 재활과 노인성 질환의 관리 등을 주로 담당한다.

② 3차 의료서비스는 재활을 요하는 환자 및 노인의 장기요양이나 만성 질환자 관리사업 등이 중심이 되며 특히 노인성 질환 관리가 중요하다.

③ 특성 의료영역에 대해서 보다 전문적인 팀으로 구성되며 특수한 장비와 시설을 제공할 수 있는 환경이 필요하다.

포괄적 보건의료

1. 예방의학과 치료의학의 통합
2. 1차 의학(예방), 2차 의학(치료)
3. 3차 의학(재활), 건강증진

8. 마이어(Myers)의 의료 질의 구성요소(1978)

구성요소	내용
접근용이성 (Accessibility)	① 환자가 보건의료를 필요로 할 때 쉽게 서비스를 이용할 수 있어야 함 ② **지리적 접근성**: 거주하는 지역 내 위치 ③ **경제적 접근성**: 보건의료서비스 가격(우리나라는 건강보험제도) ④ **시간적 접근성**: 바쁜 현대인
질 (Quality)	① 보건의료의 질은 우선 전문적인 능력이 문제 ② 연구를 통해 의료진들이 능력을 개발 ③ 우리나라의 경우, 의료기관에서 '적정성 평가'를 실시 ④ 전문적 자격, 개인적 수용성, 질적 적합성 ⇨ 양질의 의료 제공
지속성 (Continuity)	① 보건의료서비스의 제공이 예방, 진단 및 치료, 재활에 이르기까지 포괄적으로 이루어지는 것 ② 개인적인 차원에서는 전인적인 의료가 지속적으로 이루어지는 것 ③ 지역사회수준에서는 의료기관들이 유기적인 관계를 가지고 협동하여 보건의료서비스 기능을 수행하는 것을 의미함 ④ 개인 중심의 진료, 중점적 의료 제공, 서비스 조정 ⇨ 의료의 지속성
효율성 (Efficiency)	① 효율성은 경제적인 합리성이라고도 하며 한정된 자원을 얼마나 효율적으로 활용할 수 있는지를 의미함 ② 평등한 재정, 적정한 보상, 효율적 관리 ⇨ 효율성 관리

9. 의료의 질 평가

(1) 구조적 접근(조건에 대한 평가) 기출 22

① 구조 평가는 투입되는 자원의 적절성을 평가하는 것이다.

② 의료서비스를 제공하는 물리적 환경이나 자원과 같은 조건적 상황에 대한 평가로서 물리적 시설, 인력배치, 감독방법 등을 파악하여 평가하는 것이다.

③ **대표적인 예**: 시설, 장비 등의 설치요건 설정 평가, 병원표준화사업을 통한 평가, 수련병원의 지정기준 평가, 면허제도와 인증제도, 의료기관 인증제도, 신임제도, 면허제도, 자격증인 회원증제도 등

(2) 과정적 접근(수행자체 평가)

① 의료 제공자와 환자 간 내부에서 일어나는 과정과 행위를 평가하는 것이다.

② 의료인과 대상자의 상호작용 속에서 이루어지는 활동의 중심으로 평가하는 것이다.

③ **대표적인 예**: 동료의사에 의한 검토, 진료비 청구심사, 임상진료지침 개발과 보급, 내부 및 외부평가, 의료이용도 조사, 보수교육, 동료평가, 의료감사 등

(3) 결과적 접근(수행결과 평가)

① 보건의료서비스를 받은 결과로서 나타나는 환자의 변화에 대한 결과를 평가하는 것이다.

② **대표적인 예**: 사망률, 고객만족도, 의료서비스 평가, 진료결과평가(불편감정도, 문제해결, 증상조절, 이환율, 사망률, 합병증 등)

10. 1차 보건의료(Primary health care) 기출 22

(1) 개념

① **철학**: WHO는 1978년 구소련의 알마아타선언을 통해 1차 보건의료를 강조하였다. 사람의 기본적 권리인 건강의 불평등을 해소하여 의료, 예방활동, 건강증진활동의 적극적인 전개를 도모한다.

㉠ **건강권**: 2000년까지 지구상의 모든 사람의 건강권을 보장해야 한다("Health for all by the year 2000").

㉡ **평등권**: 모든 국가는 건강을 인간의 기본권으로 규정하고 국가 간, 계층 간에 존재하는 건강수준에 있어서의 불평등을 해소하기 위하여 1차 보건의료를 채택하여 노력해야 한다.

② **의미**: 공공보건사업의 일환으로 사회적 수용가능한 방법을 통해 지역주민들의 적극적 참여로 지불능력에 맞게 지역사회 내에서 수행하는 것이다.

③ **범위**: 지역사회에서 발생하는 기본적인 보건활동을 시행하는 전통적인 보건활동으로 모자보건사업, 풍토병관리사업, 예방접종사업, 영양개선활동사업, 식수위생사업, 일반적인 질병 치료사업 등

④ **접근법(4A)**: Accessible(접근성), Acceptable(수용가능성), Available(주민참여), Affordable(지불부담능력)

(2) 사업내용(WHO가 제시한 필수요소, 1978) 기출 24

① 지역사회가 가지고 있는 건강문제와 이를 규명하고 관리하는 방법을 교육
② 식량 공급의 촉진과 적절한 영양의 증진
③ 안전한 식수의 공급과 기본 환경위생
④ 가족계획을 포함한 모자보건
⑤ 주요 감염병에 대한 예방접종
⑥ 지방병의 예방과 관리
⑦ 통상 질환과 상해에 대한 적절한 치료
⑧ 필수 의약품의 공급
⑨ 정신보건 증진

11. 지역사회 통합건강증진사업

(1) 사업의 특징

① 통합건강증진사업은 중앙정부가 전국을 대상으로 획일적으로 실시하는 국가 주도형 사업방식에서 탈피하여, 지방자치단체가 지역사회 주민을 대상으로 실시하는 건강생활 실천 및 만성질환 예방, 취약계층 건강관리를 목적으로 하는 사업을 통합하여 지역 특성 및 주민 수요에 맞게 기획·추진하는 사업이다.
② 지방자치단체가 지역사회 주민을 대상으로 실시하는 건강생활 실천 및 만성질환 예방, 취약계층 건강관리를 목적으로 지역사회 특성과 주민의 요구가 반영된 프로그램 및 서비스 등을 기획·추진하는 사업이다.
③ 사업영역은 금연, 음주폐해 예방(절주), 신체활동, 영양, 비만 예방관리, 구강보건, 심뇌혈관 질환 예방관리, 한의약건강증진, 아토피·천식 예방관리, 여성·어린이특화, 치매 관리, 지역사회 중심 재활, 방문 건강관리로 구성되어 있다.
④ 사업영역 간 경계를 없애고, 주민 중심으로 사업을 통합·협력하여 수행할 것을 권장한다.

(2) 기존 국고보조사업과 지역사회 통합건강증진사업의 비교

기존 국고보조사업	지역사회 통합건강증진사업
사업내용 및 방법 지정 지침	사업범위 및 원칙 중심 지침
중앙집중식·하향식	지방분권식·상향식
지역여건에 무방한 사업	지역여건과 연계된 사업
산출 중심의 사업 평가	과정·성과 중심의 평가
분절적 사업수행으로 비효율	보건소 내외 사업 통합·연계 활성화

제2장 공중보건의 역사적 발달과정

1 공중보건의 발전사 기출 11, 12, 13, 14, 15, 16, 17, 18, 19, 21

고대기 ⇨ 중세기(암흑기) ⇨ 근세기(여명기, 르네상스시대, 요람기, 태동기) ⇨ 근대기(확립기, 미생물 병인론기) ⇨ 현대기(발전기, 탈미생물기)

고대기	중세기 (암흑기)	근세기 (여명기, 요람기)	근대기 (확립기)	현대기 (발전기)
• 장기설 • 위생중심	• 전염병 유행 • 검역의 시작	• 산업혁명 • 공중보건사 사상 시작	• 세균학설 시대 • 보건의료 확립기 • 미생물 병인론기	• 보건의료 발전기 • 탈미생물학 시대 • 사회보장제도 발전
기원전 ~ 500년	500 ~ 1500년	1500 ~ 1850년	1850 ~ 1900년	1900년 이후

1. 고대기(기원전 ~ 500년) - 위생 중심

고대기의 개인위생이나 공중위생에 관한 기록은 잘 알려져 있지 않으나, 인류의 역사와 더불어 공중보건의 역사는 시작되었다고 할 수 있다.

(1) 메소포타미아

① **바빌로니아 함무라비 법전(B.C. 1750)**: 공중보건을 담은 최초의 법전으로, 의료제도와 의사의 지위 등에 관한 기록이 있다.

② **구약성서 레위기(B.C. 1500년경)**: 모세가 언급한 위생법전, 인류 최초의 보건법전이다.

Plus⁺ POINT

레위기(Leviticus)

레위기는 27장 중 18장이 보건에 관한 계율이다. 여기에는 유대인이 지켜야 할 계율로서 악성 피부병과 한센병 환자의 조기진단방법 및 격리를 통한 감염병 예방, 산모의 부정을 벗기는 의식, 청결한 개인위생과 성병 예방을 위한 그릇된 성관계 금지규정 등을 구체적인 치유절차와 함께 기록하고 있어 인류 최초의 보건법전이라 할 수 있다.

(2) 이집트

① 기원전 약 3000 ~ 1500년의 미노아인들이나 크레타인들은 변소나 배수시설을 갖추고 있었다. 헤로도토스의 기록에 의하면 기원전 1000년의 이집트인들은 모든 문명국가 중 가장 건강하였다고 서술되어 있다.
② 이집트인들은 개인의 청결 관념과 많은 약물 처방, 변소시설을 갖추고 있었다.
③ 청결 관념에 따라 빗물을 모아 급수와 하수처리를 하였다.
④ Papyri 42권은 가장 오래된 의학 사전이다.

(3) 그리스

① 히포크라테스(Hippocrates, B.C. 460 ~ 377)
② Epidemic 용어를 사용하였다.
③ **아테네 역병**: 천연두, 선페스트, 장티푸스, 홍역, 탄저, 발진티푸스 등

Plus⁺ POINT

히포크라테스(Hippocrates, B.C. 460 ~ 377) 기출 16, 18, 19, 20

의학의 아버지로서 장기설(Miasma Theory), 4체액설(체액병리설) 등을 주장하였다.
1. 환경요인(공기, 물, 장소 등)과 질병의 관련성을 최초로 제기하였다.
2. 풍토병과 유행병에 관한 이론적 근거를 제공하였다.
3. **장기설**
   "질병의 원인은 환경이며, 병을 낫게 하는 것은 자연이다."라고 하여 환경과 질병의 관련성이 강조되었고, 이로부터 장기설이 등장하였다.
4. **4체액설(체액병리설)**
   4체액(혈액, 점액, 황담즙, 흑담즙)의 조화로운 혼합은 건강상태이며 체액의 실조(失調, 조화를 잃음)로서 병이 된다. 즉, 치료란 인간생명이 가지고 있는 본래의 회복능력 작용을 강화하는 데 있다. 그래서 의미 없는 투약을 피하고 생활습관의 개선, 특히 식이요법에 주력했고 보조적으로 하제, 토제, 이뇨제 등을 쓰기도 하였다.

히포크라테스(Hippocrates)
9급보다 6 ~ 7급에서 더 자주 출제된다.

(4) 로마

① 갈레누스(Galenus, A.D. 129 ~ 200) 기출 19
② 히포크라테스의 장기설을 계승하여 발전시켰다.
③ 로마의 보건문제 중 광산 작업장 질병문제, 광부의 직업상 위험에 대하여 기술하였다.
④ '위생학(Hygiene)'이라는 용어를 처음으로 사용하였다.
⑤ 로마 시대의 3대 전염병에는 천연두, 페스트, 발진티푸스가 있다.
⑥ 인구조사, 의료기관 설립, 노예 등록 등이 시행되었다.

갈레누스(Galenus)
히포크라테스의 뒤를 이은 중요한 의사이며, 해부학, 생리학, 병리학에 걸친 방대한 의학체계를 만들었다.

2. 중세기(500 ~ 1500) - 암흑기, 전염병 유행 기출 19, 21

천연두, 페스트, 결핵, 나병 등 전염병이 범발적으로 유행(Pandemic Transmission)한 시기이다.

(1) 6 ~ 7세기경에는 회교도 성지순례로 인해 콜레라가 대유행하였다.

(2) 13세기경에는 십자군운동으로 인해 한센병이 발생하였다.

(3) 14세기경에는 칭기즈칸의 유럽 정벌로 인해 페스트가 발생하였다.

(4) 십자군 원정(13세기) ⇨ 나병, 콜레라, 칭기즈칸의 유럽 정벌(14세기) ⇨ (선) 페스트

① 페스트로 전 유럽인구의 1/4인 2,500만 명이 사망하였다.

② (선)페스트 유행(1347 ~ 1377) 시에 페스트 유행지에서 돌아오는 사람은 항구 밖의 일정한 장소에서 40일간 격리하여 검역하였다. 모든 여행자와 선박에 대해 40일간 격리한다고 해서 검역을 Quarantine이라고 한다.

③ 1383년 프랑스 마르세유(Marseilles)에서는 최초로 검역소를 설치하고, 검역법을 제정하였다.

(5) 15 ~ 16세기경에는 매독과 결핵이 유행하였다.

3. 근세기[1500(또는 1473) ~ 1850], 여명기, 요람기, 태동기, 르네상스시대 (산업혁명, 공중보건사상 시작)

(1) 특징 기출 17

① 산업혁명(1780 ~ 1830)으로 콜레라와 폐결핵이 만연하였다.

② 공중보건학이 체계를 갖춘 시기이다.

③ 개인위생이 공중위생으로 바뀌게 되는 시기로 위생개혁운동이 전개되었다.

④ 산업혁명으로 공중보건의 사상이 싹튼 시기이다.

⑤ 국민의 복지를 국가적 관심사로 받아들이게 된 시기이다.

(2) 주요 학자 및 연구

① **한스 얀센(Hans Janssen, 1585 ~ 1632)**: 현미경을 발명하였다.

② **윌리엄 페티(William Petty, 1623 ~ 1687)**: 영국의 경제학자로, 인구 · 사망 · 질병 등 통계화에 기여하였다.

③ **존 그란트(John Graunt, 1620 ~ 1674)** 기출 17, 18, 19, 21

㉠ 영국의 통계학자로, 출생과 사망인구의 수량적 분석을 시작한 보건통계학의 시조(1662)이다.

㉡ 1662년 윌리엄 페티와 『사망표에 관한 자연적 내지 정치적 제관찰』을 공저하였다.

④ **시덴함(Thomas Sydenham, 1624 ~ 1689)** 기출 17

㉠ Miasma Theory: 오염된 공기가 질병의 원인이라고 주장을 하였다.

㉡ 영국의 의사, 임싱의학자로 철지한 임상 관찰과 경험, 자연치유를 중시하였다.

㉢ 의료에 아편을 도입하였으며, 말라리아 치료 시에 키니네 사용을 대중화하였다.

여명기 주요 학자

1. 레벤후크(A. Leeuwenhoek, 1632 ~ 1723)
   무역업자이자 과학, 미생물학의 아버지이다. 현미경의 발달과 미생물학의 정립에 큰 공헌을 하였다.
2. 제임스 린드(J. Lind, 1716 ~ 1794)
   비타민의 개척자로 괴혈병의 원인과 예방대책을 발견하였다(식사 환경이 비교적 양호한 고급 선원 중의 감염자가 적은 것에 주목하고 신선한 야채와 과일, 특히 감귤과 레몬을 채택해서 이 질병을 예방할 수 있다는 것을 발견). 영국 해군보건위생학의 아버지이다.
3. 다니엘 베르누이(Daniel Bernoulli, 1700 ~ 1782)
   수학자이며, 의학, 생리학, 역학, 물리학, 천문학, 해양학 등도 연구하였다. 1766년 베르누이가 접종효과를 입증하기 위해 천연두 발생률과 사망률 자료를 분석하였다.
4. 윌리엄 파르(William Farr 1807 ~ 1883)
   인구동태등록제를 확립하였다.
5. 쉐턱(Lemuel Shattuck, 1783 ~ 1859)
   메사추세츠주의 위생업무보고서를 제출하였고, 미국의 위생개혁운동을 주도하였다.
6. 이그나즈 젬멜바이스(Ignaz Philipp Semmelweis, 1818 ~ 1865)
   손 씻기의 선구자이며, 산부인과 의사이다. 산욕열 감소에 기여하였으며, 국제연합은 10월 15일을 세계 손씻기 날로 지정하였다.

⑤ **라마찌니(B. Ramazzini, 이탈리아, 1663 ~ 1714) – 산업보건의 아버지(시조)** 기출 16, 17, 18, 19, 20: 직업병 연구와 노동자 보호의 선구자이다. 광부, 인쇄공, 도자기공, 조산원, 필경사(筆耕士, 법률사무원), 장의사, 군인 등 약 54종 이상의 직종에서 일하는 사람들의 질병에 관한 기록인 『일하는 사람들의 질병(De Morbis Artificum Diatriba)』이라는 산업보건학의 고전을 1700년에 출간하였다. 이 저서의 서두에는 "노동자들의 건강을 지키고 사회복지를 기하는 것이 의학자의 의무이다."라고 기술하여 임상의학적 접근법에 의한 공중보건학의 선구적인 저작으로 평가받는다.

⑥ **베살리우스(Versalius, 1514 ~ 1564)**: 근대 해부학의 창시자이다.

⑦ **프랭크(J. P. Frank, 독일, 1745 ~ 1821)**: 보건학 최초의 저서인 『의사경찰체계(전 12권)』를 집필하였으며, 독일의 위생행정을 확립하였다.

⑧ **스웨덴**: 최초로 국세를 조사하였다(1749)(동태조사, 1686).

⑨ **제너(Jenner, 1749 ~ 1823)**: 우두 종두법을 개발하였다(1798). 기출 21

⑩ **체드위크(Edwin Chadwick, 1800 ~ 1890)** 기출 16, 17, 19, 20: 위생개혁운동의 선구자이다. Fever Report에 이어 영국노동자의 질병상태보고서(1842)를 정부에 보고하였고, 이 두 보고서로 인하여 영국에서는 최초의 공중보건법이 제정되는 계기가 되었다.

⑪ **세계 최초의 공중보건법 제정(영국, 1848)**: 최초로 공중보건국을 조직하였다.

⑫ **윌리엄 하비(William Harvey, 영국, 1578 ~ 1657)**
 ㉠ 영국의 의학자 · 생리학자로, 인체의 구조 · 기능을 연구하였다.
 ㉡ 특히 심장 · 혈관의 생리에 대해 연구하여 심장의 박동을 원동력으로 한 혈액 순환을 주장하였다.

⑬ **피넬(Philippe Pinel, 프랑스, 1745 ~ 1826)**: 근대 정신의학의 창시자로, 정신병자의 처우 개선 및 관찰에 의거한 질병 분류에 노력을 쏟았다.

피넬
정신의학자의 '1차 혁명'으로, 정신병원 수용자를 해방시켰다.

⑭ **프라카스토로(Fracastoro, 이탈리아, 1478 ~ 1553)**: 전염의 형식은 접촉에 의한 것이며, 접촉 · 매개는 일정한 거리를 두고 전염된다는 제미나리아설을 주장하였다.

4. 근대기(1850 ~ 1900), 보건의료 확립기, 세균학설 시대, 미생물 병인론기

기출 12, 17, 19, 21

(1) 특징

① 세균학과 면역학 발달로 근대 예방의학 발전의 기초를 마련하였다.
② 예방의학, 위생학교실, 역학조사, 세균학 및 면역학이 대두하였다.
③ 공중보건학의 기초를 확립하였다.
④ 예방의학적 개념 확립, 미생물학의 시대, 방문간호사업이 시작되었다.
⑤ 예방백신이 개발되어 인구가 폭발적으로 증가하였다.

(2) 주요 학자

① **존 스노우(John Snow)**: 콜레라 조사를 발표하였고(1855), 감염설 입증으로 근대역학의 시조로 불린다. 기출 16, 17, 18, 19, 20, 21, 22

② **라스본(Rathborne)**: 최초로 보건소제도와 방문간호를 실시하였다(영국, 1862).

③ **페텐코퍼(Pettenkofer, 1818 ~ 1901)**: 뮌헨대학 위생학교실(1866), 실험위생학을 확립하였다. 기출 17, 18, 19, 20, 21

④ **파스퇴르(Pasteur, 1821 ~ 1895)**: 근대의학의 창시자로, 장기설을 폐기 처분하고, 콜레라 · 탄저 · 광견병 백신을 발견하였다. 기출 16, 18, 19, 20, 22

⑤ **코흐(Koch, 1843 ~ 1910)**: 세균학의 아버지로, 탄저균(1876), 결핵균(1882), 콜레라균(1883)을 발견하였다. 기출 17, 18, 19, 20, 22

⑥ **비스마르크(Bismarck)**: 사회보장제도를 만드는 데 공헌하였다. 기출 16, 18, 19, 20, 22

⑦ **리스터(Lister, 1827 ~ 1912)**: 무균수술과 석탄산 살균법을 개발하였다(1896).

⑧ **베링(Behring, 1854 ~ 1917)**: 디프테리아 예방을 위한 수동 면역제인 항독소를 개발하였다(1890).

5. 현대기(1900년 이후), 보건의료 발전기, 탈미생물학 시대

(1) 특징

사회보장
1935년 미국 대통령 루스벨트는 사회보장법을 제정, 사회보장이라는 용어를 최초로 사용하였다.

① 사회보장제도의 발전기(인플루엔자 유행)이다.

② 보건학의 전문적 분화와 체계적 종합화, 탈미생물학의 시대로 공중보건학에 사회학적 · 경제학적 개념 추가, 사회보장제도 확충, 포괄적인 보건의료의 필요성이 대두되었다.

③ 보건소제도의 확대 보급과 국가 간의 보건문제 해결을 위한 세계보건기구(WHO)가 발족하였다.

④ 알마아타선언과 리우환경선언이 발표되고, 지역사회보건학이 확립된 시기이다.

⑤ 1900년 이후 영국과 미국을 중심으로 현대의학이 발전하여 근대보건이 급진적으로 발전하였다.

(2) 연혁

① **1912년**: 미국 하버드보건대학원이 설립되었다.

② **1919년**: 영국이 세계 최초로 보건부를 설치하였다.

③ **1948년(4월 7일)**: WHO가 발족하였다. 기출 15, 19

④ **1972년**: 스웨덴 스톡홀름에서 국제 인간환경회의를 개최하였다. 오직 하나뿐인 지구(The Only One Earth), 인간환경권을 선언하였다.

⑤ **1973년**: UN 산하 유엔환경기구(UNEP)를 설립하였다.

⑥ **1977년**: WHO총회에서 'Health for all by the year 2000'이라는 전 인류의 건강목표를 설정하였다.

⑦ **1978년**: WHO에 의해 소련 알마아타에서 알마아타(Alma-Ata) 선언이 있었고, 1차 보건의료(Primary Health Care)가 확립되었다.

⑧ **1979년**: WHO가 Nairobi 두창(천연두) 근절을 선언하였다.

⑨ **1986년**: 캐나다 오타와에서 오타와헌장을 채택하였고, 건강증진 개념을 확립하였다. 기출 09, 18, 19

⑩ **1992년**: UNEP의 리우선언('Agenda 21'을 구호로 지구환경 파괴방지에 관한 논의), 기후협약과 리우선언을 하였다.

⑪ **2008년**: 제10차 람사총회를 개최하였고(창원), 사상충 퇴치선언과 결핵 2030 Plan이 있었다.

⑫ **2009년**: 세계환경포럼이 인천에서 열렸고, 21세기 지구환경 전망 및 녹색성장 전략을 세웠다.

⑬ **2010년**: 글로벌 의약 정보 및 유럽보건회의가 열렸다.

⑭ **2011년**: UN 사막화방지 총회가 창원에서 열렸다.

⑮ **2015년**: 파리기후협정, 온실가스 배출량 단계적 감축, 교토의정서 대체 의미가 있다.

⑯ **2019년**: 기후변화에 관한 정부 간 협의체(IPCC; Intergovernmental Panel on Climate Change)가 설치되었다.

핵심정리 공중보건학자들의 별칭

학자	별칭
히포크라테스(Hippocrates)	의학의 아버지
시드넘(Thomas Sydenham)	영국의 히포크라테스
그라운트(John Graunt)	정치산술(political arithmetic)의 창시자
라마찌니(B. Ramazzini)	산업의학의 아버지, 직업병 연구와 노동자 보호의 선구자
린드(J. Lind)	영국 해군 보건위생학의 아버지
페텐코퍼(M. Pettenkofer)	현대 실험위생학(환경위생학)의 창시자
파스퇴르(L. Pasteur)	미생물학(세균학)의 아버지, 근대의학의 창시자
코흐(Robert Koch)	미생물학(세균학)의 아버지

Plus+ POINT

공중보건학의 발전사 중 중요한 보고서

1. **열병보고서(Fever Report)**
   1837 ~ 1838년 채드위크(Edwin Chadwick)는 런던을 중심으로 크게 유행한 열병의 참상을 조사하여 열병보고서를 영국 정부에 제출하였다.

2. **메사추세츠 주의 위생업무보고서(Report of The Sanitary Commission of Massachusetts)**
   ① 미국에서는 쉐턱(Lemuel Shattuck)이 1850년에 보건 분야의 지침서라고 불리는 메사추세츠주의 위생업무 보고서를 제출하였다.
   ② 중앙 및 지방보건국 설치, 보건정보 교환체계, 위생감시제도 확립, 정기 신체검사, 결핵 및 정신병 격리, 학교보건, 보건교육, 예방사업 등 보건행정, 위생관리, 건강관리, 질병관리 등을 총망라하고 있어 미국 공중보건 역사의 이정표가 되었다.

3. **콜레라에 관한 역학조사보고서(On The Mode Communication of Cholera)**
   1855년 영국의 스노우(John Snow)는 콜레라에 광한 역학조사보고서를 제출하였는데, 이 보고서는 장기설(Miasma Theory)을 뒤집고, 감염병 감염설을 입증하는 동기가 되었으며, 오늘날에도 역학조사의 좋은 실례로 남아 있다.

4. 라론드 보고서(Lalonde report) 기출 21(경기)

① 1974년 캐나다 라론드(Marc Lalonde)가 캐나다 국민의 건강에 관한 새로운 시각이라는 라론드 보고서를 발간하였다.

② 이 보고서에서는 생활방식이 건강에 미치는 영향이 60% 이상을 차지하며, 건강의 결정요인으로서 올바른 생활방식이 매우 중요함을 역설하였다.

5. 베버리지 보고서(Beveridge report)

1942년 영국에서 사회보험 및 관련서비스라는 명칭으로 베버리지가 발표한 보고서로 이를 통해 영국은 사회보장제도를 실시하게 되었다. 베버리지는 사회재건을 막는 5대 해악을 제시하며 사회보장의 체계를 수립하였다.

5대 해악	해결방안	
빈곤	소득보장	사회보장의 체계 수립
질병	의료보장	
무지	의무교육	
불결	주택정책	
나태	직업 및 노동정책	

6. 도슨보고서

일차의료(Primary Care)라는 용어의 기원은 1920년 영국의 도슨보고서(Dawson Report)에서 설명하고 있다. 이 보고서는 환자에게 필요한 서비스는 각 단계별로 특성에 맞게 제공되어야 하는 공급구조로 의료제공단계를 1차 보건센터(primary health center), 2차 보건센터(secondary health center), 교육병원(teaching hospital)으로 구분하였다.

2 우리나라 공중보건의 역사

1. 삼국시대 이전

(1) 토속적인 신앙에 의해 질병과 재화를 면하고자 주술로 악신을 물리쳤다고 한다.

(2) 우리나라의 보건에 관련된 최초의 언급은 고조선의 단군신화에서 찾을 수 있다.

(3) 환웅천왕이 인명과 질병 등 인간의 360여 가지를 다스렸다는 내용과 함께, 마늘과 쑥 등 약초 이름이 등장하는 것으로 보아 경험적인 약물요법이 존재했음을 추측할 수 있다.

(4) 『삼국지 위지동이전』의 기록을 보면 '우리 주위에 지저분하고 더러운 것을 피하고 의복을 청결하게 입었으며, 질병으로 죽은 집에서는 그 집을 버리고 새로운 곳으로 가서 다시 집을 짓는다'는 등의 기록이 있다.

2. 삼국시대와 통일신라시대(A.D. 935년 이전)

이 시대의 보건의료에 관한 이론으로는 재이론(災異論)과 무속론(巫俗論)이 있다.

(1) 재이론

① 인간능력을 초월한 자연의 이상현상에 의해 사람에게 육체적 질병과 정신적 질환이 유발된다고 보고 이에 대한 적절한 비법을 통하여 질병을 물리친다는 것이 재이론이다.

② '재이'란 인간의 능력으로 알 수 없는 자연의 재난 또는 이상 현상을 하늘의 예시로 파악하는 것으로서 감염병의 유행은 잘못된 정치에 대한 경고 내지 견책으로 받아들여졌다.

(2) 무속론

① 샤머니즘을 주제로 하여 인간의 축복과 평안을 기원하며 질병을 퇴치하였는데, 이는 무속의 한 분야이다.

② 무속적인 사상은 자연에 대한 두려움으로 인해 자연대상에 영(靈)이 있다고 믿고, 그것을 신봉하는 것이다. 따라서 병을 쫓기 위해 샤먼(Shaman)에 의존하고 샤머니즘의 마술방법을 이용하였다.

삼국시대와 통일신라시대의 보건의료

삼국시대	통일신라시대
• **고구려**: 시의(왕실치료담당) 기출 17, 19 • **백제**: 약물의 취급과 의학에 관한 일체의 업무를 관장하는 약부(藥部)라는 관청이 있었고, 의학을 담당하는 의박사와 약초와 관련 업무를 담당하는 채약사, 주술치료를 담당하는 주금사라는 관직이 있었음 기출 17, 18, 19 • **신라**: 신라는 고구려와 백제에 비해 중국 의학의 도입이 늦었지만, 『김무약방』을 저술한 김무와 일본의학에 큰 영향을 미친 승의(僧醫) 법탕 등과 같은 명의가 있었음	• 비교적 잘 짜여진 의료제도를 갖추고 있었음 기출 17, 18 • **약전(藥典)**: 의료행정을 담당하는 기관으로, 이곳에는 직접 의료에 종사하는 공봉의사가 있었음 • **내공봉의사**: 왕실의 질병을 진료하는 시의 • **공봉복사**: 공봉의사와 마찬가지로 약전에 소속되어 있으면서 금주로써 질병을 예방하는 무주술사는 백제 말의 주금사와 같은 일을 맡았음 • **국의 및 승의**: 어떤 의료기관에 소속된 직명이 아니고 당시의 명의를 일컫는 용어 • **제도화된 의학교육**: 효소왕 원년(691)에 실시되었음. 교육은 본초경, 갑을경, 소문경, 피경, 명담정, 난정 등을 2명의 박사가 실시하였음. 의생(학생)과 의박사가 있었음

Plus⁺ POINT

주금사(呪噤師)

일본서기에 "백제국왕이 주금사 등을 보내왔다."라는 기록이 있는 것으로 보아 백제에 주금사 관직이 있었음을 알 수 있으나, 그 직무는 기록이 없다. 고려시대 태의감 소속으로 주금사가 있었는데, 주금사는 주문(呪文)을 외워 질병을 물리치는 일을 담당하였다.

3. 고려시대 기출 15, 16, 17, 18

태의감(대의감)	의료행정을 담당하는 관서
상약국	어약을 맡은 관서
혜민국	서민의료 담당
약점(藥店)	지방의 경우 주, 부, 현의 행정 말단단위에 약점이 설치됨 ⇨ 오늘날의 보건소 역할을 담당
제위보	빈민 · 행려자의 구호와 치료
(동서)대비원	빈민이나 행려자 의료사업과 구제사업을 수행

4. 조선시대 기출 14, 16, 17, 18, 21

의녀제도	부녀자의 질병 치료와 의인(의사)의 진료와 치료 담당
제생원	① 조선 초기 서민의 질병 치료 및 의녀의 양성을 맡아 보던 의료기관(후에 혜민서에 병합) ② 향약(鄕藥)의 수납과 병자들의 구료(救療)업무 담당
전의감	① 조선시대 중앙의료행정기관 ② 왕실 및 조정 관료의 진료, 왕이 내리는 의약, 약재의 재배와 관리, 의료를 담당하는 인재의 시험과 선발(의과고시) 등 일반 의료 행정, 의료교육, 의약품 공급을 담당
내의원	왕실의료 담당
혜민서	의약의 수납과 일반서민들의 구료사업을 담당
활인서	감염병 환자 담당기관
전향사	예조 산하에서 의약 담당
심약	지방의료기관으로, 각 지방에서 향약(鄕藥) 채취 담당
치종청	종기 등 외부질환의 치료를 중심으로 한 관청
종약색	조선 초기 종약사무(**種藥**: 약재를 재배함)를 맡아보던 관청

Plus+ POINT

약부 – 약전 – 약점 – 심약

약부(藥部)	백제에 질병의 치료와 약재 등의 조달을 관장하는 관서
약전(藥典)	통일신라의 궁중의료 행정기관
약점(藥店)	고려시대에 중앙과 지방 각지에 설치되어 백성의 질병 치료를 담당
심약(審藥)	조선시대의 지방의료기관

5. 조선시대 말기

1879년	지석영, 종두법 실시
1885년 왕립 광혜원	① 한국 최초의 서양식 국립의료기관으로, 미국 선교의사인 알렌이 설립(광혜원은 개원 12일 만에 제중원으로 개칭) ② 현재의 세브란스병원
1894년 갑오개혁	보건행정기관인 위생국을 설치
1899년 내부병원	내부 직할로 세운 국립병원 기출 19

Plus⁺ POINT

근대 병원의 명칭 변경

1. 광혜원 → 제중원 → 세브란스병원
2. 내부병원(內部病院) → 광제원 → 대한의원 → 조선총독부의원 → 서울대학교병원

6. 일제강점시대 기출 17

(1) 1910년

조선총독부의 경무총감부 산하 경무국에 위생과를 두었다.

(2) 의료와 경찰 위생

중앙은 경찰국에 위생과를 설치하여 공중위생업무, 의사 · 약사 · 약제사의 면허업무, 병원 · 의원 등의 관리업무를 수행함으로써 경찰이 보건행정을 담당하였다.

7. 미군정시대(광복 직후, 1945 ~ 1948) 기출 16, 17

(1) 1945년

미군정령 1호에 의거 위생국이 신설되었다.

(2) 1946년

미군정령 64호에 의거 보건후생국을 보건후생부로 승격시키면서 15개국 47개과로 확대하여 보건행정 조직이 가장 방대한 시기이다.

8. 대한민국 정부 수립 이후(1948년 이후 ~) 기출 15

1948년	사회부 보건국
1949년	사회부 보건국으로부터 보건부로 독립
1955년	사회부와 보건부를 보건사회부로 통합
1994년	보건사회부가 보건복지부로 개칭
2008년	보건복지부가 보건복지가족부로 개칭
2010년	보건복지가족부가 보건복지부로 환원

Plus⁺ POINT

보건복지부 직제 개편

위생국(1894) → 경찰국 위생과(1910) → 위생국(1945) → 보건후생국(1945) → 보건후생부(1946) → 사회부(1948) → 보건부(1949) → 보건사회부(1955) → 보건복지부(1994) → 보건복지가족부(2008) → 보건복지부(현재)

핵심정리 우리나라 공중보건 역사

구분	의약행정	왕실의료 (궁내 어약담당)	서민의료	전염병환자 치료 (도성 내 병인구료)	구료기관 (빈민구호)
통일신라시대	약전	내공봉의사	-	-	-
고려시대	태의감	상의국, 상약국	혜민국	동서대비원	제위보
조선시대	전의감 구한말: 위생국	내의원	혜민서	(동서)활인서	제생원 (+의녀 양성)
일제강점기	위생과	-	-	-	-
미군정기	보건후생부	-	-	-	-
현재	보건복지부	-	-	-	-

※ 동서대비원(1392) → 동서활인원(1414) → 활인서(1466)

3 주요 보건 관련 국제기구

국제적인 협력을 통하여 인류의 건강을 회복·유지·향상시키기 위하여 의료기술 지원 및 보건의료 정보 교환 등의 필요성 증가에 따라 국제보건기구들이 생겨났다.

1. 세계보건기구(World Health Organization, WHO) 기출 24

(1) 특징

① 세계보건기구는 범세계적인 보건 수준의 향상을 목표로 국제적인 협력을 위해 1948년 4월 7일 UN의 보건전문기관으로 정식 발족하였다.

② 세계보건기구는 국제보건활동에 대한 지휘 및 조정기구로서, 우리나라는 1949년 8월 17일에 65번째 국가로 가입하여 활동하고 있다.

③ 현재 194개의 국가가 회원국으로 가입되어 있고, 2개 국가가 준회원으로 활동하고 있다.

④ 본부는 스위스 제네바이다.

⑤ 세계보건기구의 조직은 세계보건총회, 사무국, 집행이사회, 지역위원회 및 지역사무소로 구성되며, 최고 의사결정기관은 전체 회원국이 참가하는 세계보건총회이다.

⑥ 집행이사회는 세계보건총회의 결정사항과 정책을 집행하며 총회에서 지명된 이사국으로 구성된다.

⑦ 사무국은 사무총장과 5인의 사무차장, 그 하부의 행정 및 기술요원으로 이루어져 있다.

⑧ 세계보건기구는 세계를 미주지역, 동남아시아지역, 유럽지역, 동지중해지역 및 서태평양지역, 아프리카지역의 6개로 나누어 6개 지역에 각각 지역사무소가 설치되어 있다.

⑨ 우리나라는 서태평양지역에 속해 있으며, 서태평양지역의 본부는 필리핀 마닐라에 있고, 지역 회원국은 일본 · 중국을 포함한 27개국이다.

⑩ 세계보건기구의 설립목적은 모든 사람이 가능한 한 최고 수준의 건강을 영위하게 하는 것이다.

⑪ 우리나라는 지난 수십 년간 세계보건기구와의 다양한 협력사업을 통하여 국민 건강 수준을 향상시켜 왔으며 매년 세계보건기구 주관의 국제회의에 참가하고 있다.

(2) 주요 기능

① 감염병 및 기타 질병의 예방과 관리에 대한 업무를 지원한다.

② 국제적인 보건사업 지휘 및 조정, 보건에 중요한 문제들에 대한 지도력을 제시한다.

③ 주택, 영양, 위생, 경제, 작업여건, 환경 등에 대한 전문기관과의 협력을 지원한다.

④ 생의학과 보건서비스의 연구지원 및 조정을 실시한다.

⑤ 각국 정부의 요청 시 적절한 기술지원 및 응급상황 발생 시 도움을 제공한다.

⑥ 식품, 약품 및 생물학적 제제에 대한 국제 표준화를 제시한다.

⑦ 정신보건활동을 지원한다.

⑧ 과학자 및 전문가들의 협력을 도모한다.

⑨ 각급 보건의료요원을 훈련한다.

⑩ 재해를 예방하고 관리한다.

⑪ 진단검사기준을 확립한다.

⑫ 연구과제를 형성하고, 가치 있는 지식을 생산하고, 전파한다.

(3) 6개 지역기구

① 1946년 뉴욕에서 국제보건회의 의결에 의하여 WHO헌장을 제정한 후 1948년 4월 7일 세계보건기구가 정식 발족하였다.

② **지역사무처**

㉠ **American region(미주지역)**: 미국 워싱턴 지역사무처

㉡ **Southeast region(동남아시아지역)**: 인도 뉴델리 지역사무처로, 1973년에 북한이 138번째로 가입함

㉢ **European region(유럽지역)**: 덴마크 코펜하겐 지역사무처

㉣ **East mediterranean region(동지중해지역)**: 이집트 카이로 지역사무처

㉤ **Western pacific region(서태평양지역)**: 필리핀 마닐라 지역사무처

㉥ **African region(아프리카지역)**: 콩고 브라자빌 지역사무처

(4) WHO 주요 보건사업

결핵관리사업, 모자보건사업, 영양개선사업, 환경위생사업, 보건교육사업, 성병 · 에이즈 사업, 말라리아 사업, 신종감염병관리사업 등이 있다.

2. 국제연합아동구호기금[유니세프(United Nations International Children's Emergency Fund, UNICEF)]

(1) 국제연합아동구호기금은 1945년 제2차 세계대전이 끝난 후 기아와 질병에 고통받는 어린이와 청소년을 구호하기 위해 설립되었다.

(2) 이후 1953년 UN총회에서 항구적인 조직으로 확장하여 현재까지 반세기가 넘도록 개발도상국 어린이들을 위하여 영양, 긴급구호, 식수 및 환경 개선, 예방접종, 기초교육 등의 기본사업을 펼쳐 왔고, 1965년에는 노벨평화상을 수상하였다.

(3) 유니세프는 UN의 핵심적인 상설기구로서 정책결정은 집행이사회에서 이루어지며 사무국에서 실무를 담당한다.

(4) 유니세프의 집행이사회는 정책 수립 및 계획 검토를 하고 운영비용 및 사업예산을 승인하는 역할을 수행하며 사무국은 전세계 개발도상국에서 이루어지고 있다.

(5) 우리나라는 1950년 3월에 정식으로 회원국이 되었으며 1993년까지 각종 지원을 받아 왔다. 하지만 현재는 36개로 이루어진 집행이사회의 이사국으로서 지원을 받는 나라에서 전 세계에 지원을 하는 국가가 되었다.

3. 기타 보건기구

그 밖에도 인구의 영양 기준 및 생활 향상을 목적으로 설립된 국제연합 식량농업기구(FAO; Food and Agricultural Organization), 가족계획 및 인구사업을 위한 국제연합인구활동기금(UNEPA; United Nations Fund for Population Activities), 국제노동기구(ILO; International Labour Organization), 국제연합교육문화기구(UNESCO; United Nations Educational Scientific and Cultural Organization), 국제연합 환경계획(UNEP; United Nations Environmental Program) 등이 있다.

제3장 건강

1 건강의 정의

1. WHO(World Health Organization, 세계보건기구, 1948)의 정의

(1) 건강이란 단지 질병이 없거나 허약하지 않다는 것을 말하는 것이 아니라, 신체적·정신적·사회적으로 완전한 안녕 상태에 놓여있는 것이다(Health is a complete state of physical, mental and social well being and not merely the absence of disease or infirmity, WHO헌장, 1948).

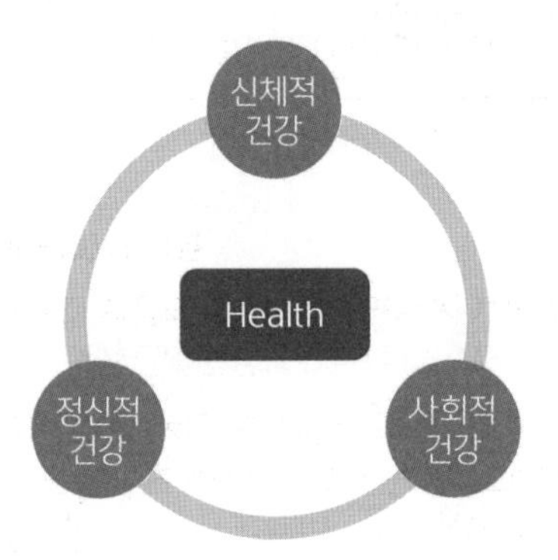

⊙ 건강의 정의(WHO, 1948)

(2) **신체적 안녕**

신체의 크기와 모양, 감각의 예민성, 질병에 대한 감수성, 신체기능, 회복능력 등 특정 업무의 수행능력을 뜻한다.

(3) **정신적 안녕**

① 건강은 신체적 측면·정신적 측면(학습능력, 합리적 사고능력과 지적능력)을 함께 고려한다.

② 임상적으로 질병이 발견되지 않았다고 해서 건강하다고 할 수 없으며, 앞으로 의학기술이 발전함에 따라 현재 건강하다고 판단된 사람에게도 이상이 발견될 수 있다.

③ 건강 개념은 신체적인 부분뿐만 아니라 정신적인 부분까지도 생각하며, "건전한 정신은 건전한 신체에 수반된다."라는 말에서 보듯이 건강은 신체적 측면과 정신적 측면을 함께 고려해야 한다.

④ 건강이란 신체적 요인 및 생리기능, 정신적 기능뿐 아니라 사회적 활동기능을 포함하는 포괄적 개념으로 널리 알려지게 된다.

(4) 사회적 안녕 기출 14, 15, 17, 19, 20

사회에서 그 사람 나름대로의 역할을 충분히 수행하는, 사회생활을 영위할 수 있는 상태로서, 사회에서 자신에게 부여된 사회적 기능을 다하는 것을 뜻한다.

> **핵심정리 사회적 안녕(social well-being)**
>
> 1. 개념
>   ① 사회적 역할에 적응하는 것이다.
>   ② 자신의 일에 대한 애착 및 긍정적 자아상이다.
>   ③ 다른 사람과 융화: 원만한 대인관계를 형성하는 것이다.
>   ④ 사회적 약속인 사회규범을 준수하여 사회 구성원으로서의 역할을 수행하는 것이다.
> 2. 의의
>   복잡한 사회를 살고 있는 현대인에게 더욱 요구되는 것으로, 인간과 동물을 차별화하는 척도가 되는 건강 개념이다.
> 3. 사회적 안녕 개념이 중요한 이유
>   ① 건강의 사회적 측면을 중시한 적극적인 건강증진의 개념이기 때문이다.
>   ② 진정한 건강은 사회 구성원으로서 자신의 역할과 기능을 충실히 하는 것이기 때문이다.
>   ③ 인간과 동물을 구별하는 척도이기 때문이다.
>   ④ 사회 속에서 자신의 삶의 가치와 보람을 창출하는 핵심 개념이기 때문이다.

2. 건강에 대한 실용적 정의(WHO, 1957)

(1) WHO는 1957년에 건강(Health)에 대해 실용적 정의를 내렸다.

(2) 건강은 유전적으로나 환경적으로 주어진 조건하에서 적절한 생체기능을 나타내고 있는 상태이다.

(3) 연령, 성, 지역사회 및 지리적 지역 등 기본적인 특성에 따라 정해진 기준 가치의 정상 범위 내에서 정상적으로 기능을 영위하고 있는 사람을 건강하다고 할 수 있다.

3. 건강의 정의(WHO, 1998)

(1) "건강이란 질병이나 불구가 없을 뿐만 아니라 신체적 · 정신적 · 사회적 및 영적(Spiritual)으로 완전히 안녕한 역동적인 상태"이다(WHO 1988, Health is a Dynamic State of Complete Physical, Mental, Social and Spiritual Well-Being and not Merely the Absence of Disease or Infirmity).

(2) 건강에 영적인 개념을 추가하기로 하였으나, 1999년 총회에 인준되지 않았다.

(3) 건강의 역동성(dynamicity) 개념을 도입하였다.

(4) 적극적인 건강증진을 강조하였다.

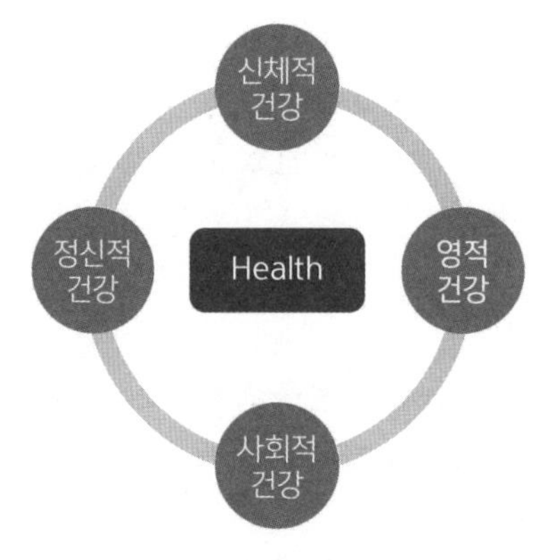

⊙ 건강의 정의(WHO, 1998)

2 학자별 건강의 정의

1. 클라우드 베르나르(버나드)[Claude Bernard(프랑스, 1859)] 기출 14, 19

(1) 건강이란 '외부환경의 변화에 대하여 내부환경의 항상성(恒常性, Homeostasis)이 유지된 상태'라고 정의하였다.
(2) 질병이란 항상성이 깨진 상태이며, 건강도가 높을 때는 외부환경이 크게 변하더라도 내부환경을 유지하는 능력이 크고, 생체에 가해지는 여러 가지 물리적 · 정서적 자극에도 잘 견디고 적응하는 폭이 넓다.
(3) 캐논(W. B. Cannon)도 내부환경의 항상성을 강조하였다.

2. 와일리(Wylie)

건강을 유기체가 외부환경 조건에 부단히 잘 적응해 나가는 것이라고 정의하며 건강과 환경과의 관계를 언급하였다.

3. 지거리스트[H. E. Sigerist(의사학자, 醫史學者)]

건강이란 자연과 문화 · 습관과의 제약하에서 일정 리듬 속에서 살고 있는 우리들의 신체가 생활상의 요구에 잘 견디고 여러 가지 생활조건의 변화에 대하여 일정 범위 내에서 신속히 적응할 수 있도록 내부 제기관의 조화와 통일이 유지된 상태이다.

4. 파슨스[Talcott Parsons(미국의 사회학자)] 기출 07

(1) 건강이란 '각 개개인이 사회적인 역할과 임무를 효과적으로 수행할 수 있는 최적의 상태'라고 하여 개인의 사회적 기능 측면에서 건강을 정의하였다.
(2) 건강을 개인의 사회적 기능의 측면에서 그 기능의 역할과 임무 수행 여부와 연결시켜 정의하였다.

5. 뉴먼(Newman)

단순히 질병이 없다는 것만으로 건강이라 할 수 없고 모든 자질 · 기능 · 능력이 신체적으로, 정신적으로 또는 도덕적으로 최고로 발달되고 완전히 조화된 인간만이 진실한 건강자라고 하였다.

6. 윌슨(C. C. Wilson)

(1) 건강이란 '행복하고 성공된 생활을 조성하는 인체의 상태로서 신체장애가 있다 해도 건강하다고 할 수 있는 경우'를 말한다.
(2) 오늘날 의학기술로서 아무데도 이상이 없고 심리적으로도 문제가 없으며, 보기에도 사회적으로 훌륭히 일을 해낼 수 있다고 생각되는 사람도 본인이 충족감을 느끼지 못하고 살 보람을 찾지 못한다면 주관적으로 보아 건강하다고 할 수 없다고 하였다.
(3) 신체적 조건을 오히려 부정적으로 취급한 특이한 건강관을 표현하였으며, 건강이 자기 스스로의 것인 이상 그 범주 안에 의학이 개입하는 것은 고려해야 할 문제라고 지적하였다.
(4) 건강의 주관적 측면을 강조하였다.

7. 왈쉬(Walsh, Cornell대 교수)

자신이 특수한 환경 속에서 효과적으로 기능을 발휘할 수 있는 능력이다.

8. 리벨 & 클라크(Leavell & Clark, 1965) - 병인 · 환경 · 숙주의 3원론

병인 · 숙주 · 환경의 3원론은 개인의 질병 발생의 원인을 찾는 데 도움이 되며 병인 · 숙주 · 환경 간의 상호작용에서 발생하는 위험요인을 밝혀 건강유지와 증진에 유익한 모델이다. 하지만 실제적으로 건강증진 측면보다는 질병을 예측하는 데 더 유용한 모델이다. 이 모델은 역동적으로 상호작용하는 세 가지 요소로 구성되어 있다.

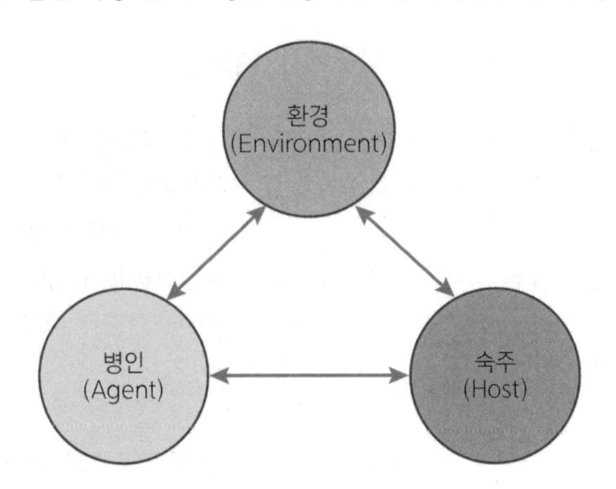

병인 · 숙주 · 환경의 상호작용 관계

9. 밀튼 테리스(Milton Terris)

상병이나 불구의 결함이 없을 뿐 아니라, 신체적 · 사회적 안녕 및 가능할 수 있는 능력의 상태이다.

10. 로이(Roy, 1976)

초기에는 건강 - 질병의 개념을 연속선으로 보았으나, 최근에는 통합적이고 전인적인 인간에 도달해 가는 과정이나 상태를 말한다.

11. 뒤보(Rene Dubos, 1965) - 적응 건강 개념

(1) 건강이란 유기체가 환경에 대해 유연하게 적응을 유지하며 최대의 이익을 얻는 방향으로 환경과 상호작용을 하는 상태이며, 상병이란 이러한 적응의 실패이다.

(2) 건강에 대한 생각은 의학적인 개념에서 발전하였으나 질병의 치료를 넘어서까지 확대되었다.

(3) 건강의 연속선상으로 볼 때 한쪽 끝은 유기체가 환경과 융통성 있게 적응을 유지하고 환경과 상호작용하는 것이고, 그 반대의 끝은 유기체가 환경으로부터 소외되거나 자기교정적인 반응을 하는 데 실패하는 것을 의미한다.

(4) 개인이 질병이 없다고 해서 건강한 상태라고 할 수 없으며 의학적인 치료는 유기체가 그 자신의 적응 기전을 이용하는 능력을 복원하도록 하는 것이 목적이다.

12. 매슬로우(Maslow, 1920) - 행복론적 개념

(1) 건강을 이상적인 본성과 개성으로 표현하였다. 이상적인 인간은 최고의 지성과 열망으로 측정할 수 있으며, 최고의 열망이란 실현과 완전한 발달을 지향하는 것으로 내적인 잠재력에 의해 개발된다.

(2) 건강의 연속선상으로 볼 때 한쪽 끝은 안녕과 자아실현의 상태이며, 그 반대의 끝은 무기력 · 쇠약의 상태이다.

(3) 치료는 개인의 자아실현을 돕는 것이 궁극적 목적이다.

(4) 고대 그리스 의학과 플라톤 및 아리스토텔레스의 도덕 철학에 근거를 두고 있다.

(5) 인간의 본성에 대한 여러 가지 관점을 취합하여 건강을 일반적인 안녕과 자아실현까지로 확대하였다.

13. 던(Halbert Dunn) - 높은 수준의 안녕(Health grid)

(1) 건강 - 불건강 연속성

① <u>건강과 질병은 연속상에서 유동적으로 변화하고 있는 상태이다.</u>

② <u>건강 - 불건강의 연속선</u>에서 건강은 '최적의 건강상태가 가장 기초가 되는 개념'이라고 한다.

(2) 높은 수준의 안녕(High - level wellness)

① 던(Dunn)은 '높은 수준의 안녕'이란 용어를 새로 제시하였다.

② '높은 수준의 안녕'은 개인이 할 수 있는 잠재력을 극대화하는 쪽으로 인간의 가능성이 통합되는 것을 의미하며, 개인의 안녕은 각자의 마음에 의해 조절될 수 있다.

(3) 고도의 안녕의 한 차원으로서 균형을 인정하면서도 목적적 행위를 통해 인간 잠재력을 실현하는 것을 강조하였는데, 안녕은 '환경과 개인이 균형을 이룬 질병이 없는 수동적 상태를 말하는 것이 아니라, 전생애를 걸쳐 나타나는 역동적인 과정'이라고 정의하여 '안녕(wellness)'을 좋은 건강(good health)과 구별하여 정의하였다.

(4) 개인은 자신에게 가능한 안녕상태, 즉 최적의 기능상태를 가지고 있으며 사소한 건강결함 몇 가지가 있더라도 일상생활을 유지할 수 있다.

(5) 높은 수준의 안녕 그리드(high level wellness grid)는 건강축과 환경축이 교차하는 건강 그리드(health grid)를 제시하여 안녕 개념을 설명하였다.

(6) 건강 그리드는 건강 – 질병 연속선과 환경축이 교차하여 사분원을 형성하면서 이 두 개의 축이 상호작용하는 모습을 보여준다.

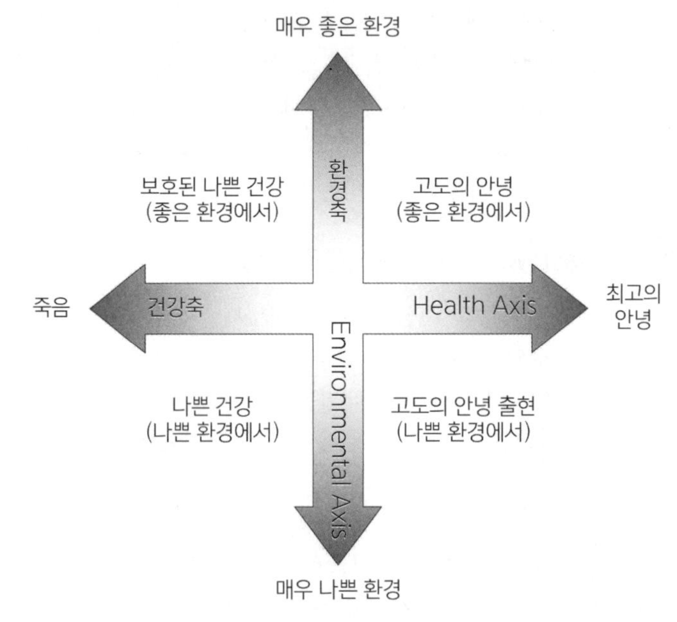

건강 그리드[던(Dunn)]

14. 트래비스(Travis) – 질병 – 안녕 연속 개념

(1) 중간지점 ~ 오른쪽

안녕모델로 건강과 안녕 수준의 향상을 의미한다.

(2) 인식의 단계 ⇨ 교육의 단계 ⇨ 성장의 단계로 이루어진다.

(3) 중간지점 ~ 왼쪽

치료모델로 점진적으로 건강상태가 나빠지는 것이다.

(4) 개인이 현재 연속선상의 위치가 아니라 개인이 향하고 있는 방향이 중요하다.

(5) 질병 내 건강

질병을 가진 개인에게 성장과 안녕을 위한 기회를 제공하고 인간의 잠재력을 강화시킨 상태이다.

(6) 높은 수준의 안녕상태 ~ 조기 죽음

(7) 두 개의 화살표

중간지점에서 만나지만 서로 반대방향으로 향한다.

(8) 모든 사람들은 이 연속선의 한 점에 위치하여, 앞으로 또는 뒤로 움직인다.

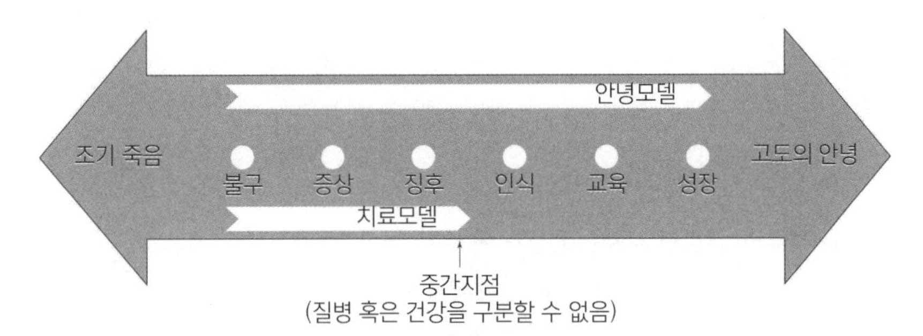

건강 - 질병 연속선

핵심정리 학자별 건강의 정의 기출 21

학자	정의
Claude Bernard (프랑스, 1859)	건강은 외부환경의 변화에 대하여 내부환경의 항상성(恒常性, Homeostasis)이 유지된 상태
Wylie	건강은 유기체가 외부환경 조건에 부단히 잘 적응해 나가는 것
H. E. Sigerist [의사학자(醫史學者)]	건강은 생활상의 요구와 조건에 적응하도록 내부 제기관의 조화와 통일이 유지된 상태
Talcott Parsons (미국의 사회학자)	개인의 사회적 기능 측면에서 건강을 정의한 것으로, 건강은 각 개개인이 사회적인 역할과 임무를 효과적으로 수행할 수 있는 최적의 상태
C. C. Wilson	건강은 행복하고 성공된 생활을 조성하는 인체의 상태로 건강의 주관적 측면을 강조
Leavell & Clark(1965)	병인·환경·숙주의 3원론을 제시
Milton Terris	상병이나 불구의 결함이 없을 뿐 아니라, 신체적·사회적 안녕 및 가능할 수 있는 능력의 상태
Roy(1976)	초기에는 건강 - 질병의 개념을 연속선으로 보았으나, 최근에는 통합적이고 전인적인 인간에 도달해 가는 과정이나 상태(적응)
Dubos(1965)	건강은 유기체가 환경에 대해 유연하게 적응을 유지하며 최대의 이익을 얻는 방향으로 환경과 상호작용하는 상태로 적응 건강 개념
Maslow(1920)	건강을 이상적인 본성과 개성으로 표현하였고 이는 행복론적 개념임
Halbert Dunn	높은 수준의 안녕, Health Grid 개념을 제시
Travis	질병 - 안녕 연속 개념

3 건강 개념의 변천

1. 건강의 어원

(1) 현재 우리가 사용하는 건강(Health)의 어원은 hal로, '완전한' 또는 '병이 없는 상태'를 의미한다. 처음에는 주로 신체적 건강에 국한된 질환이 없는 상태를 건강으로 정의하였다.

(2) 옥스퍼드 사전에 건강의 의미는 '한 개체가 필요에 따라 효율적으로 기능을 이해하는 상태인 신체의 건전'이다.

(3) 건강이란 상태는 광범위하게 변동하는 환경조건에 직면해서 신체기능을 효율적으로 해낼 수 있는 능력, 즉 환경에서의 적응능력을 말한다.

(4) 건강은 적응능력의 표현이 되며, 질병이란 이 적응의 실패라고 풀이된다.

2. 시대에 따른 건강의 개념 변화

(1) 신체 개념의 건강(19세기 이전) 기출 12, 14, 15, 17, 18, 20

① 건강은 신체적인 질병이 없는 상태이다.

② **신체 - 정신 이원론**: 정신과 육체는 별개로 분리된다.

③ 육체는 마치 기계와 같은 것으로 인간의 지식에 의하여 변조할 수 있다.

④ 신체적 현상을 기계론적으로 해석하는 개념이다. 질병은 신체의 부속 일부가 고장난 것이며 그 부분을 고치면 건강이 회복하는 것이다.

(2) 심신 개념의 건강(19세기)

① 인체를 정신과 육체로 각각 구분할 수 없다는 건강 개념이다.

② "건전한 정신은 건강한 신체로부터"라는 격언이 심신 개념의 건강을 상징적으로 표현한다.

(3) 생활 개념의 건강(20세기) 기출 18

1948년 WHO의 "건강이란 단순히 질병이 없거나 허약하지 않다는 것에 그치지 않고 완전한 신체적 · 정신적 및 사회적 안녕상태를 말한다."라는 생활 개념을 말한다.

(4) 생활수단 개념의 건강(1986 ~)

① 1986년 오타와헌장(평형적 건강 개념)

② **생활수단 건강 개념(a resource for everyday life)**: WHO의 정의에서 'well - being' 대신 'well - balanced life'로 표현되는 동적인 상태를 건강이라고 보는 견해이다.

③ **오타와헌장(1986)**: 건강은 생활의 목표가 아니라 일상생활을 영위하는 활력소(생활수단)로 이해되어야 한다. 즉, 건강은 일상생활을 위한 신체적 및 정신적 능력은 물론 개인적 및 사회적 활력소의 긍정적인 면을 가리키는 개념이다.

핵심정리 건강 개념의 변천

1. 신체 개념(19세기 이전) → 심신 개념(19세기) → 생활 개념(20세기) → 생활수단 개념(오타와헌장, 1986)
2. 정적 개념(Static state, 수동적 개념) → 동적 개념(Dynamic state, 능동적 개념)
3. 병리학적 · 생물학적 개념 → 생태학적 개념[항상성(homeostasis) 유지]
4. 불연속성 개념 → 연속성 개념
5. 운명론적 사고, 개인책임 → 사회적 책임 요구(건강권)
6. 임상적 관점 → 기능적 관점
7. 절대적 개념 → 상대적 개념
8. 해부병리학적으로 이상 없는 상태 → 개인의 환경 속에서 최적의 건강추구
9. 신체 · 정신 이원론 → 심신 개념(신체와 정신 분리 불가)
10. 원시 건강 · 질병 개념(질병은 신의 저주나 천벌 · 천형) → 인체구성요소들의 조화(히포크라테스) → 완전함 추구 → 생의학적 개념

제4장 질병

1 질병의 정의

1. 질병(Disease)

심신의 전체 또는 일부가 일차적 또는 계속적으로 장애를 일으켜서 정상적인 기능을 할 수 없는 상태이다.

2. 감염성 질환과 비감염성 질환

(1) 감염성 질환

바이러스 · 세균 · 곰팡이 · 기생충과 같이 질병을 일으키는 병원체가 동물이나 인간에게 전파 · 침입하여 질환을 일으킨다.

(2) 비감염성 질환

고혈압이나 당뇨와 같이 병원체 없이 일어날 수 있고 발현기간이 길다.

2 질병의 종류

1. 정신적 질병

신체적 손상이나 변화 없이 형질적으로 발생하는 질병과 기질적 변화로 발생하는 질병이 있다.

2. 신체적 질병

(1) 감염성 질병

감염된 사람이나 동물 등의 병원소로부터 감수성이 있는 새로운 숙주로 병원체 혹은 병원체의 산물이 전파되어 발생하는 질병이다.

(2) 급성 감염병

병원체가 숙주에게 침입하여 임상증상이 나타나거나 숙주의 반응이 급격하게 나타나는 질병이다.

(3) 만성 감염병

병원체가 숙주 체내에 침입한 후 서서히 진행하는 증상이 나타나는 질병이다(예 한센병, 성병, B형 간염 등).

(4) 비감염성 질병

병원체나 독소 이외의 원인에 의해 발생하는 것이며, 감염성이 없다.

3. 급성 질병과 만성 질병

질병은 일반적으로 급성 질병과 만성 질병으로 분류한다. 질병의 두 가지 형태는 여러 차원에서 기능에 영향을 미친다.

(1) 급성 질병

① 대개 단기간 지속되며 심각하다.

② 증상이 갑자기 나타나고, 증상이 심각하지만 종종 짧은 기간에 회복되기도 한다.

③ 급성 질병은 생명에 위협이 될 수도 있지만 의학적 중재를 요하지 않는 경우도 많다.

④ 의학적 중재를 요하는 경우에는 투약(예 폐렴에 항생제)과 함께 특수한 처치 혹은 수술(예 충수돌기염에 충수돌기절제술)을 통해 대상자가 정상적 기능을 회복하도록 한다.

(2) 만성 질병

① 3개월(6개월) 이상 지속되며, 최대의 기능과 생명을 위협하는 심각한 건강 악화를 반복한다.

② 대개 서서히 시작되고 일반적으로 질병 완화 기간과 악화 기간을 가진다.

③ 심장질환, 폐질환, 고혈압, 당뇨병, 관절염 등이 있다.

④ 만성 질병 대상자는 점차 증가 추세에 있다.

3 병을 가진 사람들의 분류

1. 현성 기준

(1) 나타난 증세 및 증후, 검사실 소견, 생리적 기능, 형태, 예후 또는 이들의 여러 가지 조합으로 이루어지는 임상적 특징별로 앓는 사람들을 묶어서 표기된 병명을 말한다.

(2) 예를 들면 당뇨병, 정신박약, 감기, 정신분열증 등이 있다.

2. 원인성 기준

(1) 질병의 원인이라고 믿어지는 구체적인 경험별로 묶는 분류로서 납중독, 살모넬라증, 시겔라증, 규폐증과 같은 병명이 있다.

(2) 원인성 기준으로 분류된 병명은 치료나 예방에 직접적인 수단이 될 수 있어 유용하다.

(3) 어떤 현상에 대한 계량적 연구를 하는 데 있어서 특성별로 묶인 분류는 필수적이며 지역적 혹은 국제적 비교를 하려면 일정한 표준방법에 의한 분류여야 소통이 가능하다.

(4) 이런 의미에서 현재 체계적으로 이용되고 있는 질병 및 사망원인의 분류는 국제적으로 합의된 질병의 국제적 분류법이다.

4 질병의 발생요인

<table>
<tr><td rowspan="3">생물학적 요인</td><td colspan="2">영양소</td></tr>
<tr><td colspan="2">유전적 소인</td></tr>
<tr><td colspan="2">생물병원체</td></tr>
<tr><td rowspan="2">화학 · 물리적 요인</td><td colspan="2">화학적 요인</td></tr>
<tr><td colspan="2">물리적 요인</td></tr>
<tr><td rowspan="7">사회문화적 및
심리적 환경요인</td><td colspan="2">새로운 보건문제의 등장과 사회문화 및 심리적 요인</td></tr>
<tr><td rowspan="2">사회문화 · 심리적 요인</td><td>사회 · 경제적 요인</td></tr>
<tr><td>생활양식 및 보건행태적 요인</td></tr>
<tr><td colspan="2">종교 또는 전통의식 요인</td></tr>
<tr><td colspan="2">사회적 스트레스 요인</td></tr>
<tr><td colspan="2">직업 요인</td></tr>
<tr><td colspan="2">인성(Personality) 요인</td></tr>
</table>

1. 생물학적 요인

(1) 영양소

① 신체의 구성성분과 에너지원으로서의 지방, 탄수화물, 단백질뿐만 아니라 단백질의 여러 유형 중에 존재하는 필수아미노산, 비타민, 광물질, 수분 등이 여기에 포함된다.

② 사람은 이들 영양소에 대한 내용성(Tolerance)의 범위가 넓기는 하지만 이들 물질의 상대적 결핍 또는 과잉은 질병을 유발한다.

③ WHO에서 21세기의 가장 심각한 질병으로 규정한 비만(Obesity)도 칼로리 과잉섭취에 의한 가장 빈번한 이상 상태이다.

④ 특정 영양소의 부족으로 발생하는 질병은 각기병(비타민 B1 결핍), 괴혈병(비타민 C 결핍), 구각염(리보플라빈 결핍), 야맹증(비타민 A 결핍) 등이 있다.

⑤ 최근에는 영양소 결핍증보다 특정 영양소의 과잉섭취를 더욱 심각하게 인식한다.

⑥ 동물성 포화지방의 과잉섭취는 동맥경화증을 촉진시킨다.

(2) 유전적 소인

① 질병에 대한 감수성 혹은 저항성을 결정하는 유전자 또는 유전자의 조합이 직접 질병의 원인으로 작용하는 경우이다.

② 유전적 소인으로 인해 발생하는 질병은 남자들의 대머리, 당뇨병, 통풍(Gout), 혈우병, 진행성 근이영양증(Progressive muscular dy strophy) 등 수없이 많다.

③ 유전병으로 확인된 이들 질병 이외에도 아직 그 발생기전이 증명되지 않은 다른 질병들도 필수 유전적 소인이 존재하지 않고는 발생할 수 없다는 것이 현재의 개념이다.

④ 어떤 질병은 유전적 소인만으로도 발생이 가능하고, 또 어떤 질병은 유전적 소인 외에 부가적인 환경 자극을 필요로 할 때도 있다.

(3) 생물병원체

① 가장 많이 알려진 병원체가 이 범주에 속한다.

② 자기보다 더 크고 더 발달된 개체의 체내에 침입해 영양을 빼앗아 증식하는 생물을 총칭하여 기생생물(Parasitic in organism)이라고 하고, 이 기생생물에게 서식지와 영양을 공급하는 개체를 숙주(Host)라고 한다.

2. 화학 · 물리적 요인

(1) 화학적 요인

일반 환경에 존재하는 수많은 화학적 오염물질은 공기를 통한 오염, 물이나 식품을 통한 섭취, 직접 접촉으로 피부를 통해 체내에 들어와 질병을 일으킬 수 있다.

(2) 물리적 요인

물리적 요인에는 소음, 진동, 방사선 등이 있다. 방사선에는 X선이나 감마선 같은 이온화 방사선 그리고 자외선, 초음파, 라디오 및 저주파 등을 포함하는 비이온화 방사선을 포함한다.

3. 사회문화 및 심리적 환경요인

(1) 새로운 보건문제의 등장과 사회문화 및 심리적 요인의 중요성

① 고도 산업사회로 발전하면서 생물학적이고 물리적인 환경요인에 의한 질병은 사회문화 및 심리적 환경요인에 의해 발생하는 새로운 보건문제로 등장하였다.

② 이러한 질병은 고혈압, 당뇨병, 정신질환, 알코올중독, 마약중독, 자살, 안전사고, 이혼, 범죄, 약물 오용 · 남용 등 소위 만성 퇴행성 질병이나 사회 병리 현상이다.

③ 이러한 질병의 원인은 사회문화 및 심리적 환경요인의 배경과 밀접한 관련이 있다.

(2) 사회문화 · 심리적 요인

사회 · 경제적 요인	① 영아사망에 있어 사회 · 경제적 요인의 작용은 다른 어떤 요인보다 강하게 나타남 ② 지역사회의 일반적인 건강상태를 나타내고 있는 조사망률에 있어서도 사회 · 경제적 수준이 낮은 지역이 높은 지역보다 사망률이 높음 ③ 사회 · 경제적 수준이 낮은 사회 계층은 보다 높은 질병 발생의 위험을 가지고 있음

생활양식 및 보건행태적 요인	① 생활양식은 개인과 집단의 인습적이고 습관적으로 고착된 생활행태를 말함 ② 생활양식에는 식습관, 운동, 체중관리, 자기 건강관리(정기적 신체검사), 스트레스, 음주, 수면, 휴식 등을 들 수 있음 ③ 특히, 생활양식은 개인과 집단의 건강에 영향을 줄 수 있는 보건행태의 특성을 결정하기 때문에 중요함 ④ 생활양식을 나타내는 이들 모든 보건행태적 특성들은 전부 질병 발생에 직접 · 간접적으로 작용

(3) 종교 또는 전통의식 요인

① 종교적인 신이나 전통적인 의식이 건강에 미칠 수 있는 영향력은 다양하다.

② 유대인 여성의 경우 자궁경부암 발생률이 낮다(남자아이 출생과 함께 포경수술 ⇨ 불결한 성생활 예방에 도움).

③ 특정 종교에서는 수혈과 외과적 수술을 일체 거부한다(종교가 건강에 직접적으로 부정적인 영향을 미침).

(4) 사회적 스트레스 요인

① 스트레스는 심리적 요인이며 갈등, 분노, 자기포기 등 각종 형태의 심리적 반응은 여러 질병 발생의 원인이 된다.

② 스트레스는 위궤양, 심장병, 당뇨, 사고, 심지어 일부 암의 발병까지 관련되어 있다.

③ 심한 스트레스는 내분비에 영향을 주어 지속적으로 심한 스트레스가 있을 경우에 부신피질 호르몬, 코티코스테로이드 호르몬 등이 과다하게 분비되어 심근경색증 발병에 유해요인으로 작용할 수 있다.

(5) 직업 요인

직업병으로 분류되는 모든 질병은 전적으로 직업 요인에 의해 발생한 것이다.

(6) 인성(Personality) 요인

① 인간의 감정 또는 정서적인 특성에 따라 외부자극에 반응하는 정도는 곧 인성 요인으로서 질병 발생의 원인으로 작용한다.

② 인성을 A형과 B형으로 나누는데, A형은 시간적인 개념이 철저하여 사전에 준비하고 목표에 따라 꼭 성취하고자 하며, 도전적이고 경쟁적인 속성이 강한 사람이다. B형은 A형과 반대적인 특성으로 규정하고 있다. A형에서 심근경색증 및 관련 심장병 발생환자가 더 많다고 보고되고 있다.

5 질병 발생설의 역사적 변천

1. 정령설(종교설, 신벌설, Religious Era) 시대

(1) 질병을 신의 저주나 천벌 또는 악령이 우리의 몸에 들어와 고통을 일으킨다고 생각하였다.

(2) 귀신이나 악령을 몸 밖으로 내보내기 위해 전문가인 무당 또는 마술사가 등장하였다.

2. 점성설(우주, Astrology Era) 시대

별자리의 운행과 인체의 각 부분의 기능은 밀접한 관련이 있다고 생각하고 별자리의 이동을 보고 질병의 진단과 예후를 판정하였다.

3. 장기설(Miasma Theory Era) 시대

(1) 히포크라테스가 주장한 이후 상당 기간 동안 보편성을 인정받은 설을 말한다.
(2) 오염된 공기, 즉 장기가 우리 몸에 침입하면 질병이 발생하게 된다.

4. 접촉감염설(감염설, 접촉설, Contagious Communicable Theory Era) 시대

사람 간의 접촉에 의해 질병이 전파된다는 설을 말한다.

5. 세균설(미생물 병인설, Bacteriological Era) 시대(19세기 후반)

코흐(Koch)와 파스퇴르(Pasteur)에 의해 특정 미생물이 특정 질병을 발생시킨다는 세균설이 지지를 받게 되었다.

6. 복수병인론 시대(다인설)

여러 복합적인 요인에 의해 질병이 발생한다는 설을 말한다.

6 질병 예방 수준

1. 1차 예방(Primary prevention) 기출 17, 18, 19, 20, 21

(1) 1차 예방은 진정한 의미의 예방이다.
(2) 질병이나 기능장애 이전에 신체적 · 정서적으로 건강한 대상자에게 적용한다.
(3) 목적은 질병이나 기능장애에 대한 개인이나 집단의 취약성을 감소시키는 것이다.
(4) 수동적 · 능동적인 건강증진전략을 포함한다.
(5) 개인이나 일반 대중에게 제공하거나 또는 특정 질병이 발생할 위험이 있는 사람들에게 중점을 두었다.
(6) 건강증진에 목표를 두며 건강교육 프로그램, 예방접종, 그리고 신체적 활동 등을 포함한다.

건강증진	• 건강교육 • 생의 발달 단계에 적합한 표준 영양 • 성격 발달에 대한 관심 • 저절한 주택, 레크리에이션, 쾌직한 근로조건 제공 • 결혼상담과 성교육 • 유전학적 검사

1차 예방의 예시

1. 적극적 예방
   건강증진활동, 환경개선 등
2. 소극적 예방
   예방접종 등

특정한 보호	• 특정 예방접종하기 • 개인위생에 대한 관심 • 환경위생 적용 • 직업적 위험요인에 대한 보호 • 특정 영양소 섭취 • 발암물질로부터 보호 • 알레르기 유발원 제거

2차 예방의 예시
1. 흉부 X-선 검사로 폐결핵 환자 찾아 치료하기
2. HIV 항체검사로 HIV 감염자 찾아 치료하기
3. 연구 특성에 맞는 건강검진

2. 2차 예방(Secondary prevention) 기출 17, 18, 19, 20, 21, 22

(1) 2차 예방은 건강문제나 질병을 경험하고 있거나, 합병증 유발 또는 상태가 악화될 위험이 있는 사람들에게 중점을 두었다.
(2) 조기진단과 즉각적인 의료활동을 통해 대상자는 심각한 상태가 감소하고, 가능한 빨리 정상적인 건강 수준으로 회복될 수 있다.
(3) 대부분 가정, 병원 또는 전문적인 보건의료시설에서 이루어진다.
(4) 중증 질환으로 진행되는 것을 지연시킴으로써 장애를 최소화하는 조기검진과 조기치료 단계를 포함한다.

조기진단과 즉각적 치료	• **대상자 확인**: 개인, 집단 검진 • 선별검사 • 전염성 질환의 확산, 합병증 예방, 장애기간의 최소화를 위한 질환 치료와 예방
장애의 제한	• 질병 진행 정지와 합병증 예방을 위한 적절한 치료 • 장애를 제한하고 사망을 방지할 수 있는 기관 제공

3차 예방의 예시
1. 퇴행성 관절염 환자를 지속적으로 관리하여 관절이 굳어지는 것을 방지하기
2. 뇌졸중 발생 이후 신경학적 후유증이 생긴 경우 재활치료로 기능 회복하기

3. 3차 예방(Tertiary prevention) 기출 17, 18, 19, 20

(1) 3차 예방은 결함과 장애가 영구적이고, 회복될 수 없으며 그 수준이 유지될 때 행해진다.
(2) 합병증과 악화를 예방하기 위한 중재를 실시함으로써 만성 질병으로 인한 영향이나 장애를 최소화하는 것과 관련이 있다.
(3) 진단과 처치보다는 재활을 위한 것이다.
(4) 질병이나 장애에 의해 야기된 장애에도 불구하고, 가능한 한 최고 수준의 기능을 획득하도록 도와주는 단계이다.

회복과 재활	• 잔존기능 사용을 최대화하기 위한 훈련과 교육을 시행할 병원과 지역사회 시설 제공 • 가능한 최대한도까지 재활되도록 공공기관과 산업체 교육 선택적 배치 • 병원에서 작업치료

핵심정리 질병 발생과 예방대책 단계 기출 16, 17, 18, 19, 20

단계	병원성이전기		병원성기		
	Ⅰ. 비병원성기	Ⅱ. 조기병원성기	Ⅲ. 조기질환기 불현성감염	Ⅳ. 발현된 질환기 현성감염	Ⅴ. 회복기 · 사망
과정	병인 · 숙주 · 환경의 상호작용	병인 자극의 형성	초기 병적 변화, 병인 자극에 대한 숙주 반응	질병	회복 또는 사망
예비 조치	건강증진활동, 환경위생 개선, 보건교육, 영양섭취, 홍보, 캠페인	특수예방 예방접종	조기발견 조기치료	악화 방지 및 장애 방지 및 감소를 위한 치료	재활서비스 사회복귀훈련
예방	1차적 예방		2차적 예방		3차적 예방

출처: 질병 발생과 예방대책 단계, 1979, Leavell and Clark

Plus⁺ POINT

질병(Disease)과 상병(Illness)의 개념

질병과 상병은 보통 같은 의미로 사용되고 있지만 분명한 차이가 있다.

1. 질병(Disease)
   ① 의미: 수명의 단축과 능력의 쇠퇴를 초래하는, 신체 기능이 변화하는 것이다.
   ② 정신적 · 신체적 기능 또는 구조에서 병리학적 변화를 의미하는 의학적 용어로, 특정한 증상과 원인을 갖는다.
   ③ 질병의 원인: 생물학적 요인(virus, bacteria, fungus, rickettsia, protozoa 등), 유전적 요인, 화학적 요인(중금속, 약물, 강한 산과 염기 등), 물리적 요인(극심한 온도, 방사선, 전기 등), 스트레스, 화학적 혹은 대사성 장애, 자극 혹은 손상에 대한 조직반응 등이 있다.
   ④ 질병의 분류: 급성 질병, 만성 질병으로 나누어진다.
2. 상병(Illness)
   ① 의미: 사람들이 신체적, 정서적, 지적, 사회적, 영적 기능이 저하되었다고 믿는 주관적인 상태이다.
   ② 자신이 병들거나 건강하지 못하다고 느끼는 질환에 대한 아주 개인적인 반응이며, 이는 질환과 관련되거나 관련되지 않을 수도 있다.
   ③ 질환에 대한 인간의 반응으로, 이전의 상태와 비교하여 변화된 신체기능의 비정상적인 과정을 말한다.
   ④ 이러한 반응은 각 개인에게 독특하게 나타나며, 개인과 타인의 지각 그리고 신체구조와 기능의 변화, 개인의 역할, 관계, 문화, 정신적 가치, 신념 등의 변화로 나타난 결과에 영향을 받는다.
   ⑤ 자신이 상병이 있는지를 판단하는 기준(Bauman, 1965)은 다음과 같다.
      - 증상의 유무
      - 건강상태에 대한 지각
      - 일상생활수행 능력

질병과 상병

1. Disease(질병)
   객관적인 상태이다.
2. Illness(상병)
   주관적인 상태이다.

⇨ Illness는 "I"는 내가 느끼므로(영어의 나를 가리키는 "I"로 암기) 주관적이고, 반대로 Disease는 객관적인 상태이다. 번역자에 따라서 질환, 질병, 상병은 혼용하는 경우가 있으므로 영어 철자로 구분해야 한다.

제5장 질병 관련 모형과 건강증진

1 질병 관련 모형

1. 생의학적 모형(Biomedical Model) 기출 12, 14, 15, 16, 17, 20

(1) 특징

① 인간을 하나의 기계로 보고, 마치 고장난 기계의 부품을 수리하듯이 질병의 원인을 찾아내고 이를 치료하는 것을 목표로 하며 정신과 신체를 이원화하여 생각하는 모형이다.

② 모든 질병은 보편적인 형태를 가지는데, 질병의 증상과 과정은 역사적으로나 문화적으로 서로 다른 사회에서 동일하게 발현한다.

③ 질병은 '정상상태에서 벗어났거나 일탈된 것'이다.

④ 이 모형에서 출발한 서양의학은 항생제와 백신의 개발을 통해 전염병으로 인한 조기사망의 수준을 크게 감소시킨 공로가 있다.

⑤ **단점**: 질병 발생과 관련된 다양한 요인을 규명하는 데 무리가 따르며, 만성 퇴행성 질환의 증가를 정확히 설명하지 못한다.

Plus⁺ POINT

생의학적 모형

1. 데카르트의 정신·신체 이원론의 등장과 생물학의 세포이론, 세균설 확립 이후 발전한 이론으로, 사회, 문화, 인간의 일상생활에 대한 설명을 배제하고 생물학적 구조와 과정이 발생하는 장해를 강조한 이론이다.
2. 질병은 육체(기계)의 고장으로 해석한다. → 의사(기술자) 치료(기계 수리)
3. 건강은 질병이 존재하지 않는 것으로 해석한다. → 건강은 단지 질병의 부재

(2) 한계점

① 질병 발생에 관여된 다양한 요인(사회적 요인, 환경요인, 행태요인 등)을 규명하는 데 무리가 따르며, 특히 만성 퇴행성 질환의 증가를 정확히 설명하지 못하는 커다란 한계점을 내포하고 있다.

② 의학이 기술만능주의에 빠지는 결과를 초래하였다. ⇨ 의사는 기술자이다.

③ 대중적·학문적 비판의 내용은 의학의 효능이 과대평가되었다는 점, 인간을 사회·환경적 맥락에서 보지 못한 점, 환자를 전인적인 존재가 아니라 수동적인 대상으로 취급한다는 점 등의 한계가 있다는 것이다.

2. 사회생태학적 모형(Socio-Ecological Model)

(1) 특징

① 개인의 사회적 · 심리학적 행태적 요인을 중시하는 모형으로 주요인, 외부환경요인, 개인행태요인이 주요 요소이다.

② 질병 발생에 영향을 주는 요인으로 개인과 집단의 행태를 중요한 결정요인으로 강조하는 모형이다.

(2) 요인

행태적 요인을 중요시한 모형으로 숙주요인, 외부환경요인, 개인행태요인 등과 같은 3가지 요인이 질병 발생에 영향을 준다.

① **숙주요인(Host Factors)**: 내적 요인(Intrinsic Factors)이라고도 하는 숙주요인에는 선천적 · 유전적(Genetic) 소인과 후천적 · 경험적(Experiential) 소인이 있고, 숙주요인은 질병에 대한 감수성(Susceptibility)과 관련이 높다.

② **외부환경요인(External Environmental Factors)**: 외적 요인(Extrinsic Factors)이라고도 하는 외부환경요인에는 생물학적 환경(병원소, 활성전파체인 매개곤충, 기생충의 중간숙주의 존재 등), 사회적 환경(인구밀도, 직업, 사회적 관습, 경제생활의 상태 등), 화학 · 물리적 환경(계절의 변화, 기후, 실내 · 외의 환경 등)이 있다.

③ **개인행태요인(Personal Behavior Factors)**: 다른 모형에 비해 개인행태요인을 강조하고, 건강한 생활습관을 형성하는 것이 가장 중요하다. 질병 발생이나 건강에 개인행태요인이 강조되는 이유는 현대에 와서 질병의 양상이 예전과 달라졌기 때문이다.

㉠ 급성 질병보다 만성 질병이 증가하고 있다.

㉡ 비병리학적 소인에 의한 질병이 점점 늘어나고 있는 추세이다.

㉢ 감염성 질환보다 비감염성 질환이 증가하고 있다.

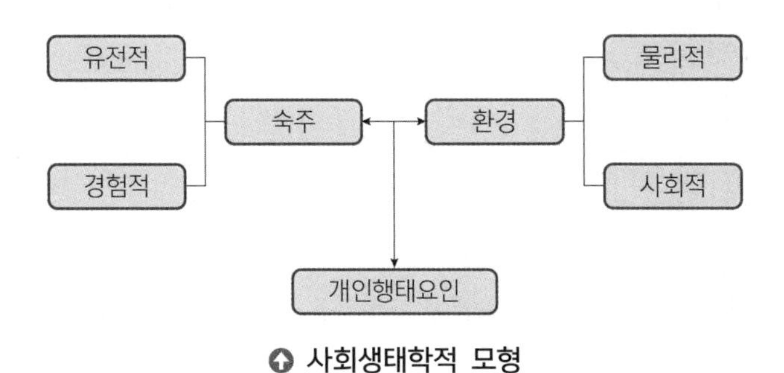

사회생태학적 모형

Plus⁺ POINT

사회생태학적 모형에 따른 건강에 영향을 주는 내 · 외적인 요인(McLeroy 등, 1988)

내적 수준	개인의 지식, 태도, 신념, 성격특성, 자기효능감 등이 건강에 영향을 미침
대인적 수준	• 건강에 영향을 주는 외적 요인으로 친구, 동료, 친척 등과의 관계를 포함 • 이들은 개인의 사회적 정체감에 영향을 주며, 사회적 지지체계를 구성하고 사회구조 내에서 개인의 역할을 결정
조직적 수준	• 개인의 건강행위를 증진하기도 억제하기도 함 • 근무환경과 관련되는 규칙, 규제, 비형식적 조직의 정책 등이 포함
지역사회 수준	사회적 네트워크, 개인, 집단, 조직 내에 공식적 또는 비공식적으로 존재하는 행동 규범 또는 표준을 의미
사회적 수준	• 사회적 수준에서 건강행위를 권장하거나 금지하는 요소가 다양함 • 경제상태, 사회정책, 문화적 규범 등이 이에 해당

3. 전인적 모형(총체적 모형, Holistic Model)

(1) 특징

① 건강과 질병은 단순히 이분법적인 것이 아니라 그 정도에 따라 연속선상에 있는 것으로 보았다.

② 질병은 다양한 복합요인에 의해 발생되는 것이며, 치료의 목적은 단순히 질병을 제기하는 것만이 아니라 개인이 더 나은 건강을 성취할 수 있도록 건강을 증진시키고, 자기관리능력을 향상 · 확대시키는 넓은 개념을 포함하는 모형이다.

③ 의사는 조언자의 역할에 중점이고, 건강 성취의 주체는 개개인 자신으로 의사와 개인과의 신뢰성 확보가 우선임을 강조하였다.

④ 건강이란 사회 및 내부 생태체계가 역동적인 균형상태를 이루고 있는 것을 의미한다. 따라서 질병은 개인의 적응력이 감퇴하거나 조화가 깨질 때 발생한다.

(2) 구성요소

① **환경**: 환경이란 물리적 · 심리적 환경을 포함하며 개인의 주변에 있는 모든 내적 · 외적 환경은 건강에 직 · 간접적으로 영향을 주고 있기 때문에 질병의 발생 여부와 관련이 있다.

② **생활행태**: 질병과 위험요인에 노출되는 것은 개인의 책임이 큰 부분을 차지하여서 개인의 생활행태에 따라 건강의 상태가 달라질 수 있다.

③ **생물학적 특성**: 연령, 성, 인종, 유전적 소인 등과 같은 생물학적 요인은 질병에 따라 개인의 감수성 차이를 보인다.

④ **보건의료체계**: 보건의료체계의 운영 · 관리 상태에 따라 건강은 다른 양상을 보인다. 보건의료체계는 포괄적인 개념으로 예방적 요소, 치료적 요소, 재활적 요소를 포함한다.

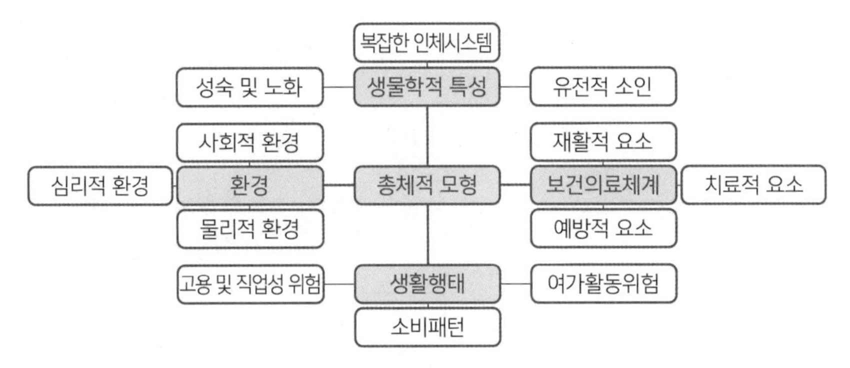

⬆ 전인적 모형(총체적 모형, 홀리스틱 모형, Holistic Model)

4. 웰니스 모형(Wellness Model)

(1) 특징

① 던(Dunn)이 발표한 개념이다.

② 개인의 생활환경 내에서 각자의 잠재력을 극대화하는 통합된 기능이다.

③ 건강은 '충만하고 유익하며 창조적인 생활을 영위하기 위한 개인의 이상적인 상태'이다.

④ 건강의 예비적 준비 상태는 불건강을 극복하기 위한 힘과 능력이다(Dunn, 1977).

⑤ 웰니스 모형에서는 신체와 정신의 연계가 중요하게 간주되며, 상위 수준의 웰니스는 개인이 고차원적인 기능을 하고, 미래와 개인의 잠재력에 대하여 긍정적인 시각을 가지며, 개인적 기능에 있어서 신체적 · 정신적 · 영적인 영역에서 전인적인 통합을 포함하는 개념이다.

⑥ 건강은 단순히 질병이 없는 것이 아니고 안녕 상태, 활력, 작업 능력 그리고 효율 등의 긍정적 차원들을 포괄하는 개념이며, 많은 수의 질병들이 신체의 정화작용 자체만으로 치료되는 것으로 본다.

(2) 사분면

① 던(Dunn)은 가로축인 건강축과 세로축인 환경축으로 구분되는 웰니스 사분면을 제시하였다.

② 가로축인 건강축은 최상의 웰니스에서 사망까지 건강 수준을 반영하였다.

③ 세로축인 환경축은 건강지향적 환경에서 불건강 환경까지 환경상태를 반영하였다.

④ 건강 수준과 환경상태의 조합에 따라 각각 상위 수준의 웰니스, 우연한 상위 수준의 웰니스, 불건강 상태, 건강의 보호의 사분면으로 나누어진다.

(3) 비판점

① 개개인마다 주관적으로 인지 혹은 지각되는 상태에 대한 웰니스의 객관적인 측정이 어렵다.

② 객관적인 측정이 어려운 이유

㉠ 웰니스를 판단하는 정도가 연령 및 문화적 맥락에서 다양할 것이며, 행복, 삶의 질, 다른 광범위한 내용들이 건강의 의미에서 확장되어 웰니스의 의미에 포함되어 있다는 것이다.

㉡ 의료 측면에서 완벽하고 건강한 사람이라도 불행할 수도 있고, 웰니스 모형에 따라서는 삶의 질이 낮을 수도 있다는 것이다.

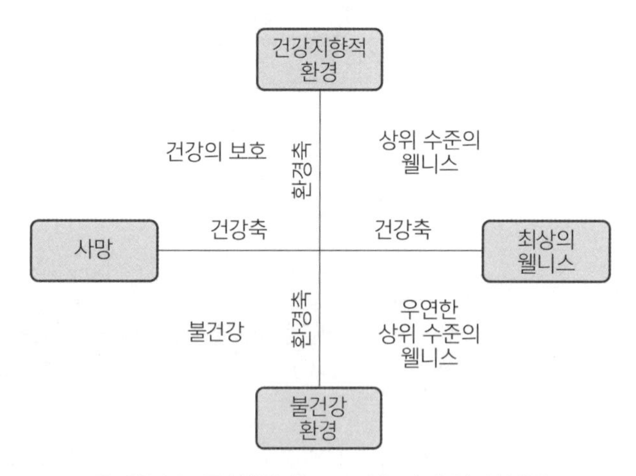

⬆ **웰니스 모형(Wellness Model)의 사분면**

2 건강증진

1. 세계보건기구(WHO)의 건강증진 개념

① 세계보건기구(WHO): 건강증진은 각자의 건강의 한계를 넘어 더 건강하게 지낼 수 있도록 향상·개선시키는 권한을 가지게 하는 과정이다.

② 1986년(캐나다, 오타와 회의, 제1차 국제회의) 기출 15, 16, 18, 19, 20

㉠ 건강이란 삶의 목적이 아닌 일상생활을 위한 자원이며, 건강증진은 자신의 건강에 대하여 통제력을 증가시키고 건강을 향상시키는 능력을 가지도록 하는 과정이다.

㉡ 모든 사람들이 건강능력을 최대한 개발하는 것이며, 평등한 기회와 자원의 확보를 목적으로 한 공공정책 수립, 지리적 환경 확보, 개인의 건강관리기술 개발, 치료적인 관리 이상의 건강관리를 포함한 모든 활동으로 확대 적용된 개념이다.

2. 건강증진의 정의

(1) 협의의 건강증진

① 특정한 질병이나 보건문제의 해결을 목적으로 하는 것이 아닌, 비병원성기에 있는 개인의 신체적·정신적 안녕과 능력 향상을 도모하는 1차적 예방수단을 강구하는 것이다.

② 상병의 위험성이 있는 사람들을 주요 대상으로 건강에 나쁜 생활양식이나 건강습관 등을 건강에 유익한 행동으로 바꾸고, 적당한 운동, 영양, 휴식과 스트레스 관리 등을 통하여 건강잠재력을 함양함으로써 건강을 유지·증진시키고 건강의 나쁜 요인들에 적극적으로 대처할 수 있는 저항력을 길러 주는 것이다.

(2) 광의의 건강증진

① 질병의 치료나 예방에 국한되지 않고, 건강 향상을 위하여 사람들이 지니고 있는 건강잠재력이 충분히 발휘될 수 있도록 이를 개발하고 건강을 보호하기 위한 예방의학적, 환경보호적, 행동과학 및 보건교육적 수단을 강구하는 것이다.

② 개인의 생활습관의 개선뿐만 아니라 환경 및 사회적 여건의 개선까지 포괄한다.

(3) 1979년 미국의 보건성 공중보건국(Public Health Service)

건강증진은 건강한 사람들(Healthy People)이 자신들의 안녕상태를 유지·증진시킬 수 있는 생활습관을 개발할 수 있도록 개인과 지역사회의 방법들을 개발하는 활동을 말한다.

(4) 1990년 미국의 보건성 공중보건국(Public Health Service)

생활양식의 개선과 관련된 금연, 알코올 및 약물남용 방지, 영양 개선, 운동 및 체력 향상, 정신건강과 정신장애, 폭력 및 학대행위 방지, 가족계획 등 교육적인 지식사회 중심 프로그램이 실시되었다.

Plus⁺ POINT

건강증진의 정의

1. 건강증진이란 인간이 누릴 수 있는 최적의 건강상태를 유지하도록 도와주는 학문이며, 최적의 건강이란 육체적, 정서적, 사회적, 영적, 지적 건강의 균형상태를 의미한다.
2. 건강증진이란 더 높은 건강과 안녕 수준에 도달할 목적으로 취하게 되는 어떤 활동 또는 과정으로, 개인·가족·집단 및 지역사회의 안녕을 증진시키고 건강잠재력을 활성화시키는 방향으로 진행된다.
3. 건강증진은 단순히 질병의 치료나 예방에 그치는 것이 아니라, 건강행위의 실천을 통하여 개인의 건강잠재력이 충분히 발휘될 수 있도록 개발하고, 건강평가를 통하여 건강 위험요인을 조기에 발견하고 관리함으로써 삶의 질을 향상시키고 건강·장수하기 위한 보건 교육적·예방의학적·사회제도적·환경보호적 수단을 강구하는 것으로 정의한다.

Plus⁺ POINT

기타 학자들의 건강증진의 정의 기출 17

학자	정의
펜더 (Pender, 1996)	건강한 생활양식을 향상시키기 위한 개인 · 가족 · 집단 · 지역사회의 활동으로 안녕의 수준을 높이고, 자아실현과 개인적 만족감을 유지하거나 높이기 위한 방향으로 취해지는 활동
브레슬로 (Breslow)	질적 · 양적으로 충분한 삶의 가능성을 향상시키는 모든 수단들로써 특정 질환에 대한 예방뿐만 아니라 신체적 · 정신적 기능을 유지, 증진시키고 건강에 해로운 요인에 대한 저항력을 기르는 수단
다우니 등 (Downie, 1991)	건강교육, 질병예방, 건강보호 등을 통하여 좋은 건강습관을 유지 · 향상시키고 나쁜 건강습관을 예방하기 위한 일련의 노력으로 구성
타나힐 (Tannahill)	보건교육, 건강보호, 질병예방을 통해 적극적 건강을 증진하고 불건강을 예방하기 위한 노력의 총합
그린 (Green)	건강에 유익한 행동을 유도하기 위한 보건교육적, 사회적, 환경적 조합
오도넬 (O'Donnell, 1989)	최적의 건강상태를 지향하기 위하여 사람들로 하여금 생활양식을 변화시키는 데 도움을 주는 과학과 기술

3. 건강증진과 보건교육의 관계

(1) 건강증진

① 모든 범위를 포괄하는 총체적인 의미로 사용될 수 있다.

② 건강에 영향을 미치는 요인들을 조절하고 활성화시키는 것이 기본적인 목적이다.

③ 즉, 사람들의 건강을 개선시키고 조정하는 능력이 증가되도록 이끌어가는 과정이다.

④ 신체적 능력과 사회적 · 개인적 능력 개발을 강조하는 적극적인 개념이다.

(2) 보건교육

건강증진을 위한 중요한 수단이다.

4. 건강증진의 목적

(1) 「국민건강증진법」

1995년에 제정되었다.

(2) 「국민건강증진법」 제1조(목적)

국민에게 건강에 대한 가치와 책임의식을 함양하도록 건강에 관한 바른 지식을 보급하고 스스로 건강생활을 실천할 수 있는 여건을 조성함으로써 국민의 건강을 증진함을 목적으로 한다.

5. 건강증진의 필요성 및 중요성

(1) 평균수명 연장으로 만성질환이 급증하고, 국민의료비가 상승하고, 전반적인 삶의 질이 저하(사회적인 문제)된다.

(2) 만성질환 등의 증가(유병률 · 사망률 감소)로 늘어나는 사회적 비용(의료비 지출 · 생산성 손실)을 감소시키기 위해 필요하다.

(3) 만성질환의 원인(대사성 질환)을 감소시키기 위해 건강증진의 원칙(영양, 운동, 휴식 등)으로 삶의 질을 높이기 위한 노력이 필요하고, 건강증진의 중요성을 근거로 정부는 아래 내용을 전개할 필요가 있다.

⇨ 의료체계의 정비와 국민건강보험제도와 사회보장제도 확대, 건강한 사회적 환경 조성으로 건강증진을 유도한다.

(4) 전 세계인구 모두의 실천과 동참이 필요하다(신종 감염성 급성 질환의 전세계적 전염 ⇨ 세계적 동참 필요).

(5) 국가의 건강증진정책은 건강하고 안전한 사회적 환경 조성에 매우 중요하다.

6. 지역사회 건강증진 사업의 접근

(1) 1단계

대상으로 하는 지역사회 인구의 욕구를 파악한다.

(2) 2단계

1단계에서 파악된 인구의 건강 요구에 대한 원인을 파악한다.

(3) 3단계

사업에 이용할 수 있는 자원을 평가하고 프로그램을 수행한다.

(4) 4단계

수행된 프로그램이나 절차들을 평가한다.

7. 건강증진에 대한 국제회의

(1) WHO 제1차 국제건강증진회의(캐나다 오타와, 1986.11.)

① 건강증진의 3대 기본 원칙 기출 13, 14, 15, 18, 19, 20

옹호 (Advocacy)	건강의 중요성을 널리 알리고 옹호 또는 지지함으로써 건강에 영향을 주는 생활여건들을 건강지향적으로 만들어가는 것
역량강화 (Enabling)	건강증진은 모든 사람들이 자신의 최대 건강잠재력을 달성할 수 있도록 현재의 건강 수준 차이를 줄이도록 노력하고 동등한 기회와 자원을 제공하는 것
중재, 조정 (연합, Mediate)	건강 수준 향상을 위해서는 그 활동이 여러 수준 및 여러 분야 간에 통합되고 조정되어야 하므로 보건의료인력 및 관련 전문 집단은 사회 내 서로 다른 집단 간의 이해를 조정할 중요한 책임을 가지는 것

② 건강증진의 5대 활동전략 기출 10, 13, 14, 15, 16, 17, 18, 20

건강한 공공정책의 수립	건강증진은 보건의료서비스를 초월하여 모든 부문에서 정책입안자들이 정책결정의 결과가 건강에 미치는 영향을 인식하게 함으로써 국민건강에 대한 책임을 환기시키는 것
지지적 환경의 조성	일과 여가생활은 건강에 좋은 원천이 되므로 안전하고, 건강을 북돋우며, 만족과 즐거움을 줄 수 있는 직장환경과 생활환경을 조성하는 것
지역사회활동의 강화	건강증진사업의 목적 달성은 우선순위와 활동범위를 결정하고, 전략적 계획과 실천방법을 모색하는 데서 구체적이고 효과적인 지역사회활동을 통해 수행하는 것
개인의 기술 개발	건강증진활동을 통해 개개인은 건강과 환경에 대한 통제능력을 향상시키고, 건강에 유익한 선택을 할 수 있는 능력을 가지는 것
보건의료서비스의 재정립	보건의료 부문의 역할은 치료와 임상서비스에 대한 책임을 뛰어넘어 건강증진 방향으로 전환되어야 하는 것

Plus⁺ POINT

건강증진의 3대 기본 원칙

1. 옹호(To advocate)
   대중에게는 건강에 대한 관심을 불러일으키고, 정책입안자나 행정가들에게는 보건의료수요를 충족시킬 수 있는 보건정책을 수립해야 한다는 촉구가 필요하다.
2. 역량강화(권능부여, Empowerment), 가능화(To enable)
   ① 지원적인 환경조성, 정보의 접근성 제고, 건강기술 습득의 기회 제공 등 동등한 기회와 자원을 제공함으로써 건강증진이 가능하도록 하는 것이다.
   ② 스스로의 건강관리에 적극 참여하며 자신들의 행동에 책임을 느끼게 하는 것이다.
   ③ 본인과 가족의 건강을 유지할 수 있게 하는 것을 그들의 권리로서 인정하는 것이다.
3. 연합(Alliance), 조정(중재, To mediate)
   ① 모든 사람들이 건강을 위한 발전을 계속하도록 건강에 영향을 미치는 경제, 언론, 학교 등 모든 관련 분야 전문가들이 협조하는 것이다.
   ② 건강증진은 많은 기관 및 부문의 협조와 조화가 필요하므로 이들 간의 이해관계를 파악하여 원만한 조정이 필요하다.

(2) 제2차 애들레이드 국제회의(1988) 기출 18, 19

① 개최과정

㉠ 1988년 4월 5일부터 9일까지(5일간) 제2차 건강증진을 위한 국제회의가 호주 애들레이드(Adelaide)에서 개최되었다.

㉡ 건강은 인간의 기본적인 권리인 동시에 건전한 사회적 투자라는 전제에서 출발하였으며, 건강증진을 위한 정부정책의 중요성에 대해 집중 토의하였다.

ⓒ 제1차 국제회의에서 제시한 5개 활동요소 중 건강한 공공정책의 수립에 대해 집중적인 토의가 이루어졌다.

② 공공정책 중 4가지 핵심분야가 제시되었다.

Plus⁺ POINT

공공정책 핵심분야 기출 09

1. 여성건강의 개선(여성의 건강증진, Supporting the health of women)
2. 식품과 영양(Food and nutrition)
3. 흡연과 음주(Tobacco and alcohol)
4. 지지적 환경의 조성(Creating supportive environments)

③ 정부정책에서 고려하여야 할 점

㉠ 정부정책을 통해 건강보장을 위한 국가 자원이 공평하게 배분되어야 한다.

㉡ 국민 모두의 건강을 위하여 적절한 생활환경이 조성되어야 한다.

㉢ 정책수립에 있어서 평화, 기본인권, 사회정의, 자연생태 보전, 지속적 발전이 보장되어야 한다.

㉣ 보건은 정치형태의 차이에 관계 없이 모두의 책임이며 국민보건의 향상을 위하여 서로 간의 협력이 요구된다.

(3) 제3차 선즈볼 국제회의(1991) 기출 18

① 1991년 6월 9일부터 15일까지 제3차 건강증진을 위한 국제회의가 스웨덴 선즈볼(Sundsvall)에서 개최되었다.

② 제3차 국제회의에서는 제1차 국제회의에서 제시된 5개 활동요소 중 지지적 환경의 조성에 대해 집중적인 토의가 이루어졌다.

③ 환경을 변화시키는 전략으로 정책개발, 법제도, 조직방향의 재설정, 옹호, 인식의 제고, 능력의 부여, 자원의 동원, 지역사회 역량의 강화를 채택하였다.

Plus⁺ POINT

보건지원 환경구축의 중요성을 강조, 모든 국가가 적극적으로 행동할 것을 촉구

1. 건강의식의 고취를 위하여 여성을 포함하는 모든 지역사회를 통한 범국민적 계몽교육이 필요하다.
2. 개인과 지역사회는 그들의 건강을 지키고, 건강한 환경을 조성할 수 있는 능력을 구비할 수 있도록 교육되고 활성화되어야 한다.
3. 건강과 환경개선을 위한 사회적 운동이 일어나야 하며, 이를 효과적으로 이끌어가기 위하여 모든 관련 기관의 협력체계가 이루어져야 한다.
4. 보건지원 환경구축을 위한 범사회적 운동을 전개함에 있어서 혹시라도 야기될 수 있는 기관·단체 간 혹은 계층 간의 상반된 이해로 인한 협력관계의 훼손을 예방할 수 있는 조정기능이 있어야 한다.

(4) 제4차 자카르타 국제회의(1997)

① 개최과정

㉠ 1997년 7월 21일부터 25일까지 제4차 건강증진을 위한 국제회의가 인도네시아 자카르타(Jakarta)에서 개최되었다.

㉡ '건강증진은 가치 있는 투자'라는 전제하에 건강증진을 보건사업의 중심으로 보았고, 자카르타 선언(Jakarta Declaration)을 발표하였다.

② 21세기 건강증진을 위한 5가지 우선순위가 제시되었다.

Plus⁺ POINT

21세기 건강증진을 위한 5가지 우선순위(제4차 자카르타 국제회의, 1997)

1. 건강에 대한 사회적 책임 증진
2. 건강증진사업의 투자 확대
3. 건강 동반자관계 구축 확대
4. 지역사회의 능력 증대 및 개인역량의 강화
5. 건강증진을 위한 인프라 구축

(5) 제5차 멕시코시티 국제회의(2000) 기출 21

① 개최과정

㉠ 2000년 6월 5일부터 9일까지 제5차 건강증진을 위한 국제회의가 멕시코 멕시코시티(Mexico City)에서 개최되었다.

㉡ 제5차 국제회의에서는 제4차 국제회의에서 제시한 기본 전략 이외에 취약한 환경에 거주하는 사람들의 건강과 삶을 향상시키고, 계층 및 지역 간 건강불균형의 해소방안에 대해 집중적인 토의가 이루어졌다.

② **21세기 건강증진을 위한 6가지 우선순위**: 제4차 자카르타 국제회의에서 논의된 5가지 우선순위 외에 보건의료체계와 서비스의 재정비를 추가하였다.

Plus⁺ POINT

21세기 건강증진을 위한 6가지 우선순위(제5차 멕시코시티 국제회의, 2000)

우선순위	비고
1. 건강에 대한 사회적 책임 증진 2. 건강증진사업의 투자 확대 3. 건강 동반자관계 구축 확대 4. 지역사회의 능력 증대 및 개인역량의 강화 5. 건강증진을 위한 인프라 구축	제4차 자카르타 국제회의에서 도출
6. 보건의료체계와 서비스의 재정비	제5차 멕시코시티 국제회의에서 추가

③ **건강증진의 주요 전략 제시**: 건강을 위한 사회적 책임감의 증진, 건강증진 및 개발을 위한 투자의 증대, 지역사회의 역량과 개인의 능력 향상, 건강증진을 위한 과학적 근거의 강화, 보건조직과 서비스 재구성, 건강증진을 위한 과학적 근거의 확보, 파트너십의 구축

(6) 제6차 방콕 국제회의(2005)

① 개최과정

㉠ 2005년 8월 7일부터 11일까지 제6차 건강증진을 위한 국제회의가 태국 방콕(Bangkok)에서 개최되었다.

㉡ 제6차 국제회의에서 채택된 방콕헌장에서는 급속한 세계화 속에서 새롭게 직면하는 건강결정요인 및 건강과제를 파악하고, 이를 효과적으로 해결할 수 있는 새로운 건강증진전략과 서약을 제시하였다.

② 건강증진을 위한 우선순위

㉠ 건강의 중요성 및 형평성 주창
㉡ 건강을 위한 투자
㉢ 건강증진을 위한 역량 함양
㉣ 규제 및 법규 제정
㉤ 건강을 위한 파트너십 및 연대 구축

(7) 제7차 나이로비 국제회의(2009)

① 개최과정

㉠ 2009년 10월 26일부터 30일까지 제7차 건강증진을 위한 국제회의가 케냐 나이로비(Nairobi)에서 개최되었다.
㉡ **제7차 국제회의 주제**: 수행역량 격차 해소를 통한 건강증진과 개발
㉢ 나이로비 선언과 함께 아프리카의 날 행사가 치러졌다.

② 5가지 테마별 주제 기출 15, 22

㉠ 지역사회 역량 강화
㉡ 건강지식 및 건강행동
㉢ 보건체계(보건시스템)의 강화
㉣ 파트너십 및 부문 간 활동
㉤ 건강증진을 위한 역량 강화

(8) 제8차 헬싱키 국제회의(2013) 기출 19

① **개최과정**: 2013년 6월 10일부터 14일까지 제8차 건강증진을 위한 국제회의가 핀란드 헬싱키(Helsinki)에서 개최되었다.
② **제8차 국제회의 주제**: 건강을 모든 정책들에서[Health in All Policies(HiAP)]
③ 제8차 국제회의는 지금까지 이루어진 건강증진에 대한 목표와 성과를 되돌아보고, 향후 건강시스템의 지속가능성, 지속가능한 개발의제들에 대한 토의가 이루어졌다.

(9) 제9차 상하이 국제회의(2016)

① 개최과정

㉠ 2016년 11월 21일부터 24일까지 제9차 건강증진을 위한 국제회의가 중국 상하이에서 개최되었다.
㉡ 제9차 회의는 오타와 회의(1986) 30주년을 맞아 개최되었다.
㉢ 제9차 회의에서는 '상하이 선언(Shanghai Declaration)'이 채택되었고, 100명 이상의 시장 등이 모인 '시장포럼(Mayor Forum)'에서는 건강도시에 관한 공동추진과제 '상하이 건강도시 시장합의문(The Shanghai Healthy Cities Mayors' Consensus)'을 채택하였다.

② 제9차 국제회의 주제(슬로건)

㉠ 모든 사람에게 건강을, 모든 것은 건강을 위해(Health for All and All for Health)

ⓒ 제9차 회의는 특히 2016년이 지속가능발전목표(Sustainable Development Goals, SDGs, 2016 ~ 2030)의 첫 해였던 만큼 건강과 지속가능발전목표(SDGs)와의 연계를 강조하였다.

③ **건강도시 실현을 위한 10가지 우선순위 과제(제9차 상하이 국제회의 시장합의문)**: 건강도시 관련 시장포럼(Mayor Forum)에서는 건강과 웰빙을 위해 일하는 도시가 지속가능한 도시라고 정의하고 건강을 위한 거버넌스(governance)를 구축하고 건강도시 프로그램을 실현하기로 결의하였다. 건강도시 실현을 위한 10가지 우선순위 과제를 다음과 같이 합의하였다.

Plus⁺ POINT

1. 건강도시 실현을 위한 10가지 우선순위 과제 기출 19
   ① 교육, 주거, 고용, 안전 등 주민에게 기본적인 욕구를 충족하는 것
   ② 대기, 수질, 토양오염을 저감하고 기후변화에 대응하는 것
   ③ 어린이에게 투자하는 것
   ④ 여성과 청소년 여학생에게 안전한 환경을 조성하는 것
   ⑤ 도시의 가난한 사람, 이민자, 체류자 등의 건강과 삶의 질을 높이는 것
   ⑥ 여러 가지 형태의 차별을 없애는 것
   ⑦ 감염병으로부터 안전한 도시를 만드는 것
   ⑧ 도시의 지속가능한 이동을 위해 디자인하는 것
   ⑨ 안전한 식품과 건강식품을 제공하는 것
   ⑩ 금연 환경을 조성하는 것

2. 「건강증진법」 제6조의5(건강도시의 조성 등)
   ① 국가와 지방자치단체는 지역사회 구성원들의 건강을 실현하도록 시민의 건강을 증진하고 도시의 물리적·사회적 환경을 지속적으로 조성·개선하는 도시(이하 "건강도시"라 한다)를 이루도록 노력하여야 한다.
   ② 보건복지부장관은 지방자치단체가 건강도시를 구현할 수 있도록 건강도시지표를 작성하여 보급하여야 한다.
   ③ 보건복지부장관은 건강도시 조성 활성화를 위하여 지방자치단체에 행정적·재정적 지원을 할 수 있다.
   ④ 그 밖에 건강도시지표의 작성 및 보급 등에 관하여 필요한 사항은 보건복지부령으로 정한다.

3. 건강증진의 3대 축(제9차 국제건강증진 컨퍼런스, 2016, 상하이)
   WHO의 건강을 증진하고 지속가능한 발전을 도모하기 위한 3대 축이다.

① 좋은 거버넌스	② 건강도시	③ 건강정보 이해능력을 선정
건강을 보호하고 안녕을 증진할 수 있는 시스템 구축	다른 도시정책과 상호 도움이 되는 정책을 우선 선택	건강정보 이해능력이 건강의 핵심적 결정요인임을 인정
보편적 의료보장 도입	사회 혁신과 양방향 기술의 활용	건강정보 이해능력을 개선할 수 있는 국가적·지역적 전략 마련
국제 이슈를 해결할 수 있는 글로벌 거버넌스 강화	사회적 평등과 포용 추구	시민의 자가 건강관리능력 향상
전통의학의 가치 재고	보건·복지 서비스의 형평성 재정립	건강한 선택을 장려하는 소비환경 조성

출처: 제5차 국민건강증진종합계획 2030, Dr. Jason Ligot. WHO 비감염성질환 예방과 컨설턴트. 2017 건강정책 국제포럼 - 미국이 최근 발표(2020년 8월)한 Healthy People 2030에서 총괄목표로 건강불평등 제거, 건강정보 이해력, 사회적·경제적 환경 강조

핵심정리 건강증진 국제회의별 주제

회의	주제
제2차 애들레이드 국제회의 (Adelaide, 1988)	• 제1차 회의에서 제시한 5대 전략 중 '건강한 공공정책의 수립'에 대해 집중 토의 • 식품과 영양, 여성의 건강증진, 흡연과 음주, 지지적 환경의 조성
제3차 선즈볼 국제회의 (Sundsvall, 1991)	• 제1차 회의에서 제시한 5대 전략 중 '지지적 환경의 조성'에 대해 집중 토의 • 교육, 식품과 영양, 가정과 이웃, 업무, 운송, 사회적 지지와 돌봄 등 6개 분야를 제시
제4차 자카르타 국제회의 (Jakarta, 1997)	건강증진은 가치 있는 투자
제5차 멕시코시티 국제회의 (Mexico City, 2000)	사회적 형평성 제고를 위한 계층 간 격차 해소에 대해 집중토의
제6차 방콕 국제회의 (Bangkok, 2005)	다섯 가지 기본방향 제시 • 옹호(advocate) • 투자(invest) • 역량 함양(build capacity) • 법규 제정 및 규제(regulate and legislate) • 파트너십 형성 및 연대 구축(partner and build alliances)
제7차 나이로비 국제회의 (Nairobi, 2009)	여섯 가지 제시 • 건강증진 수행역량 격차 해소 • 지역사회 역량 강화(community empowerment) • 건강지식과 건강행동(health literacy and health behavior) • 보건체계의 강화(strengthening health system) • 파트너십과 부문 간 활동(partnerships and intersectoral action) • 역량 함양(building capacity)
제8차 헬싱키 국제회의 (Helsinki, 2013)	모든 정책에 건강을(Health in All Policy)
제9차 상하이 국제회의 (Shanghai, 2016)	• 지속가능개발목표에 있어서의 건강증진 • 모든 사람에게 건강을, 모든 것은 건강을 위해(Health Promotion in the Sustainable Development Goals: Health for All and All for Health)

8. 「국민건강증진법」상 건강증진사업

관련 법령

「국민건강증진법」 제1조 【목적】 국민에게 건강에 대한 가치와 책임의식을 함양하도록 건강에 관한 바른 지식을 보급하고 스스로 건강생활을 실천할 수 있는 여건을 조성함으로써 국민의 건강을 증진함을 목적으로 한다.

제2조 【정의】 이 법에서 사용하는 용어의 정의는 다음과 같다.

1. "국민건강증진사업"
   보건교육, 질병예방, 영양개선, 신체활동장려, 건강관리 및 건강생활의 실천등을 통하여 국민의 건강을 증진시키는 사업
2. "보건교육"
   개인 또는 집단으로 하여금 건강에 유익한 행위를 자발적으로 수행하도록 하는 교육
3. "영양개선"
   개인 또는 집단이 균형된 식생활을 통하여 건강을 개선시키는 것
4. "신체활동장려"
   개인 또는 집단이 일상생활 중 신체의 근육을 활용하여 에너지를 소비하는 모든 활동을 자발적으로 적극 수행하도록 장려하는 것
5. "건강관리"
   개인 또는 집단이 건강에 유익한 행위를 지속적으로 수행함으로써 건강한 상태를 유지하는 것
6. "건강친화제도"
   근로자의 건강증진을 위하여 직장 내 문화 및 환경을 건강친화적으로 조성하고, 근로자가 자신의 건강관리를 적극적으로 수행할 수 있도록 교육, 상담 프로그램 등을 지원하는 것

제4조 【국민건강증진종합계획의 수립】 ① 보건복지부장관은 제5조의 규정에 따른 국민건강증진정책심의위원회의 심의를 거쳐 국민건강증진종합계획(이하 "종합계획"이라 한다)을 5년마다 수립하여야 한다. 이 경우 미리 관계중앙행정기관의 장과 협의를 거쳐야 한다.
② 종합계획에 포함되어야 할 사항은 다음과 같다.
1. 국민건강증진의 기본목표 및 추진방향
2. 국민건강증진을 위한 주요 추진과제 및 추진방법
3. 국민건강증진에 관한 인력의 관리 및 소요재원의 조달방안
4. 제22조의 규정에 따른 국민건강증진기금의 운용방안

4의2. 아동 · 여성 · 노인 · 장애인 등 건강취약 집단이나 계층에 대한 건강증진 지원방안

5. 국민건강증진 관련 통계 및 정보의 관리 방안
6. 그 밖에 국민건강증진을 위하여 필요한 사항

제4조의2【실행계획의 수립 등】 ① 보건복지부장관, 관계중앙행정기관의 장, 특별시장 · 광역시장 · 특별자치시장 · 도지사 · 특별자치도지사(이하 "시 · 도지사"라 한다) 및 시장 · 군수 · 구청장(자치구의 구청장에 한한다. 이하 같다)은 종합계획을 기초로 하여 소관 주요시책의 실행계획(이하 "실행계획"이라 한다)을 매년 수립 · 시행하여야 한다.
② 국가는 실행계획의 시행에 필요한 비용의 전부 또는 일부를 지방자치단체에 보조할 수 있다.

제4조의3【계획수립의 협조】 ① 보건복지부장관, 관계중앙행정기관의 장, 시 · 도지사 및 시장 · 군수 · 구청장은 종합계획과 실행계획의 수립 · 시행을 위하여 필요한 때에는 관계 기관 · 단체 등에 대하여 자료 제공 등의 협조를 요청할 수 있다.
② 제1항의 규정에 따른 협조요청을 받은 관계 기관 · 단체 등은 특별한 사유가 없는 한 이에 응하여야 한다.

제5조【국민건강증진정책심의위원회】 ① 국민건강증진에 관한 주요사항을 심의하기 위하여 보건복지부에 국민건강증진정책심의위원회(이하 "위원회"라 한다)를 둔다.
② 위원회는 다음 각 호의 사항을 심의한다.
1. 종합계획
2. 제22조의 규정에 따른 국민건강증진기금의 연도별 운용계획안 · 결산 및 평가
3. 2 이상의 중앙행정기관이 관련되는 주요 국민건강증진시책에 관한 사항으로서 관계중앙행정기관의 장이 심의를 요청하는 사항
4. 「국민영양관리법」 제9조에 따른 심의사항
5. 다른 법령에서 위원회의 심의를 받도록 한 사항
6. 그 밖에 위원장이 심의에 부치는 사항

제5조의2【위원회의 구성과 운영】 ① 위원회는 위원장 1인 및 부위원장 1인을 포함한 15인 이내의 위원으로 구성한다.
② 위원장은 보건복지부차관이 되고, 부위원장은 위원장이 공무원이 아닌 위원 중에서 지명한 자가 된다.
③ 위원은 국민건강증진 · 질병관리에 관한 학식과 경험이 풍부한 자, 「소비자기본법」에 따른 소비자단체 및 「비영리민간단체 지원법」에 따른 비영리민간단체가 추천하는 자, 관계공무원 중에서 보건복지부장관이 위촉 또는 지명한다.
④ 그 밖에 위원회의 구성 · 운영 등에 관하여 필요한 사항은 대통령령으로 정한다.

제5조의3 【한국건강증진개발원의 설립 및 운영】 ① 보건복지부장관은 제22조에 따른 국민건강증진기금의 효율적인 운영과 국민건강증진사업의 원활한 추진을 위하여 필요한 정책 수립의 지원과 사업평가 등의 업무를 수행할 수 있도록 한국건강증진개발원(이하 이 조에서 "개발원"이라 한다)을 설립한다.
② 개발원은 다음 각 호의 업무를 수행한다.
1. 국민건강증진 정책수립을 위한 자료개발 및 정책분석
2. 종합계획 수립의 지원
3. 위원회의 운영지원
4. 제24조에 따른 기금의 관리 · 운용의 지원 업무
5. 제25조 제1항 제1호부터 제10호까지의 사업에 관한 업무
6. 국민건강증진사업의 관리, 기술 지원 및 평가
7. 「지역보건법」 제7조부터 제9조까지에 따른 지역보건의료계획에 대한 기술 지원
8. 「지역보건법」 제24조에 따른 보건소의 설치와 운영에 필요한 비용의 보조
9. 국민건강증진과 관련된 연구과제의 기획 및 평가
10. 「농어촌 등 보건의료를 위한 특별조치법」 제2조의 공중보건의사의 효율적 활용을 위한 지원
11. 지역보건사업의 원활한 추진을 위한 지원
12. 그 밖에 국민건강증진과 관련하여 보건복지부장관이 필요하다고 인정한 업무

③ 개발원은 법인으로 하고, 주된 사무소의 소재지에 설립등기를 함으로써 성립한다.
④ 개발원은 다음 각 호를 재원으로 한다.
1. 제22조에 따른 기금
2. 정부출연금
3. 기부금
4. 그 밖의 수입금

⑤ 정부는 개발원의 운영에 필요한 예산을 지급할 수 있다.
⑥ 개발원에 관하여 이 법과 「공공기관의 운영에 관한 법률」에서 정한 사항 외에는 「민법」 중 재단법인에 관한 규정을 준용한다.

제2장 국민건강의 관리

제6조 【건강친화 환경 조성 및 건강생활의 지원 등】 ① 국가 및 지방자치단체는 건강친화 환경을 조성하고, 국민이 건강생활을 실천할 수 있도록 지원하여야 한다.
② 국가는 혼인과 가정생활을 보호하기 위하여 혼인전에 혼인 당사자의 건강을 확인하도록 권장하여야 한다.
③ 제2항의 규정에 의한 건강확인의 내용 및 절차에 관하여 필요한 사항은 보건복지부령으로 정한다.

제6조의2【건강친화기업 인증】① 보건복지부장관은 건강친화 환경의 조성을 촉진하기 위하여 건강친화제도를 모범적으로 운영하고 있는 기업에 대하여 건강친화인증(이하 "인증"이라 한다)을 할 수 있다.
② 인증을 받고자 하는 자는 대통령령으로 정하는 바에 따라 보건복지부장관에게 신청하여야 한다.
③ 인증 받은 기업은 보건복지부령으로 정하는 바에 따라 인증의 표시를 할 수 있다.
④ 인증을 받지 아니한 기업은 인증표시 또는 이와 유사한 표시를 하여서는 아니 된다.
⑤ 국가 및 지방자치단체는 인증을 받은 기업에 대하여 대통령령으로 정하는 바에 따라 행정적 · 재정적 지원을 할 수 있다.
⑥ 인증의 기준 및 절차는 대통령령으로 정한다.

제6조의3【인증의 유효기간】① 인증의 유효기간은 인증을 받은 날부터 3년으로 하되, 대통령령으로 정하는 바에 따라 그 기간을 연장할 수 있다.
② 제1항에 따른 인증의 연장신청에 필요한 사항은 보건복지부령으로 정한다.

제6조의4【인증의 취소】① 보건복지부장관은 인증을 받은 기업이 다음 각 호의 어느 하나에 해당하면 보건복지부령으로 정하는 바에 따라 그 인증을 취소할 수 있다. 다만, 제1호에 해당하는 경우에는 인증을 취소하여야 한다.
1. 거짓이나 그 밖의 부정한 방법으로 인증을 받은 경우
2. 제6조의2 제6항에 따른 인증기준에 적합하지 아니하게 된 경우

② 보건복지부장관은 제1항 제1호에 따라 인증이 취소된 기업에 대해서는 그 취소된 날부터 3년이 지나지 아니한 경우에는 인증을 하여서는 아니 된다.
③ 보건복지부장관은 제1항에 따라 인증을 취소하고자 하는 경우에는 청문을 실시하여야 한다.

제16조의2【신체활동장려사업의 계획 수립 · 시행】국가 및 지방자치단체는 신체활동장려 관한 사업 계획을 수립 · 시행하여야 한다.

제16조의3【신체활동장려사업】① 국가 및 지방자치단체는 국민의 건강증진을 위하여 신체활동을 장려할 수 있도록 다음 각 호의 사업을 한다.
1. 신체활동장려에 관한 교육사업
2. 신체활동장려에 관한 조사 · 연구사업
3. 그 밖에 신체활동장려를 위하여 대통령령으로 정하는 사업

② 제1항 각 호의 사업 내용 · 기준 및 방법은 보건복지부령으로 정한다.

제19조【건강증진사업 등】① 국가 및 지방자치단체는 국민건강증진사업에 필요한 요원 및 시설을 확보하고, 그 시설의 이용에 필요한 시책을 강구하여야 한다.

② 특별자치시장 · 특별자치도지사 · 시장 · 군수 · 구청장은 지역주민의 건강증진을 위하여 보건복지부령이 정하는 바에 의하여 보건소장으로 하여금 다음 각호의 사업을 하게 할 수 있다.

1. 보건교육 및 건강상담
2. 영양관리
3. 신체활동장려
4. 구강건강의 관리
5. 질병의 조기발견을 위한 검진 및 처방
6. 지역사회의 보건문제에 관한 조사 · 연구
7. 기타 건강교실의 운영등 건강증진사업에 관한 사항

③ 보건소장이 제2항의 규정에 의하여 제2항 제1호 내지 제5호의 업무를 행한 때에는 이용자의 개인별 건강상태를 기록하여 유지 · 관리하여야 한다.
④ 건강증진사업에 필요한 시설 · 운영에 관하여는 보건복지부령으로 정한다.

제25조【기금의 사용 등】 ① 기금은 다음 각호의 사업에 사용한다.

1. 금연교육 및 광고, 흡연피해 예방 및 흡연피해자 지원 등 국민건강관리사업
2. 건강생활의 지원사업
3. 보건교육 및 그 자료의 개발
4. 보건통계의 작성 · 보급과 보건의료관련 조사 · 연구 및 개발에 관한 사업
5. 질병의 예방 · 검진 · 관리 및 암의 치료를 위한 사업
6. 국민영양관리사업
7. 신체활동장려사업
8. 구강건강관리사업
9. 시 · 도지사 및 시장 · 군수 · 구청장이 행하는 건강증진사업
10. 공공보건의료 및 건강증진을 위한 시설 · 장비의 확충
11. 기금의 관리 · 운용에 필요한 경비
12. 그 밖에 국민건강증진사업에 소요되는 경비로서 대통령령이 정하는 사업

② 보건복지부장관은 기금을 제1항 각호의 사업에 사용함에 있어서 아동 · 청소년 · 여성 · 노인 · 장애인 등에 대하여 특별히 배려 · 지원할 수 있다.
③ 보건복지부장관은 기금을 제1항 각호의 사업에 사용함에 있어서 필요한 경우에는 보조금으로 교부할 수 있다.

9. 국민건강증진종합계획

(1) 제5차 HP2030 국민건강증진종합계획

Plus⁺ POINT

국민건강증진종합계획(Health Plan 2030)

1. 「국민건강증진법」 제4조
   '국민건강증진종합계획의 수립'에 따라, 질병 사전예방 및 건강증진을 위한 중장기 정책 방향을 제시하고 성과지표 모니터링 및 평가를 통해 국민건강증진종합계획의 효율적인 운영 및 목표 달성을 추구한다.
2. 추진 결과
   ① 2017년: 추진체계 구축 및 현안발굴 등을 통한 국내·외 동향 및 현안 분석
   ② 2018년: 근거마련을 위한 연구수행, 전문가 포럼 구성 및 운영
   ③ 2019년: HP2030의 비전·총괄목표·기본 추진원칙 합의
   ④ 2020년: HP2030 기본 틀 확정 및 계획 마련, 총괄목표 성과지표 등 확정, 분과위원회 위촉 및 분과별 심층토론회 등을 통한 중점과제별 세부계획(안) 작성
   ⑤ 2021년 1월: 제5차 국민건강증진종합계획(Health Plan 2030, 2021 ~ 2030) 발표

① Health Plan 2020의 목표와 사업
- ㉠ **총괄목표**: 건강수명 연장과 건강형평성 제고
- ㉡ **사업**: 제4차 국민건강종합계획이 보완되었으며, 제5차 국민건강종합계획(2030)이 수립되었다.

② 제5차 건강증진종합계획 기본 틀
- ㉠ **비전**: 모든 사람이 평생건강을 누리는 사회
- ㉡ **모든 사람**: 성, 계층, 지역 간 건강형평성을 확보하고, 적용 대상을 모든 사람으로 확대한다.
- ㉢ **평생 건강을 누리는 사회**: 출생부터 노년까지 전 생애주기에 걸친 건강권을 보장하고, 정부를 포함한 사회 전체를 포괄한다.

③ **총괄목표 – 건강수명 연장, 건강형평성 제고** 기출 21
- ㉠ HP2030 추진의 최종 결과지표(Health Outcomes)로, HP2020를 유지한다.
- ㉡ **건강수명**: 2030년까지 건강수명 73.3세를 달성한다(**2018년**: 70.4세 ⇨ **2030년**: 73.3세).
- ㉢ **건강형평성**: 건강수명의 소득 간, 지역 간 형평성을 확보한다.
- ㉣ **소득**: 소득 수준 상위 20%의 건강수명과 소득 수준 하위 20%의 건강수명 격차를 7.6세 이하로 낮춘다.
- ㉤ **지역**: 건강수명 상위 20% 해당 지방자치단체의 건강수명과 하위 20% 해당 지방자치단체의 건강수명의 격차를 2.9세 이하로 낮춘다.

④ **기본 원칙**: HP2030 수립·추진·평가 시 기본이 되는 원칙을 신설한다. 기출 22
국민건강증진종합계획 수립 ⇨ 추진 ⇨ 평가 전 과정에 걸쳐 다음과 같은 원칙을 따른다.

㉠ 국가와 지역사회의 모든 정책 수립에 건강을 우선적으로 반영한다.
㉡ 보편적인 건강 수준의 향상과 건강형평성 제고를 함께 추진한다.
㉢ 모든 생애과정과 생활터에 적용한다.
㉣ 건강친화적인 환경을 구축한다.
㉤ 누구나 참여하여 함께 만들고 누릴 수 있도록 한다.
㉥ 관련된 모든 부문이 연계하고 협력한다.

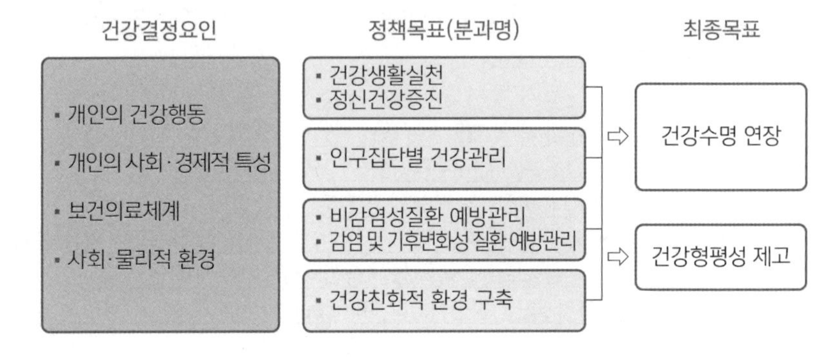

⑤ **중점과제 분과**

㉠ HP2030에 6개의 분과가 있다.
㉡ 최종 목표를 달성하기 위하여 건강결정요인별로 우선적으로 달성해야 하는 정책목표를 분과명으로 선정한다.

⑥ **중점과제**

㉠ HP2030에 28개의 중점과제가 있다.
㉡ 각 분과 내에서 우선적으로 추진해야 하는 과제를 관련 연구 및 전문가 협의 등을 통해 선정한다.

제5차 HP 국민건강증진종합계획 중점과제별 추진목표 기출 21, 23

지표명		'18	'30
건강생활실천	성인 남성 현재흡연율(연령표준화)	36.7%	25.0%
	성인 여성 현재흡연율(연령표준화)	7.5%	4.0%
	성인 남성 고위험음주율(연령표준화)	20.8%	17.8%
	성인 여성 고위험음주율(연령표준화)	8.4%	7.3%
	식품 안정성 확보 가구분율	96.9%	97.0%
	성인 남성 유산소 신체활동 실천율	51.0%	56.5%
	성인 여성 유산소 신체활동 실천율(연령표준화)	44.0%	49.3%
	영구치(12세) 우식 경험률(연령표준화)	56.4%	45.0%
정신건강관리	자살사망률(인구 10만 명당)	26.6명	17.0명
	남성 자살사망률(인구 10만 명당)	38.5명	27.5명
	여성 자살사망률(인구 10만 명당)	14.8명	12.8명

	치매안심센터의 치매환자 등록·관리율(전국평균)	51.5% ('19)	82.0%
	알코올 사용장애 정신건강 서비스 이용률	12.1% ('16)	25.0%
	정신건강 서비스이용률	22.2% ('16)	35.0%
비감염성질환 예방관리	성인 남성(20 ~ 74세) 암 발생률(인구 10만 명당, 연령표준화)	338.0명 ('17)	313.9명
	성인 여성(20 ~ 74세) 암 발생률(인구 10만 명당, 연령표준화)	358.5명 ('17)	330.0명
	성인 남성 고혈압 유병률(연령표준화)	33.2%	32.2%
	성인 여성 고혈압 유병률(연령표준화)	23.1%	22.1%
	성인 남성 당뇨병 유병률(연령표준화)	12.9%	11.9%
	성인 여성 당뇨병 유병률(연령표준화)	7.9%	6.9%
	급성 심근경색증 환자의 발병 후 3시간 미만 응급실 도착 비율	45.2%	50.4%
	성인 남성 비만 유병률(연령표준화)	42.8%	42.8% 이하
	성인 여성 비만 유병률(연령표준화)	25.5%	25.5% 이하
	손상사망률(인구 10만 명당)	54.7명	38.0명
감염 및 기후변화성 질환 예방관리	신고 결핵 신환자율(인구 10만 명당)	51.5명	10.0명
	MMR 완전접종률	94.7% ('19)	95% 이상
	기후보건영향평가 평가체계 구축 및 운영	-	구축완료
인구집단별 건강관리	영아사망률(출생아 1천 명당)	2.8명	2.3명
	고등학교 남학생 현재흡연율	14.1%	13.2%
	고등학교 여학생 현재흡연율	5.1%	4.2%
	모성사망비(출생아 10만 명당)	11.3명	7.0명
	노인 남성의 주관적 건강인지율	28.7%	34.7%
	노인 여성의 주관적 건강인지율	17.6%	23.6%
	성인 장애인 건강검진 수검률	64.9% ('17)	69.9%
	연간 평균 노동시간	1,993시간	1,750시간
	군 장병 흡연율	40.7% ('19)	33.0%
건강친화적 환경구축	성인 남성 적절한 건강정보이해능력 수준	-	70.0%
	성인 여성 적절한 건강정보이해능력 수준	-	70.0%

MMR
홍역·유행성이하선염·풍진 3종 혼합 백신

제5차 HP 국민건강증진종합계획 중점과제별 추진계획

건강생활실천	• 개인의 금연, 절주 행동변화 및 위해물질에 대한 규제 강화 • 취약계층과 생활터 중심 영양, 신체활동, 건강생활실천 환경 조성
정신건강관리	• 자살 고위험군, 치매, 정신질환 조기발견 및 개입 체계 강화 • 정신건강 서비스 인식개선 및 지역사회 지지체계 확립
비감염성질환 예방관리	• 취약계층 대상 조기발견·예방 사업 강화 및 위해요인 개선 환경 조성 • 비감염성 질환 전주기 연속적 관리를 위한 다부처, 다기관 협력
감염 및 기후변화성 질환 예방관리	• 감염병 조기감지, 신속진단 등 감염병 대응 기술 혁신, 운영인력과 체계 구축 • 감염병으로 인한 취약계층 보호 및 필수의료 공백으로 인한 초과사망 감소
인구집단별 건강관리	• 영유아, 청소년의 건강한 성장 지원으로 평생건강 토대 마련 • 여성, 노인, 장애인 건강을 위한 환경 구축 • 건강을 지킬 수 있는 근로환경 개선과 군 생활 보장
건강친화적 환경구축	• 모든 정책에 건강(HiAP; Health in All Policies)을 고려하기 위한 중앙 및 지방정부 거버넌스와 법·제도 개선 • 건강형평성 제고전략으로서 건강정보 이해력과 혁신적 정보기술 활용

제4차 및 제5차 국민건강증진종합계획의 기본틀 비교

구분	제4차 국민건강증진종합계획(HP2020)		제5차 국민건강증진종합계획(HP2030)	
비전	온 국민이 함께 만들고 누리는 건강세상		모든 사람이 평생 건강을 누리는 사회	
목표	건강수명 연장과 건강형평성 제고		건강수명 연장, 건강형평성 제고	
기본 원칙	-		① HiAP, ② 건강형평성, ③ 모든 생애과정, ④ 건강친화환경, ⑤ 누구나 참여, ⑥ 다부문 연계	
사업 분야	총 6분과	27개 중점과제	총 6분과	28개 중점과제
	Ⅰ. 건강생활 실천 확산	1. 금연 2. 절주 3. 신체활동 4. 영양	Ⅰ. 건강생활 실천	1. 금연 2. 절주 3. 영양 4. 신체활동 <u>5. 구강건강</u>
	Ⅱ. 만성퇴행성 질환과 발생위험 요인 관리	5. 암 <u>6. 건강검진(삭제)</u> <u>7. 관절염(삭제)</u> 8. 심뇌혈관질환 9. 비만 <u>10. 정신보건(분과 확대)</u> <u>11. 구강보건(분과 이동)</u>	Ⅱ. 정신건강 관리	6. 자살예방 7. 치매 8. 중독 9. 지역사회정신건강

Ⅲ. 감염질환 관리	12. 예방접종 13. 비상방역체계 14. 의료관련감염 15. 결핵 16. 에이즈	Ⅲ. 비감염성 질환 예방 관리	10. 암 11. 심뇌혈관질환 ① 심뇌혈관질환 ② 선행질환 12. 비만 13. 손상
Ⅳ. 인구집단 건강관리	17. 모성건강(⇨ 여성) 18. 영유아건강 19. 노인건강 20. 근로자건강증진 21. 군인건강증진 22. 학교보건 23. 취약가정방문건강 (⇨ 노인) 24. 장애인건강	Ⅳ. 감염 및 기후 변화성 질환 예방 관리	14. 감염병 예방 및 관리 ① 결핵 ② 에이즈 ③ 의료감염 · 항생제 내성 ④ 예방행태개선 15. 감염병위기대비대응 ① 검역/감시 ② 예방접종 16. 기후변화성 질환
Ⅴ. 안전환경 보건	25. 식품정책(삭제) 26. 손상예방	Ⅴ. 인구 집단별 건강관리	17. 영유아 18. 아동 · 청소년 19. 여성 20. 노인 21. 장애인 22. 근로자 23. 군인
Ⅵ. 사업체계 관리	27. 사업체계관리(인프라, 평가, 정보 · 통계, 재원)	Ⅵ. 건강 친화적 환경 구축	24. 건강친화적 법제도개선 25. 건강정보이해력 제고 26. 혁신적 정보기술의 적용 27. 재원마련 및 운용 28. 지역사회자원(인력, 시설) 확충 및 거버넌스 구축

* 건강검진: 비감염성질환 '암' 등에 검진내용 포함하고 중점과제에서 제외
  관절염: 정책담당부서가 없어 관리 어려움. 노인 등에 포함하고 중점과제에서 제외
  식품정책: 건강생활실천 '영양' 과제 등에 포함하고 중점과제에서 제외

(2) 제4차 HP2020 국민건강증진종합계획 결과

① 개선 여부 결과표

제4차 HP2020 국민건강증진종합 지표달성 결과

중점 과제	지표	지표현황 및 목표치			달성도	변화율	현황
		'08	'18	'20 목표			
금연	성인 남자 현재 흡연율	47.80%	36.70%	29.00%	59.00%	-	개선
금연	중·고등학교 남학생 현재흡연율	16.80%	9.40%	9.00%	94.90%	-	개선
절주	성인 남자 연간음주자의 고위험음주율	28.40%	24.00%	19.00%	46.80%	-	개선
절주	성인 여자 연간음주자의 고위험음주율	8.40%	10.50%	5.10%	-	25.00%	악화
신체활동	유산소신체활동실천율	57.10% - 2014	44.90%	62.80%	-	21.40%	악화
영양	건강식생활실천인구비율 (만 6세 이상)	30.20%	41.50%	48.60%	61.40%	-	개선
암	암사망률 (인구 10만 명당)	124.1명	90.3명	82.3명	80.90%	-	개선
건강검진	일반검진수검률	65.30%	76.90%	80.00%	78.90%	-	개선
심뇌혈관	고혈압유병률 (30세 이상)	26.20%	28.30%	23.00%	-	8.00%	악화
심뇌혈관	당뇨병유병률 (30세 이상)	9.70%	10.40%	11.00%	-	7.20%	악화
비만	성인 남자 비만유병률	35.60%	41.90%	37.00%	-	17.70%	악화
비만	성인 여자 비만유병률	26.50%	28.10%	27.00%	-	6.00%	악화
정신보건	자살사망률 (인구 10만 명당)	26.0명	26.6명	20.0명	-	2.30%	악화
구강보건	영구치(12세)치아우식 경험률	61.10% - 2006	56.40%	45.00%	29.20%	-	개선
결핵	신고결핵신환자율 (인구 10만 명당)	69.1명	51.5명	39.5명	59.50%	-	개선
손상예방	손상사망률 (인구 10만 명당)	61.7명	54.7명	56.0명	122.80%	-	달성
모성건강	모성사망비 (출생아 10만 명당)	12.0명	11.3명	9.0명	23.30%	-	개선
영유아 건강	영아사망률 (출생아 1천 명당)	3.4명	2.8명	2.8명	100.00%	-	달성
노인건강	노인일상생활수행능력 (ADL)장애율	11.40%	8.70% - 2017	6.50%	55.10%	-	개선

② **지표가 달성, 개선된 경우:** 달성도 = [(최근치 - 기준치)/(목표치 - 기준치)] × 100

③ **지표가 악화, 유지된 경우:** 변화율 = [(최근치 - 기준치)/기준치] × 100

④ 현황

㉠ **달성**: 2020년 목표치 달성 및 초과한 지표

㉡ **개선**: 2020년 목표치에 접근하는 지표(기준치에서 개선된 지표)

㉢ **유지**: 2020년 목표에 접근하고 있으나, 실제로는 악화된 지표

㉣ **악화**: 2020년 목표치에서 멀어지는 지표(기준치에서 악화되는 지표)

(3) 대표지표 주요 결과

① 국민건강증진종합계획은 총 19개 대표지표로 구성되었고, 성별 구분 없이 총 17개 지표이다.

② 19개의 대표지표 중 2개 지표가 달성되고, 10개 지표가 개선, 7개 지표가 악화되었다.

③ 19개의 대표지표 중 대부분의 지표가 달성 또는 개선되고 있다.

④ 변화가 미진하거나 악화되고 있는 지표에 대하여 관련 정책 및 대응이 필요하다.

⑤ 악화되고 있는 성인 여자 연간음주자의 고위험음주율, 성인 남자·여자 비만, 고혈압 유병률, 당뇨병 유병률, 자살사망률, 성인 유산소 신체활동 실천율의 관리를 위한 정책 및 대응이 필요하다.

★ 핵심정리　제4차 HP2020 국민건강증진종합계획 결과

1. 달성 – 총 2개 지표(10.5%) 달성도가 높은 순서
   ① 손상사망률(인구 10만 명당)
   ② 영아사망률(출생아 1천 명당)
2. 개선 – 총 10개 지표(52.6%) 달성도가 높은 순서
   ① 중·고등학교 남학생 현재흡연율
   ② 암 사망률(인구 10만 명당)
   ③ 일반검진 수검률
   ④ 건강식생활실천 인구비율(만 6세 이상)
   ⑤ 신고 결핵 신환자율(인구 10만 명당)
   ⑥ 성인 남자 현재 흡연율
   ⑦ 노인 일상생활수행능력(ADL) 장애율
   ⑧ 성인 남자 연간 음주자의 고위험 음주율
   ⑨ 영구치(12세) 치아우식 경험률
   ⑩ 모성사망비(출생아 10만 명당)
3. 악화 – 총 7개 지표(36.8%) 변화율이 높은 순서
   ① 성인 여자 연간음주자의 고위험 음주율
   ② 유산소 신체활동 실천율
   ③ 성인 남자 비만유병률
   ④ 고혈압 유병률(30세 이상)
   ⑤ 당뇨병 유병률(30세 이상)
   ⑥ 성인 여자 비만유병률
   ⑦ 자살사망률(인구 10만 명당)

제2편

역학과 질병관리

제1장 역학과 질병

1 역학의 정의와 목적

1. 정의 기출 12, 16, 18

집단을 대상으로 유행적인 질병의 발생 또는 분포, 경향 등을 파악하고 그 원인을 규명하여 예방대책을 수립하는 과학이다.

2. 역학의 정의에 포함된 핵심 요소 기출 19

(1) 대상은 인구집단이다.
(2) 질병이나 특정 증상에 국한되지 않고 건강과 관련된 모든 문제를 대상으로 한다.
(3) 질병예방과 건강증진을 달성하기 위한 실제적 수단 개발을 궁극적인 목표로 한다.
(4) 논리적 사고와 추론능력에 근거한 과학적 접근법을 필요로 한다.

3. 목적 기출 19, 22

(1) 질병발생원인과 위험요인을 파악한다.
(2) 지역사회의 질병규모를 파악한다.
(3) 질병의 자연사와 예후를 파악한다.
(4) 질병을 예방하고, 치료 등 질병관리 방법의 효과를 파악한다.
(5) 보건사업의 효과를 파악한다.

핵심정리 역학(Epidemiology)

1. 정의
   ① Epidemiology = epi(upon) + demos(people) + logos(science or study)
   ② 유행병을 연구하는 학문이며, 인간집단을 대상으로 질병의 발생이나 분포, 경향 등을 파악하고 그 원인을 규명하여 예방대책을 수립하는 과학 또는 학문이다.
2. 범위
   감염성 질환 및 비감염성 질환 모두를 포함하며, 역학은 예방의학, 공중보건학 등 여러 분야의 학문적인 발전에 많은 기여를 한다.
3. 궁극적인 목적
   질병 발생 원인을 제거하는 것이다.
4. 2가지 전제 가정
   ① 질병은 우연히 발생하지 않는다.
   ② 질병은 인구 중에 무작위로 분포하지 않는다. 이는 곧 질병이 발생되는 데 있어서 개개인의 특성에 따라 관련 요인들이 각기 다른 양상으로 작용한다는 것을 의미한다.

2 주요 역학 연구자

1. 히포크라테스(Hippocrates, B.C. 459 ~ 404)

Epidemics & Air, Waters, Places

2. 존 스노우(John Snow) - 콜레라(기술역학), Snow on Cholera(1854)

(1) 존 스노우의 콜레라 역학조사

존 스노우(영국, 1813 ~ 1858)는 런던 Broad Street 중심으로 발생한 콜레라(1853 ~ 1854)에 대해 역학적 조사를 실시하여 On the Mode of Communication of Cholera 보고서를 제출하였다.

(2) 스노우의 관찰 ⇨ 가설 ⇨ 증명 과정

① **1차 관찰**: 1848 ~ 1849년에 영국에 2차 콜레라 유행이 발생하자 관찰을 시작하였고, 콜레라 발생은 환자 위장관을 통해 배설되는 병원독(Morbid Poison)을 건강한 사람이 삼킴으로써 시작된다는 가설을 설정하였다.

② **2차 관찰**: 1853 ~ 1854년에 3차 콜레라 유행이 발생하자 다시 관찰하고 '상수원과 콜레라 환자 발생이 유관할 것'이라는 가설을 세우고 Spot Map을 작성하여 런던시의 Broad Street의 우물이 발생원인이라고 생각하였다.

③ **증명**: 우물 사용 금지 ⇨ 환자 발생 경감 ⇨ 발생 종식

④ **콜레라 감염의 원인**

㉠ 인간의 상호 왕래로 전파

㉡ 콜레라 환자와 접촉한 사람에게서 주로 발병

㉢ 빈곤자와 군집생활과 관계

㉣ 임상적으로 보아 위장계에 침범하는 질병

3. 골드버거(Goldberger) - 펠라그라(실험 역학)

(1) 펠라그라(Pellagra)라는 질병은 나병의 일종으로 알려져 200여 년간 전염성 질환으로 취급되어 오다가 1914년 골드버거에 의해 동물성 단백질에 내포된 niacin(nicotinic acid)의 결핍에 의한 병임이 밝혀졌다.

(2) 골드버거는 심각한 펠라그라 환자 중 피해가 큰 고아원, 정신병원 등을 방문조사하였는데 의료인은 한 사람도 펠라그라 환자가 없어 질병의 원인이 전염병이 아니고 '영양결핍'이라고 의심하면서 실험역학조사를 하였다. 죄수들에게 동물성 단백질이 없는 식사를 제공하여 인위적으로 펠라그라 환자를 만드는 데 성공하였다. 그 결과, 식사 시 동물성 단백질의 결핍으로 펠라그라 증상이 나타나게 된다는 사실을 밝혀냈다.

질병별 역학 연구자

1. 제너(Jenner): 천연두
2. 다니엘(Daniel): 구루병 비교연구
3. 홈즈(Holmes): 산욕열
4. 리드(Reed): 황열
5. 린드(Lind): 괴혈병
6. 프래밍엄(Framingham): Heart Study(35 years)

4. 돌(Doll) - 폐암

1950년에 발표한 영국의 연구자 돌과 힐(Doll & Hill)은 영국인 의사들(남자 1,298명, 여자 120명)을 대상으로 한 역학연구에서 일반적으로 흡연자는 비흡연자에 비하여 폐암에 걸릴 위험이 14배 높다는 결론을 내렸다. 돌과 힐은 1954년 재차 10년에 걸친 조사연구를 발표하였는데, 하루 한 갑 이상의 흡연자는 비흡연자에 비해서 폐암의 위험도가 30배이며, 하루 15개비 이하의 흡연자는 7배에 달함을 보고하여 흡연이 폐암의 으뜸가는 원인이라는 사실을 명확히 확인하였다. 즉, 분석역학방법을 사용하였다.

Plus⁺ POINT

코흐(Koch)의 가설[Henle & Koch(1877)]

밝히고자 하는 특정 질병과 의심되는 세균 사이의 원인적 연관성을 밝히기 위해서 필요한 전제조건이다.

1. 균은 질병에 걸린 모든 개체에서 순수 분리 배양되어야 한다.
2. 질병에 걸리지 않은 다른 개체에서는 이러한 균이 발견되지 않아야 한다.
3. 분리된 세균을 실험동물에 주입하였을 경우 동일한 질병이 재현되어야 한다.
4. 균은 실험동물에서도 분리되어야 한다.

제2장 역학의 범위와 역할

1 역학의 3대 요소

역학의 3대 요소
병인, 숙주, 환경

1. 병인(Agent)

병인은 질병 발생의 직접적인 원인이 되는 요소이다.

(1) 생물학적 병인

감염병의 병원체로서 매우 중요하며 세균, 바이러스, 박테리아, 리케치아, 곰팡이, 기생충 등 살아있는 미생물을 말한다.

(2) 화학적 병인

농약, 중금속, 강산, 강알칼리, 일산화탄소 등 유독가스를 비롯하여 경구적으로 섭취하게 되는 각종 항생물질 등에 의한 질병 발생을 말한다.

(3) 물리적 병인

열과 관련된 화상 및 동상, 기압의 변화에 의한 잠함병(caisson disease) 또는 고산병, 방사선에 의한 백혈병과 암, 물리적 힘에 의한 외상, 그리고 소음 및 진동에 의한 질환발생을 말한다.

(4) 사회·문화적 병인

환경오염에 의한 공해와 산업재해로 인한 직업성 질환 및 의료행위의 부작용(malpractice)으로 발생되는 외인성 질환을 말한다.

(5) 영양적 병인

단백질, 탄수화물, 지방, 수분 등 영양소의 결핍 또는 과잉으로 인하여 비만증, 당뇨병, 심장병 등이 발생한다.

Plus⁺ POINT

병인요인의 특성

1. 특이성(Specificity)과 항원성(Antigenicity)
   ① 한 가지 병원체는 특정한 한 가지 질환을 유발한다.
   ② 이는 병원체의 특이성에 따라 항원성이 결정되기 때문이며, 그로 인해 숙주의 면역 특이성이 나타난다.
2. 병원체의 양
   병원체의 양은 감염이나 발병에 영향을 미치나 병원체의 종류에 따라 감염을 위해 요구되는 양은 차이가 있을 수 있다.

3. 감염력(Infectivity) 기출 17, 18, 19, 20, 21

① 병원체가 숙주에 침입하여 감염을 일으킬 수 있는 최저 병원체 수를 의미한다.

② 감염력은 현성감염자 수(증상이 나타나고 항체가 형성된 감염자 수)에 불현성감염자 수(증상이 나타나지 않고 항체가 형성된 감염자 수)를 모두 포함하여 감수성자 총 수로 나누어 산출한다.

$$감염력 = \frac{감염자\ 수}{감수성자의\ 총\ 수} \times 100$$

4. 병원성(병원력, Pathogenicity) 기출 17, 19, 20, 21

① 병원체가 숙주에 현성감염을 일으키는 능력을 의미한다.

② 홍역은 거의 100%에 해당되며, 반대로 소아마비는 0.1 ~ 3%로 알려져 있다.

③ 후천성면역결핍증 바이러스는 대체로 감염력은 낮으나 상대적으로 병원력은 높다.

④ 병원성은 현성감염자 수를 전체 감염자 수로 나누어 산출한다.

$$병원력 = \frac{현성감염자\ 수}{감염자\ 수} \times 100$$

5. 독력(Virulence) 기출 11, 12, 18, 19, 20, 21, 24

① 질병의 심각도를 나타내는 것으로, 현성감염으로 인한 사망이나 영구적 후유증이 나타나는 정도를 의미한다.

② 후천성면역결핍증 바이러스는 매우 독력이 높은 병원체에 해당한다.

③ 독력은 중환자 수와 사망자 수의 합을 발병자 수로 나누어 산출한다.

$$독력 = \frac{중환자\ 수(심각) + 사망자\ 수}{현성감염자\ 수} \times 100$$

④ 치명력 = $\frac{사망자\ 수}{현성감염자\ 수} \times 100$

6. 저항력(Resistance)

① 병원체가 숙주에서 빠져 나온 후 외계에서 생존할 수 있는 능력을 의미한다.

② 저항성이 낮은 병원체는 생존을 위해 숙주 내에서 전파가 가능하거나 생존하는 방향으로 변화한다.

2. 숙주

인체 내부 요인으로 병원체가 기생할 수 있는 활성매체로 질병 발생에 영향을 주는 요소이다.

(1) 인적 요인

사회경제적 요인이다(성, 연령, 인종, 직업 등).

(2) 신체적 요인

해부학적 구조와 생리적 변화이다.

(3) 정신적 요인

정신적 스트레스로 인한 질병의 발생이 있다.

3. 환경

숙주를 둘러싼 모든 것을 포함한다.

(1) 생물학적 요인

감염균, 병원소(인간, 동물, 토양), 매개곤충 등 동물이나 식물이 있다.

(2) 물리화학적 요인

인간이 생활하는 데 관여하는 모든 환경이다(지형, 기후, 고열, 주택시설, 음료수 등).

(3) 사회적 요인

인간의 건강에 직접 또는 간접으로 영향을 미치는 요인이다(인구밀도, 경제 수준, 사회문화 등).

2 역학적 인과관계(Hill's criteria, 1965) 기출 14, 15, 17, 18, 19, 20, 21, 22, 23

질병이 발생하는 원인과 그 전파기전을 규명하여 예방하는 것을 목표로 하기 때문에 우연한 발생과 인과성을 구별하는 것은 역학에서 매우 중요하다. 두 가지 요인 간에 인과관계가 존재하는지 판단하기 위한 방법으로 힐(Hill, 1965)의 기준(Bradford - Hill's criteria)이 가장 많이 사용되었다.

1. 시간적 선행관계 기출 17, 18, 19, 20

원인으로 간주되는 요인에 대한 노출은 질병 발생보다 반드시 선행하여 존재하여야 하며, 이는 인과성이 충족되기 위한 가장 기본적 요소이다.

2. 관련성의 강도 기출 15, 16, 17, 18, 19

(1) 반복관찰을 통해 확인된 관련성의 크기가 클수록 인과성의 가능성이 높아진다.
(2) 하지만 연관성의 크기는 다른 원인들에 의해 교란될 수 있다.
(3) 예를 들면, 흡연은 심장질환에 대한 인과성을 가지고 있지만 그 연관성의 크기는 폐암에 비해 크지 않다.
(4) 그러므로 강도만을 가지고 관련성을 설명하는 것은 바람직하지 않다.

코흐(Koch)의 원인적 연관성의 조건
1. 시간적 속발성
2. 통계적 연관성의 강도
3. 생물학적 개연성
4. 양반응 관계
5. 연구결과의 일관성
6. 특이성
7. 실험적 입증

3. 관련성의 일관성 기출 15, 17, 18, 19

(1) 다른 대상이나 지역에서 같은 요인에 노출된 경우 같은 발병 결과를 보이는 것이다.
(2) 예를 들면, 지역에 따라 폐암 발생률에 다소 간의 차이가 존재한다고 해도 흡연이 폐암을 유발한다는 사실은 달라지지 않는다는 것을 들 수 있다.

4. 관련성의 특이성 기출 17, 18, 19, 21

(1) 한 요인이 다른 여러 질병과 동시에 관련성이 있는 것으로 보인다면 인과성이 불투명할 수 있다는 것이다.
(2) 하지만 그 중 하나의 질병에만 관련성이 있는 것으로 확인된다면 특이성이 높은 인과관계로 설명할 수 있다.
(3) 예를 들면, 흡연의 경우 수많은 질병과 연관되어 있기 때문에 인과성이 있음에도 불구하고 이 기준을 충족시키지 못한다.

5. 용량-반응관계 기출 16, 17, 18, 19, 20

(1) 원인이 되는 요인에 노출되는 정도가 클수록 해당 질병이 발생할 확률이 증가한다는 것이다.
(2) 하지만 미약한 노출만으로도 질병이 발생되는 경우에는 오히려 과도한 노출이 질병의 발생률을 감소시킨다는 왜곡된 결과를 도출시키기도 한다.

6. 개연성 기출 17, 18

(1) 역학연구를 통해 확인된 관련성이 이미 알려져 있는 생물학적 지식과 부합할 때 인과관계가 있을 가능성이 증가한다는 것이다.
(2) 현재 지식의 범위에서 모든 것이 검증될 수 있는 것이 아니기 때문에 생물학적 지식과 부합하지 않는다고 해서 결과를 받아들일 수 없는 것은 아니다.
(3) 지나치게 주관적이라는 비판을 받는다.

7. 기존 지식과의 일치성 기출 18

이미 확인된 다른 과학 분야의 지식과 일치할 경우 원인적 연관성이 증가한다.

8. 실험적 입증 기출 18, 20

(1) 원인요인으로 제시된 것을 제거하거나 이에 대한 노출을 감소시킨 후 질병 발생이 줄어든다면, 원인요인과 해당 질병 사이의 인과관계가 존재할 가능성이 높아진다.
(2) 다만, 이러한 것이 항상 가능하지 않다는 한계가 있다.

9. 유사성

(1) 한 분야에서 보편적으로 받아들여지는 현상은 다른 분야에 적용할 수 있다는 것이다.
(2) 즉, 기존에 밝혀진 인과관계와 유사한 연관성이 관찰되면 인과관계일 가능성이 높다는 것이다.
(3) 예를 들면, 동물 실험을 통해 흡연과 폐암 사이에 인과관계가 존재한다는 것이 확인되었다면 이 사실을 사람에게도 적용 가능하다.

핵심정리 역학적 인과관계(Hill's criteria, 1965)

1. 시간적 선행관계
   원인으로 간주되는 요인에 대한 노출이 질병 발생보다 선행해야 한다.
2. 관련성의 강도
   반복관찰을 통해 확인된 관련성의 크기가 클수록 인과성의 가능성이 높아진다.
3. 관련성의 일관성
   다른 대상이나 지역에서 같은 요인에 노출된 경우 같은 발병 결과를 보이는 것이다.
4. 관련성의 특이성
   한 요인이 하나의 질병에만 관련성이 있는 것으로 확인된다면 특이성이 높은 인과관계로 설명할 수 있다.
5. 용량-반응관계
   원인이 되는 요인에 노출 정도가 클수록 해당 질병이 발생할 확률이 증가한다는 것이다.
6. 개연성
   역학연구를 통해 확인된 관련성이 이미 알려져 있는 생물학적 지식과 부합할 때 인과관계가 있을 가능성이 증가한다.
7. 기존 지식과의 일치성
   이미 확인된 과학 분야의 지식과 일치할 경우 원인적 연관성이 증가한다.
8. 실험적 입증
   원인요인을 제거하거나 노출을 감소시킨 후 질병 발생이 줄어든다면 인과관계가 존재할 가능성이 높아진다.
9. 유사성
   한 분야에서 보편적인 현상은 다른 분야에서 적용할 수 있다는 것이다.

3 역학의 역할 기출 12, 16

1. 기술적 역할 기출 17

자료수집 이전의 의도적 설계나 조작 없이 기존 자료나 수집한 자료를 분석하여 역학적으로 해석하는 것을 말한다(자연사에 관한 기술, 건강 수준과 건강 및 질병양상에 관한 기술, 인구동태 기술, 정확도와 신뢰도 검증).

2. 연구전략 개발

단면조사 연구, 환자-대조군 연구, 코호트 연구 등의 방법은 질병의 원인-결과관계를 규명하는 데 필요한 과학적 방법 개발에 기여하는 것이다.

3. 질병 측정 및 유행 발생의 감시 역할

역학적 변동 관찰을 하는 것으로, 질병관리대책 수립이나 결과 평가에 결정적 도움을 줄 수 있다.

4. 보건사업의 평가 및 정책수립 근거 기출 16, 17, 18, 19

공중보건 또는 건강에 영향을 미치는 환경문제를 다루기 위한 정책수립에 필요한 과학적 근거를 제공하는 역할을 한다.

5. 원인 규명의 역할 기출 11, 15, 18, 20

질병의 원인과 감염경로를 찾아내어 질병 발생의 예방과 전파를 차단하고 더 나아가 백신의 개발을 가능하게 해서 질병을 효과적으로 관리하는 것이다.

Plus⁺ POINT

임상의학과 역학 비교

구분	임상의학	역학
대상자	환자 개인	지역사회 건강인 포함 인구집단
판정기준	정상상태 - 이상상태	전체 중 이상상태의 비율(Rate)
판정방법	진단검사	집단검진
	치료가 목적	환자의 조기발견이 목적
	비용이 많이 듦	비교적 비용이 적게 듦
	의사에 의해 행해짐	환자의 결정에 의해 검사방법 결정
	단일기준(이상상태 발견)	검진목적에 따라 판정 기준 설정
접근방법	경험주의적 접근	집단연구를 통한 기술, 원인 규명
교육목표	질병연구, 치료법 개발	집단의 과학적 접근방법, 예방전략 수립

제3장 역학의 연구방법

1 기술역학(Descriptive epidemiology) 기출 17, 19

1. 개념

(1) 인구집단에서 질병 발생과 관계되는 모든 현상을 기술하여, 질병 발생의 원인에 대한 가설을 얻기 위하여 시행되는 제1단계 역학적 연구방법이다.
(2) 건강과 건강 관련 상황이 발생했을 때 있는 그대로 상황을 기술하기 위해 관찰을 기록하는 연구방법이다.
(3) 질병의 발생양상에서 추측할 수 있는 가정을 원인에 입각하여 검증하기 위하여 원인변수별 질병분포의 변동을 기술하는 연구이다.
(4) 질병 발생을 충분히 기술하기 위해서는 누가 질병에 걸렸으며, 어디서, 언제 질병이 발생하였는가에 대한 답을 얻는 과정이 필요하다.
(5) 질병을 인적 · 지역적 · 시간적 특성의 변수로 질병 발생의 분포와 양을 표현한다.
(6) 대규모의 기술역학연구는 구체적인 질문에 대답해 주는 풍부하고 중요한 자료를 제공할 수 있다.

Plus⁺ POINT

질병 발생 수준의 변화와 관련된 요인

가짜 변화	진짜 변화(실제 변화)
• 질병 진단능력의 변화 • 질병(사망) 분류 기준의 변화 • 질병(사망) 보고체계 변화 • 모집단(분모) 수 계산과정의 실수	• 인구 연령 구조의 변화 • 환자 생존양상 변화 • 신규 발생의 증가: 선행요인이 무엇인가

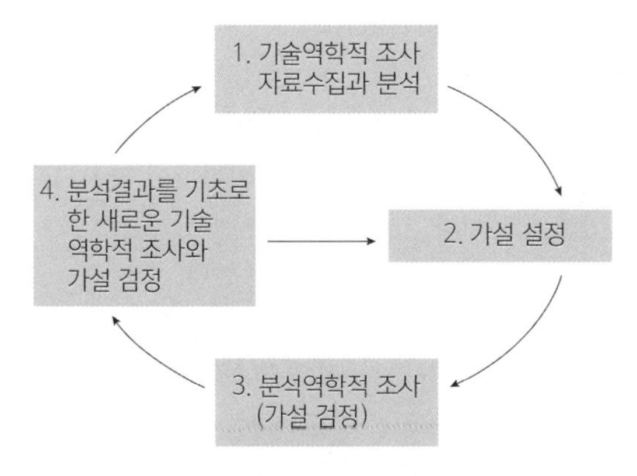

역학적 조사 모형도

역학의 연구방법

1단계 기술역학	단순한 상황의 설명
2단계 분석역학	인과관계를 증명
3단계 이론역학	인과관계를 넘어서 수학이나 통계학적 방법을 이용하여 규명

2. 주요 변수

핵심정리 기술역학의 대표적인 기본 변수 3가지

인적변수(who - person)	성, 연령, 인종, 사회계층, 직업 등
지역변수(where - place)	국가나 지역사회의 특성
시간변수(when - time)	토착성, 유행성, 추세 변화, 주기 변화, 계절적 변화 등

(1) 인적변수

① 연령 기출 10, 18, 19

㉠ 연령에 따른 질병 발생의 차이는 질병 발생에 관여하는 요인을 이해하는 데 중요하다.

㉡ 연령과 질병 발생 간의 연관성이 매우 강하기 때문에 다른 변수와 질병 간의 연관성 여부를 볼 때는 연령에 의한 간접적인 영향을 고려해야 한다.

㉢ 사망률의 U자 곡선을 나타낸다.

㉣ 생활습관병은 연령이 증가할수록 높아지는 경향을 보인다.

㉤ 급성 호흡기질환은 주로 어린 연령층에서 많이 발생한다.

② 성별

㉠ 사망률은 공통적으로 남성이 여성보다 높은데, 상병률은 여성이 남성보다 높다.

㉡ **예시**

ⓐ 여성은 남성보다 민감해서 같은 정도의 불편도 상병으로 호소할 가능성이 있다.

ⓑ 여성은 임신과 출산 때문에 실제로 상병이 잦은 경우도 있다.

ⓒ 여성의 상병이 남성보다 덜 치명적일 가능성이 있다.

③ 인종과 종교

㉠ 각 종족은 유전적인 요인이 있을 수 있다.

㉡ 종족별 생활환경의 차이로 인하여 질병 발생에서 차이가 발생한다.

㉢ 인공임신중절의 금기로 인하여 가톨릭교도의 출산율이 높아지고, 피임실천율도 타 종교인보다 높다.

㉣ **예시**

ⓐ 백인보다 흑인이 결핵에 더 많이 걸려 사망하는데, 그 이유는 흑인은 백인보다 결핵균에 대한 저항력이 낮은 유전적 소인을 가지고 있기 때문이다.

ⓑ **아시아인**: 위암, 간암 발생률이 높다.

ⓒ **서양인**: 유방암, 전립선암의 발병률이 높다.

ⓓ **백인**: 성홍열, 유방암, 뇌혈관 질환, 매독 등의 질환의 발생가능성이 높다.

ⓔ **흑인**: 자궁경부암이 많다.

④ 가족관계

㉠ 가족은 유전적인 특성을 공유한다.

㉡ 가족 간의 공유되는 행동, 문화, 식이습관과 같은 환경적 인자와도 관련성이 있다.

⑤ 사회경제적 수준

㉠ 사회계층은 직업, 교육, 거주지, 수입 등을 고려하여 인구집단을 계층화한 개념으로 질병의 이환율이나 사망률과 밀접한 관련성이 있다.

㉡ 사회계층이 낮을수록 감염성 질환이 높다.

㉢ 사회계층이 높을수록 심근경색, 정신병 등 비감염성 질환이 높다.

㉣ 안정적인 정규직일수록, 교육수준이 높을수록, 자신의 집을 보유하고 있을수록, 수입이 높을수록 건강수준 및 건강관리가 높아 질병의 이환율이 낮다.

㉤ **예시**: 광부는 규폐증, 염료공장 근로자는 방광암, 방사능 취급자는 백혈병이 많이 발생하는 등 특정 질병의 발생률이 다른 직종에 근무하는 사람보다 높다.

⑥ 결혼 상태

㉠ 유배우자보다 독신자에게 사망률이 높은 질병은 폐결핵, 매독, 인플루엔자, 그리고 사고와 자살 등을 들 수 있다.

㉡ 결혼상태는 시대가 변화하면서 많은 변수 등이 작용하여 이는 참고만 한다.

(2) 지역변수 기출 12, 15, 16, 17, 18, 19, 20, 24

지역적 특성에 따라 질병 발생의 차이를 비교하고자 할 때 사용하는 변수이다.

구분	내용
범유행성(Pandemic)	전 세계적으로 유행하는 경우
유행성(Epidemic)	풍토병 발생 수준 이상(국가)으로 많은 환자가 발생하는 경우
풍토병(Endemic)	어떤 지역에 항상 존재하며, 일정한 발생양상을 유지하는 경우
산발성(Sporadic)	일부 한정된 지역에 산발적으로 발생하는 경우

Plus⁺ POINT

풍토병의 조건

1. 그 지역에 살고 있는 모든 종족에게 높은 발생률이 관찰된다.
2. 다른 지역에 살고 있는 동일 종족의 발생률은 높지 않다.
3. 다른 지역에 살던 건강인이 이 지역으로 이주해 오면 원래 이 지역에 살던 주민과 같은 수준의 발병률로 그 질병에 걸린다.
4. 이 지역을 떠난 주민은 그 질병의 발생률이 높지 않다.
5. 이 지역에 살고 있는 사람 이외의 동물에게서도 비슷한 질병 발생이 관찰된다.

(3) 시간변수 기출 14, 15, 16, 18

질병 발생을 일반적으로는 월간 또는 연간 단위로 표시하며, 급성 질환의 경우 시간별로 분석하거나 질병 발생건수가 적은 경우는 수 년 단위로 분석할 수도 있다.

① **추세 변동(장기 변동)** 기출 17, 19, 21

㉠ 수십 년 혹은 100년에 가까운 정도의 기간을 취하여 그 기간에 질병분포의 변화를 연도별로 관찰한다.

㉡ **추세 변화(Secular trend)**: 장기간의 관찰을 통해 볼 수 있는 이환율 및 사망률의 변동을 의미한다.

㉢ 10년을 단위로 질병의 발생과 사망률을 추적한다.

㉣ **예시**: 장티푸스(약 30 ~ 40년 주기), 디프테리아(약 20년 주기), 인플루엔자(약 30년 주기: 스페인 인플루엔자, 아시아 인플루엔자, 홍콩 인플루엔자 등)가 있다.

② **주기 변동(순환 변화)** 기출 15, 16, 18, 19

㉠ 기간에 걸친 연도별 질병분포의 관찰과정에서 질병 발생빈도가 일정한 기간을 두고 반복하여 달라지는 주기성을 나타낼 때 이 변화를 주기 변동(Cyclic variation) 혹은 순환 변화라고 한다.

㉡ **예시**: 인플루엔자A(2 ~ 3년), 인플루엔자B(4 ~ 6년), 홍역은 2 ~ 3년, 백일해는 2 ~ 4년마다 주기적으로 유행한다.

③ **계절 변동** 기출 12

㉠ 질병분포가 1년을 주기로 많이 발생하는 달이나 계절이 있을 때 이러한 현상을 계절 변화(Seasonal variation)라고 한다.

㉡ **예시**: 매개동물인 모기로 전파되는 말라리아는 6 ~ 10월 사이에 가장 많이 발생한다. 여름철에는 소화기계 질환이, 겨울철에는 호흡기계 질환이 유행하고, 신증후군 출혈열은 6월 말과 11월 말 두 번에 걸쳐 유행하였다.

④ **일일 변동(돌연유행, 불규칙 변화)**

㉠ 어떤 질병이 국한된 지역에서 일시에 많은 사람에게 돌발적으로 발생하는 현상이 나타날 때 매일의 질병 변화를 나타낸다.

㉡ 국외 감염병의 국내 침입 시 돌발적으로 유행하는 경우를 들 수 있다.

㉢ 대부분 잠복기가 짧고 환자의 발생은 폭발적일 때로 급성 감염병이 집단으로 발생하는 것이다.

㉣ **예시**: 2009년에 유행한 신종인플루엔자, 2015년에 해외에서 유입되어 발생한 메르스, 2019년부터 전 세계 유행한 코로나 - 19 등이 있다.

⑤ **단기 변화** 기출 17

㉠ 시간별, 날짜별 혹은 주 단위로 질병 발생양상이 변화하는 것이다.

㉡ 주로 급성 감염병의 집단발생 시 나타난다.

3. 생태학적 연구(Ecological Model)

(1) 개념

기존 자료 중 질병에 대한 인구집단 통계자료와 관련 요인에 대한 인구집단 통계자료를 이용하여 상관분석을 시행한다. 이에 이 연구를 상관성 연구(Correlational study)라고 한다.

(2) 특징

① 한 시점에서 여러 인구집단에서 대상 질병의 인구집단별 발생률과 위험요인에 노출률 간의 양적 경향성(상관성)이 있는지를 분석하는 방법이다.

② 동일한 인구집단에서 시간경과에 따른 대상 질병 발생률의 변화와 위험요인에 노출률 간의 양적 경향성이 있는지를 분석하는 방법이다.

③ 혼합 형태로 시간 경과에 따른 노출과 결과변수의 변화를 여러 인구집단에서 비교분석하는 방법 등이 있다.

④ 환경오염(대기오염, 방사선 노출 등)과 같이 개인 노출 측정이 어렵거나 불가능한 상황 또는 정책이나 제도와 같이 그 영향이 개인 수준뿐만 아니라 집단 수준의 맥락효과(Contextual effects)에 관심이 있는 경우 활용이 용이한 연구방법이다.

(3) 장단점

구분	내용
장점	① 동일한 인구집단을 분석할 경우보다 혼란·편견의 위험을 줄일 수 있음 ② 연구 주제에 대한 발상만 있으면 기존 자료들을 재구성하여 연구가설을 평가해 볼 수 있는 손쉬운 수단 ③ 간편성, 경제성, 폭넓은 활용가능성 등
단점	① 자료 자체가 가지는 불완전성이 있음 ② 연구를 위하여 수집된 자료가 아니며, 집단 간의 측정 수준에 차이가 있을 수 있어 노출 및 결과변수 모두에서 비교성이 문제될 수 있음 ③ 생태학적 자료에서 혼란변수 통제를 위하여 활용가능한 변수는 상당히 제한적 ④ 원인적 요인과 질병 발생 간의 선후관계가 불명확함 ⑤ 시간적 선후관계의 문제는 원인에 해당되는 변수와 질병 발생에 해당되는 변수를 같은 시점에서 관찰할 것이 아니라 원인 - 질병 발생 간의 지연기(lag time)를 이용하여 과거 시점에 대한 원인변수 자료를 사용함으로써 어느 정도 완화할 수 있음 예 1981년 돌과 페토(Doll & Peto)의 연구에서 흡연 노출 후 20년의 지연기 이후 폐암 사망과 관련성이 있다고 가정하여 연구 시점에서의 폐암 사망률과 20년 이전의 담배 생산량 간의 상관분석을 실시함

생태학적 연구

1. 다른 목적을 위해 생성된 기존 자료 중 질병에 대한 인구집단 통계자료와 관련 요인에 대한 인구집단 통계자료를 이용하여 상관분석을 시행하는 것이다.
2. 주로 질병 발생의 원인에 대한 가설 유도를 위한 상관성 연구라고 한다.
3. 이 연구는 개인이 아닌 인구집단을 대상으로 분석한다.
4. 사례 연구(case study)는 단일 환자에 관한 기술로서 기존에 보고되지 않았던 특이한 질병양상이나 특이한 원인이 의심되는 경우, 원인적 노출 요인과 발병에 대하여 임상적 특성을 기술하여 보고하는 것이다.
5. 사례군 연구(case series study)는 사례 연구의 연장선으로 사례 연구에서 나타난 공유 사례들을 가지고 이들의 공통점을 기술하여 가설을 수립하는 연구방법이다.

분석역학

1. 개념
   기술역학을 토대로 질병 발생과 질병 발생의 요인 혹은 속성과의 인과관계를 증명하기 위한 역학(제2단계 역학)이다.
2. 종류
   단면조사 연구, 환자-대조군 연구 및 코호트 연구

2 분석역학(Analytic epidemiology)

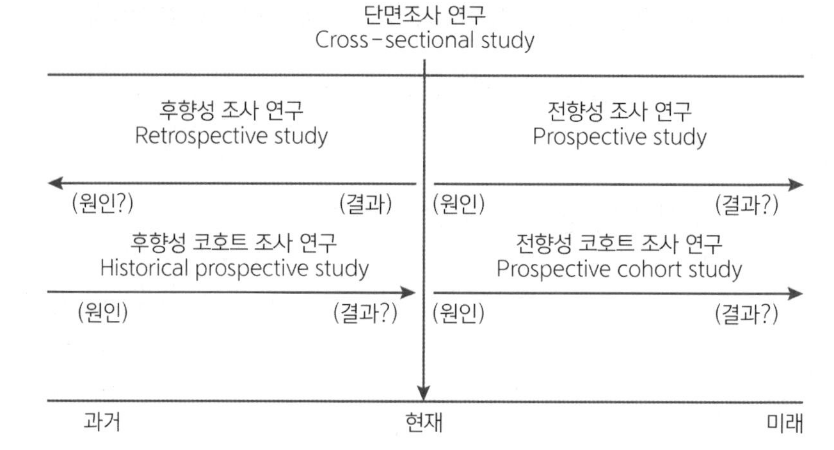

역학적 연구방법과 시간적 관계

1. 단면조사 연구(Cross-sectional study) 기출 15, 16, 18, 19, 20, 22, 23

(1) 특징

① 일정한 인구집단을 대상으로 특정한 시점이나 일정한 기간 내에 노출요인과 질병 유무를 동시에 조사하여 서로 간의 관련성을 보는 연구방법으로, 대표적으로 상관관계 연구(Correlation study)로 분석한다.

② 대상 집단의 특정 질병에 대한 유병률을 확인할 수 있어 유병률 조사(Prevalence study)라고도 한다.

③ 단면 연구의 일반적인 연구 설계는 먼저 연구대상자를 선정한 후 각 대상자에 대하여 노출 유무와 질병 유무를 조사하고 각 대상자를 4개의 소집단으로 나누어 분류한다.

④ 접근방법은 기술역학과 동일하나 목적이 다르다.

⑤ 단면조사는 구체적인 가설을 가진 상태에서 그 가설을 검증하기 위한 목적으로 시행한다.

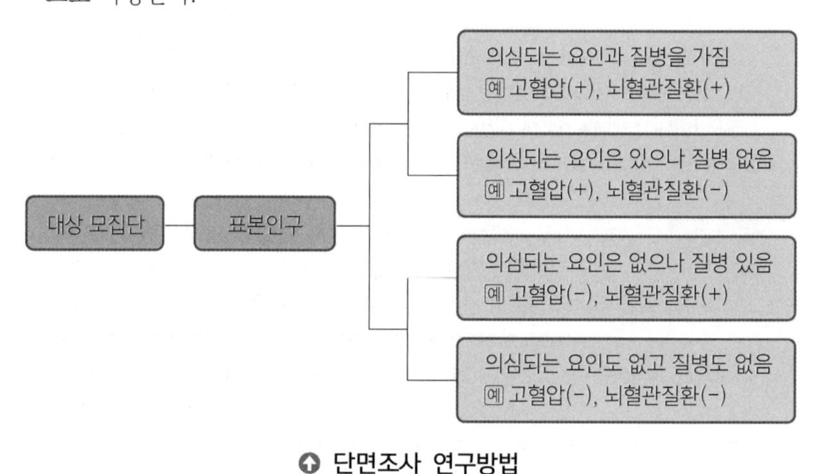

단면조사 연구방법

(2) 장단점

장점	단점
① 비교적 단시간 내에 결과를 얻을 수 있어 경제적(비용 - 노력 - 시간으로 경제적인 연구)임 ② 환자 - 대조군 연구나 코호트 연구에 비해 시행하기 쉽게 가능 ③ 동시에 여러 종류의 질병과 발생요인과의 관련성 조사 가능 ④ 일반화 가능 ⑤ 질병의 규모를 파악하는 데 도움을 주며, 지역사회 보건사업 기획 시 유용함	① 빈도가 낮은 질병이나 이환기간이 짧은 질병에는 부적절함 ② 일정한 시점에서 조사를 하기 때문에 상관관계만을 알 수 있을 뿐이며, 인과관계(시간적 선후관계)를 규명하지는 못함 ③ 대상인구집단이 비교적 커야 하며, 빈도가 낮은 질병이나 이환기간이 짧은 급성 감염병에 대해서는 적절하지 못함 ④ 충분한 수의 대상자가 필요하며 이를 충족하지 못하면 통계적 검정력이 떨어짐

2. 환자 - 대조군 연구(Case - control study) 기출 15, 16, 18, 19, 20, 21

(1) 특징

① 결과를 먼저 관찰한 다음 이런 결과를 초래한 가능한 원인 혹은 요인을 탐구해 가는 역학연구이다.

② 연구의 전개방식이 원인 ⇦ 결과의 방향이므로 후향적 연구(retrospective study), 기왕력 연구라고도 한다.

③ 특정 질병을 가진 환자군과 그런 질병을 가지지 않은 대조군을 선정한 후, 과거 혹은 현재의 특정 요인 노출 정도를 두 군 사이에서 비교하는 방법이 있다.

④ 환자군과 대조군 사이에 노출의 정도가 다르다면 그 위험요인이 질병과 인과적 관련성을 가진다고 추론할 수 있다.

⑤ 환자 - 대조군 연구에서 대조군의 성질은 환자군과 비교했을 때 질병이 없다는 점만 다르고, 성 · 연령 또는 그 밖의 연구에 영향을 주는 주요 특성이 같아야 한다.

⑥ 비차비, 교차비(odds ratio)를 통해 요인과 질병과의 관계를 알아 볼 수 있다.

⑦ 짝짓기(matching)

㉠ **개념**: 환자 - 대조군 연구에서 교란요인의 영향을 효과적으로 통제하기 위해서 사용하는 방법이다.

㉡ **목적**: 교란변수의 영향을 자료수집단계나 혹은 분석단계에서 효과적으로 통제하기 위함이다.

환자 - 대조군 연구에서 발생하는 바이어스

1. 기억소실 바이어스
   질병과 관련 있는 요인만 더 잘 기억한다.
2. 선택적 바이어스
   대조군 설정이 어렵다.
3. 오분류 바이어스
   환자를 대조군으로 잘못 분류한 경우에 해당한다.
4. 버크슨 바이어스

(2) 장단점

장점	단점
① 연구가 비교적 용이하며, 비용이 적게 듦 ② 적은 연구 대상자로도 연구가 가능하고 희귀한 질병을 조사하는 데 적절함(교차비) ③ 연구결과를 비교적 빠른 시일 안에 얻을 수 있음 ④ 긴 잠복기를 가진 질병에도 가능	① 비교하려는 요소 이외의 모든 조건이 비슷한 대조군 선정이 어려움 ② 연구에 필요한 정보가 과거 행위에 관한 것이므로 각종 편견이 발생할 수 있음(정보 수집 및 자료의 불확실성) ③ 코호트 연구에서와 같은 비교위험도 등을 구할 수 없고 비차비(교차비)에 의한 간접 비교만을 할 수 있음

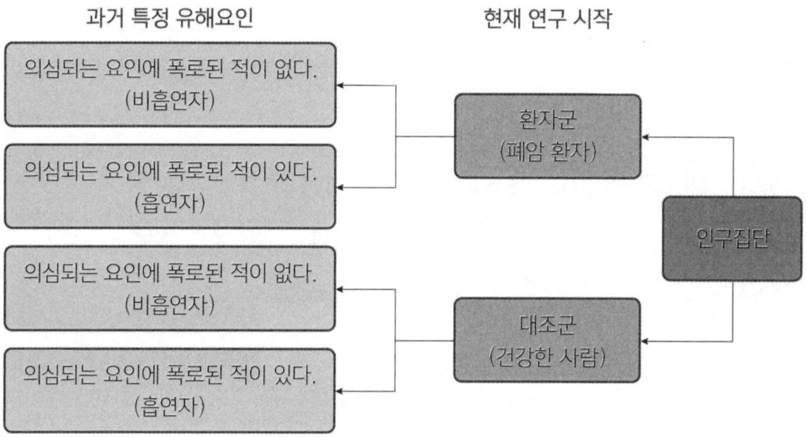

과거 특정 유해요인

현재 연구 시작

의심되는 요인에 폭로된 적이 없다. (비흡연자)

의심되는 요인에 폭로된 적이 있다. (흡연자)

의심되는 요인에 폭로된 적이 없다. (비흡연자)

의심되는 요인에 폭로된 적이 있다. (흡연자)

환자군 (폐암 환자)

대조군 (건강한 사람)

인구집단

⊙ 환자 - 대조군 연구설계

3. 코호트 연구(Cohort study) 기출 15, 16, 17, 18, 19, 20, 21, 22

(1) 특징

① 어떤 특성이나 속성 또는 경험을 공유하는 집단이다.

② 코호트 연구 대상의 특징은 '같은 특성을 가진 인구집단'이다.

③ 코호트 연구는 특정 요인에 노출된 집단과 노출되지 않은 집단을 선택한 후, 두 집단의 발생률 혹은 사망률을 비교하기 위해 두 집단을 추적 · 조사한다.

④ 비교위험도, 귀속위험도(기여위험도) 및 기여위험분율로 측정하는 것을 말한다.

⑤ **전향적(계획) 코호트 연구(Prospective cohort study 또는 Concurrent cohort 및 Longitudinal study)**: 연구를 처음 시작할 때 모집단을 선정하여 질병 발생을 확인할 때까지 모든 대상자를 시간의 흐름과 함께 동시에 추적한다. 기출 13, 14, 15, 16, 17, 18, 19, 20

⑥ 후향적(기왕) 코호트 연구(Retrospective cohort study 또는 Historical cohort 및 Nonconcurrent prospective study)

㉠ 과거에 이미 정의해 놓은 모집단을 이용하여 연구를 시작하며, 과거의 자료를 통해 노출 여부를 확인하고 연구를 시작하는 시점에 질병 발생 유무를 확인할 수 있다.

㉡ 과거에 얻어진 자료를 이용하여 연구한다는 점에서는 환자 - 대조군 연구와 다른 점이 없다.

후향적 코호트 예시

산업재해(특수건강진단검사가 향후 30년 보관) 발생 시 검증 가능한 연구

Plus⁺ POINT

코호트 연구와 환자 - 대조군 연구의 차이점

1. 환자 - 대조군 연구는 질병이 있는 사람과 질병이 없는 사람을 선정한 후 연구를 시작한다.
2. 코호트 연구는 노출군과 비노출군을 선정한 후 연구를 시작한다.
3. 코호트 연구는 선후관계가 명확한 대상자의 자료가 존재하고, 환자 - 대조군 연구는 자료를 찾기 위해 대상자의 기억에 의존하게 된다.

▪ 전향적 코호트 연구(Prospective Cohort Study): 연구시점이 질병 발생 이전

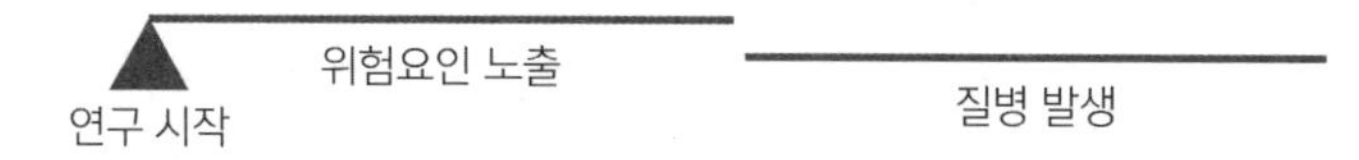

▪ 후향적 코호트 연구(Retrospective Cohort Study): 연구시점이 질병 발생 이후

⬆ 코호트 연구의 특성

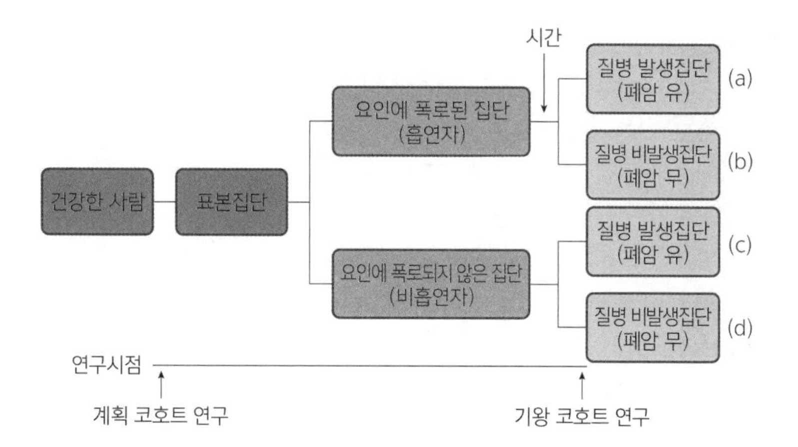

⬆ 코호트 연구설계

(2) 장단점

장점	단점
① 비교위험도와 귀속위험도를 직접 측정할 수 있음 ② 비교적 신뢰성이 높은 자료를 얻을 수 있음 ③ 시간적 선후관계가 분명함	① 시간, 노력 및 비용이 많이 듦 ② 많은 대상자가 필요하므로 발생률이 낮은 질병에는 부적절함 ③ 연구대상자가 사망하거나 이동하는 등 중도에 탈락할 가능성이 높음

3 실험연구(Experimental research)

1. 개념

(1) 독립변수(Independent variable)와 종속변수(Dependent variable) 사이에 나타날 수 있는 원인과 영향에 대해 조사하는 것을 말한다.

(2) 이 연구에서 연구자는 독립변수의 수준을 조절하여, 이것이 종속변수에 미치는 영향 또는 그 차이를 결정할 수 있다.

(3) 중재를 받는 실험군과 중재를 받지 않는 대조군을 무작위로 배정하여 연구를 시행하는 무작위 임상실험(RCT; Randomized Controlled Trial)이 중요한 원칙을 포함하는 기본적인 설계이다.

(4) 무작위로 대상자들을 배정할 수 없는 경우에 사용되는 유사실험연구도 실험연구이다.

2. 실험연구설계의 특징

(1) 조작(Manipulation)

① 조작은 연구자가 실험군에게 처치나 중재를 가하는 것이다.

② 주로 어떤 집단에게는 처치를 제공하고(실험군) 다른 집단에게는 처치를 제공하지 않거나(대조군), 또는 다른 처치를 제공하여(비교군) 독립변수를 조작한다.

③ 연구자는 독립변수를 의도적으로 변화시키고, 그 조작이 종속변수에 미치는 효과를 관찰한다.

(2) 통제(Control)

① 통제는 독립변수와 종속변수 간의 관계에 혼동을 줄 수 있는 여러 외생변수를 조절하는 것이다.

② 연구설계 과정에서 외생변수를 어떻게 통제하느냐에 따라 연구결과의 신뢰도가 달라진다.

③ 연구에서는 주로 대조군을 사용하여 통제한다.

④ 대조군이 없으면 실험군의 종속변수 결과가 처치(중재)로 인한 것인지를 정확하게 평가하기가 어렵다. 그래서 처치(중재)가 적용되지 않은 대조군과 처치(중재)가 들어가는 실험군을 이용하여 종속변수(결과)값의 변화를 분석하여 처치(중재)가 결과에 영향을 주는 것임을 분명하게 알게 된다.

(3) 무작위화(Randomization) 기출 17, 18, 19

① 무작위화는 각 집단에 대상자를 무작위로 배치하는 것이다.

② 무작위화를 통해 연구대상자는 실험군이나 대조군에 배정될 확률이 동등해진다.

③ 실험군과 대조군에 연구대상자가 무작위로 배정된다면 종속변수에 영향을 줄 수 있는 연구대상자의 특성이 한 쪽으로 편중되는 것을 막을 수 있다.

독립변수(independent variables) → 종속변수(dependent variables) 원인(cause) → 결과(effect) 처치(treatment) → 효과(outcome)	

⊙ 실험연구의 특성

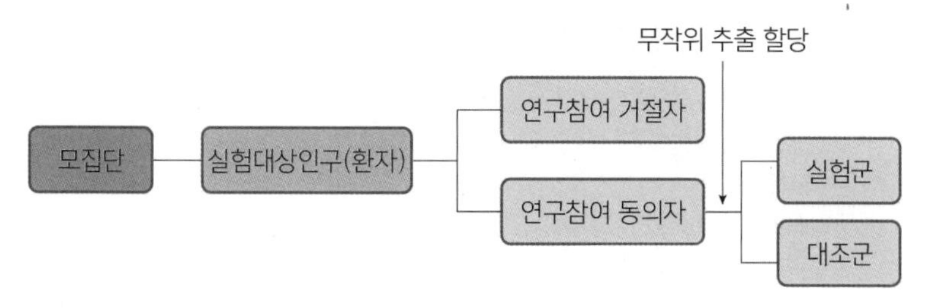

⊙ 실험연구의 설계

3. 실험설계의 종류

(1) 순수실험연구설계

① **개념**: 실험연구에서 조작(Manipulation), 통제(Control) 및 무작위화(Random-ization)의 원칙을 모두 지켰을 때 순수실험연구설계라고 할 수 있다.

② **장점**

㉠ 변수들 간의 인과관계를 가지는 가설을 검증하는 가장 강력하고 과학적인 방법이다.

㉡ 대상자의 무작위할당을 통해 제3의 원인 개입을 통제할 수 있다.

③ **단점**

㉠ 모든 변수에 대한 완벽한 실험조작이 불가능하며, 특히 인간을 다루는 학문에서는 윤리적으로 무작위할당이 어려울 수 있어, 현실적으로 수행하기가 어렵다.

㉡ 연구자의 실험군에 대한 관심도 증가나, 대상자가 자신이 실험군에 속한다는 것을 알면 변화가 더욱 쉽게 일어나는 호손효과(Hawthorne effect) 등이 발생할 수 있다.

(2) 유사실험연구설계

① **개념**: 유사실험연구(Quasi - experimental research)는 다양한 요소에 의하여 통제의 정도가 제한되어 무작위할당을 할 수 없을 때 사용하는 설계하는 방법이다.

② **장점**

㉠ 순수실험연구에 비하여 실행가능성과 실용성이 높다.

㉡ 자연적인 연구 상황에서 연구를 시행하기 때문에 일반화가 가능하다.

③ **단점**: 순수실험연구처럼 강한 인과추론을 하는 것이 어렵다.

Plus⁺ POINT

선택적 바이어스를 예방하는 방법

1. 무작위배정법(무작위할당법, 확률할당법) 기출 17, 18, 19

실험군(치료군)과 대조군(비교군)의 환자에게 치료방법을 배정할 때 연구자의 주관적인 의도가 개입되지 않도록 연구자가 실험군(치료군)과 대조군(비교군)에 연구대상자를 무작위로 배정하는 방법이다. 그 이유는 다음과 같다.

① 윤리적인 측면
- 타당성을 확보하기 위함이다.
- 신약의 예상하지 못하였던 유해반응으로 인한 피해나 예상하지 못하였던 효과로 인한 혜택이 누구에게 갈지 연구자가 주관적으로 정하는 것보다는 확률적으로 동등하게 무작위로 결정하는 것이 더욱 정의롭다.

② 과학적인 측면
- 치료군과 비교군에 배정되는 피험자들의 비교성을 극대화할 수 있기 때문이다.
- 연구대상 질환을 가진 환자들 가운데 연구계획서에 명시된 선정 기준과 제외 기준을 충족시키는 환자들을 피험자로 선정하지만, 그 외에도 질병의 예후에 영향을 미칠 수 있는 측정 불가능한 특성들도 있기 때문에 이들도 치료군과 비교군 두 군에서 고르게 분포하도록 하기 위해 무작위배정을 시행한다.

③ 통계학적 측면: 피험자들을 무작위배정한 후 수집된 연구자료들은 통계적 분석의 전제 조건인 무작위 확률(두 군에 배정될 확률이 동등함)을 충족시키기 때문에 통계분석을 시행하는 데 문제가 없다.

2. 눈가림법(맹검법, Blinding) 기출 16, 17, 18, 19, 20

임상시험에 참여하는 피험자나 연구자 등에게 치료내용이 무엇인지 모르게 하는 방법이다.

Plus⁺ POINT

지역사회시험

1. 정의
특정 질병의 관리 및 예방을 위해 일정 지역사회의 구성원을 대상으로 한 각종 보건 및 예방 사업의 효과를 규명하기 위한 역학연구방법론이다.

2. 지역사회시험을 수행하는 경우 기출 17, 20
① 대상 질병의 유병 수준이 높을 때
② 중재가 여러 내용을 포함하여 동시에 이루어질 때
③ 중재의 특성상 질병예방과 건강증진에 관한 것일 때
④ 보건정책사업 수행능력이 낮을 때

3. 지역사회시험과 임상시험 비교

구분	지역사회시험	임상시험
목표	질병예방	질병치료
평가내용	질병위험 감소	신 치료약제 · 기술 효능 · 안정성
대상자	건강한 지역 주민	개별 환자
연구장소	지역사회	의료기관
대상자 수	상대적으로 많음	상대적으로 작음
연구기간	상대적으로 길	상대적으로 짧음

4. 임상시험
특정 질병의 치료를 위해 개별 환자에게 각종 치료 약제, 기법, 기구 등의 인위적인 개입을 수행하여 해당 치료법의 효능을 알아보는 것이다.

5. 체계적 문헌고찰(Systematic review)
기존에 수행된 1차 연구결과를 바탕으로 특정한 연구 문제에 대한 답을 찾기 위하여 객관적이고 재현성이 확보된 방법이다. 수집이 가능한 모든 연구결과를 수집해서 그 연구결과를 고찰하고 분석하는 것이다.

6. 메타분석(Meta - analysis)
개별 연구결과들을 통합할 목적으로 각 개별 연구결과들을 결합한 값을 산출하는 통계적 분석방법을 기존 문헌을 분석하는 것이다. 체계적인 문헌고찰에서 추출된 자료를 통계학적으로 접근하는 것이다.

7. 이론역학(Theoretical epidemiology)
질병 발생에 관한 실제로 나타난 결과와 유행현상을 수식하는 이론을 비교 · 검토하여 그 타당성을 검정하거나 요인의 상호관계를 수리적으로 규명하는 역학이다. 어떤 감염병의 발생이나 유행을 예측하는 데 활용되며, 수학이나 통계학적 방법으로 유행법칙이나 현상을 수식화하는 방법이다(3단계 역학).

8. 작전역학(Operational epidemiology)
'보건서비스를 포함한 지역사회서비스의 운영에 관한 계통적 연구를 의미하며, 이 서비스의 향상을 목적으로 하는 것'이라고 정의한다. 보건사업의 효과성을 연구하고 사업에 영향을 미치는 요인을 규명함으로써 예방효력을 측정할 수 있다. 또한 원인을 제거함으로써 인과관계의 예방효력을 측정할 수 있지만 여러 요인과 함께 작용하여 구별하기 어려운 단점이 있다.

작전역학의 특성

1. 장점
원인을 제거함으로써 인과관계의 예방효과를 측정할 수 있으며, 실용적 활용이 가능하다.
2. 단점
여러 가지 요인이 함께 작용하여 구별이 어렵다.
3. 활용도
예방효력을 측정, 실용성을 시험, 효율성을 평가할 수 있다.

질병 발생의 이론과 모형

1 질병 발생이론의 변천

1. 옴란(Abdel R. Omran)의 역학적 변천설(Epidemiologic Transition)

기출 21

(1) 질병과 기근시대(The Age of Pestilence and Famine, 1940년 이전)

① 풍토병의 높은 유병률, 만성적인 영양 부족이 나타났다.
② 모성, 영유아 보건문제가 심각했다.
③ **환경문제**: 불결급수, 오물처리, 곤충매개 질환, 주거환경 불결
④ **보건의료체제**: 의료는 부적절하거나 전무한 상태였다.
⑤ 전염병 발생 시 격리수단

(2) 세계적 유행의 감축시대(The Age of Receding Pandemics, 1940~1970년 말)

① 농업 및 산업혁명 ⇨ 큰 사회적 · 환경적 변화 영향
② 생활 수준 향상, 도시화 · 근대화와 함께 교육 수준 및 여성 지위가 향상되었다.
③ 퇴행성 인조질환시대(The Age of Degenerative and Man-Made Diseases, 1970년 말)
④ 선진국화, 산업화, 경제 발전이 나타났다.
⑤ 전염병은 감소하고, 퇴행성 질환이 증가했다.

(3) 만성 퇴행성 질환의 시대

① 경제 발전과 함께 영양 결핍보다 과잉이 오히려 문제로 심화되었다.
② 암, 심장병, 뇌혈관 질환, 당뇨병 및 고혈압 등의 만성 퇴행성 질환이 인구집단의 주요 건강문제로 대두되었다.
③ 새로운 직업병과 환경오염문제, 산업재해 발생이 만성 퇴행성 질환으로 이어지는 사례가 증가하고 있다.
④ 사망률과 출생률은 더욱 낮아졌다(소사소산).

(4) 지연된 퇴행성 질환의 시대

① 보건의료 발전으로 만성 퇴행성 질환에 의한 고령층의 사망률이 급격하게 감소하면서 평균수명이 80세 내외가 되는 시기이며, HP2030에서는 건강수명을 73.3세로 목표를 설정하였다.
② 이 시기에는 고도로 발달된 의료기술로 인하여 사람들은 자신은 아프지 않을 것이라는 '자만의 시대'라고도 지칭한다.
③ 새로운 행태의 개인 생활습관요인들이 사망에 영향을 준다.

④ 감염병은 감소하였으나, 후천성 면역결핍증과 같은 일부 감염병은 증가하고 있다.

(5) 새로 출현하는 감염병의 시대

① 신종과 재출현 감염병과 기생충병에 대한 대비와 대응을 중시해야 하는 시기이다.

② 실제적으로 결핵 등 감염병과 기생충 질환이 다시 증가하고 있다.

③ 중증 급성 호흡기 증후군, 에볼라바이러스, 지카바이러스, 중동 호흡기 증후군, 코로나바이러스 등 새로운 감염병이 발생하고 있다.

2. 질병이론의 역사적 변천

고대 이전	고대기	중세기	근세기 · 근대기	현대기
종교설(천벌설), 점성설	장기설, 4체액설	선악설, 전염설	세균설, 미생물설	다요인이론

2 질병 발생모형

1. 생태학적 모형 기출 13, 15, 16, 17, 18, 19, 20, 21

(1) 특징

① 질병은 인간을 포함한 생태계 여러 구성요소 간의 상호작용의 결과로 인간에게 나타난 현상이다.

② 질병과정은 숙주(인간), 환경, 병원체의 세 요인 사이에 상호관계로 이루어진다.

③ 질병 혹은 유행의 발생기전을 존 골든(John Gordon)은 환경이라는 저울받침대의 양쪽 끝에 병원체와 숙주라는 추가 놓인 지렛대에 비유하여 설명(lever theory)하였다.

④ 세 요인을 중심으로 질병 발생기전을 설명할 때 감염병 역학모형이나 역학적 삼각모형을 들 수 있다.

⑤ 건강은 병인 · 숙주 · 환경이라는 변인이 평형상태를 유지할 때 가능하다.

⑥ 세 요인 사이에서 균형이 깨지면 질병의 유행이 발생한다.

(2) 종류

① 역삼각형 모형(병인 – 숙주 – 환경모형) 기출 13, 15, 16, 17, 18, 19, 20, 21

㉠ 특징

ⓐ 질병은 인간을 포함하는 생태계 각 구성요소들 간의 상호작용의 결과가 인간에게 나타난 것이라는 개념으로, 병인(Agent), 숙주요인(Host Factors), 환경요인(Enviromental Factors)으로 구성된다.

ⓑ 생태학적 모형이라고 불리는 병인 – 숙주 – 환경모형(Agent – Host – Environment model)은 리벨과 클락(Leavell & Clark, 1965)에 의해 개발되었으며, 개인의 질병 발생의 원인을 찾는 데 도움이 된다.

ⓒ 병인 · 숙주 · 환경 간의 상호작용에서 발생하는 위험요인을 밝혀 건강유지와 증진에 유익한 모형이지만, 실제적으로 건강증진 측면보다는 질병을 예측하는 데 더 유용한 모형이다.

ⓓ 병원체가 우세하거나 환경이 병원체에 유리하게 작용하면 평형이 파괴되어 질병이 발생하게 된다.

ⓔ 병인 · 숙주 · 환경이 평형을 이룰 때는 건강을 유지하게 되고 균형이 깨질 때는 불건강해지는데, 세 요소 중 가장 중요한 요인은 환경적 요인이다.

㉡ 3가지 요소로 구성

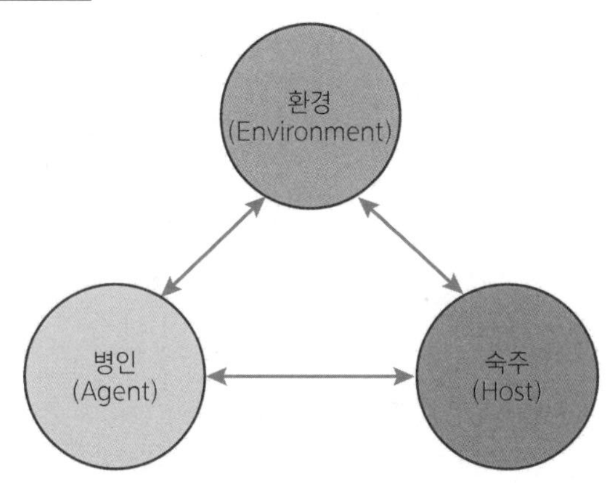

병인 · 숙주 · 환경의 상호작용 관계

병인	• 병인(Agent)은 질병을 유발하는 원인으로 일반적으로 바이러스, 화학물질, 신체적 · 물리적 · 사회심리적 요소 등이 포함됨 • 질병의 원인이 되는 환경 또는 스트레스 등의 병인은 반드시 존재하지만 원인 없이도 질병은 발생할 수 있음
숙주	• 숙주(Host)는 병원체에 의해 감염되거나 영향을 받을 수 있는 살아 있는 생물(인간, 동물)을 의미함 • 숙주의 반응은 가족력, 연령, 건강습관에 의해 영향을 받음
환경	• 환경(Environment)은 숙주를 둘러싸고 있으며 질병을 악화시키거나 회복에 도움이 될 수 있는 모든 외적 요소를 의미함 • 예를 들면, 물리적 환경요인에는 기후, 주거 상태, 소음 수준, 가정 경제 여건 등이 포함되며, 사회적 환경요인에는 타인과의 상호작용 또는 배우자의 사망 등과 같은 생활 사건의 변화를 들 수 있음

㉢ 생태학적 모형의 한계점

ⓐ 질병과 관련된 환경요인은 무수히 많기 때문에 질병 발생의 원인을 특별히 정리하기가 어렵다.

ⓑ 여러 환경요인은 동시에 작용하기 때문에 질병 발생에 어느 환경요인이 가장 강하게 작용하고 있는지를 규명하기가 쉽지 않다.

ⓒ 환경은 질병 발생에 직접적으로 작용하기보다는 간접적으로 작용하는 경향이 있다.

ⓓ 환경은 다양하고 매우 복잡하기 때문에 질병 발생에 영향을 미치는 작동기전을 정확히 규명하는 것이 거의 불가능하다.

② 지렛대 모형

㉠ 전통적인 역학적 삼각형을 존 골든(Gordon)이 발전시킨 이론이다.

㉡ 양 끝에 병인과 숙주라는 추가 달려 있는 지렛대의 무게중심을 환경이 받치고 있는 모형이다.

㉢ 세 가지 요인 중 하나에 변화가 발생하면 다른 요인의 상황에도 영향을 주게 되어 변화를 유발하며, 이로 인해 요인 간 평형상태가 깨져 질병이 발생한다.

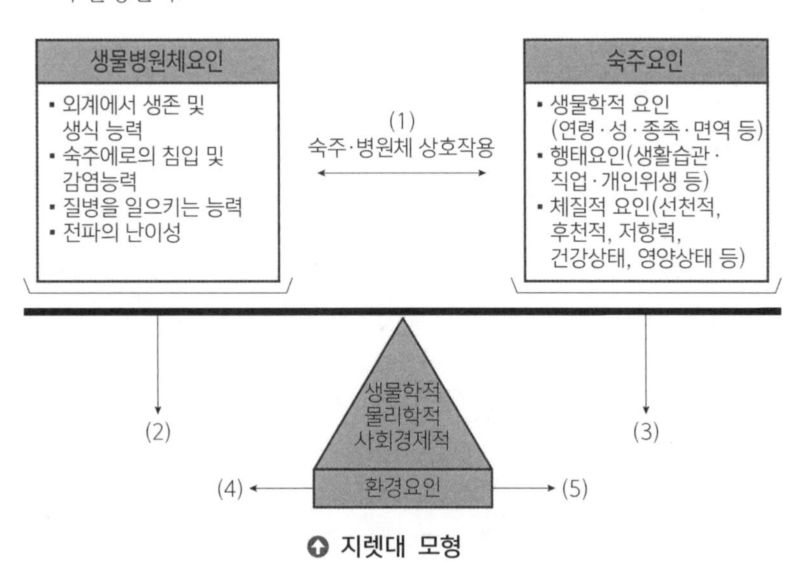

⊙ 지렛대 모형

숙주·병원체 상호 작용	내용
병원체요인에 변화가 있을 때	인플루엔자처럼 숙주나 숙주집단과 평형을 유지해오던 바이러스가 항원성에 변이를 일으켜 감염력과 병원성이 증가되었을 때 유행이 발생하는 경우
숙주요인에 변화가 있을 때	개인이나 집단의 면역 수준이 떨어져 숙주의 감수성이 증가하는 경우
환경이 숙주요인에 변화를 줄 때	환경이 숙주의 감수성을 증가시키는 방향으로 변화한 것 예 기근으로 인한 영양불량, 대기오염이 상기도감염을 촉발하는 사실 등
환경이 병원체요인에 변화를 줄 때	환경이 병원체에 유리한 방향으로 변화했을 경우 예 홍수·지진·화재 등이 일어났을 때

(3) 단점

질병 발생의 원인이 되는 병원체를 명확하게 알고 있는 감염병을 설명하는 데는 적합하나, 특정 병인이 불분명한 비감염성 질환의 발생을 설명하는 데 부적합하다.

생태학적 모형으로 설명가능한 감염병 예시

1. 수두
2. 홍역
3. 인플루엔자 등

2. 수레바퀴 모형(Wheel model) 기출 17, 18, 19, 20, 21

(1) 특징

① 질병의 발생에는 여러 '환경적 요소'가 중요한 역할을 한다.

② 인간을 둘러싼 생물학적 · 화학적 · 물리학적 · 사회적 환경이 질병 발생에 영향을 미친다.

③ 질병의 종류에 따라 각 바퀴를 구성하는 각 부분이 기여도 크기에 의해 면적의 크기가 달라진다.

④ 질병 발생에서 환경보다 더 중요한 것은 '인간 개체(숙주)'이며, 또한 인간 개체보다 가장 핵심적인 역할은 개인의 타고난 '유전적 소인'이다.

⑤ 유전이 숙주에 포함되며, 숙주와 환경을 구분한다.

⑥ 비감염성 질환의 설명에 적합하다.

(2) 장단점

① **장점**: 질병 발생에 대한 원인요소의 기여 정도에 중점을 두어 표현함으로써 역학적 분석에 도움이 된다.

② **단점**: 병원체요인을 숙주요인을 둘러싸고 있는 환경요인에 포함하여 병원체요인을 제외시킴으로써 환경과 병원체요인을 구별하지 않았다.

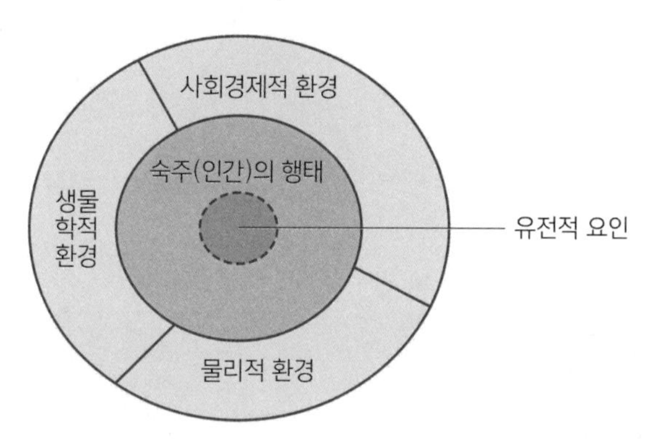

수레바퀴 모형

3. 거미줄(원인망) 모형(Web of Causation) 기출 14, 15, 16, 17, 18, 19, 20

(1) 특징

① 맥마흔(MacMahon B, 1923 ~ 2007)이 제시한 대표적인 모형이다.

② 프라이드만(Friedman)은 심근경색 발생과 관련된 요인을 분석하였다.

③ 병인 · 숙주 · 환경을 구분하지 않았다. ⇨ 모두 질병 발생에 영향을 준다.

④ 질병이 어느 한 가지 원인에 의해 발생하는 것이 아니라 여러 가지 원인이 서로 연관되어 있고 반드시 선행하는 요소가 거미줄처럼 복잡하게 얽혀 어떤 질병이 발생된다는 모형이다.

⑤ 비감염성 질환의 발생을 설명하였다.

(2) 장단점

① **장점**: 많은 영향을 주는 요인 중 몇 가지를 제거하면 질병의 예방이 가능하다는 것을 보여준다.

② **단점**: 몇 가지 원인을 제거하면 예방이 가능하다는 확실한 근거가 없다.

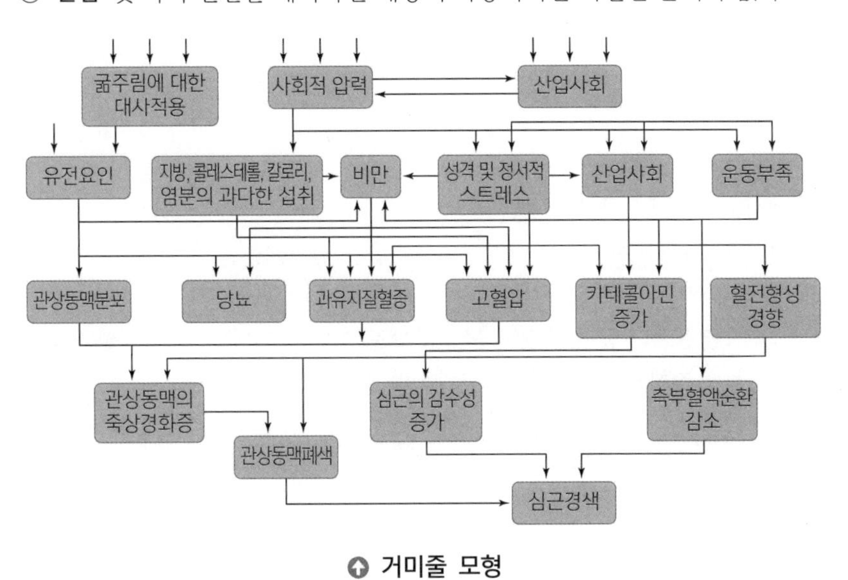

거미줄 모형

제5장 질병 발생 역학적 측정지표와 종류

1 질병의 측정

1. 측정의 기본단위

(1) 율(Rate) 기출 11, 16, 18, 19, 20

① 단위 시간 동안에 측정값의 변화량을 말한다.
② 순간적인 변화량은 시간에 따라 변화하기 때문에 평균율을 사용한다.
③ 집단현상의 동적 측면을 반영하므로 이미 일어난(또는 가지고 있는) 현상을 표현하는 구성비율(Proportion)이나 비(Ratio)와 다르다.
④ 단위가 있으며(역학에서는 대부분 1/시간), 값은 0에서 무한대의 범위를 지니고 속도의 개념을 포함한다.
⑤ 역학적 율의 수식

$$\frac{A}{A+B} \times 시간$$

⑥ **예시:** 발생률, 기간 유병률, 조사망률 등

(2) 비(Ratio) 기출 18, 19, 20

① 두 사건 및 상황의 빈도를 비교할 때 각각의 비율을 비교하거나 두 사건의 건수를 직접 비교하는 것을 말한다.
② 상대를 비교하는 값이다.
③ 분자가 분모에 포함하지 않는 분수로 A/B, A : B를 들 수 있다.
④ **예시:** 성비, 비교 위험도, 교차비 등

(3) 비율(Proportion) 기출 17, 18, 19, 20

① 전체 중에서 특성을 지닌 소집단의 상대적 비중을 나타내는 것을 말한다(상대 빈도, 구성비, 분율).
② 어떤 시간 동안 폭로된 집단 중 그 기간 동안 발생된 상태나 사건에 해당된 인구수에 10의 배수를 곱해준 것이다.
③ 분자는 분모에 포함되며, 백분율(%)로 나타낸다.
④ 0에서 1 사이의 값을 가진다.
⑤ 역학적 비율의 수식

$$\frac{A}{(A+B)}$$

⑥ **예시:** 유병률, 발생률, 발병률, 치명률, 민감도, 특이도, 비례 사망률 등

2. 측정의 타당도와 신뢰도

(1) 타당도(Validity) 기출 11, 13, 14, 18, 19

타당도 핵심 키워드
1. 정확성
2. 예측도

① 어떤 측정치 또는 측정방법이 평가하고자 하는 내용을 얼마나 정확히 측정하였는지의 정도를 말한다.
② 측정방법의 정확성을 말한다.
③ 체계오차(특정 방향으로 발생하는 오차)가 높은 경우에는 타당도가 낮다.
④ **민감도, 특이도, 예측도 등** 기출 16, 17, 18, 19, 20, 21, 22

검사결과	확진 유무		계
	질병(유)	질병(무)	
양성(+)	A (진양성)	B (가양성)	A+B (총 검사 양성 수)
음성(-)	C (가음성)	D (진음성)	C+D (총 검사 음성 수)
합계	A+C (총 환자 수)	B+D (총 비환자 수)	A+B+C+D (총수)

㉠ **민감도(Sensitivity)**: 특정 질병이 있는 사람을 질병이 있는 사람으로 측정해내는 능력이다.

$$\text{민감도} = \frac{\text{진양성 수}}{\text{총 환자 수}} = \frac{A}{A+C} \times 100$$

㉡ **특이도(Specificity)**: 특정 질병이 없는 사람을 질병이 없다고 측정해내는 능력이다.

$$\text{특이도} = \frac{\text{진음성 수}}{\text{총 비환자 수}} = \frac{D}{B+D} \times 100$$

㉢ **예측도(Predictability)**: 100%인 측정방법은 없으므로 측정결과를 가지고 진정한 상태를 예측하는 과정이 필요하다.

구분	내용
양성예측도	측정에 의해 질병이 있다고 판단한 사람들 중에 실제로 그 질병을 가진 사람들의 비율 $\text{양성예측도} = \frac{\text{진양성 수}}{\text{총 검사 양성 수}} = \frac{A}{A+B} \times 100$
음성예측도	측정에 의해 질병이 없다고 판단한 사람들 중에 실제로 그 질병을 가지지 않은 사람들의 비율 $\text{음성예측도} = \frac{\text{진음성 수}}{\text{총 검사 음성 수}} = \frac{D}{C+D} \times 100$

위음성률을 줄여야 하는 경우

- 한 환자를 놓쳐서 초래되는 대가가 큰 경우

1. 질병이 중하거나 명확한 치료가 있는 경우(페닐케톤뇨증, 암)
2. 질환이 전염될 수 있는 때(매독)
3. 특이도의 희생을 감수하더라도 민감도를 증가시켜야 하는 경우

위양성률을 줄여야 되는 경우

특이도를 높여야 되는 경우에는 집단검진에서 양성으로 나온 사람들이 복잡하고, 매우 비싼 정밀검사를 받아야 하기 때문에 의료체계에 부담을 주게 되는 경우나, 집단검진에서 양성의 판정이 낙인이 되어 문제를 일으킬 수 있을 때 고려한다.

⑤ 위음성률과 위양성률

㉠ **위음성률**: 질병이 있는 사람이 검사 결과가 음성으로 나타난 경우

㉡ **위양성률**: 질병이 없는 사람이 검사 결과가 양성으로 나타난 경우

$$\text{위음성률} = \frac{\text{가음성}}{\text{총 환자 수}} = \frac{C}{A+C} \times 100$$

$$\text{위양성률} = \frac{\text{가양성}}{\text{총 비환자 수}} = \frac{B}{B+D} \times 100$$

Plus⁺ POINT

측정의 타당도

1. **진양성률**
   환자가 양성판정을 받는다.
2. **가음성률**
   환자가 음성판정을 받는다.
3. **진음성률**
   비환자가 음성판정을 받는다.
4. **가양성률**
   비환자가 양성판정을 받는다.
5. 특이도가 높아지면 가양성이 낮아지고, 진음성이 높아진다.
6. 특이도가 낮아지면 가양성이 높아지고, 진음성이 낮아진다.
7. **민감도 증가와 특이도 감소**
   양성의 기준이 느슨하게, 낮게 바뀌면 많은 수의 양성자가 나오게 된다.
8. **민감도 감소**
   엄격한 기준을 적용할 경우 질병이 있음에도 불구하고 많은 수의 환자를 놓칠 수 있다.
9. 가장 좋은 검사는 민감도과 특이도가 높아야 한다.

Plus⁺ POINT

집단 검진(Mass Screening)의 의미 기출 14, 15, 17, 20

1. **질병 발생 확률이 비교적 낮은 집단을 대상으로 질병 조기단계에 검색해 내는 검진 조건 (WHO 국가 검진 10대 원칙)**
   ① 중요한 건강문제일 것(The condition is an important health problem)
   ② 질병의 자연사가 잘 알려진 것일 것(It's natural history is well understood)
   ③ 조기에 발견이 가능한 질병일 것(It is recognizable at an early stage)
   ④ 조기에 발견하여 치료가 가능한 질병일 것(Treatment is better at an early stage)
   ⑤ 적절한 검사방법이 있을 것(A suitable test exists)
   ⑥ 용이한 검사방법이 있을 것(An acceptable test exists)
   ⑦ 이상 소견 발견 시 추가조치(치료 등)를 할 수 있는 적절한 장비가 있을 것(Adequate facilities exist to cope with abnormalities detected)
   ⑧ 발병이 서서히 일어나 정기적으로 검진을 해야 할 것(Screening is done at repeated intervals when the onset is insidious)
   ⑨ 득이 해보다 클 것(The chance of harm is less than the chance of benefit)
   ⑩ 비용 - 효과가 적절할 것(The cost is balanced against benefit)

2. 목적 기출 20

① 질병의 역학적인 연구
② 질병의 자연사와 발생기전 규명
③ 건강위험요인을 조기발견
④ 보건교육적 효과

(2) 신뢰도(Reliability) 기출 18, 19, 20, 21

① 개념 및 특징

㉠ 동일한 대상에 대해 반복 측정하였을 때 얼마나 일정한 결과가 나오는지의 정도를 말한다.
㉡ 측정의 정밀성을 말한다.
㉢ 측정이 객관적이든 주관적 판단에 의한 것이든 동일한 측정도구를 반복적으로 사용하여 측정치가 동일한 것을 얻을 확률을 잰다.
㉣ 오차가 클수록 신뢰도가 낮아진다.

② 신뢰도에 영향을 미치는 요인 기출 19, 20

㉠ **관측자 내 오차(Intrapersonal error)**: 동일인이 동일 대상을 여러 번 반복하여 측정했을 때 동일치를 얻는 확률을 말한다.
예 측정도구 자체의 잘못이 있거나 측정자의 기술적인 오차가 있을 경우

㉡ **관측자 간 오차(Interpersonal error)**: 동일 대상을 동일한 측정도구로 여러 사람이 측정했을 때 동일치를 얻는 확률을 말한다.
예 관측자 내 오차 또는 관측자 간의 기술적인 차이

㉢ **생물학적 변동에 따른 오차(Biological error)**: 우연히 일어날 수 있는 측정의 오차로 인한 신뢰도의 저하를 유발하는 요인으로는 관측자의 편견과 기술의 미숙, 측정도구의 부정상태, 측정할 때의 환경조건 등이 있다. 신뢰도를 높이려면 이들 요인에 의해 발생할 수 있는 오차를 제거하도록 최대한 노력해야 한다.
예 혈압은 피측정자의 시간, 자세 그리고 기분 등에 따라 달라질 수 있음을 고려하여 측정 등

Plus⁺ POINT

타당도와 신뢰도 비교

구분	타당도	신뢰도
의미	측정하고자 하는 목적의 성취 정도를 검사	동일 대상자에게 반복 검사하여 같은 결과를 얻을 수 있는 능력 검사
측정	정확도(참값과 비교)	정밀도
대표적 통계량	평균차	분산계수
연구목적	결론의 성취도	효과를 측정
오차요인	체계 오차	무작위 오사

신뢰도 핵심 키워드

1. 일관성, 일치성
2. 반복측정

카파통계량(Kappa statistics)

일종의 신뢰도 척도로서 두 평가자 간의 일치율 지표이며, 관찰된 일치 비율에서 우연에 의한 일치 비율을 뺀 값과 평가자들의 평가가 완벽하게 일치할 비율인 '1'에서 우연에 의한 일치 비율을 뺀 값의 비로 정의할 수 있다.

타당도와 신뢰도의 관계

1. 타당도가 높으면 신뢰도도 높다.
2. 타당도가 낮으면 신뢰도는 높을 수 있다. 이는 낮지 않을 수도 있다는 의미이다.
3. 신뢰도가 높으면 타당도는 높지 않을 수 있다.
4. 신뢰도가 낮으면 타당도도 낮다.

2 질병 발생 위험도 측정

1. 상대위험비(비교위험도, Relative Risk, RR) 기출 16, 17, 18, 19, 20

(1) 개념 및 특징

① 위험요인에 노출된 사람이 질병에 걸릴 위험도가 위험요인에 노출되지 않은 사람이 질병에 걸릴 위험도보다 몇 배나 되는지 조사하는 것을 말한다.

② 상대위험비가 클수록 폭로된 요인이 병인으로 작용할 가능성이 크다.

③ 코호트 연구에 많이 사용된다.

(2) 공식

질병유무 / 위험요인	질병		계
	있다	없다	
예	A	B	A+B
아니오	C	D	C+D
계	A+C	B+D	-

$$\text{상대위험비} = \frac{\text{의심되는 요인에 노출된 집단에서의 특정 질환 발생률}}{\text{의심되는 요인에 노출되지 않은 집단에서의 특정 질환 발생률}} = \frac{A/(A+B)}{C/(C+D} = \frac{A(C+D)}{C(A+B)}$$

(3) 결과해석

① **상대위험비(RR) = 1.0**: 노출군과 비노출군에서의 질병 위험이 동일하다.

② **상대위험비(RR) > 1.0**: 노출군에서의 질병 발생 위험이 더 크다.

③ **상대위험비(RR) < 1.0**: 노출군에서의 질병 발생 위험이 더 작다.

2. 기여위험도(귀속위험도, Attributable Risk, AR)

기출 12, 14, 16, 17, 18, 19, 20, 21, 22

기여위험분율(AF; Attributable Fraction)

노출집단의 위험도 중에서 해당 노출이 기여한 정도(분율)가 얼마나 되는지를 알기 위한 것이다. 예로부터 기여위험도를 산출하면, 기여위험도는 발생률의 차이(10/100 - 1/100)로서 9/100이며 이를 폭로군의 발생률(10/100)로 나누면 기여위험분율은 0.9, 90%이다. 따라서 9/100는 흡연으로 인하여 폐암이 발생했다는 것이며, 흡연이 폐암 발생 전체 중 90%를 기여했다는 의미이다. 즉, 10명의 폐암환자 중 9명은 흡연으로 인해 걸렸다고 해석할 수 있으며 흡연을 완전히 제거할 경우 폐암 발생의 90%는 예방 가능하다는 의미이다.

(1) 개념 및 특징

① 위험요인이 질병 발생에 얼마나 기여했는지 나타내는 것을 말한다.

② 질병 발생의 원인이 되는 어떤 위험인자로 위해서 초래되는 결과를 측정하는 방법이다.

③ 위험요인에 폭로된 집단에서의 발생률에서 폭로되지 않은 집단에서의 질병 발생률을 뺀 것이다.

④ 어떤 요인으로 인한 발병이 얼마나 있는지를 알 수 있기 때문에 어떤 요인을 제거하면 질병이 얼마나 감소될 수 있는가를 예측할 수 있다.

⑤ 공중보건사업에서 예방대책의 수립에 이용한다.

(2) 공식

- 기여위험도 = $\frac{A}{A+B} - \frac{C}{C+D}$
- 기여위험도 = 위험요인에 폭로된 집단의 발병률 - 위험요인에 비폭로된 집단의 발병률
- 기여위험분율 = $\frac{\text{폭로군의 발생률} - \text{비폭로군의 발생률}}{\text{폭로군의 발생률}} \times 100(\%)$

3. 교차비(= 대응위험도, Odds Ratio, OR) 기출 17, 18, 19, 20, 21

(1) 개념 및 특징

① 특정 질병이 있는 집단에서 위험요인에 폭로된 사람과 그렇지 않은 사람의 비를 말한다.

② 특정 질병이 없는 집단에서의 위험요인에 폭로된 사람과 그렇지 않은 사람의 비를 구한다.

③ 환자 - 대조군 연구에서 요인과 질병과의 관계를 설명한다.

(2) 공식

$$\text{교차비(OR)} = \frac{\text{특정 질병이 있는 집단에서 위험요인에 폭로된 사람과 그렇지 않은 사람의 비}}{\text{특정 질병이 없는 집단에서 위험요인에 폭로된 사람과 그렇지 않은 사람의 비}} = \frac{A/C}{B/D} = \frac{AD}{BC}$$

(3) 결과해석

① **교차비(OR) = 1.0**: 환자군과 대조군의 노출 정도가 동일하여 노출요인이 질병 발생과 연관성이 없음을 말한다.

② **교차비(OR) > 1.0**: 환자군이 대조군보다 더 많이 노출되어 노출요인이 질병발생의 원인일 가능성이 높다.

③ **교차비(OR) < 1.0**: 대조군이 오히려 환자군보다 더 많이 노출되어 위험요인에 대한 노출이 질병을 예방하는 데 효과적이다.

④ **예시**

㉠ 흡연과 폐암과의 관계값이 OR = 2의 의미는 흡연을 하면 폐암에 걸릴 확률이 흡연을 하지 않는 군보다 2배 더 높다는 것이다.

㉡ 신체활동 유무와 비만과의 관계값이 OR = 0.7의 의미는 신체활동을 할수록 비만 예방률을 70% 높일 수 있다는 것이다.

3 질병 현상의 이환지표

인구집단에서 질병의 존재 여부 또는 사건의 위험 수준을 나타내는 값을 말한다.

유병률
당뇨병과 같은 만성 질환관리사업의 약품 수급에 대한 계획 시 가장 유용한 지표이다.

1. 유병률(Prevalence rate) 기출 14, 15, 16, 17, 18, 19, 20, 22(서울)

(1) 개념 및 특징

① 어떤 시점 또는 주어진 기간 동안 특정 인구집단에서 특정 질병을 가진 환자의 비율을 말한다.

② 특정 기간 중 한 개인이 질병에 걸려 있을 확률의 추정치를 제공한다.

③ 질병관리에 필요한 인력 및 자원 소요의 추정, 질병 퇴치 프로그램의 수행 평가, 주민의 치료에 대한 필요, 병상 수, 보건기관 수 등의 계획을 수립하는 데 필요한 정보를 제공한다.

(2) 종류

시점 유병률과 기간 유병률이 있으며, 대부분 시점 유병률을 많이 사용한다.

① **시점 유병률** 기출 20

㉠ 대상 집단의 사람이 일정 시점에서 유병자일 확률을 말한다.

㉡ 한 시점에서의 유병상태를 나타낸다.

㉢ 시간경과에 따라 질병양상이 어떻게 변화하는지 파악할 수 있다.

㉣ 질병이 아니더라도 고혈압의 인지율, 치료율 등과 같이 어떤 변화가 있는지를 파악할 때도 사용한다.

$$\text{시점 유병률} = \frac{\text{조사 시점에서 이환된 환자 수(유병자)}}{\text{특정 조사 시점 전체 대상자 수}} \times 1{,}000$$

② **기간 유병률** 기출 17, 19, 20

㉠ 일정 기간 동안 질병이 있는 유병자를 말한다.

㉡ 대상집단에 대하여 일정 기간 동안 관찰이 이루어져야 하며, 관찰 시작 시점에서의 유병자와 관찰기간 동안에 새로이 발생한 사람의 수를 합한 값이다.

㉢ 이미 이환되어 앓고 있는 사람, 즉 과거에 발병한 사람을 포함하게 되므로 질병의 발생률과 유병기간에 영향을 받게 된다.

$$\text{기간 유병률} = \frac{\text{측정기간 내에 이환된 환자 수}}{\text{측정기간의 중앙인구}} \times 1{,}000$$

2. 발생률(Incidence rate) 기출 14, 16, 17, 18, 19, 20

(1) 개념 및 특징

① 질병 발생 위험성이 있는 집단에서 특정 기간 동안 발생한 새로운 질병의 사례 수를 말한다.

② 질병이 없는 상태에서 있는 상태로 변화하는 일련의 사건(event)을 측정하는 것이다.

③ 특정 기간에 질병이 없던 인구에서 질병이 발생한 비율이다.

④ 특정 기간 동안 새로운 사건 혹은 새로운 환자만이 분자에 포함되기 때문에 해당 기간 동안 질병 발생 위험도를 측정하는 것이다.

⑤ 급성질환이나 만성질환에 관계없이 질병의 원인을 찾는 연구에서 가장 필요한 측정 지표이다.

(2) 종류 - 누적 발생률과 평균 발생률(발생밀도)

① 누적 발생률(Cumulative incidence) 기출 16, 17, 18, 19, 20, 21

㉠ 특정 기간에 한 개인이 질병에 걸릴 확률 또는 위험도를 추정한다.

㉡ 일정 기간 질병에 걸리는 사람들의 분율을 나타낸다.

$$\text{누적 발생률} = \frac{\text{특정 기간 동안 새롭게 발생한 질병 환자 수}}{\text{동일한 기간 내 질병이 발생할 가능성이 있는 인구 수}} \times 1{,}000$$

② 평균 발생률(Incidence rate) 또는 발생밀도(Incidence density, 발생빈도) 기출 16

㉠ 연구대상자의 관찰 기간이 다른 것으로 고려하고 가능한 모든 정보를 이용하기 위하여 어떤 일정한 인구집단에서 질병의 순간발생률을 측정하는 것으로, 율에 해당한다.

㉡ 평균 발생률의 분자는 누적 발생률처럼 해당 집단에서 발생한 새로운 환자 수이다.

㉢ 분모는 각 개인의 관찰기간의 합으로, 각 개인이 질병에 걸리지 않은 상태로 남아 있던 기간의 합이다.

㉣ 평균 발생률을 표현하는 시간 단위는 인년(person - year), 인월(person - month) 등이 있다.

㉤ 대부분의 암이나 심혈관질환과 같은 만성질환은 인년, 급성질환은 인주(person - week)를 사용한다.

$$\text{평균 발생률} = \frac{\text{일 지역 특정 기간 동안 새롭게 발생한 질병 환자 수}}{\text{총 관찰 인년}}$$

3. 유병률과 발생률의 관계 기출 12, 14, 15, 16, 17, 18, 19, 20, 21, 24

(1) 유병률은 발생률과 이환기간에 영향을 받는다.

(2) 유병률의 변화는 발생률 또는 결과변화에 영향을 받는다.

(3) 만성질병은 발생률에 비해 유병률이 높다.

(4) 급성 감염병은 발생률은 높더라도 이환기간이 짧아 유병률은 낮다.

(5) 급성 감염병과 같이 유행 기간이 매우 짧을 경우에는 유병률과 발생률이 비슷하다.

$$\text{유병률(P)} \propto \text{발생률(I)} \times \text{이환기간(D)}$$

4. 발병률(Attack rate) 기출 11, 12, 15, 16, 17, 18, 19, 20

(1) 특정 질환이 전체 이환기간 중 집단 내에 새로이 발병한 총수를 비율로 표시한 것을 말한다.
(2) 누적 발생률의 한 형태로 특정 질병 발생이 한정된 기간에 한해서만 가능한 경우, 발병률(Attack rate) 산출이 가능하다.
(3) 일차 발병률은 특정 유행이 시작한 시기부터 끝날 때까지를 기반으로 하기 때문에 분율로 표시한다.
(4) 발생률의 일종으로, 발병률의 공식은 %로 표시한다.
(5) 급성 감염병이나 식중독처럼 짧은 기간에 유행 또는 발생할 때 사용한다.
(6) 분모에 예방접종이나 1차 감염자는 포함시키지 않고, 오직 감수성이 높은 군만 포함한다(접촉자).

$$\text{일차 발병률} = \frac{\text{질병 발병자 수}}{\text{유행기간 중 원인요인에 접촉 또는 노출된 인구}} \times 100$$

5. 이차 발병률(Secondary attack rate) 기출 11, 14, 15, 16, 17, 18, 19, 20, 21

(1) 환자와의 접촉으로 인하여 질병이 발생한 정도를 비율로 나타내는 것을 말한다.
(2) 병원체의 감염력과 전염력을 간접적으로 측정하는 데 유용하다.
(3) 예방약물의 효력, 원인 모르는 질환의 전염력을 결정하는 데 사용된다.

$$\text{이차 발병률} = \frac{\text{질병 발병자 수(환자와 접촉으로 인하여 이차적으로 발병한 사람의 수)}}{\text{환자와 접촉한 감수성 있는 사람 수}} \times 100$$

6. 조율(Crude rate)

(1) 일정기간 동안 인구집단 전체에서 실제로 발생한 수를 나타내는 지표를 말한다.
(2) 전체 모집단 중 사건의 비율을 말한다.

7. 특수율(Specific rate)

비슷한 특성을 지닌 소집단별(성, 연령, 질병, 학력 등)로 나누어 상태를 비교하는 것을 말한다.

8. 표준화율(Standardized rate) – 직접표준화, 간접표준화 기출 20, 21

(1) 비교하고자 하는 집단 간의 인구집단 특성의 차이를 보정하고 같은 조건으로 만들어 비교 가능하게 하는 방법을 표준화(Standardization)라고 하며, 이러한 비교 목적으로 사용하는 계측치를 표준화율(Standardized rate) 또는 보정율(Adjusted rate)이라고 한다.
(2) 인구구성의 차이에 따른 영향을 배제하면서 사망상태나 유병상태를 한 수치로 나타내어 두 지역을 비교하는 데 활용할 수 있는 지표이다.

<table>
<tr>
<td>직접표준화
(Direct method)</td>
<td>① 두 개 이상의 지역사회를 비교할 때 표준이 되는 인구집단을 선정한 후, 각 지역의 연령별 사망률 혹은 발생률을 표준인구에 적용하여 비교하고자 하는 각 지역의 사망 수 혹은 발생 수를 계산함으로써 두 지역을 비교하는 방법
② **직접표준화 과정**
<table>
<tr><td>1단계</td><td>두 지역의 인구를 합하여 표준인구 계산</td></tr>
<tr><td>2단계</td><td>연령별 표준인구에 각 지역의 연령별 사망률을 곱하여 표준인구에서의 기대 사망 수 계산</td></tr>
<tr><td>3단계</td><td>지역별로 연령별 기대 사망 수를 합하여 표준인구로 나누어 직접표준화율 계산</td></tr>
</table>
</td>
</tr>
<tr>
<td>간접표준화
(Indirect method)</td>
<td>① 두 개 이상 집단의 연령별 특수사망률을 알 수 없거나 대상 인구 수가 너무 적어서 안정된 연령별 특수사망률을 구할 수 없는 경우에는 간접표준화방법을 사용함
② 표준인구의 연령별 사망률을 비교하고자 하는 집단들의 연령계급별 인구에 곱해서 얻은 기대 사건 수의 총계를 계산하여 표준화하고자 하는 집단의 총 사망 수를 기대 총 사망 수로 나눈 표준화 사망비를 얻어 표준화인구의 사망비율을 곱해 표준화시키는 방법
③ 비교하고자 하는 두 집단의 연령 구성별 사망률이 없거나 알 수 없을 때 신뢰성이 떨어질 경우 표준인구의 연령별 사망률의 이용하여 계산
④ 집단의 총 사건 수를 기대 총 사건 수로 나눈 표준화 사건비를 얻어 표준인구의 사건비율을 곱하여 표준화시킨 방법으로, 표준화사망비가 1보다 크면 대상집단의 사망 수준이 표준인구집단보다 높다는 것
⑤ **간접표준화를 구하는 방법** **기출 20**
<table>
<tr><td>1단계</td><td>표준인구의 연령별 사망률을 각 지역의 연령별 인구수에 곱하여 기대 사망 수 계산</td></tr>
<tr><td>2단계</td><td>표준화사망비(SMR; Standardized mortality ratio) 계산</td></tr>
<tr><td>3단계</td><td>표준화사망비에 표준인구의 사망률을 곱하여 간접법에 의한 표준화율 산출
$$\text{간접표준화율} = \frac{\text{사건 수}}{\text{기대 환자 수}} \times \text{표준집단의 사건율}(10^2)$$</td></tr>
</table>
</td>
</tr>
</table>

제6장 감염병의 발생 및 유행

1 감염병 발생의 3대 요인과 유행의 3대 조건

1. 감염병 발생의 3대 요인 기출 20

(1) 감염원

① 감염을 일으킬 수 있는 감염병의 병원체를 가지고 있는, 병원을 퍼뜨리는 근원이 되는 생체를 말한다.

② 유행조건은 감염원으로 질적 및 양적으로 충분한 병원체를 내포해야 한다.

(2) 감염경로

① 감염원으로부터 감수성이 있는 숙주집단으로 병원체가 운반되는 과정이다.

② 감염경로의 유행조건은 감염과 숙주를 연결시키는 전파체가 많이 존재하고 있어야 한다.

(3) 감수성이 있는 숙주

① 침입한 병원체에 대항하여 감염이나 발병을 저지할 수 없는 상태로, 특히 감염성 숙주가 감수성이 높은 경우 유행이 만연하게 된다.

② 감염성 숙주가 면역성이 높을 경우 감염병의 유행이 잘 이루어지지 않는다.

2. 감염병 유행의 3대 조건 기출 18, 19, 20

(1) 감염원으로서 질적 · 양적으로 충분한 병원체를 내포하고 있어야 한다.

(2) 감염경로는 감염원과 숙주를 연결시키는 전파체가 많이 존재해야 한다.

(3) 감수성이 높은 숙주집단이 클 때 크게 유행하게 된다.

2 감염병의 유행

1. 유행의 정의(미국보건협회) 기출 16, 18

(1) 주어진 인구집단(지역사회)에서, (2) 비교적 짧은 기간에(상대적인 개념으로), (3) 임상적 특성이 비슷한 증후군이(원인이 동일하리라는 가정), (4) 통상적으로 기대했던 수(토착성 발생 수준) 이상으로 발생하는 것이다.

2. 유행조사(= 역학조사)의 정의

질병 유행의 대상 및 유행규모를 파악하고 그 원인을 밝혀 필요한 조치를 수행하여 유행을 종식시키고, 유행의 재발 예방을 위한 대책 수립에 활용하기 위해 수행되는 모든 활동이다.

3. 유행조사의 목적

현 사태가 유행인지 아닌지 판단하여, 유행일 경우에는 이 감염병의 확산을 즉각 방지할 수 있는 대책을 마련하는 것이 목적이다.

4. 유행조사의 기본 단계 기출 15, 17, 18, 19, 20, 21

(1) 유행의 확인과 크기 측정 기출 19

① 유행의 크기 혹은 규모를 추정하고 얼마나 신속한 조치가 필요한지를 결정한다.

② 수집한 정보를 토대로 해당 질병의 자연사를 정리한다.

③ 평균 잠복기 등 측정가능한 자연사 관련 변수들을 측정한다.

④ 원인을 밝히기 위하여 가능한 모든 가검물을 채취하여 분석하고 보관하는 일도 중요하다.

(2) 유행질환의 기술역학적 분석 기출 14, 16, 17, 18, 19

① 유행의 시간적 특성에 대한 기술 - 유행곡선의 작성

㉠ 해당 질병의 잠복기 분포, 최단 잠복기와 평균 잠복기, 최장 잠복기를 확인한다.

㉡ 잠복기 분포를 이용하여 병원체의 종류를 추정한다.

㉢ 잠복기 분포를 이용하여 공동노출일이 언제인지 추산한다.

㉣ 전파양식을 추정한다(공동매개 전파, 사람 간 전파 등).

㉤ 단일노출인지 다중노출인지 파악한다.

㉥ 2차나 3차 유행 여부를 확인한다.

㉦ 유행규모를 파악한다.

㉧ 향후 유행의 진행 여부와 규모를 예측한다.

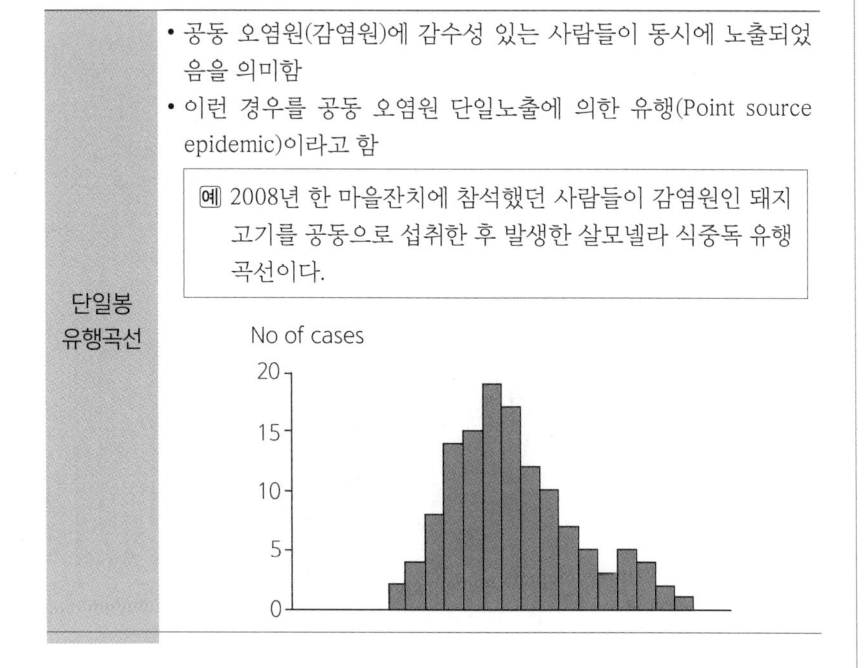

단일봉 유행곡선	• 공동 오염원(감염원)에 감수성 있는 사람들이 동시에 노출되었음을 의미함 • 이런 경우를 공동 오염원 단일노출에 의한 유행(Point source epidemic)이라고 함 예 2008년 한 마을잔치에 참석했던 사람들이 감염원인 돼지고기를 공동으로 섭취한 후 발생한 살모넬라 식중독 유행곡선이다.

역학조사의 오차를 최소화하기 위한 방법

1. 조사자의 관찰오차 방지
2. 조사자의 편견 배제
3. 조사대상의 선정이나 조사자료 처리 과정의 오차 방지
4. 조사결과의 해석상의 오차 방지
5. 조사대상 개체 및 인구집단의 변동 방지

구분	내용
단일봉 · 고원형 유행곡선	• 단일봉이지만 봉우리가 고원을 형성하여 잠복기가 알려진 것보다 긴 경우 • 이 경우는 지속적 오염이 있는 경우 나타남 • 즉, 오염되어 있는 감염원이 제거되지 않아 여러 번에 걸쳐 지속적으로 유행을 일으키는 경우 예 2000년 제주도 전역에서 4월 말부터 8월까지 지속된 세균성이질의 유행 중 4월 말 ~ 6월 초까지 남제주군에서 발생한 세균성이질 확진자의 유행곡선이 단일봉 · 고원형이다. 전체적으로 하나의 봉우리처럼 보이나 첫 환자(최단 잠복기)와 마지막 환자(최장 잠복기)의 간격이 알려진 세균성이질의 최장 잠복기보다 훨씬 길어서 오랫동안 오염이 지속되어 일어난 유행이다. 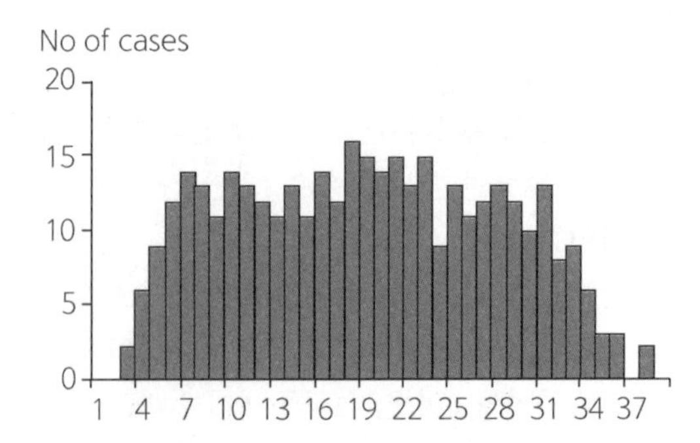
다봉형 유행곡선	• 여러 번 노출 시 나타나는 다봉형 유행곡선 • 봉우리가 1개가 아니고 여러 개인 다봉형 유행곡선은 노출이 지속적으로 이루어지지 않고 간헐적으로 이루어져서 유행을 반복하는 것 • 즉, 여러 번의 유행이 잇따라 일어나는 것 예 한 고등학교에서 발생한 장독소성대장균 식중독 사례로 적어도 2번의 공동 노출이 있었음을 알 수 있다. 이 경우는 식수오염이 의심되는 사례였는데, 4월 14일의 두 번째 유행은, 장독소성대장균의 최장 잠복기가 48시간 정도임을 감안하면 장기간 노출에 의해서 규모도 더 커졌음을 알 수 있다. 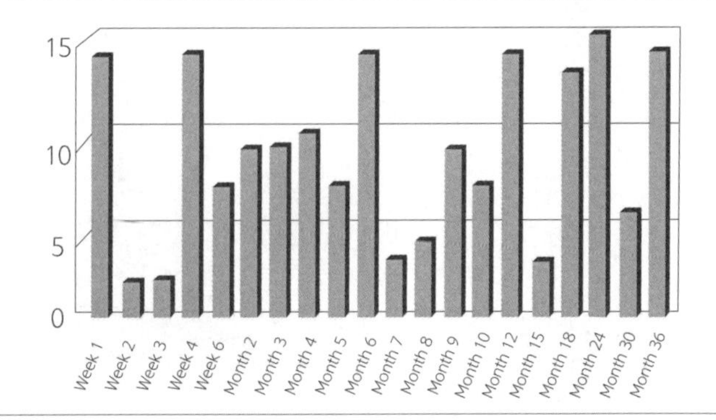

증식형 유행곡선	• 사람 간 접촉으로 인한 전파 시 나타나는 유행의 모습으로 불규칙한 봉우리 크기와 비교적 일정한 봉우리 간격을 특징으로 함 • 특히 <u>비말로 감염되는 호흡기감염병의 경우 아무런 중재 없이 유행을 그대로 두면 점차 유행곡선의 봉우리의 크기가 커지는 전형적인 증식형 유행곡선</u>을 보임 예 2000년 한 도시의 홍역 유행 시 임상적으로 홍역으로 진단받은 환자 수로, 전형적인 사례처럼 정점이 뚜렷하게 높아지지는 않았지만, 3월 25일, 4월 2일, 4월 8일, 4월 14일, 4월 18일을 정점으로 보았을 때 정점 간 간격(세대기)이 비교적 일정함을 알 수 있다. 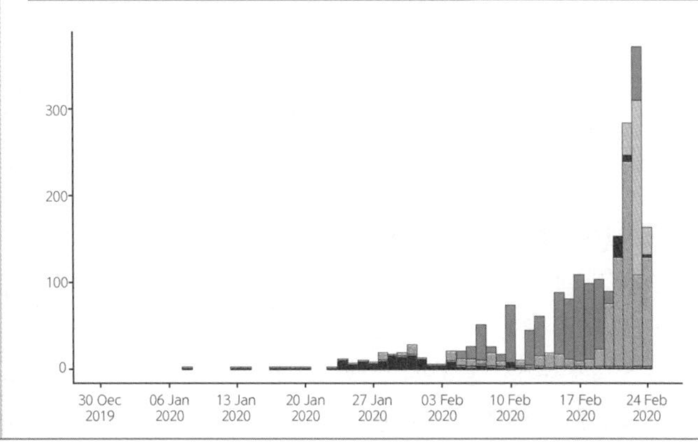

② **유행의 공간적 특성에 대한 기술**: 점지도

③ **유행의 인적 특성에 따른 기술**: 성별, 연령별, 사회경제 상태별, 직업별 발생률을 비교하는 것

(3) 유행원인에 대한 가설 설정

① 기술역학적 연구를 토대로 가능성이 높은 병원체, 병원소, 감염원, 전파양식 등에 대한 가설을 세운다.

② 역학조사를 범인을 찾는 수가라고 하면, 가설 설정은 용의자를 나열하는 것이다.

③ 가설로 설명되지 않은 사례는 유행 질병이 아닌 다른 질병을 잘못 진단한 경우나 가설과 다른 감염원이나 전파경로가 존재하는 경우가 아닌지 확인한다.

④ **가설 유도방법** 기출 17, 18, 19

공통성의 법칙 (일치법, The method of agreement)	조사하는 현상(질병)의 2개 혹은 그 이상의 예에서 특정 단일요인이 공통적으로 존재할 때, 그 요인이 원인일 가능성이 있다는 가설을 세움
차이성의 법칙 (상위법, The method of difference)	연구대상 사건이 발생한 집단과 발생하지 않은 집단을 비교할 때, 모든 다른 상황은 두 집단에서 공통적으로 존재하고 한 가지 상황만 다를 때 이 한 가지 상황이 그 사건 발생의 원인이라는 가설을 세움

동시변화성의 법칙 (The method of concomitant variation)	어떤 현상이 다른 현상의 변동에 따라 같이 변화할 때 또는 어떤 현상의 정도가 증가할 때 다른 현상의 양도 함께 증가 또는 감소하는 현상을 관찰할 때, 유력한 가설을 세움
유사성(동류성)의 법칙 (유사법, The method of analogy)	원인이 알려지지 않은 어떤 질병의 자연사와 그 질병의 병리학적 소견 및 역학적 특성이, 이미 원인이 잘 알려진 질병과 비슷할 때는 이 질병의 원인도 기존에 잘 알려진 질병의 원인과 비슷할 것이라는 추론이 가능함

(4) 분석역학적 연구를 통한 가설 설정 기출 18, 19

① 기본적으로 역학조사의 시작은 이미 유행원인 제공과 그 결과인 질병 유행이 모두 일어난 시점에 시작되기 때문에 시간적으로 후향적 조사라는 특성을 가진다.

② 후향적 코호트 연구와 환자 - 대조군 연구가 대표적인 역학조사방법이다.

(5) 유행관리 사업평가와 커뮤니케이션

① 구체적 예방법과 관리방법을 결정하여 수행한 후에는 반드시 관리방법의 효과를 판정하여야 한다.

② **역학조사에서 중요한 커뮤니케이션**: 역학조사 후 그 결과와 자료를 잘 보관하고, 주요 결과는 고위험군이나 관련 노출 종사자에게 전달되어야 한다.

③ 보고서에는 질병 유행의 역학적 특성을 일목요연하게 정리해야 한다.

제7장 질병의 역학 및 관리

1 감염성 질병의 발현

1. 감염

(1) 개념

① 병원체가 숙주에 침입하여 알맞은 기관에 자리잡고 균의 증식을 일으키는 것이다.

② 감염성 병원체, 감수성 있는 숙주와 환경 간의 상호작용에 의해 이루어진다.

(2) 감염 관련 용어 정의

감염	미생물이 숙주 내로 침입하여 적당한 기관에 자리 잡아 균이 증식(Multiplication)하는 상태
불현성감염	면역의 작용으로 일정 시간 후 병원체가 몸 안에서 완전히 제거됨
현성감염	숙주의 정상적 생리상태를 변화시켜 이상상태를 나타내는 것으로 증상이 발현하는 것
잠재감염	병원체가 숙주에 증상을 일으키지 않으면서 숙주 내에 지속적으로 존재하는 상태로 병원체와 숙주가 평형을 이루는 상태
감염성 질병	병원체의 감염으로 인해 발병되었을 때
잠복기	병원체가 숙주 내로 침투해서 증상을 일으킬 수 있는 기간
보균자	면역반응에도 불구하고 침입한 원인균이 인체 내에서 제거되지 못하고 인체 내에 상주하면서 낮은 수준의 증식이 일어나고 있는 상태

2. 병원체와 숙주의 상호반응

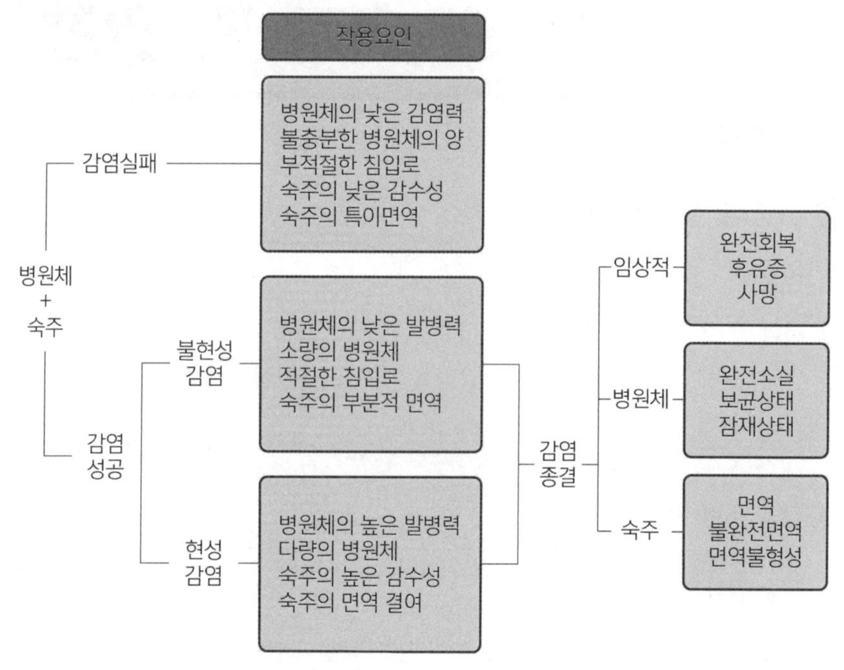

병원체와 숙주의 상호반응

출처: 역학원론, 2014, 김정순(신광출판사)

3. 감염병 전파수단의 분류와 감염병 기출 22

대분류	중분류	세분류	감염병
직접전파	직접접촉	피부접촉	피부탄저, 단순포진
		점막접촉	임질, 매독
		수직감염	선천성 매독, 선천성 HIV감염
		교상	공수병
	간접접촉	비말	인플루엔자, 홍역
간접전파	무생물매개 전파	식품매개	콜레라, 장티푸스, A형감염
		수인성	콜레라, 장티푸스, A형감염
		공기매개	수두, 결핵
		개달물	세균성 이질
	생물매개 전파	기계적 전파	세균성 이질, 살모넬라증
		생물학적 전파	말라리아, 황열

기계적 전파
매개곤충이 단순하게 기계적으로 병원체를 운반하여 전파된다.

2 감염성 질환의 생성과정과 전파

1. 병원체 기출 14, 15, 16, 17, 18, 19, 20

(1) 개념

병원체(Pathogen)는 감염성 질환의 1차 원인이다.

(2) 생물병원체

① Bacteria(콜레라 · 장티푸스 · 디프테리아 · 나병 · 성병 등)
② Virus(소아마비 · 일본뇌염 · 홍역 · 귀밑샘염 등)
③ Rickettsia(발진티푸스 · 발진열 등)
④ Protozoa(아메바성 이질 · 말라리아 등)
⑤ Metazoa(회충 · 십이지장충)
⑥ Fungus(무좀 등)

(3) 세균성 병원체

① 성홍열, 인후통, 류마티스열과 심장병을 일으키는 연쇄상구균
② 폐렴을 일으키는 폐렴균
③ 피부에 염증을 일으키는 포도상구균
④ 장티푸스와 살모넬라 식중독을 일으키는 살모넬라균
⑤ 매독을 일으키는 매독균
⑥ 결핵과 디프테리아를 일으키는 결핵균과 디프테리아균 등
⑦ 리케차(Rickettsia)는 발진티푸스를 일으키는 리케차 프로마제키가 대표적

(4) 바이러스

두창, 홍역, 인플루엔자, 감기, 수두, 풍진, 소아마비 등이 있다.

(5) 독력(Virulence), 독성(Toxigenicity), 병원체의 작용양식

이에 따라 감염자에게서 나타나는 병의 양상은 다르다.

Plus⁺ POINT

병원체의 종류 기출 14, 15, 16, 17, 18, 19, 20, 21, 22

세균 (박테리아)	• 육안으로는 관찰할 수 없는 아주 작은 생물 • 콜레라, 장티푸스, 디프테리아, 결핵, 백일해, 페스트, 파상풍, 임질 등
바이러스	• 세균보다 더 미세한 생물 • 홍역, 풍진, 폴리오, 유행성 이하선염, 일본뇌염, 광견병, 후천성면역결핍증, 바이러스 간염 등
리케차	• 세균보다 작고, 살아 있는 세포 안에서만 기생하여 세균과 구분됨 • 발진티푸스, 발진열, 쯔쯔가무시병, 록키산 홍반열, Q열 등
기생충	말라리아, 사상충, 아메바성 이질, 회충증, 간 · 폐흡충증, 유구 · 무구조충증 등 각종 기생충 질환을 일으킴
스피로헤타	보렐리아, 렙토스피라증, 매독 등
곰팡이	캔디디아시스, 스포로티코시스 등
클라미디아	앵무새병, 트라코마 등
프리온	변종크로이츠펠트, 야콥병 등

감염병 관리의 3대 원칙

병원체와 병원소 관리	병원체의 생존과 증식에 필요한 병원소 제거
전파과정 차단관리	검역과 격리, 위생 관리
숙주관리	면역증강, 환자 조기 발견치료

감염병 생성의 6대 요소

1. 병원체
2. 병원소
3. 병원체 탈출
4. 전파
5. 병원체가 새로운 숙주로 침입
6. 새로운 숙주의 저항성(감수성)

(6) 감염병에서 감염력, 병원력, 독력의 정의 및 상대적 강도

구분	감염력	병원력	독력
정의	가족 내 발단자와 접촉하여 감수성자 중 감염자 수	전체 감염자 중 발병자 수	전체 발병자 중 중증 환자후유증 또는 사망자 수
높다	두창, 홍역, 수두, 폴리오	두창, 광견병, 홍역, 수두, 감기	광견병, 두창, 결핵, 한센병
중간	충지, 유행성이하선염	풍진, 유행성이하선염	폴리오
낮다	결핵, 한센병	폴리오, 결핵, 한센병	홍역, 풍진, 수두, 감기

출처: 역학원론, 2000, 김정순(신광출판사)

병원체의 장기존속과 외부 생존능력

병원체의 장기존속	숙주 체내가 아닌 외부환경의 생존능력, 증식에 필요한 조건, 그리고 얼마나 넓은 범위의 숙주를 보유하고 있느냐에 따라 달라짐
병원체의 외부 생존능력	온도·습도·방사능 등의 불리한 환경 속에서 얼마나 견뎌내느냐의 능력

2. 병원소

(1) 개념 및 특징

① 병원체가 생존하고, 증식하면서 감수성 있는 숙주에 전파시킬 수 있는 생태학적 위치에 해당하는 인간, 동물, 곤충, 식물, 환경적 무생물(토양, 물) 등을 말한다.

② 병원체가 생활하고 증식하며, 계속해서 생존하면서 다른 숙주에게 전파될 수 있는 상태로 저장되는 장소이다.

③ 병원체가 생존 및 증식을 할 수 있는 장소와 영양소를 가지고 있는 것이 병원소의 필수 요소이다.

④ 병원소에는 인간병원소, 동물병원소, 무생물병원소 등이 있다.

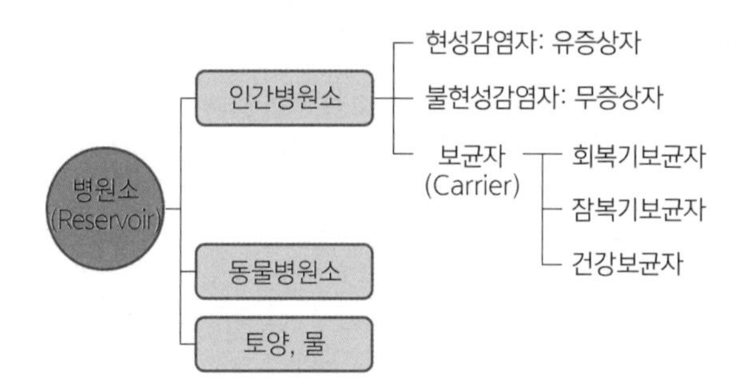

병원소의 분류

(2) 병원소에 따른 병원체 특징 기출 20

<table>
<tr><td>인간 병원소</td><td>① 사람에게 감염을 일으키는 병원체의 대부분은 인간병원소를 필요로 하며 인간에서 인간으로 전파
② 보균자는 잠복기보균자, 회복기보균자, 만성 보균자로 구분
<table>
<tr><th>보균자 종류</th><th>특징</th></tr>
<tr><td>잠복기보균자
(incubatory carrier)</td><td>증상이 나타나기 전에 균을 보유
예 많은 호흡기감염성 질병</td></tr>
<tr><td>회복기보균자
(convalescent carrier)</td><td>회복기에 균을 보유
예 많은 위장관감염성 질병</td></tr>
<tr><td>만성 보균자
(chronic carrier)</td><td>균을 오랫동안 지속적으로 보유
예 장티푸스, B형 간염</td></tr>
</table>
③ 건강보균자: 감염되어 증세를 보이지 않는 불현성감염으로 보균자가 되는 경우(불현성감염 보균자와 같은 상태, healthy carrier, 예 B형 간염)
④ 장티푸스균, 매독균, 임질균, HIV, B형 및 C형 간염 바이러스, 이질균, COVID - 19 등</td></tr>
<tr><td>동물 병원소</td><td>① 병원체가 동물과 인간 모두에게 감염과 질병을 일으키는 경우
② 대부분의 가축(소 · 말 · 돼지 · 개 · 닭)과 쥐, 다람쥐 등
③ 인수공통질병(zoonosis): 사람과 가축에 공통적으로 옮기는 질병
④ 질병: 결핵(소 · 돼지 · 새), 일본뇌염(돼지 · 조류 · 뱀), 광견병(개 · 고양이와 기타 야생동물), 황열(원숭이) 등
⑤ 병원체: 광견병 바이러스, 페스트균, 렙토스피라균, 살모넬라균, 브루셀라균 등</td></tr>
<tr><td>무생물 병원소</td><td>① 흙, 먼지 등
② 흙 병원소: 보툴리눔균, 파상풍균, 히스토플라즈마, 기타 전신성 진균 등
③ 물 병원소: 레지오넬라균, 슈도모나스균, 마이코박테리움 중 일부</td></tr>
</table>

3. 병원소에서 병원체 탈출 기출 16

병원체가 병원소에서 새로운 숙주로 이동해 확산되는 과정은 탈출, 전파, 새로운 숙주로 침입하는 과정이다.

병원소	병원체 탈출과정
호흡기 탈출	대화, 기침, 재채기 등을 통해 탈출 예 폐렴, 백일해, 수두, 천연두, 결핵, 감기, 홍역, 디프테리아 등
소화기 탈출	토물이나 분변을 통해 탈출 예 이질, 파라티푸스, 장티푸스, 콜레라, 폴리오 등
비뇨생식기 탈출	혈액성 질병의 균이 소변, 성기, 점막을 통해 탈출 예 소변이나 생식기 분비물, 성병, 임질 등
기계적 탈출	주사기나 동물매개체를 통해 직 · 간접적으로 탈출 예 발진열, 발진티푸스, 말라리아, 뇌염, 간염 등
개방병소	병소를 통해 직접 배출 예 한센병(나병), 종기, 트라코마 등

무증상감염자 및 보균자

무증상 감염자	임상증상이 미미하거나 증상이 발현되지 않은 불현성 감염자
잠복기 보균자	홍역, 백일해, 유행성이하선염, 인플루엔자, 폴리오, 디프테리아 등
회복기 보균자	장티푸스, 세균성이질, 파라티푸스, 디프테리아 등
건강 보균자	일본뇌염, 폴리오, B형 간염, 디프테리아 등

현성감염자와 보균자 비교

현성감염자는 임상증상이 있어서 치료와 격리 등 필요한 조치를 비교적 용이하게 취할 수 있지만 보균자는 임상증상이 없이 병원체를 다른 숙주에게 전파할 수 있기 때문에 유행 관리에 매우 중요하다.

디프테리아

디프테리아가 보균자 종류에 모두 포함이 되는 이유이자 전파관리가 가장 어려운 이유는 보균자로부터 감염되기 때문이다. 홍역은 현성감염환자로부터 대부분 감염이 되어 쉽게 색출이 가능하나, 디프테리아는 보균자로 감염이 되기 때문에 전파 관리기 어렵다.

4. 전파

(1) 개념

탈출한 병원체가 새로운 숙주에 옮겨지는 과정이다.

(2) 종류 기출 14, 16, 18, 19, 20

구분	내용
직접전파	① 병원체가 어떤 매개체 없이 숙주에서 다른 숙주로 직접 옮겨지는 것 ② 다시 피부접촉, 점막접촉, 수직감염, 교상 등 직접접촉에 의해 전파되는 것과, 환자나 보균자의 호흡기 비말전파와 같은 간접접촉에 의한 것으로 분류됨
간접전파	① 중간매개체를 통해 숙주로 전파되는 것 ② 매개하는 물질에 따라 무생물 매개전파와 생물 매개전파로 구분

(3) 감염병의 탈출, 전파, 침입의 예 기출 14, 16, 18, 19, 20

탈출	전파	침입	감염병
기도 분비물	직접전파(비말), 공기매개전파(비말핵), 매개물(옷, 침구 등)	기도	결핵, 홍역, 디프테리아, 인플루엔자
분변(feces)	음식, 파리, 손, 개달물	입	장티푸스, 소아마비, 콜레라, A형 간염
혈액	주사바늘	피부	AIDS, B·C형 간염
	흡혈절족동물		말라리아, 일본뇌염, 황열, 뎅기열
병변부위 삼출액	직접전파(성교, 손)	피부, 성기점막, 안구점막 등	단순포진, 임질, 매독

출처: 지방행정연수원, 질병관리청, 역학 및 감염병관리, 2016.

(4) 생물학적 전파의 종류별 특징과 감염병 기출 16, 17, 18, 19, 20

종류	특징	감염병(매개전파체)
증식형 (Propagative T.)	매개곤충 내에서 단순히 병원체의 수만 증가	페스트(쥐벼룩), 일본뇌염(모기), 황열(모기), 뎅기열, 이(재귀열, 발진티푸스), 벼룩(발진열)
발육형 (Cyclo-development T.)	매개곤충 내에서 수적 증식은 없지만 병원체가 발육하여 전파	사상충증(모기), 흡혈성 등에, 로아사상충증(모기)
증식발육형 (Cyclo-propagative T.)	매개곤충 내에서 병원체가 증식과 발육하여 전파	말라리아(모기), 수면병(파리), 체체파리

개달물(fomites)

환자가 쓰던 수건이나 의복, 침구, 물건 등이며, 이는 간접전파에 해당한다. 이로 인해 감염되는 질병으로 세균성 이질이 있다.

배설형(Fecal T.)	매개곤충 내에서 위장관에 증식하여 대변과 함께 나와 숙주의 상처를 통해 전파	발진티푸스(이), 발진열(쥐벼룩), 페스트, 발진열
경란형 (Transoval T.)	병원체가 충란을 통해 전파하는 경우	재귀열(진드기), 록키산 홍반열(진드기), 쯔쯔가무시증

출처: 역학과 건강증진, 2017, 이정렬(수문사)

(5) 주요 매개생물과 관련된 감염병 기출 21

모기	말라리아, 사상충증, 일본뇌염, 황열, 뎅기열, 지카바이러스감염증, 웨스트나일열, 치쿤구니야열
파리	장티푸스, 파라티푸스, 이질, 콜레라, 결핵, 수면병(체체파리)
쥐	렙토스피라증, 신증후군출혈열, 살모넬라증, 라싸열, 페스트, 서교열, 천열(이즈미열), 선모충증, 아메바성이질, 리슈 마니아증, 쯔쯔가무시증(들쥐 및 진드기 유충)
바퀴	장티푸스, 살모넬라증
쥐벼룩	페스트, 발진열(주의: 빈대는 질병 매개 아님)
진드기류	쯔쯔가무시증(들쥐 및 진드기 유충), 재귀열(tick-borne relapsing fever), 록키산홍반열, 라임병, 중증열성혈소판감 소증후군, 신증후군출혈열(좀진드기)
이	발진티푸스, 재귀열(louse-borne relapsing fever), 참호열

(6) 전파방법별 감염병 분류 기출 14, 16, 18, 19, 20, 22

사람 간 접촉 (비말 · 비말핵 전파)	홍역, 풍진, 볼거리, 디프테리아, 인플루엔자, 감기, 수막구균감염증, 단순포진, 결막염, 결핵, 수두
식품 · 식수	장티푸스, 이질, 콜레라, 유행성간염(A형 간염), 장출혈성대장균감염증
곤충매개	말라리아, 황열, 뎅기열, 일본뇌염, 쯔쯔가무시증
동물에서 사람	광견병, 탄저병, 브루셀라증, 렙토스피라증
성적 접촉	매독, 임질, 후천성 면역결핍증(AIDS)

모기와 매개질병

말라리아	중국얼룩모기, 잿빛얼룩날개모기, 레스터얼룩날개모기, 클라인얼룩날개모기 등
일본뇌염	작은빨간집모기
황열, 뎅기열, 지카바이러스, 사상충증	흰줄숲모기, 전투모기, 아디다스모기 등
사상충증	토고숲모기

5. 병원체가 새로운 숙주 침입

병원체는 병원체의 탈출과 같이 호흡기계, 소화기계, 비뇨기계, 개방병소 및 기계적으로 침입한다.

(1) 호흡기를 통한 병원체의 침입

병원소로부터 배출되는 미세한 비말이나 비말핵을 흡입함으로써 이루어지며 때로는 음식물과 함께 입으로 들어간 병원체가 호흡기관으로 침입하기도 한다.

(2) 위장관을 통한 병원체의 침입

오염된 음식물을 섭취함으로써 이루어지는 것이 보통이나 흡입된 병원체가 위장관으로 들어오는 경우도 있다.

(3) 점막을 통한 침입

생식기의 직접접촉으로 이루어지는 성병이 대표적인 예이고, 그 외 눈의 결막을 통해 이루어질 수도 있다.

(4) 피부를 통한 침입

피부에 병변이 있을 때 접촉을 통한 침입과 동물의 교상, 감염병 매개곤충의 자상, 오염된 주사침, 오염된 혈액의 수혈, 구충 · 유충의 경피침입을 들 수 있다.

감수성 지수(Rudder)

급성호흡기계 전염병의 경우에 해당되며, 두창 및 홍역(95%) · 백일해(60 ~ 80%) · 성홍열(40%) · 디프테리아(10%) · 폴리오(0.1%) 순으로 두창이 가장 높고, 폴리오가 가장 낮다.

6. 새로운 숙주의 저항성(감수성, 면역) 기출 17, 19, 21

숙주에 침입한 병원체에 대하여 감염이나 발병을 막을 수 없는 상태를 저항성(감수성)이라 한다.

(1) 획득되는 면역의 종류

면역의 형태	획득방법		면역기간
자연적	능동면역	항원과 자연적인 접촉으로 감염	일시적 혹은 영구적
	수동면역	태반 또는 초유나 모유수유를 통해	일시적
인공적	능동면역	항원을 접종	일시적 혹은 영구적
	수동면역	항체나 항독소접종	일시적

출처: Grimes D. E. Infectious diseases. Mosby; 1991.

(2) 선천면역 기출 19, 20

① 숙주가 선천적으로 가지고 있는 저항성이다.
② 숙주의 종(Species), 종족(Race), 개체에 따라 각각 다르다.
③ 방어능력은 이미 개체가 가지고 있는 요인에 의해 정해지는 것이다.
④ 외부의 자극에 좌우되지 않는다.

(3) 후천면역 기출 14, 15, 16, 17, 18, 19, 20, 21, 23

① 개체가 출생 후 여러 원인에 의해 얻어지는 면역이다.

② **자연능동면역**: 자연상태에서 일어나는 감염, 즉 불현성 감염, 현성 감염, 빈번한 접촉을 통하여 얻어지는 저항성이다.

③ **인공능동면역**: 인공적으로 감염물질을 접종하여 얻는 면역이다.
예 예방접종

④ **자연 수동면역**: 태반이나 초유를 통해 분비되는 면역항체를 신생아가 섭취함으로써 획득하는 것이다.

⑤ **인공 수동면역**

㉠ 회복기 환자혈청, 면역혈청으로 획득하는 것이다.

㉡ 사람의 혈청단백 중 감마글로불린에는 항체가 있어 여러 감염증에 대하여 수동면역이 되는 것이다.

⑥ **백신의 유형** 기출 17, 18, 19, 21

㉠ **약독화된 생균 백신**

바이러스	홍역, 이하선염, 풍진, 폴리오, 황열, 수두
세균	결핵(BCG)
Recombinant(재조합)	장티푸스

㉡ **불활성화된 사균 백신**

바이러스	인플루엔자, 폴리오, 공수병, A형 간염
세균	백일해, 장티푸스, 콜레라, 페스트
Subunit(아단위)	B형 간염, 인플루엔자, 백일해, 사람유두종바이러스
Toxoid(독소)	디프테리아, 파상풍
Recombinant(재조합)	B형 간염
Polysaccharide(다당류)	폐렴구균, 수막염구균, b형 헤모필루스인플루엔자, 장티푸스균
Subunit vaccine	세균이나 바이러스의 일부분으로 구성됨
Toxoid	세균성 독소의 일부분으로 구성됨
Recombinant vaccine	유전자 재조합기술에 의해 만들어진 항원
Polysaccharide vaccine	세균의 세포벽 일부분으로 구성됨

출처: Atkinson W. et al. Epidemiology and prevention of vaccine-preventable disease(CDC). Washington, DC; 2011.

생균 백신과 사균 백신의 비교

구분	생균(독) 백신	사균(독) 백신
항원의 생사 여부	살아있음	죽어있음(불활성)
항체 형성	빠름	느림
면역지속 기간	장기간	단기간
접종 반응	높음	낮음
비용	저렴	고가
보관 시 주의사항	열, 햇빛 등 노출 금지	동결 방지 및 용이
유효기간	단기간	장기간
면역형	집단면역 가능	개체면역

사균 백신과 생균 백신 가능 백신
폴리오, 인플루엔자, 일본뇌염 등

핵심정리 숙주의 면역 기출 15, 16, 17, 18, 19, 20

1. **약독화 생백신**
   질병을 일으키지 못하도록 세균과 바이러스에 변화를 주어 개발된 백신이다.
2. **사균 백신**
   화학 제제로 세균을 죽이거나 바이러스를 불활성화하여 개발된 백신이다.
3. **톡소이드**
   무해하게 처리된 세균독소이다.

<table>
<tr><td colspan="3">선천면역</td><td colspan="3">종속면역, 종족면역, 개인 특이성</td></tr>
<tr><td rowspan="6">후천면역</td><td rowspan="4">능동
면역</td><td>자연능동
면역</td><td colspan="3">병후면역(불현성 감염, 이환 후 면역)</td></tr>
<tr><td rowspan="3">인공능동
면역</td><td>약독화
생백신</td><td>생균</td><td>결핵(BCG), 폴리오(Sabin, OPV),
수두, 대상포진, 간염, 황열, 두창,
인플루엔자(생백신), 광견병,
일본뇌염(생백신), 탄저,
로타바이러스,
MMR(홍역, 유행성이하선염, 풍진) 등</td></tr>
<tr><td rowspan="2">불활성화
백신</td><td>사균</td><td>A형 간염, B형 간염, 장티푸스,
콜레라, 페스트, 파라티푸스, 백일해,
사람유두종바이러스,
폴리오(Salk, IPV),
인플루엔자(사백신),
일본뇌염(사백신)</td></tr>
<tr><td>Toxoid</td><td>디프테리아, 파상풍</td></tr>
<tr><td rowspan="2">수동
면역</td><td>자연수동
면역</td><td colspan="3">모유, 모체, 태반을 통한 면역</td></tr>
<tr><td>인공수동
면역</td><td colspan="3">항독소, 면역혈청, r-giobulin(일시적 면역)</td></tr>
</table>

(4) 집단면역 기출 12, 17, 18, 19

① 어떤 인구집단의 면역상태이다.

② 집단 내 감수성자 비율이다.

③ 특정 감염증에 대해서 집단 구성원의 면역학적 반응을 측정함으로써 객관적으로 알 수 있는 어떤 인구집단의 면역상태이다.

④ **기본감염재생산수(Basic reproduction number, RO)**: 어떤 집단의 모든 인구가 감수성이 있다고 가정할 때 단 한 명의 감염병 환자(index case, 발단환자)가 감염가능기간 동안 직접 감염시키는 2차 감염자의 수이다.

⑤ 집단면역이 안된 경우는 환자 발생 수가 매질병 세대마다 2배로 증가한다.

⑥ 면역을 가진 인구 비율이 높을 경우, 감염지기 감수성자와 접촉할 수 있는 기회가 적어져 감염재생산수가 적어진다.

⑦ 감염기간 동안 1명의 감염자를 만들지 못하게 되면 유행은 지속되지 않는다는 의미이다.

⑧ 집단면역이 한계밀도보다 크면 유행을 차단할 수 있다.
⑨ 이 지표들은 질병예방에 필요한 최소 예방접종 수준을 결정하고, 질병 유행 시 감염재생산수를 결정하여 유행이 확산될지, 감소될지 등을 예측하는 데 사용되는 등 지역사회 감염병정책 수립에 중요한 정보들이다.

> • 집단면역 수준(%) = $\frac{\text{저항성(혹은 면역)이 있는 사람의 수}}{\text{총 인구 수}}$ × 100
> • 감염 재생산 수 = 접촉 시 감염전파확률 × 접촉 횟수 × 감염전파기간
> • 한계밀도(Threshold density): 유행이 일어나는 집단면역의 한계치

3 감염성 질환의 관리

전파 차단	• 병원소의 제거 • 감염력의 감소 • 병원소의 검역과 격리 • 환경위생(식품위생, 개인위생)
숙주	• 면역증강 • 예방접종 • 환자 조기발견 및 조기치료

1. 전파 예방

(1) 전파를 예방하는 방법으로는 병원소를 제거하거나 감염력을 감소시키는 방법이 있다.
(2) 병원소를 격리하거나 환경위생적 측면에서 관리하는 방법이 가장 효율적이다.

2. 병원소의 제거와 관리 기출 18, 20

(1) 동물이 병원소인 인수공통감염병은 병원소인 동물을 제거함으로써 전파를 예방할 수 있다.
(2) 병원소가 사람인 경우는 감염균이 존재하는 장기를 제거하거나 환자를 격리한다.

3. 병원소의 검역과 격리 기출 16, 17, 18, 19, 20

(1) 검역

해외에서 유입되지 않으면 질병 발생이 불가능한 외래 감염병의 경우 근본적으로 병원체의 유입을 차단하는 것이다.

(2) 검역 대상

항공기, 선박, 승무원 및 승객, 화물 및 소지품, 동식물의 위생상태, 쥐나 해충의 유무 등이다.

(3) 검역감염병의 종류 및 감시기간 기출 17, 19, 22, 23, 24

콜레라	5일
페스트, 황열	6일
동물인플루엔자 인체감염증	10일
중동호흡기증후군(MERS)	14일
중증급성호흡기증후군(SARS)	10일
에볼라바이러스병	21일
신종인플루엔자	그 최대 잠복기는 검역전문위원회에서 결정

(4) 격리기간

검역감염병 환자 등의 격리기간은 검역감염병 환자 등의 감염력이 없어질 때까지이다.

(5) 급성감염병의 유행방지를 위한 국내·외 조치

① 우리나라 급성감염병 관리 – 감염병 위기관리 기본방향

㉠ **목표**: 감염병 재난에 대한 예방 및 대비 태세를 사전에 구축하고 감염병 재난 발생 시 신속한 대응을 통하여 위기상황 조기 종식을 유도한다.

㉡ **방침**

ⓐ 감염병 재난 발생에 대한 대비 태세를 확립한다.

ⓑ 감염병 재난 발생 시 효과적 대응 및 추가 확산을 차단한다.

ⓒ 신속·정확·투명한 정보 공개를 통한 국민 불안을 해소한다.

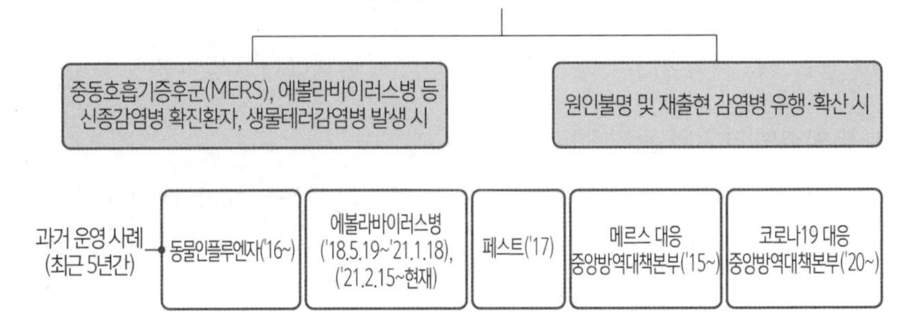

㉢ 위기경보 수준 기출 17, 18, 22(간호직), 23

구분	위기 유형	주요 활동
관심 (Blue)	• 해외에서의 신종감염병의 발생 및 유행 • 국내 원인불명 · 재출현 감염병의 발생	• 감염병별 대책반 운영(질병청) • 위기징후 모니터링 및 감시 대응 역량 정비 • 필요 시 현장 방역조치 및 방역 인프라 가동
주의 (Yellow)	• 해외에서의 신종감염병의 국내 유입 • 국내 원인불명 · 재출현 감염병의 제한적 전파	• 중앙방역대책본부(질병청) 설치 · 운영 • 유관기관 협조체계 가동 • 현장 방역조치 및 방역 인프라 가동 • 모니터링 및 감시 강화
경계 (Orange)	• 국내 유입된 해외 신종감염병의 제한적 전파 • 국내 원인불명 · 재출현 감염병의 지역사회 전파	• 중앙방역대책본부(질병청) 운영 지속 • 중앙사고수습본부(복지부) 설치 · 운영 • (행정안전부) 범정부 지원본부 운영 검토 • 필요 시 총리주재 범정부 회의 개최 • 유관기관 협조체계 강화 • 방역 및 감시 강화 등
심각 (Red)	• 국내 유입된 해외 신종감염병의 지역사회 전파 또는 전국적 확산 • 국내 원인불명 · 재출현 감염병의 전국적 확산	• 범정부적 총력 대응 • 필요 시 중앙재난안전대책본부 운영

② 세계보건기구의 급성감염병 관리 6단계

㉠ **1단계**: 동물 간에만 유행하는 단계

㉡ **2단계**: 동물에서 인간에게 감염되어 유행하는 단계

㉢ **3단계**: 산발적으로 소규모로 유행하는 단계

㉣ **4단계**: 지역단위로 유행하는 단계

㉤ **5단계**: 1개 대륙, 2개 국가 이상에서 유행하는 단계

㉥ **6단계**: 2개 대륙 이상에서 유행하는 단계

4. 환경위생

환경적인 요소를 개선함으로써 전파과정을 차단하는 것이다.

5. 개인위생

손 씻기, 마스크 착용하기, 기침 예절 등을 준수하는 것이다.

6. 예방접종(감염병의 적극적인 예방활동)

(1) 기본 원칙

① **예방효과**: 임상시험을 통하여 백신의 질병 방어 효과를 입증해야 한다.

② **안전성**: 백신접종에 의한 이상반응이 흔하거나 심각하다면 안전성이 문제되어 백신접종이 권장되지 않는다.

③ **유용성**: 자연감염의 효과가 접종에 의한 면역보다 좋을 경우 유용성이 떨어진다.

④ **비용 - 편익분석과 비용 - 효과분석**: 보건학적 측면에서 전인구집단을 대상으로 하는 예방접종 도입결정은 비용 - 편익분석과 비용 - 효과분석을 참고한다.

⑤ **방법의 용이성**: 백신의 투여방법이나 횟수가 접종을 제공하는 의료인뿐만 아니라 피접종자가 손쉽게 수용할 수 있어야 한다.

(2) 백신 실패 기출 20

① **1차 백신 실패(Primary vaccine failure)**: 예방접종을 실시하였으나 숙주의 면역체계에서 충분한 항체를 만들지 못한 경우이다.

② **2차 백신 실패(Secondary vaccine failure)**: 예방접종 후 충분한 항체가 형성되었으나 시간이 지나면서 항체 역가가 떨어져 방어하지 못하는 경우이다.

예방접종 추가 접종의 효과

1. 1차 예방접종 이후 2차 접종 또는 이후의 지속적인 추가 접종을 실시하는 것은 1차 접종 후 일정 기간이 지나면 예방접종에 의해 체내에 형성된 항체 수준, 즉 체내의 질병 방어 수준이 외부로부터의 감염에 대해 방어 수준 이하로 감소하기 때문에 평생 면역을 보장할 수가 없다. 그래서 2차 및 추가 접종은 1차 접종 시보다도 항체 생산량을 훨씬 많이 생산하게 하여 면역 증진의 효과가 있어 더 오래 지속이 된다.
2. **접종 방법**
   1차 백신 접종 후 한 달 뒤 보강 접종을 하고, 그 후 6개월마다 계속적으로 접종한다.

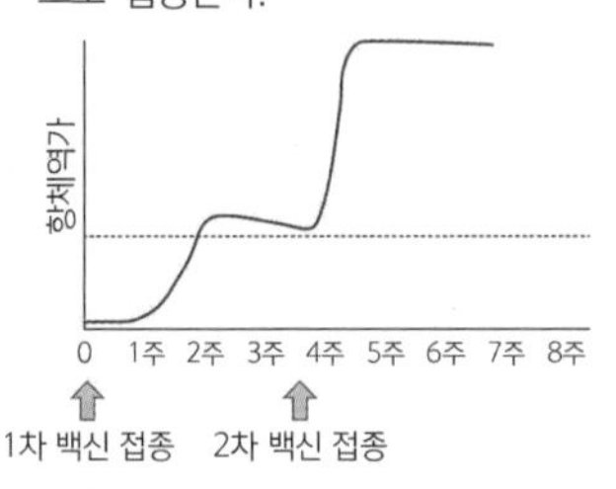

7. 해외여행 시 예방접종 기출 18

세계보건기구에서 질병 확산을 막기 위하여 특정 지역을 방문할 때 예방접종을 받도록 규정하고 있는 백신이 있는데, 가장 대표적인 것이 황열 백신과 수막알균 수막염 백신이다.

(1) 황열

① 아프리카와 아메리카에서 적도를 중심으로 남북 15 ~ 20도 내외 지역에서 발생하므로 황열 발생 지역으로 고시되어 있는 국가를 방문하는 경우 예방접종을 받아야 한다.

② 이 중 일부 국가에서는 접종 증명서를 지참하지 않으면 입국을 거절당하거나 6일 정도 격리될 수 있다.

③ 황열 백신은 반드시 여행 출발 10 ~ 14일 전에 맞아야 하고, 한 번 맞으면 평생 면역이 유지(영구면역)된다.

④ 예방접종은 WHO가 인정하는 지정장소(검역소와 국제 공인예방접종지정기관)에서 맞아야 하므로 미리 확인하여야 한다.

⑤ 해외여행 시 예방접종 증명서가 필요한 유일한 감염병이 황열인데, 황열의 예방접종 증명서의 유효기간은 예방접종 10일 후부터 시작하여 평생 유효하다.

(2) 수막알균 수막염

① 사하라 사막 이남의 수막염 발생대(Meningitis belt)에서 주기적으로 발생하며 주로 건기인 12월 ~ 6월에 발생한다.

② 혈청형 A가 가장 흔하지만, 최근에 W135형의 유행도 있었다.

③ 사우디아라비아의 메카에 하지 순례를 가는 경우에도 접종하도록 권유하고 있다.

④ 수막알균 수막염의 재접종은 7세 미만에 처음 접종한 경우는 3년 후, 7세 이상에서 처음 접종한 경우는 5년 후 실시하며, 이후로도 감염위험이 지속된다면 5년마다 재접종해야 한다.

⑤ 여행 지역에 따라 콜레라, 장티푸스, 일본뇌염, 광견병, A형 간염, 폐렴구균 감염증 백신 등이 필요할 수 있다.

⑥ 그 외에 국내에서도 필요한 백신으로 여행 시에 접종 여부를 확인해 보아야 하는 것으로는 B형 간염 백신, 파상풍과 디프테리아 백신, 홍역 - 볼거리 - 풍진 백신(MMR), 폴리오 백신, 인플루엔자 백신 등이 있다.

(3) 말라리아 유행 지역으로 여행 시 지침 기출 19

① 말라리아를 예방하는 약을 복용한다.

② 단, 약을 복용하더라도 말라리아를 100% 예방할 수는 없다.

③ 여행 지역이 항말라리아 약제 내성 지역인지, 말라리아 증상 발현 시 의료서비스를 받을 수 있는 곳인지 확인하고, 말라리아 약제의 금기사항을 확인한다.

④ 약을 먹더라도 가급적 모기에 물리지 않도록 조심한다.

⑤ 모기에 물리지 않으려면 어두워진 후에는 외출을 삼가고, 외출할 때는 항상 긴 소매, 긴 바지를 입으며, 옷에 곤충을 쫓는 방충제를 뿌린다.

⑥ 여행 도중에 말라리아가 발생하면 지체 없이 가장 가까운 병원에 찾아가 치료를 받는다. 말라리아 만연 지역의 의사는 대부분 말라리아 진단과 치료에 대하여 잘 알아 두고 있다.

⑦ 우리나라에서 발생하는 삼일열 말라리아(Plasmodium vivax)보다 훨씬 증상이 심한 열대열 말라리아(Plasmodium falciparum)는 주 발생 지역에서도 감염자의 약 1%가 사망하는 질병으로, 여행자가 감염 시에는 사망률이 훨씬 높아진다.

⑧ 말라리아에 노출된 후 7일에서 3개월(때로는 그 이후까지) 사이에 원인 모를 열이 발생하면 말라리아를 의심하여 진단과 치료를 시행하는 것이 좋다.

⑨ 말라리아 예방 약제는 종합병원의 감염내과나 가정의학과에서 처방받는다.

⑩ 약제 종류에는 1주에 한 번씩 복용하는 메플로퀸(라리암), 클로로퀸(아랄렌)이 있고, 매일 한 번씩 복용하는 독시싸이클린(바이브라이신), 프리마퀸, 아토바쿠온 - 프로구아닐(말라론) 등이 있다.

⑪ 클로로퀸 내성 지역인 경우에는 메플로퀸을 복용해야 하고, 클로로퀸과 메플로퀸에 모두 내성인 말라리아 원충(Plasmodium falciparum)이 보고된 태국 - 미얀마 접경 지역 또는 태국 - 캄보디아 접경 지역으로 여행하는 경우에는 독시싸이클린이 1차 선택 약제이다.

⑫ 국가별 말라리아 예방 약제 선택은 질병관리청의 여행정보센터에서 미리 확인한다.

⑬ 단기 여행자들에게는 말라론(아토바쿠온 - 프로구아닐)이 유용한데, 여행 1 ~ 2일 전부터 여행 후 7일간 성인 1일 1회 1정씩 복용하는 것으로 메플로퀸에 비하여 신경학적 부작용이 적고, 독시싸이클린보다 위장관 부작용이 적다.

⑭ 장기 여행자들에게는 클로로퀸이나 메플로퀸이 유용하며, 클로로퀸은 여행 1주 전부터, 메플로퀸은 여행 2 ~ 3주 전부터 여행 후 4주까지 매주 1회 복용하는데 부작용이 심할 수 있기 때문에 여행 전 복용해 보고 부작용이 크면 다른 약으로 대체하는 것이 좋다.

제8장 법정 감염병

1 법정 감염병의 분류 기출 18, 19, 20, 21, 22

구분	제1급 감염병	제2급 감염병	제3급 감염병	제4급 감염병
특성	생물테러감염병 또는 치명률이 높거나 집단 발생의 우려가 커서 발생 또는 유행 즉시 신고	전파가능성을 고려하여 발생 또는 유행 시 24시간 이내에 신고	그 발생을 계속 감시할 필요가 있어 발생 또는 유행 시 24시간 이내에 신고	제1급 감염병부터 제3급 감염병까지의 감염병 외에 유행 여부를 조사하기 위하여 표본감시 활동이 필요한 다음의 감염병
종류	가. 에볼라바이러스병 나. 마버그열 다. 라싸열 라. 크리미안콩고출혈열 마. 남아메리카출혈열 바. 리프트밸리열 사. 두창 아. 페스트 자. 탄저 차. 보툴리눔독소증 카. 야토병 타. 신종감염병증후군 파. 중증급성호흡기증후군(SARS) 하. 중동호흡기증후군(MERS) 거. 동물인플루엔자 인체감염증 너. 신종인플루엔자 더. 디프테리아	가. 결핵(結核) 나. 수두(水痘) 다. 홍역(紅疫) 라. 콜레라 마. 장티푸스 바. 파라티푸스 사. 세균성이질 아. 장출혈성대장균 감염증 자. A형 간염 차. 백일해(百日咳) 카. 유행성이하선염(流行性耳下腺炎) 타. 풍진(風疹) 파. 폴리오 하. 수막구균 감염증 거. b형헤모필루스인플루엔자 너. 폐렴구균 감염증 더. 한센병 러. 성홍열 머. 반코마이신내성황색포도알균(VRSA) 감염증 버. 카바페넴내성장내세균목(CRE) 감염증 서. E형 간염	가. 파상풍(破傷風) 나. B형 간염 다. 일본뇌염 라. C형 간염 마. 말라리아 바. 레지오넬라증 사. 비브리오패혈증 아. 발진티푸스 자. 발진열(發疹熱) 차. 쯔쯔가무시증 카. 렙토스피라증 타. 브루셀라증 파. 공수병(恐水病) 하. 신증후군출혈열(腎症侯群出血熱) 거. 후천성면역결핍증(AIDS) 너. 크로이츠펠트-야콥병(CJD) 및 변종크로이츠펠트-야콥병(vCJD) 더. 황열 러. 뎅기열 머. 큐열(Q熱) 버. 웨스트나일열 서. 라임병 어. 진드기매개뇌염 저. 유비저(類鼻疽) 처. 치쿤구니야열 커. 중증열성혈소판감소증후군(SFTS) 터. 지카바이러스 감염증 퍼. 매독(梅毒)	가. 인플루엔자 나. 삭제 <2023.8.8> 다. 회충증 라. 편충증 마. 요충증 바. 간흡충증 사. 폐흡충증 아. 장흡충증 자. 수족구병 차. 임질 카. 클라미디아감염증 타. 연성하감 파. 성기단순포진 하. 첨규콘딜롬 거. 반코마이신내성장알균(VRE) 감염증 너. 메티실린내성황색포도알균(MRSA) 감염증 더. 다제내성녹농균(MRPA) 감염증 러. 다제내성아시네토박터바우마니균(MRAB) 감염증 머. 장관감염증 버. 급성호흡기감염증 서. 해외유입기생충 감염증 어. 엔테로바이러스 감염증 저. 사람유두종바이러스 감염증
신고주기	지체없이	24시간 이내	24시간 이내	표본감시 활동=7일 이내

구분	종류
WHO 감시대상 감염병 (9종)	• 두창 • 폴리오 • 신종인플루엔자 • 중증급성호흡기증후군(SARS) • 콜레라 • 폐렴형 페스트 • 황열 • 바이러스성 출혈열 • 웨스트나일열
생물테러 감염병 (8종)	• 탄저 • 보툴리눔독소증 • 페스트 • 마버그열 • 에볼라열 • 라싸열 • 두창 • 야토병

구분	종류
검역감염병	• 콜레라 • 페스트 • 황열 • 중증 급성호흡기 증후군(SARS) • 동물인플루엔자 인체감염증 • 신종인플루엔자 • 중동 호흡기 증후군(MERS) • 에볼라바이러스병
인수공통 감염병	• 장출혈성대장균 감염증 • 일본뇌염 • 브루셀라증 • 탄저 • 공수병 • 동물인플루엔자 인체감염증 • 중증급성호흡기 증후군(SARS) • 변종크로이츠펠트-야콥병(vCJD) • 큐열 • 결핵 • 중증열성혈소판감소 증후군(SFTS)

「감염병의 예방 및 관리에 관한 법률」 제14조【인수공통감염병의 통보】

① 「가축전염병예방법」 제11조 제1항 제2호에 따라 신고를 받은 국립가축방역기관장, 신고대상 가축의 소재지를 관할하는 시장·군수·구청장 또는 시·도 가축방역기관의 장은 같은 법에 따른 가축전염병 중 다음 각 호의 어느 하나에 해당하는 감염병의 경우에는 즉시 질병관리청장에게 통보하여야 한다.

1. 탄저
2. 고병원성조류인플루엔자
3. 광견병
4. 그 밖에 대통령령으로 정하는 인수공통감염병

2 법정 감염병의 신고 및 보고체계, 용어 정의

1. 감염병 신고체계 기출 22

(1) 의사, 치과의사 또는 한의사(군대일 경우 소속 군의관) ⇨ 소속의 기관장(군대의 소속부대장) ⇨ 보건소장 ⇨ 관할 특별자치도지사 또는 시장 · 군수 · 구청장 ⇨ 질병관리청장 및 시 · 도지사에게 각각 보고(제4급 감염병 제외)

(2) 의료기관에 소속되지 아니한 의사, 치과의사 또는 한의사는 그 사실을 관할 보건소장에게 신고한다.

(3) 전수감시 대상 감염병은 감염병 환자, 의사 환자, 병원체보유자를 진단한 경우, 감염병 환자 등의 사체를 검안한 경우, 해당하는 감염병으로 사망한 경우 제1급 감염병은 즉시, 제2급 및 제3급 감염병은 24시간 이내 신고한다.

(4) 표본감시 대상 감염병은 감염병 환자, 의사 환자, 병원체보유자를 진단한 경우, 감염병 환자 등의 사체를 검안한 경우 7일 이내 신고한다.

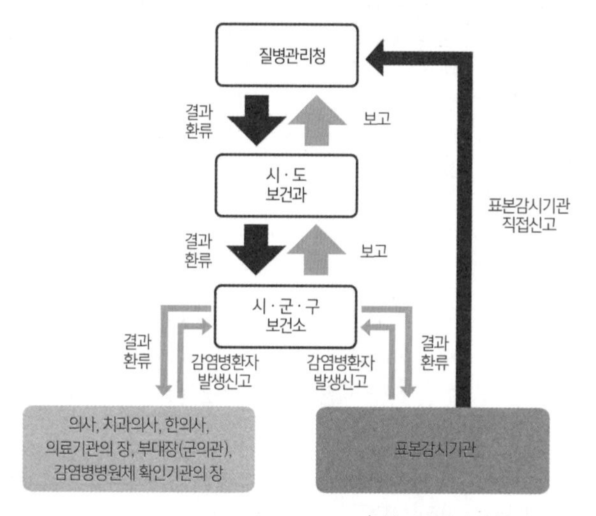

출처: 질병관리청, 감염병감시체계, 2021.

관련 법령

「감염병의 예방 및 관리에 관한 법률」 제3장 신고 및 보고

제11조【의사 등의 신고】 ① 의사, 치과의사 또는 한의사는 다음 각 호의 어느 하나에 해당하는 사실(제16조 제6항에 따라 표본감시 대상이 되는 제4급 감염병으로 인한 경우는 제외한다)이 있으면 소속 의료기관의 장에게 보고하여야 하고, 해당 환자와 그 동거인에게 질병관리청장이 정하는 감염 방지 방법 등을 지도하여야 한다. 다만, 의료기관에 소속되지 아니한 의사, 치과의사 또는 한의사는 그 사실을 관할 보건소장에게 신고하여야 한다.

1. 감염병환자 등을 진단하거나 그 사체를 검안(檢案)한 경우
2. 예방접종 후 이상반응자를 진단하거나 그 사체를 검안한 경우
3. 감염병환자 등이 제1급 감염병부터 제3급 감염병까지에 해당하는 감염병으로 사망한 경우
4. 감염병환자로 의심되는 사람이 감염병병원체 검사를 거부하는 경우

2. 군 부대 신고 및 보고 체계

육군, 해군, 공군 또는 국방부 직할 부대에 소속된 군의관 ⇨ 소속 부대장 ⇨ 관할 보건소장(제1급 감염병의 경우에는 즉시, 제2급 감염병 및 제3급 감염병의 경우에는 24시간 이내에 관할보건소장에게 신고)

3. 감염병 용어 정의(「감염병의 예방 및 관리에 관한 법률」)

(1) 감염병환자

감염병의 병원체가 인체에 침입하여 증상을 나타내는 사람으로서 「감염병의 예방 및 관리에 관한 법률」 제11조 제6항의 진단 기준에 따른 치과의사 또는 한의사의 진단이나 제16조의2에 따른 감염병병원체 확인기관의 실험실 검사를 통하여 확인된 사람을 말한다.

(2) 감염병의사환자 기출 10, 19, 20

감염병병원체가 인체에 침입한 것으로 의심이 되나 감염병환자로 확인되기 전 단계에 있는 사람을 말한다.

(3) 병원체보유자

임상적인 증상은 없으나 감염병의 병원체를 보유하고 있는 사람을 말한다.

(4) 감염병의심자

다음 중 어느 하나에 해당하는 사람을 말한다.

① 감염병환자, 감염병의사환자 및 병원체보유자(감염병환자 등)와 접촉하거나 접촉이 의심되는 사람(접촉자)

② 「검역법」 제2조 제7호 및 제8호에 따른 검역관리지역 또는 중점검역관리지역에 체류하거나 그 지역을 경유한 사람으로서 감염이 우려되는 사람

③ 감염병병원체 등 위험요인에 노출되어 감염이 우려되는 사람

(5) 감시 기출 13

감염병 발생과 관련된 자료, 감염병병원체 · 매개체에 대한 자료를 체계적이고 지속적으로 수집, 분석 및 해석하고 그 결과를 제때에 필요한 사람에게 배포하여 감염병 예방 및 관리에 사용하도록 하는 일체의 과정을 말한다.

감염병 전수감시	「감염병의 예방 및 관리에 관한 법률」 제11조에 의하여 모든 의사, 한의사, 의료기관의 장, 부대장(군의관), 감염병병원체 확인기관의 장이 신고의무를 갖는 감시체계
감염병 표본감시	「감염병의 예방 및 관리에 관한 법률」 제11조에 의하여 표본감시기관을 지정하고 지정된 기관에 한하여 신고를 받아 운영하는 감시체계
감염병 보완감시	감염병 감시체계를 보완하고, 법정감염병에 속하지 않으나 발생상황과 추이에 대한 모니터링이 필요한 감염병을 포함하여 능동적으로 신속하게 대처하기 위한 감시체계

(6) 표본감시

감염병 중 감염병환자의 발생빈도가 높아 전수조사가 어렵고 중증도가 비교적 낮은 감염병의 발생에 대하여 감시기관을 지정하여 정기적이고 지속적인 의과학적 감시를 실시하는 것을 말한다.

관련 법령

「감염병의 예방 및 관리에 관한 법률」 제16조의2【감염병병원체 확인기관】 기출 24

① 다음 각 호의 기관(이하 "감염병병원체 확인기관"이라 한다)은 실험실 검사 등을 통하여 감염병병원체를 확인할 수 있다.

1. 질병관리청
2. 국립검역소
3. 「보건환경연구원법」 제2조에 따른 보건환경연구원
4. 「지역보건법」 제10조에 따른 보건소
5. 「의료법」 제3조에 따른 의료기관 중 진단검사의학과 전문의가 상근(常勤)하는 기관
6. 「고등교육법」 제4조에 따라 설립된 의과대학 중 진단검사의학과가 개설된 의과대학
7. 「결핵예방법」 제21조에 따라 설립된 대한결핵협회(결핵환자의 병원체를 확인하는 경우만 해당한다)
8. 「민법」 제32조에 따라 한센병환자 등의 치료·재활을 지원할 목적으로 설립된 기관(한센병환자의 병원체를 확인하는 경우만 해당한다)
9. 인체에서 채취한 검사물에 대한 검사를 국가, 지방자치단체, 의료기관 등으로부터 위탁받아 처리하는 기관 중 진단검사의학과 전문의가 상근하는 기관

② 질병관리청장은 감염병병원체 확인의 정확성·신뢰성을 확보하기 위하여 감염병병원체 확인기관의 실험실 검사능력을 평가하고 관리할 수 있다.

③ 제2항에 따른 감염병병원체 확인기관의 실험실 검사능력 평가 및 관리에 관한 방법, 절차 등에 관하여 필요한 사항은 보건복지부령으로 정한다.

급성 감염병 관리

1 급성 감염병 관리

1. 특징

발생률이 높고, 유병률이 낮다.

2. 감염병의 효과적인 관리

(1) 예방접종대상 감염병 퇴치기반 마련 및 국가필수 예방접종의 보장성을 강화한다.
(2) 감염병 발생 조기감시체계를 강화한다.
(3) 감염병 예방 대국민 홍보를 강화한다.
(4) 감염병 발생 시 신속 대처를 인한 인프라 구축 및 국가 감염병 관리를 위한 체계적이고 종합적인 관리대책이 필요하다.

2 침입구별 감염병과 병원체 기출 07, 14, 15, 16, 17, 18, 19, 20

호흡기(특징)	병원체	소화기(특징)	병원체
1급) 디프테리아	세균	2급) 콜레라	세균
2급) 백일해	세균	2급) 장티푸스	세균
2급) b형 해모필루스인플루엔자	세균	2급) 파라티푸스	세균
2급) 폐렴구균감염증	세균	2급) 세균성 이질	세균
2급) 성홍열	세균	2급) 장출혈성 대장균감염증	세균
2급) 수막구균감염증	세균	3급) 브루셀라증(파상열)	세균
2급) 결핵(만성)	세균	식중독	세균
2급) 한센병(만성)	세균	영아설사증	세균
3급) 레지오넬라증(재향군인회병)	세균	2급) A형 간염(감염성 간염)	바이러스(RNA)
1급) 두창(천연두)	바이러스(DNA)	2급) 폴리오	바이러스(RNA)
2급) 홍역	바이러스(RNA)	로타바이러스	바이러스(RNA)
2급) 유행성 이하선염(볼거리)	바이러스(RNA)	아메바성 이질	아메바(원충)
2급) 풍진	바이러스(RNA)	-	
2급) 수두	바이러스(DNA)	-	
4급) 인플루엔자	바이리스(RNA)	-	
4급) 수족구병	바이러스(RNA)	-	
아데노바이러스	바이러스(DNA)	-	

성기점막, 피부	병원체	점막피부	병원체
4급) 매독	세균	1급) 페스트	세균
4급) 임질	세균	3급) 파상풍	세균
4급) 연성하감	세균	트라코마	세균
4급) 첨규콘딜롬	바이러스(DNA)	3급) 일본뇌염	바이러스(RNA)
4급) 사람유두종바이러스감염증	바이러스(DNA)	3급) 발진티푸스	리케차
-		3급) 발진열	리케차

3 소화기계 감염병

환자나 보균자의 분변을 통하여 배설된 병원체가 음식물이나 물에 오염되어 경구적 침입으로 감염되는 수인성 감염병을 말한다.

1. 장티푸스 기출 08, 14, 16, 17, 18, 20

특징	제2급 감염병 중 가장 많이 발생되는 감염병
병원체	① 살모넬라 타이피(Salmonella typhi)로 그람음성 ② 아포 및 협막이 없는 간상균
병원소 및 감염원	① **병원소**: 환자와 보균자 ② **감염원**: 오염 음식물 및 오염 해산물 ③ 환자의 3% 정도가 영구 보균자
전파	① 감염자의 대소변이 식품이나 물을 오염시켜 직접전파나 간접전파가 일어남 ② **잠복기**: 1 ~ 3주로 평균 2주간 ③ **감염부위**: 장의 림프조직, 담낭 및 신장 등
임상증상	① 지속적인 39℃ 이상의 고열(치료하지 않는 경우 4주 내지 8주 동안 지속) ② 두통이 있음 ③ 간장, 비장종대, 상대적인 서맥을 보임 ④ Widal Test로 진단
감수성 및 면역성	① 감수성은 전반적으로 높으며, 병이 회복되면 일반적으로 영구면역을 가지게 되나 화학요법으로 치료한 경우는 영구면역을 가지기 어려움 ② 인공능동면역은 사균 백신을 이용 ③ 무증상 병원체보유자는 대부분 담낭 내 보균자이고 영구 보균자가 되는 경우가 많음
예방대책	① 손 씻기 등 개인위생 철저히 하기 ② 음식물을 날것으로 섭취하지 말기 ③ 급수시설과 주방용구의 정기적인 소독 및 보건교육과 예방접종의 강화 등이 필요 ④ 백신은 아단위백신이 있음

2. 콜레라 기출 15, 16, 17, 19

구분	내용
특징	① 제2급 감염병이자 검역 감염병 ② 심한 위장장애와 전신증상을 호소하는 급성 감염병으로 발병이 빠름 ③ 콜레라의 진단은 대변이나 직장도말검사로 병원체를 확인함
병원체	Vibrio cholerea로 한 개의 편모를 가지고 있는 그람음성간균
병원소 및 감염원	① **병원소**: 환자 ② **감염원**: 환자의 배설물(대변, 구토물 등)
전파	① 처음 유행은 오염된 물에 의해서 일어나고 그 후에는 식기, 손, 파리 등으로 오염된 식품을 통해서 일어남 ② 사람이 많이 모이는 경우 오염된 음식을 통해서 집단적으로 발생 가능 ③ 잠복기는 대개 12 ~ 18시간이며, 최장 5일까지 지속되기도 함
임상증상	① 주요 증상은 구토, 수양성 설사 ② 탈수로 죽음에도 이를 수 있는 심한 설사를 일으킴 ③ 치료하지 않으면 치사율이 50%까지 이름 ④ 심한 설사로 인한 탈수, 전해질 손실, 빈맥, 혈압 저하 등이 발생 ⑤ 무증상 감염이 더 많고 복통 발열은 거의 없으나 증세가 심한 경우에는 동반되기도 함
감수성 및 면역성	① 감수성은 전반적으로 높음 ② 병이 회복된 후에는 수년간의 면역이 생김 ③ 인공능동면역은 사균 백신을 사용함
예방대책	① 해외 유입 감염병으로 검역을 철저히 하는 것이 가장 중요함 ② 환자의 신속한 보고 및 격리가 필요함 ③ 환경위생의 강화(대변, 물의 소독, 파리의 구제 등) ④ 식품의 가열 후 섭취 ⑤ 식기의 관리 중요 ⑥ 보건교육의 강화와 예방접종을 실시

3. 세균성 이질 기출 08, 09, 14, 17, 18, 19

구분	내용
특징	① 급성 세균성 질환으로 원인체에 따라 세균성, 아메바성, 바이러스성 이질이 있는데 세균에 의한 감염을 세균성 이질이라고 함 ② 음식 내 증식과정 없이 적은 오염으로도 집단 발병할 수 있음 ③ 사람 간의 전파가 쉽게 발생함 ④ 발열, 복통, 점액이나 혈액이 혼입된 혈변을 일으키며, 대장의 점막에 심한 궤양을 형성함
병원체	① Shigella dysenterae(A아군), S. flexneri(B아군), S. boydii(C아군), S. sonnei(D아군) ② A아군에 의한 질환이 가장 심함 ③ D아군의 경우 일반적으로 경증이고, 점액성 혈변이 없음

병원소 및 감염원	① **병원소**: 환자 ② **감염원**: 환자의 분변
전파	① 이 균은 외계에 대한 저항력이 약하기 때문에 오랫동안 외계에서 생존할 수 없으며, 분변으로 탈출하여 파리나 불결한 손을 통하여 식품 등으로 경구적 침입을 함 ② **잠복기**: 2 ~ 7일
임상증상	① 고열, 구역질, 구토, 경련성 복통, 후증기를 동반한 설사, 혈변 등 ② 경미할 시 무증상도 많음
감수성 및 면역성	① 감수성은 성인에 비해 소아가 높음 ② 질병 회복 후의 면역은 불확실함
예방대책	① 장티푸스와 동일한 관리가 필요함 ② 예방접종은 실시되지 않음 ③ 보균자는 식품을 다루는 업무나 환자의 간호에 종사할 수 없음 ④ 백신 없음

4. 폴리오 기출 19, 21

특징	① 중추신경계의 손상으로 영구적인 마비를 일으키는 급성 감염병 ② 주로 소아에게 걸리며, 이를 소아마비라고도 함 ③ 현재 우리나라의 발생환자는 거의 없음
병원체	폴리오바이러스로 면역학적으로는 Ⅰ형, Ⅱ형, Ⅲ형이 있는데 Ⅰ형이 마비형 폴리오와 관계가 있음
병원소 및 감염원	① **병원소**: 환자 및 불현성감염자 ② **감염원**: 환자 및 불현성감염자의 호흡기계 분비물과 분변
전파	① 환자 및 불현성감염자와의 직접접촉이나 비말감염으로 전파 ② 식품이나 물에 의한 전파는 희소함
임상증상	① 불현성감염이나 비특이적 열성질환이 대부분임 ② 드물게 뇌수막염, 마비성 폴리오가 나타남
감수성 및 면역성	① 미감염자는 연령에 관계없이 감염되나 보통은 불현성감염을 일으킴 ② 일반적으로 소아기에 면역을 획득함 ③ **잠복기**: 7 ~ 12일
예방대책	① 예방접종이 가장 중요하고 효과가 확실함 ② 예방접종은 혼합형 sabin백신(생균 백신)을 경구투여 ③ 경구투여가 불가능할 경우 주사용 salk 백신(사균 백신)을 사용 ④ 예방접종은 생후 2개월에서 2개월 간격으로 3회 기본접종을 하고 추가 접종은 생후 18개월에 실시

5. 파라티푸스 기출 20

특징	① 제2급 감염병 ② 장티푸스와 증세가 비슷함 ③ 기간이 짧고 증세가 미약함
병원체	Salmonella paratyphi A · B · C형의 세 종류
병원소 및 감염원	① **병원소**: 환자와 보균자 ② **감염원**: 감염자의 대소변
전파	환자 또는 보균자의 배설물에 오염된 식품 등에 의하여 경구침입되거나 오염된 손 등에 의하여 직접감염
임상증상	지속적인 고열, 두통, 비장종대, 발진, 설사 등 장티푸스 증상과 비슷하나 다소 경미함
감수성 및 면역성	① 감수성은 보편적인 양상이며, 질병이 완쾌된 후 수년간 면역성이 생김 ② 잠복기는 1 ~ 2주이지만 침입균 양이 많을 때는 1 ~ 10일에도 발병
예방대책	장티푸스와 같음

6. A형 간염 기출 11, 18

<table>
<tr><td>특징</td><td>① 계절적으로 연중 발생
② 제2급 감염병
③ 급성 간염을 일으키는데 대부분 회복
④ 소화기계를 통하여 감염되는 급성 감염성 간염으로 간세포의 변성과 염증성 변화가 생기는 질병
⑤ 간염에는 A형, B형, C형, D형, E형의 5가지가 알려짐
⑥ 이 중에는 A형과 E형 간염은 급성으로 종결되나 B형, C형, D형은 만성으로 진행
<table>
<tr><td>B형</td><td>제3급 감염병으로 감염된 혈액에 노출(수혈 및 오염된 주사기)이나 감염자와 성 접촉, 모체로부터 수직 감염이 잘 되기 때문에 혈청성 감염 기출 16, 17, 18, 19</td></tr>
<tr><td>C형</td><td>제3급 감염병으로 주사기를 공동으로 사용하거나 수혈, 혈액투석, 성 접촉, 모자 간의 수직감염 등으로 전파되며, 40% 정도는 전파 경로가 불분명함 기출 12</td></tr>
</table></td></tr>
<tr><td>병원체</td><td>Hepatitis A virus</td></tr>
<tr><td>병원소 및 감염원</td><td>① 병원소: 환자
② 감염원: 환자의 분변</td></tr>
<tr><td>전파</td><td>① A형 간염 바이러스에 오염된 물 또는 음식물을 섭취하거나 감염자와의 접촉, 혈액이나 성 접촉을 통하여 전파
② 잠복기: 15 ~ 50일(평균 28일)</td></tr>
<tr><td>임상증상</td><td>① 발열, 식욕감퇴, 구역, 구토, 쇠약감, 복통, 설사 등 다른 바이러스 간염과 유사한 증상을 보임
② 소아는 거의 증상이 없는 불현성감염을 보이나 감염자의 연령이 높아질수록 황달 등 바이러스 간염의 임상증상 발현율이 높아지고 심해지는 경향이 있음</td></tr>
</table>

감수성 및 면역성	① 어린 연령층에서 감수성이 높음 ② 모친이 B형 간염에 양성일 때 보균자가 될 수 있음 ③ 급성 감염을 일으키나 대부분이 회복됨 ④ 병이 회복된 후 다소의 면역력이 생김 ⑤ **잠복기**: 보통 15 ~ 40일
예방대책	① 손 씻기 등 개인위생을 준수하기 ② 물을 끓여 마시기 ③ 음식은 익혀 섭취하기 ④ 채소와 과일은 깨끗이 씻어 껍질을 벗겨 먹기 ⑤ 12 ~ 23개월은 모든 소아는 예방접종을 완료하기 ⑥ A형 간염에 대한 면역력이 없는 고위험군과 환자와 접촉한 사람은 2주 이내 예방접종 받기

7. E형 간염

특징	① 급성 간염으로 만성 간 질환을 초래 ② 저개발국가에서는 오염된 식수로 유행이 발생 ③ 선진국에서는 육류, 가공식품을 통하여 산발적으로 발생
병원체	Hepatitis E virus
병원소 및 감염원	① **병원소**: 환자, 침팬지, 원숭이 및 가축 ② **감염원**: 바이러스에 오염된 물, 육류 등의 섭취
전파	① 주로 바이러스에 오염된 물을 마시거나, 오염된 돼지, 사슴 등 육류를 덜 익혀 섭취할 경우에 감염 ② 수혈을 통한 감염, 임신부 - 태아로의 수직감염으로도 발병 ③ 증상이 발생한 후 건강한 성인은 대부분 자연 회복 ④ 치명률은 약 3%이나, 1 ~ 2%는 급성 간부전으로 진행 가능
임상증상	① 피로, 구토, 식욕부진, 복통, 관절통, 발진, 설사 등의 전구 증상 발생 후 황달, 어두운 색 소변, 회색변 등의 증상 발생 ② 급성 간염이 발생하면 2 ~ 6주간 지속 후 대부분 호전되며, 만성화 사례는 많지 않음
감수성 및 면역성	① 임신부, 간질환자, 장기이식환자와 같은 면역저하자 등 고위험군은 더욱 주의가 필요 ② **잠복기**: 15 ~ 60일
예방대책	① 가공육류 및 육류는 충분히 익혀 먹기 ② 유행지역 해외여행 시 안전한 식수와 충분히 익힌 음식을 섭취하기 ③ 올바르게 손 씻기 ④ E형 간염 환자는 증상이 없어질 때까지 조리를 금지하기 ⑤ 감염병 환자와 감수성이 높은 위험군은 접촉하지 않도록 주의하기

8. 장출혈성 대장균감염증 기출 11

특징	① 제2급 감염병 ② 1982년 발견된 후 북아메리카, 유럽, 일본에서 유행하고 점차 증가하고 있는 추세
병원체	Shiga 독소를 생성하는 E. coli(O157)
병원소 및 감염원	소, 양, 염소, 돼지, 개, 닭 등 가금류의 대변에서 shiga 독소를 생성하는 E. coli가 발견되며 소가 가장 중요한 병원소
전파	① 오염된 식품이나 물을 통하여 감염됨 ② 사람과 사람 간의 전파도 중요한 전파경로 ③ 대부분의 발생은 쇠고기로 가공된 음식물에 의하여 발생
임상증상	① 무증상 감염, 복통, 미열, 오심, 구토, 수양성 설사에서 혈상 설사로 이행, 비혈변성 설사 등을 보임 ② 설사 후에 용혈성 요독 증후군 또는 혈전성 혈소판 감소성 자반증이 발생
감수성 및 면역성	① 아주 적은 수의 균으로도 감염될 수 있기 때문에 고기 이외에도 물이나 멸균과정을 거치지 않은 생우유, 오염된 채소류 등에 의해서도 감염증이 발생할 수 있음 ② 대변으로 나온 균이 위생상태가 불량한 경우에 사람과 사람 사이에서 전파될 수도 있음 ③ 특히 밀집된 환경에서 2차 감염이 잘 일어나므로 소아 집단 시설에서의 관리가 중요함
예방대책	① 가축사육장에 대한 종합적 방역 감시 ② 도축장 및 육류가공 처리과정에 대한 오염 방지하기 ③ 개인위생 철저히 하기

Plus⁺ POINT

감염병의 역학적 특성

1. 수인성 감염병의 역학적 특성
   ① 환자의 발생이 폭발적이어서 2 ~ 3일 내에 환자의 발생이 급증한다.
   ② 환자의 발생은 급수지역 내에 한정되어 있고, 급수원이 오염원이 있다.
   ③ 연령, 성별, 직업 등의 차이에 따라 이환율의 차이가 없다.
   ④ 이환율과 치명률이 낮은 것이 보통이며, 2차 감염자가 적다.
   ⑤ 계절과 관계 없이 발생하고, 가족 집적성은 일반적으로 낮다.
2. 우유로 인한 감염병의 역학적 특성
   ① 환자발생지역이 우유배달지역과 동일하다.
   ② 잠복기가 비교적 짧다.
   ③ 발병률과 치명률이 수인성 질환에 비해 높다.

4 호흡기계 감염병

1. 특징 기출 17

(1) 환자나 보균자의 객담, 콧물, 담화나 재채기 등으로 배출되어 전파되는 비말감염이나 비말핵으로 전파 및 먼지에 의한 공기전파 감염이 있다.
(2) 호흡기계 감염병 관리는 감염원 관리 및 감수성 보유자의 예방접종이 중요하다.
(3) 소화기계 전염병과는 달리 환경개선에 특별한 효과는 없다.

2. 종류

(1) 디프테리아 기출 13, 14, 17, 18, 20

구분	내용
특징	① 제1급 감염병 ② 인후, 코 등의 상피조직에 국소적 염증을 일으키며 장기조직에 장애를 일으킴 ③ 체외독소를 분비하여 혈류를 통해 신체 각 부위에 운반되기도 함 ④ 계절적으로는 겨울과 봄에 많으며, 만 4세 이하의 환자가 전체의 60%를 차지하지만 10세 이상에서는 발생이 급격히 줄어듬
병원체	① Corynebacterium diphtheriae로 그람양성 간상균 ② 운동성은 없고 아포(포자)를 형성하지 않음
병원소 및 감염원	① **병원소**: 인간 ② 보균자에 의한 전파가 많음 ③ **감염원**: 환자 및 보균자의 콧물, 인후 분비물, 기침 등에서 발생하는 비말 및 비말핵
전파	① 비말이나 비말핵이 환자나 보균자의 호흡기나 피부상처 등을 통하여 전파 ② **잠복기**: 대체로 2 ~ 5일간
임상증상	① 발열과 함께 코, 인두, 편도, 후두 등의 상기도 침범 부위에 위막을 형성 ② 드물게 피부, 결막 등을 침범함
감수성 및 면역성	① 감수성 여부는 schick test로 판정 ② 생후 6개월간은 모체로부터 받은 면역이 유효함 ③ 감수성 지수는 10%임 ④ 병이 회복된 후에는 약한 면역을 얻게 됨
예방대책	① 예방접종이 중요함 ② 환자가 발생된 경우 격리와 소독이 필요함 ③ 예방접종은 순화독소(toxoid)가 이용됨 ④ 감염이 의심될 때는 항독소(antitoxin)가 이용됨

(2) 홍역(Measles virus) 기출 15, 18, 19, 20

구분		내용
특징		① 홍역바이러스에 의한 전염력이 매우 강한 발진성 호흡기 질환 ② 예방접종을 하지 않으면 10세까지 약 90%에서 감염 ③ 유행은 보통 주기적으로 2 ~ 3년을 간격으로 유행 ④ 계절적으로는 3 ~ 6월에 많이 발생함 ⑤ 연령, 백신 접종력, 수동 면역체 보유 여부에 따라 뚜렷하나 전구증상 없이 발열과 가벼운 발진이 나타나는 경우도 있음
병원체		Measles virus
병원소 및 감염원		① **병원소**: 환자 ② **감염원**: 환자의 상기도 분비물
전파		① 비말감염 또는 환자와의 직접접촉이나 오염된 물건을 통하여 전파 ② **잠복기**: 8 ~ 13일 ③ 발진이 나타날 때까지는 14일 소요
임상증상	전구기	• 감염력이 강한 시기로 3일 내지 5일간 지속 • 발열(40℃), 기침, 콧물, 결막염, 특징적인 구강 내 병변(Koplik's spot) • 코플릭스 반점은 발진 시작 1 ~ 2일 전에 나타나 발진 후 2일 이내 소실
	발진기	• 홍반성 구진성 발진이 목 뒤, 귀 아래에서 시작하여 몸통, 팔다리 순서로 퍼지고 손바닥, 발바닥에도 발생하며 서로 융합됨 • 발진은 3일 이상 지속되고 발진이 나타난 후 2일 내지 3일간 고열을 보임
	회복기	발진이 사라지면서 색소 침착을 남기며 허물이 벗어짐
감수성 및 면역성		① 감수성은 일반적이며, 이환된 후 영구면역을 획득 ② 생후 6개월까지는 모체로부터 받은 항체로 감염이 되지 않음
예방대책		① 예방접종이 가장 중요함 ② 예방접종을 할 시간적 여유가 없는 경우 감마글로블린을 사용하여 예방 또는 경증화시키는 것이 중요

(3) 백일해(Pertussis) 기출 15, 17, 18

구분	내용
특징	① 제2급 감염병으로 4 ~ 7월에 주로 많이 발생 ② 5세 이하의 소아에서 많이 발생하는 비말 감염병 ③ 1세 이하는 치명률이 높음
병원체	Bordetella pertussis로 운동성이 없는 그람음성균이고 아포나 편모는 없음
병원소 및 감염원	① **병원소**: 환자 ② **잠복기**: 보통 7일간
전파	감염자와 직접 접촉하여 감염되거나 비말감염 또는 오염된 물품에 의해 전파

백일해
산모권장 27~36주 사이

임상증상	① 연령, 백신 접종력, 수동 면역항체 보유 여부에 따라 증상이 다양할 수 있으며, 뚜렷한 변화 없이 가벼운 기침이 1주 이상 지속되는 경우도 있음 ② **단계별 증상** • **전구기**: 콧물, 눈물, 가벼운 기침 등의 상기도 감염증상이 1 ~ 2주간 나타남 • **경해기**: 이후 2 ~ 4주간 발작적인 기침이 나타나고 기침 후에 구토를 보임 • **회복기**: 1 ~ 2주에 거쳐 회복기에 이르는데 이때 상기도 감염에 이환되어 다시 발작성 기침이 재발되는 경우도 있음
감수성 및 면역성	① 모체로부터 받는 수동면역이 없음 ② 감수성은 보편적임 ③ 1 ~ 5세에 많이 발생함 ④ 1세 이하에서는 치명적임 ⑤ 이환 이후에는 영구면역을 얻음
예방대책	① 조기의 예방접종이 중요함 ② 백일해 예방접종의 부작용이 문제가 되어 접종기피현상이 있었음 ③ 예방접종은 디프테리아, 백일해, 파상풍 등 동시에 실시하는 DPT가 이용됨 ④ 기초접종은 생후 2 · 4 · 6개월에 걸쳐서 3회 접종하고 15 ~ 18개월에 4차, 만 4 ~ 6세에 5차 추가 접종을 하고, 7세 이상의 어린이는 DT만 접종

(4) 두창

특징	① 천연두는 마마라고 함 ② 우리나라에서는 1960년대 이후 발생하지 않음 ③ 1979년 WHO는 전 세계적으로 근절되었다고 선언함에 따라 우리나라 법정 감염병 및 검역질병에서 제외 ④ 2002년에 생물학적 테러에 대한 방역대책의 필요에 의해 WHO 감시대상 감염병, 제1급 법정 감염병
병원체	Variola major
병원소 및 감염원	**병원소**: 환자
전파	① 비말감염에 의해 주로 이루어지며, 옷이나 침구류 등에 의해서만 전파 ② **잠복기**: 12 ~ 14일 정도
임상증상	① 증세가 전신으로 퍼지기 전에 우선 피부와 입, 목의 작은 혈관들에 증상이 집중됨 ② 특유의 반구진 발진이 피부에 발생하고, 이 발진은 시간이 지나면서 유체가 채워진 수포가 됨

감수성 및 면역성	① 선천적 면역은 없음 ② 이환 이후에는 피부손상에 의한 녹두알 크기의 흉이 남음
예방대책	철저한 예방접종과 검역을 하는 것이 중요함

(5) 유행성이하선염(볼거리: Mumps) 기출 14, 20

특징	① 제2급 법정 감염병 ② 주로 한쪽 또는 양쪽 귀밑샘에 Mumps virus가 침입하여 염증을 일으키는 병 ③ 유행성이하선염도 MMR 백신의 도입으로 발생자 수가 많이 감소함 ④ 특히 생식선의 감염에 주의
병원체	Mumps virus
병원소 및 감염원	① **병원소**: 환자 ② **감염원**: 환자의 침에 섞여 나오는 비말이나 비말핵
전파	① 환자의 비말에 의한 직접전파나 비말핵에 의한 간접전파 ② **잠복기**: 2 ~ 4주일간
임상증상	① **주요증상**: 2일 이상 지속되는 타액선 부위의 종창과 압통 ② 전구기(1일 내지 2일) ③ 이하선을 침범하는 경우가 대부분(85% 정도)이고, 악하선도 흔히 침범하나 설하선은 드물게 침범함 ④ 발병 초기에 한쪽 이하선에서 시작하여 2일 내지 3일 후에 양쪽 모두를 침범하나 약 10 ~ 15%는 한쪽만 침범함 ⑤ 통상 1일 내지 3일째 가장 심한 증상을 나타내다가 3일 내지 7일 이내에 점차 호전됨
감수성 및 면역성	① 이환(현성감염) 및 불현성감염 시 영구면역을 획득함 ② 모체로부터 6 ~ 12개월까지 수동면역을 획득함
예방대책	① 환자의 격리가 필요함 ② 환자의 분비물에 의해 오염된 물건의 소독이 요구됨 ③ 예방접종 실시

(6) 풍진(German Measles, rubella) 기출 12, 14, 16, 17, 18, 19, 20

특징	① 제2급 법정 감염병 ② 이른 봄부터 6월까지 환자가 많이 발생함 ③ 풍진은 임신 초기에 감염되면 태아에게 영향을 주어 기형아를 분만하는 경우가 있어 주의해야 함 ④ 발진은 한 번에 다 생기지는 않고 첫날에는 얼굴과 목에 생기고, 다음날은 희미해지면서 가슴, 팔, 등에 새로운 홍진이 생김
병원체	Rubella virus
병원소 및 감염원	① **병원소**: 환자 ② **감염원**: 인두에서 배출되는 비말이나 비말핵

구분	내용
전파	① 유행성이하선염과 같이 비말이나 비말핵이 공기로 전파되어 전파 ② **잠복기**: 보통 18일 ③ 발진이 나온 전후 1주일 동안 감염력이 매우 강함
임상증상	① 구진성 발진, 목 뒤와 후두부의 림프절 종창, 전신증상이 나타남 ② 임신 초기에 풍진에 감염되면 태아가 감염을 일으킬 수 있음
감수성 및 면역성	① 감수성이 높음 ② 출생 후 모체로부터 받은 면역은 6 ~ 12개월 ③ 이환 후 영구면역 획득 가능
예방대책	① 예방접종 실시 ② 임산부에게는 예방접종 금지 ③ 1회의 피하접종으로 95% 이상의 면역 항체를 얻게 됨 ④ 임신 초기에 이환되었을 때는 감마글로블린을 주사함 ⑤ 환자의 격리가 필요함

(7) 성홍열(Scarlet fever)

구분	내용
특징	① 제2급 법정 감염병 ② 급성 감염병을 피부발진을 일으키는 용혈성 구균질환의 일종 ③ 발진이 생긴 피부가 홍색으로 원숭이의 일종인 성성이의 체색과 유사하고, 열병이므로 성홍열이라고 명명됨 ④ Dick test 방법으로 진단
병원체	화농연쇄상구균 중 Dick's toxin이라는 발적독을 생성 · 분비하는 균
병원소 및 감염원	① **병원소**: 환자와 보균자 ② **감염원**: 환자나 보균자의 상기도나 중이부 등 감염부위에서 나오는 분비물
전파	① 비말에 의한 전파가 많음 ② 손이나 물체에 의하여 간접적인 전파 가능 ③ **잠복기**: 보통 3일 전후
임상증상	① 인두통에 뒤따르는 갑작스런 발열(39 ~ 40℃), 두통, 구토, 복통, 인두염 등을 보임 ② 심한 인후 충혈, 연구개 및 목젖의 출혈반, 딸기 혀, 편도선이나 인두 후부에 점액 농성의 삼출액, 경부 림프절이 종창 등을 보임 ③ **발진**: 발열, 인두통, 구토 등의 승상이 생긴 후 13시간 내지 48시간에 발생하고, 몸통의 상부에서 시작하여 팔다리로 퍼져나가는 미만성의 선홍색 작은 구진으로 압력을 가하면 퇴색함
감수성 및 면역성	대부분 사람들은 불현성감염으로 항독소성 면역체계를 가짐
예방대책	① 개인위생과 환경위생을 철저히 하기 ② 화농성 분비물에 접촉하지 않기

(8) 인플루엔자(Influenza) 기출 16

특징	① 제4급 법정 감염병 ② 급성 호흡기 감염병으로 갑작스런 발열(38 ~ 40℃), 오한, 두통, 근육통 및 전신 쇠약의 증상을 나타냄 ③ 열대지역에서 계절에 영향을 받지 않으나 온대지역은 겨울에 유행을 함 ④ 우리나라도 여러 차례 유행하였음 ⑤ 감염력이 매우 강함
병원체	① 인플루엔자 바이러스로서 A · B · C형이 있음 ② 주로 A형이 유행함
병원소 및 감염원	① **병원소**: 환자 ② **감염원**: 환자의 비말
전파	① 비말에 의한 직접전파 ② 오염된 물건에 의한 간접전파도 가능 ③ **잠복기**: 짧아서 24 ~ 72시간 ④ 감염기간은 환자가 임상적으로 증상이 나타난 후 3일까지
임상증상	38℃ 이상의 갑작스러운 발열, 두통, 근육통, 피로감 등의 전신 증상과 인후통, 기침, 객담 등의 호흡기 증상을 보임
감수성 및 면역성	① 어린 학령기 아동이 감수성이 높음 ② 이환 후에는 유행하는 바이러스 균에 대하여 면역이 형성됨
예방대책	① 대중이 많이 모이는 공공장소를 피하는 것이 감염기회를 줄이는 방법 ② 예방접종 실시

(9) 수두(Chicken pox) 기출 12, 16

특징	① 급성 대상포진 바이러스성 질환이며 나중에는 대상포진을 일으킴 ② 제2급 법정 감염병
병원체	수두 - 대상포진 바이러스(Varicella - Zoster virus)가 원인
병원소 및 감염원	① **병원소**: 환자 ② **감염원**: 수포액과 타액
전파	① 수두나 대상포진의 수포에서 나오는 액의 직접 접촉이나 공기를 통해서 전파 ② **전염기간**: 수포가 발생하기 1 ~ 2일 전부터 수포가 생긴 후 5 ~ 6일 정도까지 ③ 전염력이 매우 높아 가족 내에서의 2차 전파율이 약 90% 정도
임상증상	① 급성의 미열로 시작되고 가려움(소양감)을 동반한 피부에 발진성 수포(물집)가 생긴 후에 가피(딱지)를 남기고 호전됨 ② **합병증** • 폐렴, 2차적인 세균감염, 뇌염, 간염, 라이증후군 등 • 전체 사망률 10만명당 2명, 성인은 5000명당 1명, 고위험군 5 ~ 10%

	• 임신 초기(20주 이내)에 감염되면 약 2%에서 선천성 수두증후군 발생
감수성 및 면역성	① **잠복기**: 2 ~ 3주 정도 ② 면역이 없으면 누구나 감염되며, 성인일수록 중증 소견을 보임 ③ 면역저하는 전신적으로 퍼지고 중증화될 가능성이 높음
예방대책	① 감수성이 높은 신생아, 면역저하자는 수두 환자와 접촉하지 않도록 주의해야 함 ② **예방접종**: 현재 수두 생백신이 사용되고 있으며, 수두에 노출되고 3일 이내에 백신 접종 시에는 발병을 예방하거나 증상을 완화시킬 수 있음 ③ **치료** • 예후가 양호하며 특별한 치료는 없음 • 면역저하자는 항바이러스제제를 투여하기도 함 • 가려움증에 대한 대증요법을 시행하며, 발열이 있는 경우는 해열진통제를 사용하고, 라이증후군이 발생할 위험이 있기 때문에 아스피린은 사용하지 않음 • **면역글로불린**: 폭로 후 96시간 이내에 사용 가능하며, 산모에서 분만 5일 전에서 분만 후 2일 내에 수두가 나타나면 신생아에게 투약

(10) 중증 급성 호흡기증후군(SARS; Severe Acute Respiratory Syndrome)

기출 14, 16, 19, 20

특징	① 제1급 법정 감염병, 검역 감염병 ② 중국 광동성 지역에서 발생하여 전 세계적으로 확산되었던 신종 감염병
병원체	사스 - 코로나 바이러스(SARS coronavirus, SARS - CoV)가 인간의 호흡기를 침범하여 발생하는 질병
병원소 및 감염원	① **병원소**: 환자 ② **감염원**: 비말이나 오염된 매개물을 통한 점막의 접촉으로 발생
전파	① 호흡기를 통해 감염되며 기침, 재채기 등에 의한 분무 또는 비말 형태로 전파 ② 야생동물을 취급하거나 섭취 시 발생 가능
임상증상	① 대부분 성인에게 발생 ② 초기에는 가래 없는 마른 기침이 나타남 ③ 발열, 무력감, 두통, 근육통의 신체 전반에 걸친 증상, 기침과 호흡곤란 증상이 나타남 ④ 혈액 또는 점액이 없는 수양성 설사 동반 ⑤ 혈중에 산소포화도가 높아지면 회복되지만 호흡 부전으로 저산소증이 나타나기도 함
감수성 및 면역성	노인, 소아, 임부 등 고위험군에 감수성이 높음

예방대책	① 예방백신이 아직 개발되지 않았기 때문에 손 씻기 등 개인위생 수칙을 준수하고, 씻지 않은 손으로 눈, 코, 입을 만지지 않기 ② 기침, 재채기 할 때 옷소매를 이용하여 입을 막기 ③ 마스크 착용이 상당한 예방효과가 있음 ④ 감염병 예방수칙 철저히 준수하기

(11) 수족구병 기출 20

특징	수족구병은 주로 콕사키 바이러스 A16 또는 엔테로 바이러스 71에 의해 발병하는 질환으로, 여름과 가을철에 흔히 발생하며 입 안의 물집과 궤양, 손과 발의 수포성 발진을 특징으로 하는 질환
병원체	① 주로 콕사키 바이러스 A16에 의해 발생 ② 그 외에도 콕사키 바이러스 A5, A7, A9에 의해 발병할 수 있음
병원소 및 감염원	**병원소**: 환자
전파	장바이러스가 일으키는데, 수족구병에 걸린 아이의 호흡기에서 나온 균이 공기를 떠다니다가 다른 아이가 숨을 쉴 때 입을 통해 전파되거나 환자의 코와 분비물, 침, 물집의 진물 또는 대변에 직접 접촉하게 되어 전파
임상증상	① 대개는 가벼운 질환으로 미열이 있거나 열이 없는 경우, 입 안의 인두는 발적되고 혀와 볼 점막, 후부인두, 구개, 잇몸과 입술에 수포가 나타날 수 있음 ② 발진은 발보다 손에 더 흔하며, 3 ~ 7mm 크기의 수포성으로 손바닥과 발바닥보다는 손등과 발등에 더 많음 ③ 엉덩이와 사타구니에도 발진이 나타날 수 있고, 엉덩이에 생긴 발진은 대개는 수포를 형성하지 않음. 수포는 1주일 정도가 지나면 호전됨 ④ **경과·합병증**: 특별한 합병증이 없는 경우에는 1주일 정도가 지나면 수포성 발진이 호전됨. 합병증은 흔하지 않지만 엔테로 바이러스 71에 의한 수족구병에서 발열, 두통, 경부(목) 강직증상 등을 나타내는 무균성 뇌수막염을 일으킬 수 있으며 드물게 뇌간·뇌척수염, 신경인성 폐부종, 폐출혈, 쇼크 등이 나타날 수 있음
감수성 및 면역성	① 5세 미만에게 취약함 ② 현재까지 개발된 백신이나 치료제가 없어, 한번 감염되면 해당 바이러스 타입에 대한 면역이 생기지만 종류가 다른 바이러스 타입에 감염되면 다시 수족구병에 걸릴 수도 있음
예방대책	① 기저귀를 갈고 난 후나 분변으로 오염된 물건을 세척하고 난 후, 비누를 사용하여 손을 잘 씻도록 해야 함 ② 환자 아이와의 신체 접촉을 제한함으로써 감염 위험성을 낮출 수 있고 감염의 확산을 막기 위해 발병 초기 수일간 집단생활에서 제외시키기도 함

	③ 코와 목의 분비물, 침, 물집의 진물 또는 감염된 사람의 대변에 직접 접촉하게 되면 사람 간 전파가 가능하므로 환자와 접촉한 후 손을 잘 씻어야 함 ④ **치료**: 대부분의 환자들은 7 ~ 10일 후 자연적으로 회복될 수 있음. 심한 질환을 동반하는 경우 그에 따른 치료를 받게 됨

출처: 서울대학교병원 의학 정보

5 절족동물 매개 감염병

1. 특징

절지동물에 의해 인간에게 매개되는 질병과 매개곤충 등에 의해 사람에게 감염되는 질병이 있다.

2. 종류

페스트

페스트는 현재 가용예방접종백신은 없다. 과거 승인 사용된(FDA) 백신이 있었으나 1999년 생산이 중단되었다. 현재 백신후보군을 임상실험 중이다.

(1) 페스트(Pest, Plague)

특징	① 제1급 법정 감염병, 세계보건기구감시대상감염병, 생물테러감염병 및 검역 감염병으로 관리하고 있는 외래 감염병 ② 흑사병이라고도 함 ③ 14세기 유럽에서 페스트로 인해 인구 약 4,300만 명이 사망 ④ 림프선에 병변을 일으키는 림프절 페스트와 폐렴을 일으키는 폐페스트, 패혈증을 일으키는 패혈성 페스트로 분류
병원체	Pasteurella pestis로 그람음성균
병원소 및 감염원	**병원소**: 야생설치류, 특히 쥐
전파	① 쥐벼룩에 의해서 쥐에서 쥐로 전파 ② 선 페스트의 경우는 쥐벼룩에 의해서 감염 ③ 폐 페스트의 경우는 비말감염으로, 사람에게서 사람으로 감염 ④ 잠복기는 선 페스트는 2 ~ 4일, 폐 페스트는 2 ~ 6일
임상증상	고열과 림프선종 또는 폐렴을 일으키는 급성 감염병으로, 패혈증을 일으킴
감수성 및 면역성	감수성은 일반적이며, 이환 시에는 일시적 면역이 인정
예방대책	① 예방접종은 사균 백신을 이용하며, 전적으로 예방접종에 의존할 정도는 안 됨 ② 검역을 철저히 하는 것이 중요 ③ 쥐 서식의 확인 및 구제가 필요 ④ 환자 발생 시 환자의 격리와 즉각적인 소독이 필요

(2) 신증후군 출혈열(Hantavirus hemorrhagic fever with renal syndrome, HFRS) 기출 10, 14, 15, 17, 19, 24

특징	① 유행성 출혈열로 불리는 급성 발열질환 ② 제3급 법정 감염병 ③ 늦은 봄과 늦은 가을 발생
병원체	한탄바이러스(Hantaan virus)와 서울바이러스(Seoul virus) 등
병원소 및 감염원	**병원소**: 야생설치류인 등줄 쥐
전파	① 등줄 쥐의 배설물과 등줄 쥐에 기생하는 좀 진드기가 전파 ② **잠복기**: 9 ~ 35일간
임상증상	① 발열기, 저혈압기, 핍뇨기, 이뇨기, 회복기 등 5단계의 특징적인 임상양상을 보이나 최근에는 비정형적인 임상양상을 보이는 경우가 증가함 ② 임상증상은 불현성감염에서 현성감염까지 다양하게 나타남 ③ 국내의 발생은 대부분 한탄바이러스와 서울바이러스에 의해 일어나며 발열, 출혈증상 및 신병증의 특징적인 3대 주요 증상을 보임 ④ 잠복기는 약 10 ~ 30일이며, 초기에는 감기와 비슷하나 곧 고열, 오한, 두통 등의 전신증상이 나타남 ⑤ 질병이 진행되면서 온몸에 출혈성 반점이 생기고 코와 입에서 피를 쏟으며 신장 기능을 잃게 됨
감수성 및 면역성	상습 발생지역에 새로 이주하는 사람은 일정한 감수성이 있음
예방대책	① 들쥐를 구제하고 들쥐의 배설물에 접촉하거나 진드기에 접촉되지 않도록 들에서의 피부노출 금지 ② 현재 예방접종약이 개발되어 가장 효과적인 예방법은 예방주사를 맞는 것 ③ 들쥐나 집쥐와의 접촉을 절대 금해야 하며, 쥐의 서식처를 멀리해야 함 ④ 특히 농부, 군인 및 토목공사 종사자가 위험군이며, 야외에서의 캠핑 · 낚시 · 사냥 및 골퍼들도 조심해야 함

(3) 쯔쯔가무시(Scrub typhus, Tsutsugamushi infection) 기출 14, 17, 18, 19

특징	① 제3급 법정 감염병 ② 일명 양충병 ③ 쯔쯔가무시증은 리케차의 일종인 Orientia tsutsugamushi에 의해서 발생하는 감염병으로, 감염된 털 진드기의 유충에 물려서 감염 ④ 쯔쯔가무시증을 매개하는 털 진드기는 41종으로 지역에 따라 그 종류가 다른 것으로 알려져 있음
병원체	Rickettsia tsutsugamushi
병원소 및 감염원	**병원소**: 들쥐 및 털 진드기

양충병

털진드기 유충에 물려 옮는 질병이다.

전파	① 감염된 들쥐에서 털 진드기가 매개를 하며, 털 진드기 자체가 병원체를 보유하고 있다가 사람에게 전파 ② **잠복기**: 약 10일 정도
임상증상	① 초기 감염은 감염 후 보통 10일 정도의 잠복기를 거친 후 두통, 발열, 오한, 발진, 근육통 등이 나타나고 1cm 크기의 피부반점이 생겨서 수일 만에 상처(가피)를 형성 ② 일부 환자는 진드기에 물린 상처가 없는 경우가 있으며, 열이 나는 기간이 짧으면 피부발진이 많이 나타나기도 함
감수성 및 면역성	① 야외활동이 많은 젊은 연령층이나 농부들 등 ② 치료를 받지 않으면 1 ~ 60%까지 다양함 ③ 고령자에게 사망률이 높음
예방대책	① **치료**: 항생제 복용 ② 풀밭 위에 옷을 벗어 놓고 눕거나 잠을 자지 말 것 ③ 휴식 시 돗자리를 펴서 앉고, 사용한 돗자리는 세척하여 햇볕에 말릴 것 ④ 작업 중 풀숲에 앉아서 용변을 보지 말 것 ⑤ 작업 시 기피제 처리한 작업복과 토시를 착용하고, 소매와 바지 끝을 단단히 여미고 장화를 신을 것 ⑥ 밤따기나 등산 등 야외활동 시 기피제를 뿌리거나 긴 소매, 양말을 착용할 것 ⑦ 작업 및 야외활동 후에 즉시 샤워나 목욕을 하여 진드기를 제거할 것 ⑧ 작업 및 야외활동 후 작업복, 속옷, 양말 등을 세탁할 것 ⑨ 특히 논밭 등에서의 수확이나 야외활동 후 두통, 고열, 오한을 동반한 심한 감기증상이 있거나 벌레에 물린 곳이 있으면 지체하지 말고 가까운 보건소나 병원을 찾아 진료할 것

(4) 발진티푸스(Epidemic typhus)

특징	① 제3급 법정 감염병, 국제 감시 감염병 ② 이(louse)로 인하여 매개되어 발열, 근육통, 전신신경증상, 발진(장미진) 등을 나타내는 급성 감염병 ③ 발진이 출혈성으로 나타남
병원체	Rickettsia prowazeki
병원소 및 감염원	**병원소**: 환자 또는 보균자
전파	① 환자로부터 이(louse)의 흡혈에 의하여 이의 장관 내 증식 배설물로 탈출하여 사람의 피부 찰과상이나 상처를 통하여 전파되거나 먼지를 통하여 호흡기계로 감염되기도 함 ② **잠복기**: 보통 7 ~ 14일
임상증상	① 발진, 발열, 근육통 등 ② 이에 물린 자리에 가려움증을 호소하며 긁은 상처가 있으나 가피는 없음 ③ 치료를 하지 않는 경우 폐부종, 뇌막염이 발생할 수 있으며, 사망할 수 있음

감수성 및 면역성	① 감수성은 전반적임 ② 이환 후 영구면역을 형성
예방대책	신속한 발생보고, 환자의 격리, 이의 구제, 소독 및 예방접종이 필요

(5) 말라리아(Malaria) 기출 13, 14, 16, 19, 20

특징	① 제3급 법정 감염병 ② Plasmodium 속 원충 감염에 의한 급성 발열성 질환 ③ 인체의 적혈구 내에 기생하면서 적혈구가 파괴되어 주기적인 열발작, 빈혈, 비종대 등의 전형적인 증상을 보이는 특징임 ④ 얼룩날개모기 속의 암컷 모기가 인체를 흡혈하면서 원충, 즉 포자소체(sporozoite)를 주입함으로써 전파함 ⑤ 드물게 수혈 등의 병원 감염이나 주사기 공동사용에 의해 전파되기도 함 ⑥ 감염경로 판정방법은 수혈감염을 제외한 감염경로를 위험지역 거주, 직장근무, 군복무, 여행, 재발 · 재감염 등으로 구분함 ⑦ 그러나 노출된 감염경로가 여러 가지인 경우 말라리아 감염 위험요인을 종합적으로 검토하여 판정
병원체	① 사람의 말라리아는 4종(열대열원충, 삼일열원충, 사일열원충, 난형열원충)이 있음 ② 우리나라의 말라리아는 삼일열원충(Plasmodium vivax) 감염에 의한 것
병원소 및 감염원	환자 및 보균자
전파	① 모기에 의해서 매개 전파 ② **삼일열 말라리아의 잠복기**: 13 ~ 15일
임상증상	**삼일열 말라리아(Vivax malaria)**: 권태감과 서서히 상승하는 발열이 초기에 수일간 지속되고, 오한, 발열, 발한 후 해열이 반복적으로 나타남
감수성 및 면역성	면역은 형성되지 않지만, 저항력은 있는 것으로 보임
예방대책	① 가능하면 모기가 무는 저녁부터 새벽까지 외출을 하지 않기 ② 외출이 부득이한 경우는 긴 소매의 상의와 긴 바지를 입으며, 검은 색은 모기를 유인하므로 피하기 ③ 노출된 피부에는 모기 기피제를 도포하기 ④ 제조회사의 허용량을 초과하지 않아야 하고, 특히 어린이에게 사용할 때는 각별한 주의하기 ⑤ 말라리아의 경우, 상용화된 백신이 없어 이를 통한 예방이 어려우므로 여행 전 · 중 · 후 기간 동안 적절한 예방약을 선택하여 충분한 기간 동안, 약제에 따라 정해진 복용수칙에 맞게 복용하는 것을 권장 ⑥ 예방약 복용의 효과는 조사에 따라 70 ~ 95%이며, 가장 흔한 예방 실패의 원인은 의사의 처방대로 예방약을 제대로 복용하지 않았거나, 구토 등 복용과정에서의 나타나는 문제인 것으로 확인

구분	내용
진단	① 신속한 말라리아 치료를 위해 신속진단키트검사(RDT Kit)를 먼저 실시 ② 신속진단키트검사 결과 음성이더라도, 임상적으로 말라리아가 강력히 의심되는 경우 혈액도말법 또는 유전자 검출 검사(PCR)를 실시하여 원충 또는 특이유전자를 확인 ③ 말라리아 신속진단키트검사에서 양성이 나오면 반드시 확진을 위해 현미경 검사 말라리아 검사방법 • **신속진단키트검사(RDT Kit; Rapid Diagnostic Test)** - 결과는 15 ~ 20분 내 감염 여부를 확인할 수 있다는 장점이 있으나, 말라리아 열원충 종 감별을 할 수는 없다. - 원충별 진단키트의 종류가 다양하므로 사용 전 확인이 필요하며, 반응 후 장시간 방치 시 위양성으로 나타날 수 있으므로 주의한다. - 위음성이 나타날 수 있으므로 임상적으로 말라리아가 강력히 의심되는 경우 1회 결과로 배제하지 말고 추가검사를 진행한다. • **현미경 도말검사** - 도말검사의 진단율을 높이기 위해서는 후층도말(Thick smear)과 박층도말(Thin smear)검사를 동시에 실시한다. - Giemsa 또는 Wright - Giemsa 염색 후 현미경으로 원충을 확인한다. • **유전자 검출검사(중합효소연쇄반응, PCR; polymerase chain reaction)** - 혈액 도말검사보다 민감도가 높아 말라리아의 종을 확인하는 검사로 이용하는 것이 적절하다. - 이중 중합효소연쇄반응법(two - step nested PCR) 또는 등온유전자증폭법(LAMP; Loop - mediated isothermal amplification assay) 등으로 표적 유전자를 확인한다. - 1차 PCR은 말라리아 원충 존재 확인을 위한 시험이며, 종 감별을 위해 2차 PCR을 수행한다.
말라리아 표준치료법 (권고사항)	① **클로로퀸 감수성 삼일열 · 난형열 말라리아(Chloroquine - sensitive P. vivax or P. ovae)** • 클로로퀸 3일 + 프리마퀸 14일 • 재발 방지를 위해 프리마퀸 동시 투여 또는 연속 투여 ② **클로로퀸 저항성 삼일열 · 난형열 말라리아(Chloroquine - resistant P. vivax or P. ovae)** • 메플로퀸/아토바쿠온 - 프로구아닐/프로나리딘 - 아르테수네이트 + 프리마퀸 • 재발 방지를 위해 프리마퀸 동시 투여 또는 연속 투여 ③ **클로로퀸 저항성 열대열 · 사일열 · 원숭이열 말라리아(Chloroquine - resistant P. falciparum or P. malariae or P. knowlesi)** • 메플로퀸/아토바쿠온 - 프로구아닐/프로나리딘 - 아르테수네이트 ④ **중증 열대열 말라리아** • 아르테수네이트 치료 이후 재발을 방지하기 위해 아토바쿠온 - 프로구아닐/ 메플로퀸 등을 경구 투여할 수 있음 • 뇌말라리아, 저혈당, 대사성 산증, 비심인성 폐부종, 신부전, 간부전, 출혈 등 합병증 주의

Plus⁺ POINT

말라리아 예방약제 선정

1. 예방약을 처방하는 의사는 아래 사항을 종합적으로 고려하여 약제를 선정한다.
   ① 여행지역이 말라리아 유행지역 또는 발생 국가인지 여부
   ② 여행하는 지역이 항말라리아제 내성 지역인지 여부
   ③ 여행지역에서 유행하는 말라리아 종류(열대열, 삼일열, 사일열, 난형열)
2. 말라리아 약제

예방적 화학요법	용량 및 용법		복용기간		
	성인	소아	여행 전	여행 중	여행 후
클로로퀸	1회/주(5mg base/kg) 경구 (60kg 하이드록시클로로퀸황산염 400mg)		1 ~ 2주	여행 기간	4주
메플로퀸	1회/주 경구 (같은 요일에 복용)	≤ 20kg: 성인용 1/4T	1 ~ 2주	여행 기간	4주
		20 ~ 30kg: 성인용 2/4T			
		30 ~ 45kg: 성인용 3/4T			
		> 45kg: 성인용 1T			
아토바쿠온 - 프로구아닐	1회/일 경구 [1회 1정 (487mg) 복용]	11 ~ 20kg: 성인용 1/4T	1 ~ 2일	여행 기간	7일
		21 ~ 30kg: 성인용 2/4T			
		31 ~ 40kg: 성인용 3/4T			
		> 40kg: 성인용 1T			
독시사이클린	1회/일 경구 [1회 1정 (100mg) 복용]	≤ 45kg: 2mg/kg	1 ~ 2일	여행 기간	4주
		> 45kg: 성인용 1T (성인 용량과 동일)			

(6) 유행성 일본뇌염(Japanese encephalitis) 기출 16, 17, 19

구분	내용
특징	① 제3급 법정 감염병 ② 우리나라 8 ~ 10월 사이에 많이 발생 ③ 작은 빨간집모기의 발생시기 및 수와 상관관계가 있음 ④ 뇌에 염증을 일으키고, 치명률은 40% 정도로 매우 높은 편
병원체	일본뇌염 바이러스 B군
병원소 및 감염원	**병원소**: 돼지
전파	① 일본뇌염 바이러스는 작은 빨간집 모기(또는 뇌염 모기)에 의해서 전파됨 ② 모기가 뇌염 바이러스를 가지고 있는 돼지, 소, 말 등과 같은 동물의 피를 빨아먹는 과정에서 바이러스에 의한 감염 발생 ③ 이 모기가 사람을 물면 일본뇌염 바이러스가 인체 내에 침투하여 감염됨 ④ **잠복기**: 5 ~ 14일

임상증상	① 불현성감염이 대부분이나 약 250명 중 1명 정도에서 임상증상이 나타남 ② 초기에는 고열, 두통, 구토, 복통, 지각 이상이 나타남 ③ 아급성기에는 의식장애, 경련, 혼수, 사망에 이를 수 있음 ④ 회복기에는 언어장애, 판단능력 저하, 사지 운동 저하 등의 후유증이 발생할 수 있음 ⑤ 발병 5 ~ 10일경에 호흡 마비로 사망하는 경우가 많음
감수성 및 면역성	① 상습 발생지역에 새로 이주하는 사람은 일정한 감수성이 있음 ② 회복 후에 영구면역이 형성됨
예방대책	① 모기에 물리지 않도록 하기 ② 모기의 구제와 환자의 절대 안정이 필요함 ③ 예방접종 실시하기 ④ 1 ~ 12세의 아동은 일본뇌염 예방접종(사백신, 순화독소)을 3회 실시하기

6 동물 매개 감염병

1. 공수병(Rabies, Hydrophobia) 기출 19

특징	① 제3급 법정 감염병, 광견병 ② 임상증상으로 근육마비, 혼수상태 등이 발생하면 거의 100% 사망하는 급성뇌염 ③ 정확한 치료방법이 없음 ④ 특히 개에 발생하는 급성 감염병이며, 광견의 교상에 의하여 사람에 감염되면 물을 마시지 못하고, 물이 흘러내리는 소리를 듣거나 보기만 하여도 발작하는 증세를 보임
병원체	Rabies virus
병원소 및 감염원	① **병원소**: 공수병에 감염된 개, 고양이, 늑대 등 ② **감염원**: 감염동물의 침
전파	① 감염된 동물에 의해 물렸을 때 감염됨 ② **잠복기**: 보통 2 ~ 8주이지만 더 길어질 때도 있음
임상증상	① 발열과 두통, 구토 증세가 있는 후에 흥분, 불안, 우울 등 증상이 있음 ② 물을 보면 목 근육의 경련, 공포감, 침을 흘리기도 함
감수성 및 면역성	온혈동물은 모두 감수성
예방대책	① 가축과 접촉하는 직업을 가진 사람의 위생적 가축 취급이 필요 ② 가축의 약도 생균의 접종에 의한 관리 등이 필요함 ③ 탄저가 의심되는 동물 사체는 소각하거나 깊게 묻어야 함

2. 탄저(Anthrax) 기출 19

특징	① 제1급 감염병 ② 소, 양 등 반추동물의 위생적 관리 시 중요시되며 인수공통감염병 ③ 동물의 치명률은 75 ~ 100%에 달하는 가축병이고, 그 중 소의 탄저가 가장 많음
병원체	탄저균(Bacillus anthracis, 바킬루스 안트라키스)은 포자를 형성하는 그람양성 간균이 병원체
병원소 및 감염원	**병원소**: 소, 양, 산양, 말 등 초식동물
전파	① 가축의 감염은 오염사료를 통해 경구감염이 됨 ② **잠복기**: 보통 2일 이내
임상증상	① 탄저균의 피부 감염으로 가려움증과 수초가 발생되며 피부 부스럼이 석탄처럼 까맣게 됨 ② 기도에 감염되는 경우에는 장탄저를 일으킴
감수성 및 면역성	사람은 자연면역이 잘 안 되나 개, 고양이, 조류는 면역이 됨
예방대책	① 도살장 종사자들의 위생적인 가축 취급이 필요함 ② 약독화된 백신을 접종하고 감염동물은 도살함 ③ 가축과 접촉이 많은 경우 청결을 유지하고, 감염 의심 시 세균학적 진단을 실시해야 함

3. 브루셀라증(Brucellosis) 기출 19, 22

특징	소 유산균, 돼지 유산균, 염소 유산균에 의한 제3급 법정 감염병으로, 특히 소 유산균에 의해 감염되며 불규칙적으로 발열되는 파상열
병원체	① Brucella abortus(소) ② Brucella canis(개) ③ Brucella melitensis(염소, 양) ④ Brucella suis(돼지)
병원소 및 감염원	**병원소**: 브루셀라균에 감염된 동물
전파	감염된 동물의 접촉이나 감염된 육류의 섭식으로 전파
임상증상	발열, 오한, 땀, 무력감, 통증, 몸살 등
감수성 및 면역성	가축과 관련 업무를 하는 사람에서 높음
예방대책	가축에 대한 예방접종과 유제품을 살균하고, 육류는 익혀 먹음

4. 렙토스피라증(Leptospirosis) 기출 16, 17, 18, 19

특징	① 제3급 법정 감염병 ② 렙토스피라균(Leptospira species)에 의한 인수 공통감염
병원체	① Leptospira species ② 소에 감염하는 주요 혈청형은 pomona, hardjo, icterohemorrhagiae 등
병원소 및 감염원	① **병원소**: 들쥐 ② **감염원**: 감염된 동물의 배설물
전파	① 주로 감염된 들쥐의 배설물을 통해 감염 ② 홍수 등으로 인한 침수 후, 추수기(9 ~ 11월경) 농촌지역에서 주로 들쥐, 소, 돼지, 개 등 감염된 동물의 소변에 오염된 물, 토양, 음식물에 노출 시 상처난 피부를 통해 감염 ③ 사람과의 전파는 없음 ④ **잠복기**: 10일 전후
임상증상	① 치료는 대증요법 ② 초기에는 갑작스러운 발열(38 ~ 40℃), 오한, 두통, 근육통, 오심, 구토 등 감기몸살과 비슷한 증상이 발생 ③ 초기증상 1 ~ 2일 후 뇌막증상, 발진, 포도막염, 근육통을 보이고, 치료시기를 놓치면 신부전 또는 중증 출혈로 사망까지 발생할 수 있음
감수성 및 면역성	논·밭에서 일할 수 있는 사람들에게 많이 발생함
예방대책	① 쥐가 서식하지 못하게 논둑, 관목 숲, 경작지 주변 잡풀을 제거할 것 ② 들쥐의 배설물 접촉을 피할 것 ③ 유행지역의 숲, 풀밭에 가지 말 것 ④ 풀밭 위에 옷을 벗어 놓거나 눕지 말 것 ⑤ 풀밭이나 들에서 야영이나 작업을 많이 하는 사람은 예방접종을 할 것

5. 조류 인플루엔자

특징	① 급성 호흡기 감염병으로 제1급 감염병 ② 조류에서 AI는 감염된 조류의 콧물 등 호흡기 분비물과 대변에 포함된 바이러스를 다른 조류가 섭취함으로써 감염·전파되며, 사람도 같은 방식으로 배출된 바이러스가 코나 입으로 침투하여 감염되는 것으로 추정 ③ 특히, 인플루엔자에 오염된 대변이 구강을 통해 감염을 일으키는 경우가 많음. 따라서 조류의 호흡기 분비물이나 대변 등에 오염된 기구, 매개체, 사료, 새장, 옷 등은 조류 인플루엔자 전파의 중요한 역할을 함
병원체	조류 인플루엔자(Avian Influenza A Virus)
병원소 및 감염원	**병원소**: 조류
전파	조류 인플루엔자에 감염된 가금류(닭, 오리, 칠면조)와의 접촉, 배설·분비물에 오염된 사물과 접촉으로 발생

<table>
<tr><td>임상증상</td><td colspan="2">① 기침과 발열, 오한, 근육통 등
② 사람이 조류 인플루엔자바이러스에 감염되면 38℃ 이상의 고열이 나면서 기침, 인후통, 호흡곤란 등의 증상이 나타남
③ 사람이 감염된 조류와 접촉하더라도 쉽게 감염되지는 않음
④ 아직까지는 우리나라에는 감염 사례 없음</td></tr>
<tr><td>감수성 및 면역성</td><td colspan="2">조류 관련 업무를 하는 사람</td></tr>
<tr><td rowspan="4">예방대책</td><td colspan="2">① 개인위생과 예방접종
② 관리</td></tr>
<tr><td>식품의 안정성</td><td>• 조류 인플루엔자 발생 시, 발생 농장뿐만 아니라 3km 이내의 닭이나 오리 · 달걀은 전부 폐기 조치
• 닭(오리) 도축장에서는 도축검사를 실시하여 건강한 개체만 도축되어 유통
• 바이러스 자체가 열에 약해 75℃ 이상에서 5분만 가열하여도 사멸하므로 가열조리를 한 경우는 감염가능성이 없음</td></tr>
<tr><td>방역조치</td><td>• 개인 위생수칙 강화
• 개인보호구 착용
• 폭로군 대상 항바이러스제제 투여 등 의심사례 조기발견 및 조치하기</td></tr>
<tr><td>보호구 착용 원칙</td><td>개인보호구는 적절하게 착용되었을 때만 감염을 막을 수 있으므로 개인보호구를 입고 벗는 방법을 철저히 준수하기</td></tr>
</table>

7 주요 신종 감염병 관리

1. 신종 감염병의 정의 기출 19

(1) 새로운 형태의 병원체 혹은 옛날부터 존재했지만 새로운 병원성을 획득한 질병이거나, 과거에 발생하지 않았던 새로운 지역 또는 새로운 종으로 전파되는 전염성 질환으로 기존에 알려지긴 했지만 최근 20여 년간 상당한 정도로 인간에게서 발병률이 증가한 질병을 말한다[미국국립알레르기감염질환연구소/국립보건연구원(NIAID/NH)].

(2) 즉, 새로운 생태조건을 만들어내고, 여기에 대한 대응으로 새로운 미생물이 나타나면서 인간과 동물의 면역능력과 상호작용하여 새로운 전염성 질환이 발생했다고 할 수 있다.

(3) 재출현 감염병은 과거에 거의 사라졌던 질환이 최근 다시 발생률이 증가하는 질환을 말한다.

(4) 신종 감염병 관리는 국가 위기상황을 초래할 가능성이 높은 해외유입 신종 감염병 및 생물테러대상 감염병을 조기인지하고 신속대응하여 감염병의 확산을 차단하는 것이다.

신종 감염병의 출현에 기여하는 요인

사회적 상황	경제적 빈곤, 전쟁, 분쟁, 인구증가와 이주, 도시 슬럼화, 항공교통의 발달, 여행 증가, 교통과 교류의 증가
보건의료 기술	새로운 의료장비, 조직 · 장기이식, 면역억제약물, 항생제 사용
식품생산	식품공급의 전 세계화, 식품가공과 포장의 변화
인간 생활습관	성 행태, 약물남용, 여행 식이 습관, 여가활동, 보육시설
환경 변화	삼림벌채 · 삼림재 조림, 수자원 생태계 변화, 홍수 · 가뭄, 기근, 지구 온난화
공중보건 체계	예방사업의 축소, 부적절한 감염병 감시체계, 전문 요원의 부족
미생물의 적응과 변화	미생물의 독성 변화, 약제 내성 출현, 만성질환 공동 인자로 미생물 출현

2. 신종 감염병의 긴급상황 보고 및 대응체계

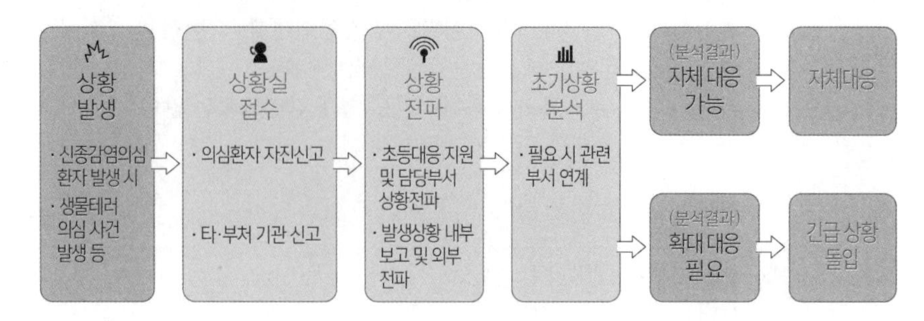

3. 신종 감염병의 종류

신종 감염병으로 관리대상 감염병은 제1급 감염병으로, 이는 치명률이 높고, 지속적인 전파가능성이 있으며 효과적인 예방치료제가 없거나 미흡한 수준으로 사회경제적 파급력이 높은 감염병이다.

Plus⁺ POINT

관리대상 신종 감염병

구분	대상질병
호흡기(4종)	중동호흡기증후군(MERS), 중증 급성 호흡기증후군(SARS), 동물 인플루엔자 인체감염증, 신종 인플루엔자
바이러스성 출혈열(6종)	에볼라 바이러스병, 마버그열, 라싸열, 크리미안 콩고 출혈열, 남아메리카 출혈열, 리프트밸리열
생물테러(5종)	두창, 페스트, 탄저, 보툴리눔독소증, 야토병
기타(1종)	신종 감염병증후군

출처: 질병관리청

바이러스성 출혈열 감시 및 대비·대응 근거

구분	정의	해당 감염병(병원체)	관련근거
제1급 감염병	생물테러감염병 또는 치명률이 높거나 집단발생의 우려가 커서 발생 또는 유행 즉시 신고하여야 하고, 음압격리와 같은 높은 수준의 격리가 필요한 감염병	• 에볼라 바이러스병 • 마버그열 • 라싸열 • 크리미안 콩고 출혈열 • 남아메리카 출혈열 • 리프트밸리열	「감염병의 예방 및 관리에 관한 법률」 제2조 제2호
세계보건기구 감시대상 감염병	세계보건기구가 국제공중보건 비상사태에 대비하기 위하여 감시대상으로 정한 질환으로서 보건복지부장관이 고시하는 감염병	바이러스성 출혈열	「감염병의 예방 및 관리에 관한 법률」 제2조 제8호

생물테러 감염병	고의 또는 테러 등을 목적으로 이용된 병원체에 의하여 발생된 감염병 중 보건복지부장관이 고시하는 감염병	• 에볼라열 • 마버그열 • 라싸열	「감염병의 예방 및 관리에 관한 법률」 제2조 제9호
고위험 병원체	생물테러의 목적으로 이용되거나 사고 등에 의하여 외부에 유출될 경우 국민 건강에 심각한 위험을 초래할 수 있는 감염병병원체로서 보건복지부령으로 정하는 병원체	• 에볼라 바이러스 • 마버그 바이러스 • 라싸 바이러스 • 크리미안 콩고 출혈열 바이러스 • 리프트밸리열 바이러스 • 남아메리카 출혈열 바이러스	「감염병의 예방 및 관리에 관한 법률」 제2조 제19호 및 동법 시행규칙 제5조
검역 감염병	외국에서 발생하여 국내로 들어올 우려가 있거나 우리나라에서 발생하여 외국으로 번질 우려가 있어 긴급 검역조치가 필요한 감염병	급성 출혈열 증상 등을 나타내는 신종 감염병증후군, 세계보건기구가 공중보건위기관리대상으로 선포한 감염병	「검역법」 제2조 및 보건복지부장관 고시

(1) 에볼라 바이러스병

정의	에볼라 바이러스(Ebola virus) 감염에 의한 급성 열성 출혈성 질환	
질병분류	제1급 감염병(질병코드: A98.3)	
국내발생	없음	
국외발생	최초보고	1976년 DR콩고의 에볼라강 인근 마을 및 남수단 유행 시 처음 보고
	발생국가	가봉, 기니, 나이지리아, 남아프리카, 라이베리아, 말리, 세네갈, 수단, 시에라리온, 우간다, 코트디부아르, 콩고, 콩고민주공화국
	발생동향	① **2014년 이전**: DR콩고, 우간다, 등 일부 국가 중심으로 산발적 유행 발생 ② **2014 ~ 2016년**: 서아프리카(기니, 라이베리아, 시에라리온 등)에서 대규모 유행 발생 ③ **2017년 이후**: DR콩고에서 유행 발생
	위험지역	① 국외 발생이 있을 경우 위험평가 후 지역 또는 국가 단위로 지정 ② **질병관리청 홈페이지**: Home > 정책정보 > 감염병 > 감염병위기대응 > 신종감염병현황 > 에볼라현황
	해외유입	이탈리아 · 스페인 · 영국 · 미국(아프리카 지역 외 유입 사례 보고)

병원체	① 필로바이러스과(Filoviridae) 에볼라바이러스(Ebolavirus)속 에볼라 바이러스(Ebola virus) ② **생물안전등급**: 고위험 병원체 제4위험군 ③ **감염력**: 에어로졸을 통해 바이러스 1 ~ 10개로도 감염 가능	
병원소	과일박쥐	
감염경로	동물 ⇨ 사람	유행지역에서 에볼라 바이러스에 감염된 과일박쥐, 원숭이, 고릴라, 침팬지, 영양 등 동물과 직접접촉(사냥한 동물 취급, 섭취 등)
	사람 ⇨ 사람	① 에볼라 환자의 혈액, 체액과 상처난 피부 · 점막에 접촉(또는 주사침자상) ② 에볼라 바이러스병에서 회복한 환자와 성 접촉 ③ 모유수유, 에어로졸에 의한 감염가능성 등
잠복기	2 ~ 21일	
증상	① 초기에 발열, 식욕부진, 무력감, 허약감, 전신쇠약감, 근육통, 두통 등 비특이 증상 ② 이후, 오심, 구토, 설사, 복통 등 위장관 증상, 출혈(점상출혈, 반상출혈, 점막출혈 등) ③ 백혈구 감소, 혈소판 감소, 간효소 수치 증가 등	
치명률	25 ~ 90%(바이러스 유형이나 각국의 보건의료체계 수준에 따라 다를 수 있음)	
진단	검체(혈액, 체액)에서 특이 유전자 검출(Real - time RT - RCR)	
치료	대증치료(전세계적으로 상용화된 특이치료제 없음)	
예방	① 전세계적으로 상용화된 예방백신 없음(2018 ~ 2019, DR콩고 에볼라 바이러스병 유행발생 지역에서 WHO가 공급한 승인 전 단계의 백신 사용 중) ② 유행지역 방문 삼가, 의료 환경에서 감염예방관리 지침 준수 ③ 모든 환자의 혈액, 체액 접촉 시 개인보호구 사용, 손위생 등 표준주의 준수 ④ 확인된 에볼라 환자의 혈액 체액 검체 취급 시 주의 등	

(2) 마버그 바이러스병

정의	마버그 바이러스(Marburg virus) 감염에 의한 급성 열성 출혈성 질환	
질병분류	제1급 감염병(질병코드: A98.4)	
국내발생	없음	
국외발생	최초보고	1967년 독일(마버그, 프랑크푸르트), 세르비아(벨그레이드)에서 우간다로부터 수입한 아프리카녹색원숭이 관련 실험실 종사자에게 처음 보고
	발생국가	남아프리카공화국, 우간다, 앙골라, 케냐, 콩고민주공화국 등

국외발생	발생동향	① 아프리카 중남부 지역 중심으로 환자 발생 보고 ② 2007년 이후 보고된 유행은 모두 우간다에서 발생 ③ 2017년 12월 우간다의 유행종료 선언 이후 발생 보고 없음(2019년 10월 기준)
	위험지역	① 국외 발생이 있을 경우 위험평가 후 지역 또는 국가 단위로 지정 ② 질병관리청 홈페이지 참고
	해외유입	네덜란드 · 독일 · 러시아 · 미국 · 세르비아(⇦ 아프리카 지역 외 유입)
병원체	① 필로바이러스과(Filoviridae) 마버그바이러스(Marburgvirus)속 마버그 바이러스 ② **생물안전등급**: 고위험 병원체 제4위험군	
병원소	Pteropodidae과 아프리카 과일박쥐(특히, Rousettus aegyptiacus속)	
감염경로	동물 ⇨ 사람	**마버그 바이러스에 감염된 동물 접촉**: 아프리카 과일박쥐(특히 Rousettus aegyptiacus 속) 또는 기타 영장류
	사람 ⇨ 사람	마버그 환자, 사망자의 혈액, 체액 접촉
잠복기	2 ~ 21일	
증상	1 ~ 5일 증상 초기에 40°C 이상의 고열, 오한, 두통, 구토, 설사, 가슴 · 등 · 배 등 상체 중심으로 반구진성 발진, 결막염, 복통 등 증상 발현	
치명률	24 ~ 88%(각국의 보건의료체계 수준에 따라 다를 수 있음)	
진단	검체(혈액, 체액)에서 특이 유전자 검출(Real - time RT - PCR)	
치료	대증치료(상용화된 특이치료제 없음)	
예방	① 상용화된 예방백신 없음 ② 일반적인 감염병 예방수칙 준수(표준주의, 손위생 등 개인위생 철저) ③ 유행지역 여행 시 바이러스에 감염되지 않도록 주의 ④ 알려진 환자의 혈액, 체액, 검체 취급 시 주의 등	

(3) 라싸열

정의	라싸 바이러스(Lassa virus) 감염에 의한 급성 열성 출혈성 질환	
질병분류	제1급 감염병(질병코드: A96.2)	
국내발생	없음	
국외발생	최초보고	1969년 나이지리아 Borno 주 Lassa 지역에서 발생 보고
	발생동향	서아프리카지역에서 건기(11월 ~ 5월)에 유행 발생 및 연중 산발적 발생
	위험지역	베냉, 가나, 기니, 나이지리아, 라이베리아, 말리, 시에라리온, 부르키나파소, 코트디부아르, 토고(그 외, DR 콩고, 세네갈, 중앙아프리카공화국 등 다른 서아프리카 국가에서도 발생 가능)

<table>
<tr><td></td><td>해외유입</td><td>1969 ~ 2016년, 9개 국가에서 총 33건(영국 13, 미국 8, 독일 5, 네덜란드 2, 캐나다 1, 이스라엘 1, 일본 1, 스웨덴 1, 남아프리카 1)</td></tr>
<tr><td>병원체</td><td colspan="2">① 아레나 바이러스과(Arenaviridae) 라싸 바이러스(Lassa virus)
② **생물안전등급**: 고위험 병원체 제4위험군</td></tr>
<tr><td>병원소</td><td colspan="2">설치류(Multimammate rat) 중 Mastomys natalensis</td></tr>
<tr><td rowspan="2">감염경로</td><td>동물 ⇨ 사람</td><td>**감염된 설치류(쥐) 직·간접 접촉 또는 설치류 배설물(소변, 대변) 흡입**
• 쥐 또는 쥐배설물에 오염된 음식물 섭취
• 토양으로 흡수된 쥐의 배설물에 상처 난 피부나 점막 노출
• 쥐 배설물에 오염된 바닥 청소 과정에서 발생되는 에어로졸 흡입</td></tr>
<tr><td>사람 ⇨ 사람</td><td>**라싸열 환자·사망자의 혈액, 체액 접촉**
• 상처난 피부 점막에 환자의 혈액, 체액 직접 접촉
• 감염된 환자와 성 접촉
• 의료 환경에서 의료행위, 시술 중 노출되어 감염 전파</td></tr>
<tr><td>잠복기</td><td colspan="2">2 ~ 21일</td></tr>
<tr><td>증상</td><td colspan="2">① 감염된 사람의 약 80%는 증상이 경미하거나 무증상이며, 중증으로도 이환 가능
② **보통 감염 후 6 ~ 21일 사이에 증상 발현, 생존 시 8 ~ 10일 내 호전**
• 발열, 전신무력감, 권태감, 두통, 인후통으로 시작
• 수일 내 동증 반응, 소화기계, 호흡기계 증상 발현 가능
③ 중증 이환 시, 안면부종, 출혈, 다발성 장기부전으로 사망에 이름</td></tr>
<tr><td>치명률</td><td colspan="2">① 감염자의 약 1 ~ 3%, 입원환자에서는 15 ~ 20%
② 각국의 보건의료체계 수준에 따라 다름(2015 ~ 2016년 나이지리아 유행 시 치명률 32.6%)</td></tr>
<tr><td>진단</td><td colspan="2">검체(혈액, 체액)에서 특이 유전자 검출(Real - time RT - PCR)</td></tr>
<tr><td>치료</td><td colspan="2">① 전세계적으로 상용화된 특이치료제 없음(대증치료)
② 다만, 증상 초기에 항바이러스제(리바비린) 투여 시 효과가 있는 것으로 알려져 있음</td></tr>
<tr><td>예방</td><td colspan="2">① 전세계적으로 상용화된 예방백신 없음
② 유행지역 여행 시 라싸열 바이러스에 감염되지 않도록 주의(개인·식품·환경 위생)
③ 쥐와 쥐의 배설물에 노출되지 않도록 주의, 뚜껑 없이 개방되어 있는 음식물 섭취 삼가 등
④ **의료환경에서 감염 예방수칙 준수 철저**
• 모든 환자의 혈액, 체액, 접촉 시 개인보호구 사용, 손위생 등 표준주의 준수
• 감염 증상자(발열 등) 및 확인된 라싸열 환자의 혈액, 체액, 검체 취급 시 주의 등</td></tr>
</table>

(4) 크리미안 콩고 출혈열

구분		내용
정의		크리미안 콩고 출혈열(Crimean - Congo Hemorrhagic Fever) 바이러스 감염에 의한 급성 열성 출혈성 질환
질병분류		제1급 감염병(질병코드: A98.0)
국내발생		없음(국내 매개 진드기인 뿔참진드기, Rhipicephalus sanguineus 1종이 발견되었으나, 인체감염 사례 발생 보고는 없었음)
국외발생	최초보고	1944년, 소비에트연방의 크림반도에서 처음 발견
	발생동향	① 서아프리카 지역에서 건기(11월 ~ 5월)에 유행 발생, 연중 산발적 발생 ② **유럽, 아프리카, 중동, 아시아에서 발생 보고**: 주로 소비에트연방, 불가리아, 남아프리카 지역에서 발생하였으나, 2000년부터 터키, 이란, 인도, 그리스, 발칸반도 국가로 발생지역 확대 ③ 풍토 국가에서 가축 감염 및 병원 내 유행 발생, 주변국가에서 발생 보고
	위험지역	(풍토 국가)발칸반도, 아프리카, 중동, 일부 아시아 지역 등
	해외유입	불가리아 접경지역 또는 불가리아로부터 유입 사례 발생 보고
병원체		① Bunyaviridae과 Nairovirus속 크리미안 콩고 출혈열 바이러스 ② **생물안전등급**: 고위험 병원체 제4위험군
병원소		진드기(주로, Hyalomma 속 참진드기)
감염경로	동물 ⇨ 사람	① 감염된 진드기에 물리거나 감염된 동물의 혈액, 조직 접촉 ② 인체감염은 야외 활동 시 진드기에 물리거나 도살 후 감염된 동물의 혈액, 조직 접촉을 통해 감염
	사람 ⇨ 사람	감염된 사람의 혈액, 체액과 직접접촉 또는 의료기구, 주사기 재사용 등 침습적 의료행위를 통해 병원 내 전파 가능
잠복기		1 ~ 13일
증상		① 발열, 피로감, 어지러움, 목 통증 및 뻐근함, 두통, 눈부심(photophobia), 구토, 설사 등 ② 심한 경우 출혈 동반, 증상 발생 2주째 사망, 생존 시 9 ~ 10일부터 회복세
치명률		10 ~ 40%
진단		검체(혈액, 체액)에서 특이 유전자 검출(Real - time RT - PCR)
치료		전 세계적으로 상용화된 특이치료제 없음(대증치료)
예방		① **전 세계적으로 상용화된 예방백신 없음(유행지역 여행 시 감염되지 않도록 주의)**: 쥐와 쥐의 배설물에 노출되지 않도록 주의, 뚜껑 없이 개방되어 있는 음식물 섭취 금지 등

	② **의료환경에서 감염 예방수칙 철저하게 준수** • 모든 환자의 혈액, 체액, 접촉 시 개인보호구 사용, 손위생 등 표준주의 준수 • 감염 증상자(발열 등) 및 확인된 크리미안 콩고 출혈열 환자의 혈액, 체액, 검체 취급 시 주의 등

(5) 아르헨티나 출혈열

정의	설치류 매개 Junin virus 감염에 의한 급성 열성 출혈성 질환	
질병분류	제1급 감염병(질병코드: A96.0)	
국내발생	없음	
국외발생	① 아르헨티나에서 매개 설치류 서식지 중심으로 발생 ② **1958년 아르헨티나 부에노스아이레스 북부 팜파스 지역에서 처음 발생**: 당시 감염된 설치류가 거주하는 지역의 옥수수밭에서 2월과 5월 사이에 옥수수를 수확하던 농부들이 주로 감염 ③ 1980년대 아르헨티나 북동부지역 여러 곳에 토착화되어 매년 200 ~ 2,000명이 감염 발생, 1993년에는 24,000명의 사례가 발생 ④ 미군이 약독화 생백신을 개발한 이후 발생이 급격하게 감소하여 연간 100명 이하로 발생하며, 주로 옥수수 수확 시기(3 ~ 6월)에 발생 ⑤ 인체 아르헨티나 출혈열 질병 발생률과 병원소인 Calomys musculinus 집단 내 바이러스의 수평적인 전파는 해당 지역의 Calomys musculinus 개체군 밀도와 관련 있음	
병원체	아레나 바이러스과(Arenaviridae) 아레나 바이러스(Arenavirus)속 바이러스	
병원소	설치류(Calomys musculinus)	
감염경로	동물 ⇨ 사람	① 감염된 설치류의 체액으로부터 배출된 바이러스가 에어로졸 형태로 흡입되어 감염 ② 감염된 설치류의 혈액, 조직에 상처부위를 직접접촉하여 감염
	사람 ⇨ 사람	드물게 발생하며, 환자 체액의 직접접촉을 통해 발생, 병원 내 감염이 보고된 바 있음
잠복기	5 ~ 19일(평균 7 ~ 12일)	
증상	① 약 80%의 환자는 경증 ② **라싸열과 증상이 유사하나 좀 더 중증의 뇌증, 혈소판감소증, 출혈열 경향** • 증상 초기에 구역질, 두통, 오한, 근육통, 발열 등 비특이적 증상 발현 • 수일 내 위장관, 심혈관계 및 신경학적 증상, 안구 뒤 통증, 상복부 통증, 광선공포증(photophobia), 어지러움증, 변비, 설사 등 증상 발현 가능 ③ 임신 중 감염 시, 태아 감염 가능 ④ **검사상 특이소견**: 단백뇨, 백혈구감소증, 혈소판감소증	

치명률	약 15 ~ 30%
진단	발열 시 검체(혈액, 체액)에서 특이 유전자 검출(Real-time RT-PCR)
치료	① 발병 9일 내 적절한 양의 중화 항체를 포함한 convalescent human plasma 투약 시 치명률이 유의하게 감소함을 보고 ⇨ 이 치료를 통해 위약군 16%, 치료군 1%의 치명률을 보였으며, 이 치료 후 약 10%에서 일시적인 소뇌 증상이 발현 ② 치료가 늦게 시작된 경우 리바비린 투여가 효과적인 것으로 알려져 있음
예방	**발생 국가에서 약독화 생백신 접종**: 1992년 미군에서 개발하여 아르헨티나에서 생산(일명, Candid #1)

(6) 볼리비아 출혈열

정의	설치류 매개 machupo virus 감염에 의한 급성 열성 출혈성 질환	
질병분류	제1급 감염병(질병코드: A96.1)	
국내발생	없음	
국외발생	① 1959년 볼리비아 San Joaquin 지역에서 유행하여 처음 보고(수년에 한 번씩 유행 발생) ② 1959 ~ 1962년 볼리비아 El Beni 지역에서 환자 470명(사망 142명) 발생 보고 ③ 1971 ~ 1994년 유행 발생 보고 없었으나, 1994년 El Beni 지역에서 10명 발생 보고 ④ 2008년에 환자 200명 이상(사망 12명) 발생 보고	
병원체	① 아레나 바이러스과(Arenaviridae) 아레나 바이러스(Arenavirus) 속 machupo virus ② **생물안전등급**: 고위험 병원체 제4위험군	
병원소	설치류(Calomys callpsus, large vesper mouse)	
감염경로	동물 ⇨ 사람	매개 설치류 직접접촉, 설치류의 에어로졸화된 소변·분변·타액 흡입, 음식 매개로 섭취하여 감염
	사람 ⇨ 사람	**감염자의 혈액, 체액 접촉, 에어로졸 흡입 등을 통해 감염** • 간병자, 부검의, 가족에서 사람 간 전파 확인 • 1971년 환자 접촉을 통한 병원 내 감염 3명, 부검의 1명 감염 사례 확인 • 2019년 환자 접촉을 통한 병원 내 감염 3명(사망 2명) 확인
잠복기	3 ~ 16일	
증상	① **1 ~ 5일째**: 전구기이며, 발열, 구토, 근육통, 두통, 무기력, 탈수, 기침, 백혈구감소증, 혈소판감소증, 단백뇨를 보임 ② **2 ~ 10일째**: 출혈·신경계 증상기로, 약 1/3의 환자가 전구기 이후 저체온증, 저혈압, 점막출혈, 점혈반, 비출혈, 위장관출혈, 질출혈, 뇌염, 경련, 근육연축, 섬망, 혼수 등 출혈 및 신경계 증상 발현	

	③ **수주 ~ 수개월**: 회복기에 전신허약감, 탈모, 빈맥을 보임 ④ 무증상 감염도 가능
치명률	25 ~ 35%(과거 노출 시 모두 증상이 발생하는 것으로 알려져 있었으나, 일부 항체 검사 결과 무증상 감염자도 확인되어 실제 치명률은 더 낮을 것으로 추정)
진단	검체(혈액, 체액)에서 특이 유전자 검출(Real - time RT - PCR)
치료	① 대증치료(상용화된 특이치료제 없음) ② 발생국에서 항바이러스제(리바비린) 치료 사례가 있음
예방	유행지역 방문 시 설치류 등 노출 주의, 환자 접촉 주의
관리	① **환자 관리** • 국가지정입원치료병상에 격리입원 치료 필요 • 매개물(fomite), 분비물, 에어로졸의 접촉, 흡입을 통한 사람 간 전파가 가능하며, 출혈 시 혈액 · 체액을 통한 감염 전파가능성이 높아 격리 필요 ② **접촉자 관리**: 노출 후 최장잠복기 16일 동안 증상 발현 여부 모니터링

(7) 브라질 출혈열

<table>
<tr><td>정의</td><td colspan="2">Sabia virus 감염에 의한 급성 열성 출혈성 질환</td></tr>
<tr><td>질병분류</td><td colspan="2">제1급 감염병(질병코드: A96.8 - Other arenaviral hemorrhagic fever)</td></tr>
<tr><td>국내발생</td><td colspan="2">없음</td></tr>
<tr><td>국외발생</td><td colspan="2">① 전 세계적으로 현재까지 환자 3명(이 중 2명은 실험실에서 감염)
② 발생 보고
• 1990년, 브라질 상파울루 인근 Jardim sabia 지역 거주자(여성, 농업기술자)가 출혈열 증상 발현 뒤 사망(부검 결과 간 괴사 확인)
• 첫 환자의 감염원 바이러스를 연구하던 연구자가 감염(생존)
• 1994년 미국 예일대에서 연구원이 실험 중 노출되어 감염(리바비린으로 치료)</td></tr>
<tr><td>병원체</td><td colspan="2">① Arenaviridae과 Arenavirus속 Sabia virus
② 생물안전등급: 고위험병원체 제4위험군</td></tr>
<tr><td>병원소</td><td colspan="2">설치류(매개 설치류 종은 알려진 바 없음)</td></tr>
<tr><td rowspan="2">감염경로</td><td>동물 ⇨ 사람</td><td>전파경로에 대해 알려진 바가 많지 않지만, 설치류의 배설물이 에어로졸화 되면서 이를 통해 전파되는 것으로 알려져 있음</td></tr>
<tr><td>사람 ⇨ 사람</td><td>보고 사례 없음</td></tr>
<tr><td>잠복기</td><td colspan="2">7 ~ 12일</td></tr>
<tr><td>증상</td><td colspan="2">발열, 근육통, 복통 등</td></tr>
<tr><td>치명률</td><td colspan="2">33%(현재까지 보고된 사례 3명 중 1명 사망)</td></tr>
<tr><td>진단</td><td colspan="2">검체(혈액, 체액)에서 특이 유전자 검출(Real - time RT - PCR)</td></tr>
<tr><td>치료</td><td colspan="2">리바비린 사용이 효과가 있다고 알려져 있음(과거 사례에서 리바비린으로 치료한 환자의 증상이 좀 더 경하고 빠르게 회복)</td></tr>
</table>

예방	위험지역에서 쥐와 쥐의 배설물 접촉이 없도록 주의
관리	① **환자 관리**: 국가지정입원치료병상에 격리입원 치료 필요 ② **접촉자 관리**: 노출 후 최장잠복기까지 증상 발현 여부 모니터링

(8) 베네수엘라 출혈열

정의	설치류 매개 Guanarito virus 감염에 의한 급성 열성 출혈성 질환	
질병분류	제1급 감염병(질병코드: A96.8 - Other arenaviral hemorrhagic fever)	
국내발생	없음	
국외발생	베네수엘라의 Portuguesa, Barinas 지역에서 발생 • 1989년 이주민들이 베네수엘라 작은 마을에 정착하면서 유행·발생하여 처음 발견되었으며, 이후 약 200명의 사례 발생이 보고됨 • 정확한 이유는 확인되지 않았으나, 지난 20년간 감소 추세	
병원체	아레나 바이러스과(Arenaviridae) 아레나 바이러스(Arenavirus)속 Guanarito 바이러스	
병원소	설치류(Zygodontomys brevicauda, Short - tailed cane mouse)	
감염경로	동물 ⇨ 사람	매개 설치류의 타액, 호흡기 분비물, 소변, 혈액 내 바이러스가 에어로졸화되어 호흡기를 통해 감염
	사람 ⇨ 사람	사람 간 감염은 가능하나 흔하지 않음
잠복기	3 ~ 21일	
증상	① 피로감, 두통, 근육통, 인두통, 구역, 설사, 출혈성 병변(아르헨티나 출혈열 및 볼리비아 출혈열과 다르게 베네수엘라 출혈열 환자에서 인두염, 구토, 설사 증상이 더 특징적임) ② 혈소판 및 백혈구 감소증	
치명률	치료하지 않을 경우, 약 30 ~ 40%	
진단	검체(혈액, 체액)에서 특이유전자 검출(Real - time RT - PCR)	
치료	대증치료(상용화된 특이치료제 없음)	
예방	위험지역 여행·방문 자제 및 쥐와 쥐의 배설물 접촉이 없도록 주의	
관리	① **환자 관리**: 국가지정입원치료병상에 격리입원 치료 필요 ② **접촉자 관리**: 노출 후 최장잠복기 21일 동안 증상 발현 여부 모니터링	

(9) 리프트밸리열

정의	리프트밸리열 바이러스(Rift Valley fever virus) 감염에 의한 급성 열성 출혈성 질환	
질병분류	제1급 감염병(질병코드: A92.4)	
국내발생	없음(국내 매개 진드기인 뿔참진드기, Rhipicephalus sanguineus 1종이 발견되었으나, 인체 감염 사례 발생의 보고가 없었음)	
국외발생	최초보고	1931년 케냐 리프트 계곡(Rift valley) 양으로부터 처음 바이러스 분리

<table>
<tr><td rowspan="3"></td><td>발생국가</td><td>① 유행 발생보고: 이집트, 사우디아라비아, 예멘, 모리타니아, 세네갈, 감비아, 수단, 남수단, 케냐, 탄자니아, 잠비아, 짐바브웨, 모잠비크, 마다가스카르, 나미비아, 남아프리카
② 소규모 발생 · 바이러스/혈청증거 확인: 말리, 차드, 에티오피아, 소말리아, 기니, 부르키나파소, 나이지리아, 카메룬, 중앙아프리카, 가봉, 콩고, 콩고민주공화국, 우간다, 앙골라, 보츠와나, 니제르</td></tr>
<tr><td>발생동향</td><td>아프리카 지역 및 아라비아 반도 중심으로 발생</td></tr>
<tr><td>해외유입</td><td>앙골라에서 감염 후 중국으로 유입 사례 보고 등</td></tr>
<tr><td>병원체</td><td colspan="2">① 분야 바이러스과(Bunyaviridae) 플레보 바이러스속(Phlebovirus) 리프트밸리열 바이러스
② 생물안전등급: 고위험 병원체 제3위험군</td></tr>
<tr><td>병원소</td><td colspan="2">주로 모기(주요 인체 감염 매개모기는 Aedes, Culex속 모기), 일부 진드기, 파리 등</td></tr>
<tr><td rowspan="3">감염경로</td><td>모기 ⇨ 사람</td><td>주로 감염된 모기(Aedes, Culex속 등)에 물려 감염</td></tr>
<tr><td>동물 ⇨ 사람</td><td>① 주로 감염된 동물의 혈액, 분비물과 직접접촉, 생고기 · 생우유 섭취, 도축 시 에어로졸 흡입 등을 통해 감염
② 고위험군: 발생 국가에서 가축 접촉이 빈번한 목장 · 도축장 인부, 농부, 수의사 등</td></tr>
<tr><td>사람 ⇨ 사람</td><td>보고된 바 없음</td></tr>
<tr><td>잠복기</td><td colspan="2">2 ~ 6일</td></tr>
<tr><td>증상</td><td colspan="2">① 약 50%의 감염자에게서 무증상이거나 가벼운 증상이 2 ~ 7일간 지속(감기처럼 열, 근육통, 관절통, 두통 같은 증상)
② 일부 환자(약 8 ~ 10%)는 망막 병변, 뇌염, 출혈 등 중증 증상 발생 가능
③ 출혈 경향이 발생하면 그 후 3 ~ 6일 내 사망</td></tr>
<tr><td>치명률</td><td colspan="2">대부분 1% 미만</td></tr>
<tr><td>진단</td><td colspan="2">검체(혈액, 체액)에서 특이유전자 검출(Real - time RT - PCR)</td></tr>
<tr><td>치료</td><td colspan="2">전 세계적으로 상용화된 특이치료제 없음(대증치료)</td></tr>
<tr><td>예방</td><td colspan="2">① 상용화된 인체 감염 예방백신 없음(동물용 백신은 토착지역에서 사용 가능)
② 유행지역 여행 시 주의사항
• 일반적인 감염병 예방수칙 준수(표준주의, 손위생 등 개인위생 철저)
• 감염된 동물의 혈액, 체액 및 사체 접촉 금지
• 감염된 동물의 젖이나 고기 섭취 금지
• 고위험군은 동물사체 처리 시 주의
• 모기물림 예방(모기기피제, 모기장 사용 등 모기기피)
③ 의료환경에서 감염 예방수칙 철저하게 준수</td></tr>
</table>

(10) 지카바이러스 기출 17

<table>
<tr><td>정의</td><td colspan="2">지카바이러스(Zika virus) 감염에 의한 질환</td></tr>
<tr><td>질병분류</td><td colspan="2">제3급 법정 감염병</td></tr>
<tr><td>국내발생</td><td colspan="2">① 법정 감염병 4군으로 2016년 1월 29일 지정된 후, 매년 감염되어 유입되는 사례가 지속적으로 발생
② 2020년 2월 국내감염 추정 사례(고농축의 지카바이러스를 다루는 실험실 종사자의 실험실 내 감염으로 추정) 1건 보고
③ 2016년 3월 이후 2020년까지 국내 유입 지카바이러스감염증 확진자 34명(성별: 남성 24명, 여성 10명)</td></tr>
<tr><td rowspan="5">국외발생</td><td>최초보고</td><td>1947년 처음 우간다 서식 원숭이에서 분리된 이후 1953년 탄자니아에서 인체 감염 사례가 처음 인지됨</td></tr>
<tr><td>발생국가</td><td>① 동남아시아: 필리핀, 베트남, 태국, 몰디브, 캄보디아, 미얀마
② 중남미: 과테말라, 도미니카 공화국, 볼리비아, 브라질, 쿠바, 푸에르토리코</td></tr>
<tr><td>발생동향</td><td>현재는 유행이 종료되었으나, 향후 다시 유행할 가능성이 있음</td></tr>
<tr><td>위험지역</td><td>발생 국가를 비롯하여 미주 49개국, 동남아시아 6개국, 서태평양 19개국, 아프리카 13개국을 지정</td></tr>
<tr><td>해외유입</td><td>추정감염국가: 27명(79.4%)이 동남아시아 여행자(필리핀 10명, 태국 8명, 베트남 6명, 몰디브 2명, 캄보디아 및 미얀마(각 1명)였고, 나머지 6명(17.6%)이 중남미 여행자(과테말라, 도미니카 공화국, 볼리비아, 브라질, 쿠바, 푸에르토리코 각 1명)임</td></tr>
<tr><td>병원체</td><td colspan="2">지카바이러스(Zika virus) - family Flaciciridae genus Flavivirus</td></tr>
<tr><td>병원소</td><td colspan="2">모기, 사람 및 영장류(Nonhuman)</td></tr>
<tr><td>감염경로</td><td colspan="2">① 지카바이러스에 감염된 매개모기를 통해 전파
② 기타전파: 성 접촉, 수직감염, 수혈감염 가능</td></tr>
<tr><td>잠복기</td><td colspan="2">평균 2 ~ 14일</td></tr>
<tr><td>증상</td><td colspan="2">① 반점구진성 발진과 함께 다음 증상 중 2개 이상 증상 동반: 발열, 비화농성 결막염 · 결막충혈, 관절통, 근육통, 관절주의 부종 등
② 대부분 경미하게 진행, 감염되어도 증상이 나타나지 않는 불현성 감염자가 80%
③ 신경학적 합병증(길랭 - 바레 증후군) 등의 중증 합병증 발생이 가능하나 드물게 보고됨
④ 임신부가 감염되었을 경우 신생아 소두증과 연관이 있음이 보고됨</td></tr>
<tr><td>치명률</td><td colspan="2">극히 낮음</td></tr>
<tr><td>실험실 검사</td><td colspan="2">① 확인진단
• 검체(혈액, 소변 등)에서 Zika virus 분리
• 회복기 혈청의 항체가가 급성기에 비하여 4배 이상 증가</td></tr>
</table>

	• 검체(혈액)에서 특이항체 검출 • 검체(혈액, 소변 등)에서 특이유전자 검출 ② **추정진단**: 검체(혈액)에서 ELISA를 이용하여 특이 IgM 항체 검출
치료	① 충분한 휴식을 취하고 충분한 수분을 섭취하면 대부분 회복 ② 통증 등 증상이 지속될 경우 대증치료
예방	① 모기에 물리지 않는 것이 가장 중요(모기노출 방지: 방충망, 모기장, 기피제 사용, 긴 소매, 긴 바지를 입어 노출 부위 최소화) ② 백신은 없음

(11) 중동호흡기증후군(MERS) 기출 17, 18

특징	① 중동호흡기증후군을 유발하는 코로나바이러스(Middle East Respiratory Syndrome Coronavirus; MERS - CoV)에 의한 호흡기 감염증 ② 2013년 5월, 국제바이러스 분류 위원회(ICTV; International Committee on Taxonomy of Viruses)에서는 이 신종 코로나바이러스를 메르스 코로나바이러스(MERS - CoV)라 명명 ③ 중동지역 아라비아 반도를 중심으로 2012년 4월부터 2019년 10월 31일까지 27개국에서 2,482명이 발생하여 854명 사망(WHO)
병원체	메르스 바이러스
병원소 및 감염원	**병원소**: 환자, 낙타
전파	① 자연계에서 사람으로는 감염경로가 명확하게 밝혀지지 않았으나, 중동지역 단봉낙타 접촉에 의한 감염 전파 보고 ② 사람 간 감염은 병원 내 · 가족 간 감염 등 밀접접촉에 의한 전파로 주요 대규모 유행이 보고 ③ **잠복기**: 최소 2일 ~ 최대 14일(평균 5일) ④ 주로 성인 남성에서 발생하고 소아에서는 매우 드물게 발생 ⑤ **고위험군**: 고령, 기저질환자(예 당뇨, 심장질환, 폐질환, 신장질환), 면역저하자 ⑥ 모든 환자들은 직 · 간접적으로 중동지역과 연관
임상증상	① 성인의 임상결과와 중증도는 무증상에서 경증, 중증, 사망에 이르기까지 다양 ② 특히 고령, 기저질환(당뇨, 심장질환, 폐질환, 신장질환 등)이 있거나 면역기능이 저하된 사람들은 중증으로 진행될 가능성이 높음 ③ **주요 증상**: 발열, 기침, 호흡곤란 등이며, 그 외에도 두통, 오한, 인후통, 콧물, 근육통, 식욕부진, 오심, 구토, 복통, 설사 등이 있음 ④ **합병증**: 호흡 부전, 패혈성 쇼크, 다발성 장기 부전 등 ⑤ **일반적 검사소견**: 백혈구감소증, 림프구감소증, 혈소판감소증, LDH 상승 ⑥ **치명률**: 20 ~ 46% ⑦ 현재까지 메르스 치료를 위한 항바이러스제가 개발되지 않음

예방대책	① 예방백신 없음 ② 일반적인 감염병 예방수칙 준수 ③ 비누로 충분히 손을 씻고 비누가 없으면 알코올 손소독제로 손소독 ④ 씻지 않은 손으로 눈, 코, 입을 만지지 않기 ⑤ 기침, 재채기할 때 옷소매를 이용하고 기침, 재채기 후 손 위생 실시

(12) 야토병

특징	① 야토균(Francisella tularensis) 감염에 의한 인수공통감염병으로, 매개체나 감염된 동물과의 접촉으로 주로 감염 ② 지역적 분포는 북반구를 중심으로 북미와 유라시아에서 주로 발생 ③ 국내에서는 1997년에 궤양성림프절형 1건 사례가 보고되었고, 2006년 1월에 4군 법정 감염병으로 지정(현재 제1급 법정 감염병)되었으며 2010년 생물테러 의심 병원체로 포함됨
병원체	① 야토균(Francisella tularensis) ② 그람음성 구간균인 야토균(Francisella tularensis)으로 감염성이 매우 높음 ③ 생물형(A형, B형)에 따라 지역적 분포가 상이하며, A형은 북미, B형은 북미와 유럽, 아시아 등에서 발견
병원소 및 감염원	토끼류와 설치류 등
전파	① 야토균 매개체(진드기 또는 등에)에 물림 ② 감염된 동물의 조직이나 액체와의 접촉 ③ 오염된 물, 음식, 토양과의 직접접촉이나 섭취 ④ 오염된 에어로졸 혹은 농업 먼지 흡입 ⑤ 토끼류와 설치류가 야토균에 감수성이 높아 대유행이 발생할 경우 집단 폐사 발생이 가능하고, 이는 인체 유행의 전조현상이 될 수 있음 ⑥ 사람 간 전파는 보고된 바 없음 ⑦ 잠복기는 노출된 후 보통 3 ~ 5일에 증상이 나타나지만, 최대 14일째에도 나타날 수 있음 ⑧ 감염량 및 병원성에 따라 다르게 나타남
예방대책	① 야토병의 예방법으로는 진드기가 많이 서식하는 곳에 갈 때에는 맨살이 노출되지 않는 옷을 착용하고 장화를 신어야 하며, DEET(chemical name N, N - diethyl - meta - toluamide) 등이 포함된 방충제 등을 피부에 바르거나 퍼머스린(permethrin)으로 처리된 방호복을 착용하면 진드기나 등에에 물리는 것을 예방하기 ② 야토균에 감염된 동물이나 그 사체를 다룰 때 장갑, 마스크 등의 보호구를 착용하여 보호하기 ③ 진드기가 많이 서식하는 곳에서 음식을 조리할 때 완전히 익혀 먹거나 식수로는 안전한 식수원에서 생산되거나 정제된 물을 이용해야 함

<table>
<tr><td></td><td colspan="2">④ 만약 설치류나 토끼류, 햄스터 등의 애완동물을 키우거나 사육 중이라면, 애완동물이 이상행동을 보이거나 비특이적인 증상을 보일 경우 즉시 수의사와 상담하기</td></tr>
<tr><td rowspan="7">임상증상</td><td colspan="2">치명률은 일반적으로 적절한 치료를 시행할 때 약 5% 이내로 알려져 있지만, 장티푸스 또는 폐렴형 야토병일 경우 치명률이 높을 수 있음</td></tr>
<tr><td>궤양선성
(Ulceroglandular)
야토병</td><td>① 야토병의 75 ~ 85% 차지
② 감염된 동물과 접촉 및 진드기(또는 등에)에 물린 뒤 발생하는 형태로 피부궤양은 병원체가 들어간 부위에 형성됨
③ 발열, 오한, 두통, 전신피로 등이 나타나고 피부궤양은 국소적 림프절의 종대를 동반하며 보통 겨드랑이나 사타구니 부위에 흔함</td></tr>
<tr><td>선성
(Glandular)
야토병</td><td>① 피부궤양성 림프절형과 유사하나 피부궤양은 없음
② 야토균이 피부 병변 없이 혈액을 통해 림프절로 이동 시 발생
③ 감염된 진드기(또는 등에)에 물리거나 또는 야토병에 감염된 동물 또는 사체를 접촉하여 발생</td></tr>
<tr><td>안선성
(Oculoglandular)
야토병</td><td>① 야토병의 원인균이 눈을 통해서 침입하여 감염
② 감염된 동물을 도축할 때 조직액 등이 눈에 접촉하여 감염
③ 증상은 눈의 통증과 염증으로, 귀 앞에 위치한 림프절의 종대도 동반됨</td></tr>
<tr><td>구인두성
(Oropharyngeal)
야토병</td><td>① 오염된 물이나 음식을 섭취할 때 발생
② 인후염, 구강 내 궤양, 편도염, 목부위 림프절 종대 양상을 보임</td></tr>
<tr><td>폐렴성
(Pneumonic)
야토병</td><td>① 야토병 중 임상적으로 가장 증상이 심하고, 기침, 가슴 통증, 호흡 곤란이 있음
② 야토균이 포함된 먼지나 에어로졸을 흡입하여 발생하며, 궤양성 림프절형 야토병에서도 적절히 치료하지 않을 경우에 혈류를 타고 폐로 이동하여 발생 가능</td></tr>
<tr><td>발열성
(Typhoidal)
야토병</td><td>① 국소적인 증상이나 징후 없이 급성 고열, 오한, 무력감, 두통, 오심 동반
② 임상적으로 림프절 종대가 동반되지 않는 경우가 흔하여 진단하기 어려운 야토병의 형태
③ 항생제 미치료 시 30 ~ 60%의 치명률이나, 적정 치료로 1 ~ 3%까지 감소</td></tr>
</table>

(13) 코로나바이러스 감염증 - 19

특징	① 비말감염이며 호흡기계 감염증 ② 2019년 제1급 감염병으로 시작하였으나 2022년 4월 25일 기준, 제2급 감염병으로 하향 조절됨
병원체	① Severe Acute Respiratory Syndrome - Coronavirus - 2 (SARS - CoV - 2) ② Coronaviridae family, Betacoronavirus genus Sarbecovirus subgenus에 속함
병원소 및 감염원	**병원소**: 환자
전파	① 주된 전파경로는 감염자의 호흡기 침방울(비말)에 의한 전파 ② 사람 간에 전파되며, 대부분의 감염은 감염자가 기침, 재채기, 말하기, 노래 등을 할 때 발생한 호흡기 침방울(비말)을 다른 사람이 밀접접촉(주로 2m 이내)하여 발생 ③ 현재까지 연구결과에 의하면, 비말 이외, 표면접촉 공기 등을 통해서도 전파가 가능하나, 공기전파는 의료기관의 에어로졸 생성 시술, 밀폐된 공간에서 장시간 호흡기 비말을 만드는 환경 등 특정 환경에서 제한적으로 전파되는 것으로 알려짐 ④ 감염된 사람과의 직접접촉(악수 등) 또는 매개체(오염된 물품이나 표면)를 만진 후, 손을 씻기 전 눈, 코, 입 등을 만짐으로 바이러스 전파 ⑤ **에어로졸 생성 시술**: 기관지 내시경 검사, 객담 유도, 기관삽관, 심폐소생술, 개방된 객담 흡입, 흡입기 등 ⑥ 환기가 부적절하게 이루어진 노래방, 커피숍, 주점, 실내 운동시설 등에서 감염자와 같이 있거나 감염자가 떠난 즉시 그 밀폐공간을 방문한 경우
임상증상	① 임상 증상은 무증상, 경증, 중등증, 중증까지 다양 ② 주요 증상으로는 발열(37.5℃ 이상), 기침, 호흡곤란, 오한, 근육통, 두통, 인후통, 후각 · 미각 소실 ③ 그 외에 피로, 식욕감소, 가래, 소화기 증상(오심, 구토, 설사 등), 혼돈, 어지러움, 콧물이나 코막힘, 객혈, 흉통, 결막염, 피부 증상 등이 다양하게 나타남 ④ **잠복기**: 1 ~ 14일(평균 5 ~ 7일)
진단	① 코로나19 유전자(PCR) 검출 ② 바이러스 분리
예방대책	① 특이치료제는 없으며 증상에 따른 해열제, 수액공급, 진해제 등 대증치료 ② 식약처에서 승인된 코로나19 백신 주사 ③ 올바른 손씻기 ④ 기침 예절 준수 ⑤ 씻지 않은 손으로 눈, 코, 입 만지지 않기 ⑥ 주위 환경을 자주 소독하고 환기하기

만성 감염병 관리

1 결핵(Tuberculosis) 기출 16, 17, 18, 19, 20

특징	① 제2급 법정 감염병 ② 결핵은 대부분 폐에서 발생하지만 신장, 신경, 뼈 등 우리 몸 속 대부분의 조직이나 장기에서 병을 일으킬 수 있음 ③ 의사의 지시에 따라 처방된 결핵약을 꾸준히 복용하면 충분히 완치 가능 ④ 우리나라는 보건의료 수준의 향상과 사회경제적 발전으로 결핵환자 수가 많이 줄어들기는 했지만, 여전히 전체 국민의 1/3이 결핵균에 감염된 것으로 추정 ⑤ 2018년에 국내 전체 결핵 환자는 33,796명으로 전년 36,044명 대비 6.2% 가량 감소 ⑥ 우리나라의 결핵발생률과 사망률은 OECD 가입국 중 가장 높은 수준을 보임
병원체	① 병원체는 1882년 코흐(Koch)가 발견 ② Mycobacterium tuberculosis complex라는 세균에 의해 발생하는 감염병
병원소 및 감염원	사람, 소 등
전파	① 결핵균은 주로 사람 간 공기를 통하여 전파 ② 감염성 결핵 환자가 대화, 기침 또는 재채기를 할 때 결핵균이 포함된 미세한 가래방울이 일시적으로 공기 중에 떠 있게 되는데, 주위 사람들이 숨을 들이쉴 때 그 공기와 함께 폐 속으로 들어가 감염이 발생 ③ 신결핵은 소변으로, 장결핵은 분변으로 그리고 소의 경우 우유, 담 분변으로 탈출됨
임상증상	① 결핵은 발병하는 부위(폐, 신장, 흉막, 척추 등)에 따라 여러 증상이 나타남 ② **일반적인 공통증상**: 발열, 전신 피로감, 식은 땀, 체중 감소 등 ③ 폐결핵일 경우에는 기침, 객혈, 무력감, 발열, 호흡곤란 등의 증상 ④ 특히 2주 이상 기침이 계속되는 경우에는 미루지 말고 의사의 진찰을 받아야 함
감수성 및 면역성	① 감수성은 일반적이며, 도시가 농촌보다 유병률이 높음 ② 남자가 여자보다 2배 정도 높음
예방대책	① **BCG 예방접종**: 비병원성 BCG균주를 인공 감염시켜 결핵에 대한 면역을 형성하도록 하여 결핵 발병을 방지하는 결핵 예방백신을 접종함 ② 가장 중요한 것은 처방된 모든 약제를 정확하고 규칙적으로 꾸준히 복용하는 것

	③ 약 복용 중 부작용 등 문제가 있으면 의사나 간호사에게 즉시 상담을 받아야 함 ④ 의사는 결핵 환자의 신속한 진단과 치료지침에서 권장하는 적절한 치료를 하며 치료에 따른 환자의 반응을 모니터링하면서 치료를 완료하여야 함 ⑤ 마스크 착용하기
치료	① 결핵균은 특징적으로 아주 서서히 자라기 때문에 항결핵제를 1 ~ 2가지만 사용하면 내성이 빨리 생겨서 치료에 실패할 위험성이 크므로 결핵환자는 3 ~ 4가지의 항결핵제를 동시에 복용하여 약제내성이 발생하는 것을 예방해야 함 ② 결핵 환자는 약을 불규칙하게 복용할 시에는 결핵균이 약제에 대한 내성이 발생하여 치료에 실패함 ③ 결핵치료는 최소 6개월 이상 장기치료를 해야 완치되고, 다제내성결핵인 경우에는 보통 24개월 정도 치료할 때가 많음 ④ 잠복결핵 감염인 중에서 발병 위험이 높은 경우에는 활동성 결핵의 발병을 예방하고자 잠복결핵 감염 치료를 하기도 함 ⑤ 6 ~ 9개월간의 표준 치료를 모두 마친 시점에서 객담도말검사를 시행하여 결핵균이 검출되지 않고, 그 전에도 한 번 이상 객담도말검사에서 결핵균이 검출되지 않았으면 완치판정을 받고 결핵치료 종료 ⑥ **어린이 폐결핵 집단검진**: 투베르쿨린 검사(PPD test) ⇨ X - ray 직접촬영 ⇨ 객담(배양)검사 ⑦ **성인의 폐결핵 집단검진**: X - ray 간접촬영 ⇨ X - ray 직접촬영 ⇨ 객담(배양)검사

Plus⁺ POINT

우리나라 결핵환자 및 신(新)환자 현황

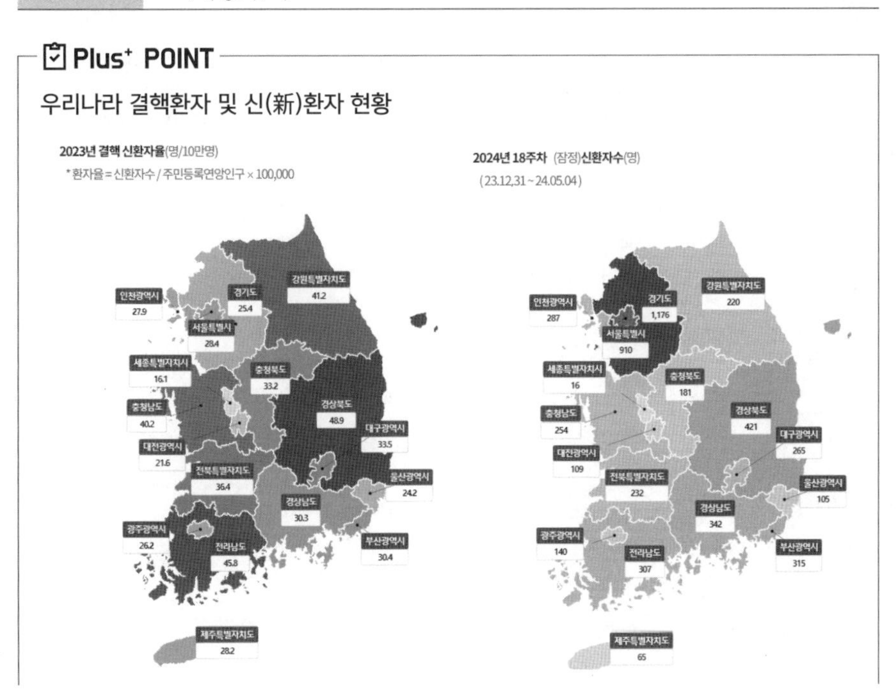

1. **결핵 신고 목적**

결핵에 의해 발생되는 문제의 크기를 예측하고 결핵 발생의 추이를 관찰하며, 결핵의 집단 발생 및 유행을 확인하고 새로운 문제를 찾아내어 예방·관리 활동 등에 적용하고자 한다.

2. **결핵 신고 내용**

구분	2013	2014	2015	2016	2017	2018	2019	2020	2021	2022	2023	2024
전체 환자 수(명)	45,292	43,088	40,847	39,245	36,044	33,796	30,304	25,350	22,904	20,383	19,540	7,092
신환자 수(명)	36,089	34,869	32,181	30,892	28,161	26,433	23,821	19,933	18,335	16,264	15,640	5,345

① 신고 대상: 결핵환자 및 결핵의사환자
② 결핵환자: 결핵균이 인체 내에 침입하여 임상적 특징이 나타나는 자로서 결핵균검사에서 양성으로 확인된 자
③ 결핵의사(擬似)환자: 임상적, 방사선학적 또는 조직학적 소견상 결핵에 해당하지만 결핵균검사에서 양성으로 확인되지 아니한 자
④ 신고 의무자: 의사, 치과의사, 한의사 및 그 밖의 의료기관 종사자 등
⑤ 참고: 「결핵예방법」 제8조(의료기관 등의 신고의무), 「감염병예방법」 제11조(의사 등의 신고), 제12조(그 밖의 신고의무자)
⑥ 신고 시기: 24시간 이내

출처: 질병관리청 홈페이지

2 한센병(Leprosy) 기출 17, 18, 19

특징	① 법정 제2급 감염병 ② 피부와 말초신경을 손상하는 만성 감염병으로 나병이라고 불림 ③ 현재는 효과적인 치료제가 개발되어 발생이 드문 질병 ④ 증상은 피부말초신경의 손상을 일으키는데 lepromin 반응검사로 감염 여부를 판정
병원체	나균(Mycobacterium leprae)
병원소 및 감염원	**병원소**: 환자
전파	① 감염환자의 배설물과 분비물 등에 오염된 물건을 통한 간접전파와, 사람과 사람의 접촉에 의하나 직접전파가 있음 ② 잠복기는 3 ~ 5년 ③ 사람에서 사람으로만 균을 옮길 수 있음 ④ 대부분의 사람들이 나균에 대한 저항을 가지고 있기 때문에 감염되지 않음 ⑤ 1세 이하 환아는 태반을 통하여 모체로부터 감염됨
임상증상	① 반점이나 침윤, 말초신경의 비후 또는 지각신경마비 등 활동성 임상증상 ② 균이 주로 피부와 말초신경에 병을 일으키고 뼈, 근육, 안구, 고환 등을 침범함

감수성 및 면역성	① 감수성은 약한 편 ② 균이 전파력이 약한 편으로 사람에게 접촉은 긴 기간의 접촉으로 감염되는 것으로 알려짐 ③ **나균에 효과적인 항생제**: 댑손(Dapsone), 리팜핀(Rifampin), 클로파지민(Clofazimine)
예방대책	① 환자를 조기발견하여 격리 및 치료하기 ② 부모나 가족의 한센병 환자와 장기간 접촉하였지만 증상이 없는 어린이를 미감아라 하며, 이들은 완전 정상적인 상태로 사회활동을 할 수 있고 5년을 주기로 정기검진을 실시함

3 성병

1. 개요

(1) 세균성인 매독, 임질, 연성하감 등이 있다.
(2) 바이러스 성병은 AIDS, 음부포진 등이 있다.
(3) 곰팡이류는 칸디다질염 등이 있다.
(4) 원충성인 것은 질트리코모나스증, 아메바성 요도염 등이 있다.
(5) 성병은 치료를 확실하게 할 수 있어 예방이나 관리가 가능하다(사회질병).
(6) 환자의 조기색출을 위한 지속적인 정기검진, 환자의 격리, 위생업소 근무자의 보건교육 등이 필요하다.
(7) 윤락여성을 중심으로 철저한 관리가 요망되고, 분별력 있는 성행위로 예방한다.

2. 매독(Syphilis) 기출 19

특징	① 제3급 법정 감염병 ② 매독은 스피로헤타(Spirochete)과에 속하는 세균인 트레포네마 팔리듐균(Treponema pallidum)에 의해 발생하는 성병 ③ 매독균은 성관계에 의해 주로 전파되지만 모체에서 태아에게로 전파되는 경우도 있음 ④ 병의 전파는 성관계를 통해 이루어지지만 전반적인 신체 장기에 염증성 질환을 일으킬 수 있음 ⑤ 중추신경계, 심장혈관계 및 기타 장기나 조직 등에 침입하여 심한 병변을 일으킴. 여성의 경우는 유산, 사산의 원인이 되고, 태아에게도 심한 병변을 줌
병원체	성적 접촉에 의해 전파되는 트레포네마 팔리듐균(Treponema pallidum)이 매독의 원인균
병원소 및 감염원	**병원소**: 환자

구분	내용
전파	① 매독균으로 인해 생성된 피부궤양에 직접 접촉할 때 매독균에 감염 ② 피부궤양은 성기 부위, 질, 항문, 직장 등에 잘 발생하지만 입술, 구강 내에도 발생할 수 있음 ③ 매독균은 임신한 여성에게서 태아로 전파될 수 있음 ④ 화장실 사용, 문 손잡이, 수영장, 욕조, 식기 등을 통해서는 전파되지 않음
임상증상	① 중추 신경계를 침범하는 신경매독의 경우 증상이 없거나, 뇌막 자극 증상, 뇌혈관 증상 등이 발생할 수 있음 ② **1기 매독**: 세균의 침범부위에 발생하는 무통성 궤양(경성하감) ③ **2기 매독**: 피부 발진, 점막의 병적인 변화 ④ **3기 혹은 후발 매독**: 다양한 내부 장기 침범(눈, 심장, 대혈관, 뼈, 관절 등) ⑤ **신경매독**: 뇌막 자극, 뇌혈관 침범 ⑥ 선천성 매독은 임신 4개월 후에 감염이 발생함
감수성 및 면역성	감수성은 전반적으로 높으며, 면역의 형성은 없음
예방대책	① 가장 확실한 방법은 매독 환자와의 성적인 접촉을 피하기 ② 궤양 부위를 덮을 수 있는 라텍스 콘돔을 사용하기 ③ 선천성 매독을 예방하기 위해서는 모든 임신부를 대상으로 매독혈청 검사를 시행
진단 검사	① 매독의 진단을 위한 검사방법으로는 균을 직접 관찰하는 검사방법과 혈청 검사방법이 있음 ② 균에 대한 검사는 무통성 궤양부위에서 얻어진 검체를 암시야 현미경으로 직접 관찰하여 매독균을 확인하는 것 ③ 혈청 검사는 선별 검사와 매독균에 특이적인 확진 검사임 ④ 선별 검사에 양성이 나온 경우에는 매독균에 대한 특이적 검사인 FTA - ABS(Fluorescent Treponemal Antibody Absorption) 검사나 TPHA (Treponema pallidum Hemagglutination assay) 검사로 확인해야 함 ⑤ 신경매독이 의심되는 경우에는 뇌척수액 검사 실시

3. 임질(Gonorrhea) 기출 19

구분	내용
특징	① 제4급 법정 감염병 ② 임균 감염증(임질)은 성관계를 통해 임균에 감염되어 발생하는 남성 및 여성 생식기의 감염증 ③ 성행위를 통해 감염된 임균은 남성과 여성 비뇨생식기에 염증을 일으킴 ④ 남성에게는 소변 시 통증을 동반하여 심해지면 부고환염이 나타남 ⑤ 여성은 자궁내막염, 난관염 등이 나타나서 불임이 됨
병원체	Neisseria gonorrhea
병원소 및 감염원	**병원소**: 환자

전파	① 성행위 시 성기의 접촉으로 전파 ② 모성이 환자일 때는 출산 시 신생아에게 결막염이 발생함
임상증상	① 남성의 경우 급성 요도염이 가장 흔함 ② 임균에 감염된 지 2 ~ 7일 정도 후에 배뇨통을 동반한 농성(고름 성분) 분비물이 요도를 통해 배출 ③ 여성의 임균 감염증은 감염 후 대체로 10일 내에 자궁경부염의 형태로 나타남 ④ 질을 통해 농성 분비물이 배출되고 요도염이 동반되었을 경우에는 배뇨통, 빈뇨, 긴박뇨(소변을 보고 싶은 마음이 긴박하게 들면서 소변을 보러 가는 도중 배뇨를 함)가 나타날 수 있음 ⑤ 여성의 임균 감염증은 남성보다 증상의 강도가 약하거나 무증상인 경우도 있음 ⑥ 여성과 남성 동성애자의 경우 인두염, 직장염이 발생할 수 있으며, 균의 침범부위에 따른 증상이 나타남 ⑦ 결막염은 주로 신생아에서 발생하며 드물게 성인에서도 발생함 ⑧ 적절하게 치료하지 않으면 실명할 수도 있음
감수성 및 면역성	전반적으로 감수성이 높고 면역이 되지 않으므로 반복감염 가능
예방대책	① 성관계를 통해 전파되는 질환으로써 성 접촉을 금하기 ② 모르는 여러 사람과 성관계를 가지지 않기 ③ 콘돔을 사용하기 ④ 임균 감염증 치료에는 항생제 치료가 필요함 ⑤ 환자는 치료 후 24시간이 지날 때까지 신생아나 소아와의 접촉을 금하기 ⑥ 치료가 완료될 때까지 성행위를 금하고 파트너도 동시에 치료하기 ⑦ 고위험군에 속하는 환자의 경우 HIV 감염과 매독 등 다른 성매개성 질환의 유무에 대해 확인하기

4. 질 트리코모나스(Trichomoniasis)

특징	① 트리코모나스 질염이란 트리코모나스라는 원충에 의한 질 내 감염으로 성 접촉에 의해 전파 ② 트리코모나스는 질 내의 정상적인 산성 환경을 변화시키므로 다른 종류의 질염이 동반되는 경우가 흔함 ③ 트리코모나스 질염에 걸린 여성의 약 60%에서 세균성 질염이 함께 발생한다고 보고됨
병원체	Trichomonas vaginalis 균에 의한 감염
병원소 및 감염원	**병원소**: 환자

전파	① 트리코모나스 원충은 성접촉에 의해 전파 ② 전염성이 매우 높아서 남성이 트리코모나스에 감염된 여성과 단 한 번만 성접촉을 가져도 약 70%가 감염되는 것으로 알려져 있음 ③ 남성에서 여성으로 성접촉에 의해 전염되는 확률은 더 높을 것으로 추정 ④ 남성의 경우 무증상인 경우가 많음 ⑤ 간혹 수영장이나 사우나에서 젖은 수건 등을 통해 감염되는 경우도 있으나, 대개는 성관계에 의해 전파되고 전염력이 높으므로 반드시 배우자와 함께 치료해야 재발을 막을 수 있음
임상증상	① 트리코모나스 질염의 증상은 국소적인 염증반응의 정도와 원인균의 수에 따라 다양함 ② 심한 악취가 나는 고름 모양의 질 분비물이 넘쳐 흐르고, 간혹 외음부 쪽의 가려움증도 동반될 수 있음 ③ 균의 수가 적은 경우에는 증상이 없는 경우도 많음
감수성 및 면역성	전반적으로 감수성이 높고 면역이 되지 않으므로 반복감염 가능
예방대책	① 건강한 성생활을 하기 ② 항생제를 이용하여 치료하기[메트로니다졸(Metronidazole)] ③ 트리코모나스 질염과 같은 성매개성 질환에 걸리지 않는 가장 확실한 이론적 예방법은 성관계를 가지지 않는 것 ④ 콘돔을 사용하기 ⑤ 일단 성병으로 진단받고 치료를 시작하면 치료가 끝날 때까지 성관계를 자제하는 것이 성병의 전파를 막기 위해서 반드시 필요함 ⑥ 성병이 의심되는 증상이 생기거나 안전하지 않은 성행위가 있었다면 병원을 방문해 정밀검사 받기

5. 후천성 면역결핍증, 인간 면역결핍 바이러스(Human Immunodeficiency Virus, HIV) 기출 15, 16, 17, 18, 19

특징	① 제3급 법정 감염병 ② 인간 면역결핍 바이러스에 감염되어 면역세포인 CD4 양성 T-림프구가 파괴되면서 인체의 면역력이 저하되는 감염성 질환 ③ 인체의 면역력이 상당히 저하되어 이러한 감염증과 종양이 나타나기 시작하는 상태를 에이즈 또는 후천성 면역결핍증이라고 함
병원체	human immunodeficiency virus
병원소 및 감염원	환자 및 감염자
전파	① 성적인 접촉 ② 수혈이나 혈액 제제를 통한 전파 ③ 병원 관련 종사자에게서 바늘에 찔리는 등의 사고로 전파되는 경우 ④ 모체에서 신생아에게로의 전파 등

임상증상	① HIV 감염의 증상은 감염 초기의 급성 HIV 증후군과, 이후에 이어지는 무증상 잠복기, 면역력이 현저하게 떨어져 기회감염(건강한 사람에게는 감염증을 일으키지 않는 미생물이 면역기능이 저하된 사람에게서 심각한 감염증을 일으키는 것)을 비롯한 다양한 병적인 증상이 나타나는 후천성 면역결핍증 시기의 세 단계로 구분됨 ② **급성 HIV 증후군은 바이러스에 감염된 후 3 ~ 6주 후에 발생하며 발열, 인후통, 임파선 비대, 두통, 관절통, 근육통, 구역, 구토, 피부의 구진성 발진 등의 증상이 나타남** • 뇌수막염이나 뇌염, 근병증(근육 조직에 나타나는 여러 가지 병적인 상태)도 동반될 수 있음 • HIV에 처음 감염된 후 조기에 감염이 진단되지 않으면 환자 본인도 감염 사실을 알지 못한 채 다른 사람에게 HIV를 전파시킬 수 있기 때문에 초기에 환자를 찾아내어 치료하는 것이 공중보건학적으로 중요함 ③ **급성 HIV 증후군 시기가 지나면 무증상 잠복기가 10년 정도 지속되는데, 이 시기에는 HIV 감염을 의심할 수 있는 특이한 증상이 나타나지 않음** • 무증상 시기의 지속 기간은 여러 요인에 의해 편차가 있으므로 4년 정도로 짧은 경우도 있음 • 지속적으로 면역세포를 파괴하므로 인체의 면역력이 점차적으로 저하됨 ④ 면역력이 어느 정도 이하로 떨어지면 건강한 사람에게는 거의 발생하지 않는 여러 종류의 감염성 질환(기회감염)이 발생함
감수성 및 면역성	① 감수성은 정확하게 밝혀져 있지 않았으나, 성별로는 남자, 연령별로는 20 ~ 49세의 중년층이 많음 ② 수혈 등으로 어린이들에게 감염된 사례도 있음 ③ 잠복기가 6개월에서 7년 정도 추산함 ④ HIV가 백혈구에 침입하여 면역기능을 일시적 또는 영구적으로 사라지게 만들어 면역결핍증을 유발함
예방대책	① HIV 감염 경로에 노출되지 않도록 함 ② HIV 감염 여부를 알 수 없는 상대와 성관계를 가질 때에는 콘돔을 사용 ③ 산모가 HIV 감염자이면 출산하는 과정에서 태아가 HIV에 감염될 확률이 높음 ④ 이 경우에는 임신 2기부터 항HIV 약제를 임산부에게 투여하면 태아가 감염될 확률이 1% 이하로 줄어듦 ⑤ 혈액을 다루는 의료인은 피를 뽑는 과정에서 주사기에 찔리지 않도록 안전규정을 철저히 준수하여야 함
진단	① 혈액 검사를 통해 HIV 감염을 진단할 수 있음 ② 혈액에서 HIV에 대한 항체나 HIV의 항원(인체의 면역 체계를 자극하여 항체를 만들어 내도록 하는 물질)을 직접 찾아내는 검사를 통해 감염을 진단할 수 있음 ③ 선별 검사에서 양성이 나오면 감염을 확실히 판단하기 위해 다시 확진 검사를 하는데, 우리나라에서는 질병관리청에서만 이를 시행하며 웨스턴 블롯법(Western blot test)을 이용함

치료	① 아직까지 HIV를 완치할 수 있는 방법은 없음 ② 현재 사용 중인 항HIV 약제들은 부작용이 많으므로 면역력이 정상적으로 유지되는 감염 초기에는 HIV 치료제를 사용하지 않음 ③ 혈액 내에 존재하는 HIV 바이러스의 수와 면역세포의 수를 주기적으로 측정하여 일정 기준에 도달하면 치료를 시작함 ④ 즉, 치료를 하지 않으면 심각한 결과를 초래하는 상태가 되었을 때에 HIV 치료를 시작함 ⑤ 항HIV 치료제는 보통 세 가지 종류의 약을 동시에 사용하는 소위 칵테일요법을 쓰는데, 이는 한 가지나 두 가지의 약제만을 사용하면 빠른 시간 내에 내성(약물의 반복 복용에 의해 약효가 저하하는 현상)이 생겨 약의 효능이 없어지기 때문임 ⑥ 현재 작용 기전이 서로 다른 여러 가지 약제들이 개발되어 사용 중이고, 약에 내성이 생겼을 경우 사용할 수 있는 새로운 약을 개발 중 ⑦ 현재로서는 항HIV 약제는 평생 동안 먹어야 하며, 도중에 투약을 중단하면 HIV 바이러스가 다시 증식하면서 면역력이 저하되어 각종 기회감염과 종양이 발생할 수 있음

6. 사람유두종 바이러스(HPV) 기출 19

특징	① 법정 제4급 감염병 ② 사람유두종 바이러스는 자궁경부암의 중요한 원인 인자로 알려져 있음 ③ 현재까지 알려진 100여종의 사람유두종 바이러스 중에서 40여종이 생식 기관에서 발견됨 ④ 자궁경부 상피 내에 병적인 변화를 일으키는 것으로 알려져 있음 ⑤ 이 중 고위험군(high - risk group)인 발암성 사람유두종 바이러스가 자궁경부암과 연관성이 높다고 알려져 있으며, 발암성 사람유두종 바이러스 중 16, 18번이 가장 중요하고 전 세계적으로 70% 이상의 자궁경부암에서 발견됨
병원체	파포바 바이러스과에 속하는 이중 나선상 DNA 바이러스
병원소 및 감염원	**병원소**: 환자
전파	① 아직 감염 경로가 완전히 밝혀져 있지는 않지만, 대부분의 경우 사람유두종 바이러스의 자궁경부 감염은 성행위를 통해 발생하는 것으로 알려져 있음 ② 감염의 예방을 위해서는 성교 대상자 수를 제한하는 것이 가장 효과적이라고 할 수 있음 ③ 그러나 성 경험이 전혀 없는 여성의 감염도 보고되어 있는 만큼 감염이 확인되었다고 하여 성교 상대자를 원인 요인으로 단정할 수는 없음
임상증상	① 대부분의 경우 무증상 ② 저위험군 바이러스 중 6번이나 11번에 의한 감염일 경우 외음부 또는 성기에 사마귀가 나타남 ③ 통증, 소양증 등의 증상이 동반될 수 있고 조직이 쉽게 부스러지기도 함

예방대책	① 미국 소아과 학회(AAP; American Academy of Pediatrics), 질병통제 예방센터(CDC; Center of Disease Control and Prevention) 및 예방 접종 자문위원회(ACIP; Advisory Committee for Immunization Practice)에서는 11 ~ 12세 소녀에게 의무적으로 사람유두종 바이러스 예방 백신을 접종할 것을 권장하고 있으며, 13 ~ 18세의 소녀에게도 접종 가능하다고 함 ② 가장 중요한 것은 사람유두종 바이러스에 감염되기 전에 백신을 접종하는 것 ③ 이미 성 경험이 있거나 26세 이후라도 사람유두종 바이러스에 감염되지 않았다면 백신 접종을 통해 예방 효과를 얻을 수 있음 ④ 국내에서는 미국의 경우와 마찬가지로 사람유두종 바이러스 예방 4가 백신 가다실(Gardasil)을 남성에게도 접종 가능하다고 승인을 받은 상태이며, 남성에 있어 기본 접종은 성 경험이 시작되기 이전인 11 ~ 12세가 적기임

4 기타 감염병

1. 파상풍 기출 19, 20

특징	① 제3급 법정 감염병 ② 파상풍균(Clostridium tetani)이 생산하는 독소가 신경계를 침범하여 근육의 긴장성 연축을 일으키는 질환
병원체	파상풍균(Clostridium tetani)
병원소 및 감염원	흙, 토양 등
전파	① 질병의 전파는 오염된 상처를 통해 이루어짐 ② 수술, 화상, 중이염, 치주 감염, 동물의 교상, 유산이나 임신 후에도 감염 가능 ③ 사람 간 전파 없음
임상증상	① **전신 파상풍**: 가장 흔한 형태 • 입 주위 근육의 수축으로 인한 개구불능이 나타나며, 경직에 따른 통증을 동반함 • 복부강직, 후궁반장(opisthotonus) 및 호흡근육 경직에 의한 호흡곤란 등이 나타남 • 강직은 3 ~ 4주 유지되며 완전히 회복되는 데에는 수 개월이 소요됨 ② **국소 파상풍** • 아포가 침투한 부위에 국소 근육긴장이 나타남. 일반적으로 증상이 심하지 않고 연적으로 회복되는 경우가 많으나, 전신 파상풍의 전구 증상으로 나타나기도 함 • **두부형 파상풍**: 중추신경이 지배하는 근육(안면신경, 외안근 등)의 마비가 나타남

	• **신생아 파상풍**: 출산 시 소독하지 않은 기구로 신생아의 탯줄을 자르는 등 제대감염에 의해 발생하며 초기에는 무력감만 보이나 후기에는 근육경직이 나타남 ③ **잠복기**: 평균 8일
예방대책	① 예방접종 실시 ② 상처 발생 시 파상풍 예방접종
치료방법	① 환자를 조용하고, 조명이 밝지 않으며, 외부자극을 피할 수 있는 환경에서 치료 ② 약물치료, 신경근차단술 등 ③ 파상풍 인간면역글로불린(TIG) 또는 정맥주사용 면역글로불린 투여 고려 ④ 항생제 사용, 상처부위 배농이나 절제

2. 아프리카돼지열(ASF)

특징	① 돼지, 멧돼지에게서 발생하는 중증 출혈성 질환 ② 유럽식품안전국(EFSA)은 인간이 ASFV에 감수성이 없다고 하고 있으며, 국제수역사무국(OIE)에서는 인간건강의 위협요소는 없다(ASF is not a human health threat)고 평가함 ③ ASF는 「가축전염병 예방법」에 따른 제1종 가축전염병, 야생동물보호법에 따른 야생동물 질병이며 인수공통감염병은 아니라고 함
병원체	African Swine Fever Virus(ASFV)
병원소 및 감염원	돼지
전파	① 전염력이 높고, 잠복기는 평균 2 ~ 10일 정도 ② 돼지에서 치명률은 약 100% ③ 야생돼지, 멧돼지뿐만 아니라 돼지고기 식품, 사료 무생물 매개물에 의해서도 국가 간 전파 가능
임상증상	발열, 식욕저하, 기립불능, 구토 등
예방대책	현재까지 백신과 알려진 치료제는 없음

3. 트라코마(Trachoma, Granular conjunctivitis, Egyptian ophthalmia, Blinding trachoma)

특징	① 각막과 결막의 급·만성 감염병으로, 초기 증세는 결막에 충혈, 모낭비대가 생기며, 주변의 각막에도 염증이 생김 ② 질병이 심해지면서 모낭이 커지고 쉽게 터지게 됨 ③ 새로운 혈관이 형성되어 각막을 침범하면 pannus라는 트라코마의 특징적 증상이 나타남 ④ 이후 반흔이 생겨 안검의 변형을 초래하고, 각막 자극 등의 증상이 생김 ⑤ 시력장애, 안검의 손상이 있을 수 있으며, 심하면 실명하기도 함
병원체	클라미디아 트라코마티스(Chlamydia trachomatis)

병원소 및 감염원	환자
전파	① 감염자로부터 직접 혹은 수건, 오염기구 등으로 전파 ② 감복기는 5 ~ 12일 ③ 획득면역은 단기간이며 감수성은 전반적으로 높음
임상증상	① 결막(눈꺼풀 안쪽에서 눈의 흰자위를 덮는 막)에 염증이 생기고 충혈되며, 따끔거리고 과도한 양의 눈물을 흘리게 됨 ② 눈꺼풀이 부어 오르거나 밝은 빛에 과민해짐 ③ 각막 전체에서 혈관이 점점 팽창하여(신혈관 형성) 시력을 방해할 수 있음 ④ 일부 사람의 경우 눈썹이 안으로 말려들어 흉터가 남는 눈썹 난생증이 발생함 ⑤ 눈을 깜박이면서 눈썹이 각막을 문질러 감염이 발생하고, 각막이 영구적으로 손상되는 경우도 가끔 발생함 ⑥ 트라코마가 발병한 사람들 가운데 약 5%는 시각 장애 또는 실명이 발생함
예방대책	① 면역방법은 없음 ② 환자가 사용한 수건 및 세면기 등의 생활용품 공동사용 금지

4. 프리온질환(크로이츠펠트 - 야콥병, Creutzfeldt - Jakob disease, CJD)

특징	① 변형 프리온에 의해 전 세계에서 산발적으로 발생하는 해면뇌병증으로, 비교적 급격히 진행하는 고위 대뇌기능과 소뇌기능의 저하, 근육간대경련 그리고 뇌파검사상 관찰되는 1 ~ 1.5Hz의 예파를 특징으로 함 ② 제3급 법정 감염병
병원체	① 프리온은 외부에서 유입된 병원체의 이종 단백질이 아니라 사람의 경우 20번 염색체에서 유래되는 단백질이며, 이 단백질의 유전정보를 가지고 있는 유전자를 PRNP라고 함 ② 정상적인 프리온 단백질의 기능은 아직 완전히 알려지지 않았지만, 신체 내에서 항산화물질로서의 기능, 신경전달물질의 기능, 장기상승작용에서의 중요기능 등 다양한 기능을 수행하는 것으로 추정 ③ 정상 뇌조직에서 분리된 프리온 단백질은 단백질 분해효소K로 처리하면 완전히 분해되지만 프리온질환을 가진 환자의 뇌조직에서 분리된 변종 프리온은 단백질 분해효소K에 저항성을 지님
병원소 및 감염원	환자와 동물
임상증상	① 산발 크로이츠펠트 - 야콥병 환자의 약 25%는 이 질병에 특징적인 임상 증상이 나타나기 수주일 또는 수개월 전부터 비특이적인 증세가 나타나는데, 원인불명의 무력감과 허약감, 식욕 변화, 수면습관의 변화, 체중 감소, 집중력 감퇴, 일시적인 시간 및 장소 혼동, 환각, 감정장애 등이 여기에 해당함 ② 시각장애, 어지럼증, 균형장애와 수족의 감각장애 등의 신체증상도 자주 나타나는 전구증상

	③ 인지장애는 인지기능의 각 부분에 걸쳐 전반적으로 나타남 ④ 운동실조는 30 ~ 70%에서 나타나고 근육간대경련은 외부 자극에 의해 반사적으로 나타나는 특징이 있으며 약 75%에서 나타남 ⑤ 이환기간이 짧음 ⑥ 치명률 100%
예방대책	① 효과적인 질병감시체계 구축이 필요함 ② 진단이 어려운 특성상 신경과 의사를 중심으로 감시체계를 구축함 ③ 의료행위의 안정을 보장할 수 있도록 연구와 장기적인 대응책이 필요함 ④ 식품을 통한 전파를 예방하기 위해서는 수입산 소 부산물의 철저한 검역과 관리가 필요함

Plus⁺ POINT

만성 질환 검사방법

한센병	Lepromin test
디프테리아	Schick test
성홍열	Dick test
결핵	Mantoux test, PPD(Tuberculin Skin Test)
장티푸스	Widal test

제11장 기생충 질환

1 기생충 질환 관련 정의

1. 기생 생활

(1) 다른 생물의 체표면 또는 체내에 일시적 또는 장기적으로 기생하면서 영양물을 탈취하는 생활양식이다.

(2) 서식처 및 영양물을 탈취해 가는 생물을 기생체라고 하며, 이를 제공하는 생물은 숙주라고 한다.

2. 숙주

(1) 감수성 숙주(호적 숙주)

기생충이 감염되고 발육 · 성장하여 생식하는 데 필요한 모든 조건을 갖춘 숙주이다.

(2) 고유숙주

기생충이 성적(性的)으로 성숙해서 생활사를 완수할 수 있는 숙주이다.

(3) 중간숙주

기생충의 특정 단계 발육을 위해 다른 생물을 반드시 거쳐야 하는 경우의 숙주이다.

(4) 종숙주

중간숙주를 거친 후 성숙에 이를 수 있는 숙주이다.

2 기생충의 종류

1. 단일숙주성 기생충

숙주의 다과에 따라 한 종류의 숙주에서만 발육 · 성장이 가능하다.

2. 복숙주성 기생충

성충이 되기까지 특정 단계의 발육을 위해 수개의 종이 숙주를 필요로 한다.

3. 외부기생충

숙주의 체표면에 기생한다.

4. 편성기생충

수중에의 적응 정도에 따라 전적으로 숙주에 의존한다.

5. 통기기생충

부분적으로 자유생활을 하기도 한다.

6. 내부 기생충 기출 14, 15, 16, 17, 18, 19, 20

기생 부위에 따라 숙주의 체내에 기생한다. 병원성이 있어 생물형태와 전파방식에 따라 분류한다.

<table>
<tr><td rowspan="2">생물형태에 따른 분류</td><td>원충류</td><td>① 근족충류: 이질아메바, 대장아메바 등
② 편모충류: 질트리코모나스, 리슈마니아, 람불편모충 등
③ 포자충류: 말라리아, 톡소플라스마 등
④ 섬모충류: 대장 발란티디움 등</td></tr>
<tr><td>윤충류</td><td>① 선충류: 회충, 요충, 구충, 십이지장충, 편충 말레이사상충, 동양모양선충 등
② 흡충류: 폐흡충, 간흡충, 요코가와흡충 등
③ 조충류: 유구조충, 무구조충, 왜소조충, 광절열두조충 등</td></tr>
<tr><td>전파방식에 의한 분류</td><td colspan="2">① 토양 매개성 기생충: 회충, 편충, 구충, 동양모양선충 등
② 물, 채소 매개성 기생충: 회충, 편충, 십이지장충, 동양모양선충, 분선충, 이질아메바 등
③ 어패류 매개성 기생충: 간흡충, 폐흡충, 요코가와흡충 등
④ 수육류 매개성 기생충: 유구조충, 무구조충 등
⑤ 모기 매개성 기생충: 말라리아, 사상충 등</td></tr>
</table>

3 기생충 질환의 발생원인과 특성

1. 발생원인

환경위생이 불량하거나, 비위생적인 식생활과 영농방법을 영위할 때 발생한다.

2. 특성

(1) 풍토적 성격

① 오랫동안 그 지역에 상재된 풍토병이다.

② 기생충 감염은 만성적이고 장기적이며, 감염률이 높은 반면 사망률은 높지 않으며, 임상증상도 미약하다.

(2) 열대질환의 성격

① 열대 또는 아열대 지역에서 많이 발생한다.

② 기생충 발육에 알맞은 기후조건이기 때문이다.

4 기생충 질환의 예방

1. 감염원 차단

기생충에 원인을 제공하는 환자, 보유숙주 등을 찾아내어 이를 치료함으로써 충란, 포낭, 유충 등을 없애거나 감소시킬 수 있다.

2. 전파요인 차단

인체에 병원성 기생충 간의 감염 경로를 차단한다.

3. 인체의 기생충 감염 방지

개인의 생활 습관을 개선하는 것으로 기생충 감염을 방지한다.

4. 보건교육

기생충 질환의 감염은 보건교육과 밀접한 관계가 있으므로 개인 및 집단 위생의 준수, 기생충 질환의 감염과정과 피해, 예방에 대한 적극적인 교육이 필요하다.

5 기생충 질환의 종류

1. 선충류

(1) 특징

① 원주상으로 좌우 대칭이다.
② 충체의 양끝은 뾰족하고 자웅이 분리되어 있다.
③ 편절과 흡반 같은 것은 없으며, 색깔은 유백색 또는 담홍색이다.

(2) 종류

① 회충류 기출 13, 15, 20

특징	• 인체의 선충류 중 가장 크고, 살색을 띠며, 원주상이며, 양끝이 뾰족함 • 전 세계 널리 분포 중임 • 온대지역의 개발도상국에서 높은 감염률을 보이고 있음 • 우리나라도 1971년 54.9% 감염률을 보이다가 1997년 0.06%로 감염률이 급격히 감소함
병원체	Ascaris lumbricoides
병원소	• 사람, 돼지, 개, 고양이 등에 의해 전파 • 회충의 정상 기생 부위는 소장, 특히 공장임
진단방법	• 회충의 확실한 진단은 대변 내에서 충란을 발견하는 것 • 셀로판후층도말법과 포르말린 - 에테르 침전집란법의 이용
치료	피란텔파모에이트

회충의 생활사

충란(감염형) ⇨ 입 ⇨ 소장 ⇨ 소장벽 ⇨ 장간막 소정맥 또는 장간막 림프관 ⇨ 우심 ⇨ 폐동맥 ⇨ 폐 ⇨ 기관지 ⇨ 식도 ⇨ 소장

전파	• 분변을 통해 탈출하여 토양, 야채, 파리의 매개에 의하여 구강에 침입하며, 위장을 통과하여 소장에 정착함 • 대변을 통해 체외로 배출된 수정란은 적절한 온도 및 습도에서 약 2주면 감염형인 자충포장란으로 발육되어 오염된 채소, 불결한 손, 파리의 매개에 의한 음식물의 오염 등으로 경구를 통해 인체에 침입함 • 그 후 십이지장에서 유충이 된 후 소장벽을 뚫고 장간막 림프관 또는 장간막 소정맥으로 들어가 우심에 이르고 폐동맥을 통해 폐에 도달함 • 이후 다시 기관지, 기관, 후두개를 지나 식도 위를 경유하여 소장에 도달한 후 성충이 됨 • 감염 후 성충이 되기까지는 60 ~ 75일이 걸림. 회충의 수명은 1년이며 암놈 1마리는 하루에 10만 개 내지 20만 개의 충란을 산란함
감염증상	권태, 미열, 소화장애, 식욕감퇴, 구토, 변비, 복통, 충수염, 췌장염, 장폐색, 폐렴 경련, 담낭염 등
예방관리	• 채소, 채소류를 흐르는 물에 3회 이상 씻은 후 섭취하기 • 정기적으로 검사 및 구충제 복용하기 • 인분비료의 사용금지 등의 환경개선과 개인위생 향상을 위한 보건교육을 실시하기 • 파리구제 및 환경 개선하기

② 구충증 기출 14, 16, 20

특징	• 입 부위에 흡착기를 가지고 있어 장의 점막에 붙어 흡혈함 • 십이지장충과 아메리카구충이 있음 • 우리나라에서는 모두 유행되고 있음
병원체	십이지장충과 아메리카구충
전파	• 인체의 소장에 기생하면서 산란을 해서 분변으로 탈출 • 자연환경에서 2주일이면 부화하고 간상 유충을 거쳐서 환경조건이 불량하면 감염형으로 되어 경피에 침입함
감염증상	• 구충의 유충이 손, 발 등의 노출된 피부로 침입하여, 소양감과 작열감을 일으킴 • 침입 초기에는 기침, 구역, 구토가 있고, 성충이 되면 빈혈, 소화장애가 있을 수 있음
예방관리	• 오염 우려가 있는 밭에서 작업 시 피부로의 침입을 방지하기 • 회충의 경우와 같이 예방관리하기

③ 요충증 기출 15, 16, 17, 18, 19, 20

구분	내용
특징	• 건조한 환경에서 장기간 생존하기 때문에 집단 감염이 잘 되는 기생충 • 법정 감염병, 제4급 감염병으로 사람의 큰창자(대장)와 막창자(맹장)에 기생하면서 주로 어린이에게 잘 감염됨
병원체	Enterobius vermicularis
진단방법	셀로판테이프를 사용하여 아침 일찍 배변하기 전에 항문 주위에 붙어 있는 충란을 묻혀 내어 현미경으로 보아 충란의 유무를 검사
치료	집단 감염이 있고, 재발이 쉬우므로 가족 전체가 모두 치료를 받아야 함
전파	• 성충란이 불결한 손이나 음식물을 통해서 경구적으로 침입 • 작은창자 상부에서 부화하며, 성충이 되었을 때의 크기도 10mm 밖에 되지 않을 정도로 매우 작으며 막창자 부위에 기생하는 요충의 암컷은 자궁 속에 충란이 차면 야간 이행하여 숙주가 잠자는 사이에 곧창자(직장)로 이동하여 45일 전후면 항문 밖으로 나와 항문 주위에 산락하는 습성 • 항문 주변에 소양증이 있어 긁으면 습진이 생기고 세균에 의해 2차 감염으로 인한 염증을 일으킬 수도 있음
감염증상	• 항문 주위에 소양증 • 긁게 되면 습진이 생기고 2차 감염이 되어 염증을 일으킬 수 있음
예방관리	• 집단적 구충을 실시하기 • 위생생활을 철저히 하기 • 손톱을 짧고 깨끗이 하기

④ 말레이사상충증 기출 17

구분	내용
특징	• 상피병으로 제주도에서 많이 유행하였으나, 현재는 거의 발생되지 않음 • 법정 감염병, 제4급 감염증, 해외유입 기생충감염증
병원체	말레이사상충(Brugia malayi)
진단방법	야간 출혈성이므로 오후 9시에서 오전 2시 사이에 말초혈액도말 검사를 통해 김사(Giemsa)염색이나 라이트(Wright's)염색 또는 워커(Walker's)염색을 하여 검경하거나 만성기에는 침범 부위의 바로 몸쪽 림프절에서 생검을 할 수 있음
전파	• 사상충의 매개체는 숲모기, 학질모기로서 감염자의 혈유에서 사상충 흡혈하여 2 ~ 3주 후면 필라리아형으로 되어 건강한 사람을 흡혈할 때 감염시킴 • 주로 밤 10시 이후 그 다음 날 새벽 2시 사이에 혈류에 출현하기 때문에 일명 야간 정기출혈성 사상충이라고도 함
감염증상	성충은 림프관이 분포된 생식기관, 사지 등에 기생하며 림프관염, 음낭의 상피증 등을 일으킴(잠복기에는 임상증상이 없음)
예방관리	• 환경위생을 철저히 해서 모기 서식처를 제거하기 • 모기에 물리지 않기

⑤ 아니사키스증(Anisakiasis) 기출 16, 17, 18, 19, 20

특징	• 해산 포유류의 위장에 기생하는 회충류가 사람에게 감염증을 일으킬 때를 의미함 • 주로 생선을 생식하였을 때 감염됨
병원체	Anisakis sp.(고래 회충, 향유고래 회충, 물개 회충 등)
전파	• 해산포유류의 소화관 내에 기생하는 성충이 충란을 산란하여 바닷물에 배출하면 충란은 해산갑각류에 섭취됨 • 이 갑각류를 해산어류가 먹음으로써 해산어류의 내장, 장관, 근육조직 등에 유충이 기생하며, 다시 종말숙주인 해산포유류에 섭취됨 • 인체감염은 주로 해산어류를 생식할 때에 이루어짐
감염증상	• 12시간 이내에 증상이 발생 • 생선회를 먹은 후 상복부 통증, 오심, 구토, 설사 등 • 소화관에서 궤양, 종양, 특히 호산구성육아종을 발생
예방관리	해산어류의 생식을 피하고 해산어류를 20일 이상 냉장고에 보관하기

2. 흡충류

(1) 특징

① 편형동물에 속한다.

② 소화관은 불안전하고 2개의 sucker(흡반)을 가지고 있으며 흡착기관이 잘 발달되어 있다.

(2) 종류

① 간흡충증(간디스토마) 기출 14, 15, 16, 17, 18, 19, 20

특징	• 법정 감염병, 제4급 감염병 • 동남아시아에 분포함 • 우리나라는 민물고기를 생식하는 생활습관이 있는 지역주민에게 특히 유행함
병원체	Clonorchis sinensis
병원소	감염된 인체와 민물고기 등
진단방법	• 대변검사를 하여 현미경검사를 통해 충란을 발견함 • 충란 양성률이 우리나라에서 가장 높은 기생충으로 간디스토마 감염의 정도를 알기 위하여 대변 1g당 충란을 검사함 • 보조적 진단방법으로 간디스토마 피내반응검사를 시행하는데, 간디스토마 항원을 피내 주사하여 15분 후에 판정함
전파	• 성충은 사람, 개, 고양이 등의 간의 쓸개길(담도)에 기생하면서 창자를 거쳐서 분변으로 충란이 배출되면 물 속에서 제1중간숙주인 왜우렁이에 섭취되어 식도에서 부화하며 미라시듐이 조직 주위에 침입하여 Sporocyst(포자낭) ⇨ Redia(레디아유충) ⇨ Cercaria(유미유충)

전파	• 유미유충은 물속으로 탈출하여 제2중간숙주인 잉어, 참붕어 등의 피하조직에서 피낭유충이 됨 • 피낭유충에 감염된 민물고기를 생식한다든지, 조리과정 중에 조리 기구를 통해서 다른 음식물을 거쳐 경구 감염됨 • 감염 후 20 ~ 23일 정도에 성충이 되어 산란을 하고, 일반적으로 성충의 수명은 6 ~ 10년으로 매우 긴 편임
감염증상	• 간장과 비장 비대, 부종, 황달, 소화장애 등 • 혈액학적인 소견으로는 적혈구 수가 감염 1 ~ 2개월 사이 감소되다가 일반적으로 다시 정상이 됨
치료	• 프라지콴텔(Praziquantel)을 1일간 4정, 4회 나누어서 복용함 • 하루 투입하면 완전 치료가 가능함
예방관리	• 민물고기의 생식과 회를 먹는 습관을 금하고, 조리기구를 깨끗이 씻기 • 분변 관리와 민물의 생수를 마시기 말기 • 개, 고양이, 쥐 등도 숙주이므로 감염되지 않도록 애완동물의 관리를 철저히 하기

② **폐흡충증(페디스토마증)** 기출 16, 17, 20

특징	• 갑각류를 생식하는 경우에 감염됨 • 법정 감염병, 제4급 감염병 • 산간지역에 많이 분포
병원체	Paragonimus wetermani
병원소	폐(인체 기생 부위), 갑각류
진단방법	가래(객담)검사와 대변검사가 있으며, 보조적 진단으로는 면역, 혈청학적 진단법이 있음
전파	• 객담이나 대변으로 나온 충란이 수중에서 부화하여 제1중간숙주인 다슬기에 침입한 후에 유미유충이 됨 • 유미유충은 제2중간숙주인 가재, 게 등의 아가미, 간장, 근육 내에 침입하여 피낭유충이 됨 • 제2중간숙주를 생식하면 소장에서 탈출하여 복벽 근육에 침입하고, 복강과 횡격막을 뚫고 폐에 침입하게 됨
감염증상	• 기침, 객혈, 가슴통, 위장장애 등 • 가장 심한 증상은 혈담이며, 뇌부 폐흡충증은 반신불수증, 국소마비, 실어증, 시력장애 등의 증상이 발생함
치료	프라지콴텔(Praziquantel)이 폐흡충에 대한 효과가 탁월함
예방관리	• 게, 가재 등의 생식을 금지하기 • 폐흡충이 유행하는 지역에서 생수를 음용하는 것을 금지하기 • 환자의 객담을 위생적으로 처리하기 • 감염자의 조기발견 및 조기치료하기

③ 요꼬가와 흡충 기출 16, 18, 19, 20

특징	• 간흡충, 폐흡충과 함께 3대 흡충 중 하나 • 극동 지방에 주로 분포되어 있음
병원체	Metagonimus yokogawai
병원소	인체의 소장 내에 기생
진단방법	• 대변검사로 확진 • 에틸아세테이트 - 에테르 집란법(애인검사용)이나 셀로판후층도말법(집단검사용)을 사용함
전파	• 인체의 기생 부위는 작은창자이며 분변과 함께 충란이 밖으로 배출되면 제1중간숙주인 다슬기에 들어가 유미유충이 됨 • 유미유충은 수중으로 유출되어 제2중간숙주인 은어나 황어 등의 담수어의 비닐에 붙어 꼬리는 떨어지고 몸통만 근육에 침입하여 피낭유충이 됨 • 피낭유충이 있는 담수어를 생식하면 감염되며, 작은창자의 점막에서 기생함
감염증상	• 감염자의 상당수가 무증상 • 작은창자의 점막에 염증을 일으키고 설사, 복통, 혈변, 소화기장애 등 • 흡수장애 증후군 등 합병증을 일으키기도 함
예방관리	• 은어나 황어 등의 생식을 금하기 • 간흡충의 예방대책과 동일

3. 조충류

(1) 특징

편형동물에 속한다. 자웅동체이며 소화관이 없고(직접 체벽을 통해 영양을 섭취) 두부에서 이어지는 편절은 수개에서 수 천개까지 이어지는 것을 말한다.

(2) 종류

① 무구조충증 기출 22

특징	• 유구조충증과 혼동되다가 Goeze에 의해 분리됨 • 민촌충(Beef tapeworm) • 전 세계 각지에 분포되었으며, 유구조충보다는 감염률이 높음 • 소고기를 먹는 나라에서 발견됨
병원체	Taenia saginata
병원소	인체의 소장에서 기생
진단방법	• 눈으로 봐서는 유구조충과 거의 감별할 수 없음 • 유구조충과 거의 같은 모양으로 두절에 갈고리가 없고, 자궁측지의 수가 차이가 있음 • 셀로판후층도말법과 침전법을 이용

전파	• 분변과 함께 편절이 배출되면 편절이 파열되고 충란이 유리됨 • 오염됨 풀의 중간숙주인 소가 먹으면 육구유충이 탈출하여 창자벽을 뚫고 혈액을 통하여 뼈대근육 내로 이행되며, 3 ~ 6개월이면 무구낭충이 됨 • 약 2개월 내에 성충이 됨
감염증상	설사, 복통, 소화장애, 구토 등 소화기계장애
치료	프라지콴텔(Praziquantel) 사용
예방관리	• 쇠고기를 날로 먹지 않기(생식 금지, 65℃에서 사멸) • 우리나라의 식습관 중 육회를 먹는 것이 무구조충의 감염을 유발함 • 소가 먹는 풀이나 사료에 분변이 오염되지 않도록 하기 • 환자를 조기치료하기

② 유구조충증 기출 17, 18, 20, 22

특징	• 갈고리촌충 또는 Pork tapeworm이라고 함 • 돼지고기를 생식하는 지역에 많이 펴져 있음 • 유구조충은 성충의 감염보다 우리나라에서는 충란 섭취로 인한 낭충증 감염이 많음
병원체	Taenia solium
병원소	인체의 소장 내에 기생
진단방법	편절을 확인하거나 대변검사에서 충란을 검사함
전파	충란 오염물을 중간숙주인 돼지를 충분히 가열하지 않고 먹으면 유구조충이 나와 근육을 뚫고 들어가 60 ~ 70일이면 고유의 낭충인 유구낭충이 됨
감염증상	• **감염 초기**: 증상이 없다가 국소에 삼출성 조직반응, 세균침윤, 섬유조직의 증가가 일어나고 나중에는 석회화됨 • **뇌의 침입**: 뇌낭충증이 발생하여 두통, 구토, 경련, 간질 • **눈에 침입**: 안구낭충증이 발생하며 안구통, 변시, 실명
예방관리	• 돼지고기의 생식을 금지하고 충분히 익혀 먹기 • 인분의 위생적 처리 및 인분의 돼지사료 사용을 금지하기 • 감염자의 구충이 중요하고 조기치료하기

③ 광절열두조충증 기출 17

특징	• 긴 촌충 또는 Broaf fish tapeworm • 세계 각지에서 많이 발견되며 호수에서 나는 담수어를 식용하는 지방이 많음
병원체	Diphyllobothrium latum
병원소	인체 기생 부위는 소장 상부
진단방법	대변검사나 충체 확인을 쉽게 할 수 있음

전파	• 분변과 함께 외부로 배출된 충란은 수중에서 부화하여 유구유충인 Coracidiom이 되어 수중에서 떠돌다가 제1중간숙주인 물벼룩이 섭취되어 물벼룩의 체내에서 2 ~ 3주 후에 Procercoid로 발육함 • 이 물벼룩은 제2중간숙주인 담수어 또는 반해수어인 연어, 송어, 농어 등이 섭취하면 어류의 근육조직에 가서 Plerocercoid로 발육함 • 이 감염된 어류를 사람이 생식하면서 3 ~ 4주 후면 성충이 되어 산란함
감염증상	• 경한 소화장애, 오심, 구토, 복통, 설사 등 • 특이 증상은 심한 빈혈(열두조충성 빈혈)
치료	프라지콴텔(Praziquantel) 사용
예방관리	• 담수어나 송어, 연어, 농어 등의 생식을 금하기 • 감염자의 구충이 필요함

4. 원충류

(1) 특징

단일세포로 되어 있으나 후생동물과 같이 운동성, 소화, 영양분의 취식, 생식 등의 기능을 수행한다.

(2) 종류

① 이질마베바증 기출 17

특징	• 법정 감염병 제4급 감염병 • 원충류 중 근족충류에 속함 • 사람에게 이질이나 간농양 등 아메바증을 일으키는 병원성 아메바 • 열대와 아열대에 많이 분포
병원체	Entamoeba histolytica
진단방법	• 임상적으로 이질증세가 있으면 추정 진단이 가능 • 확진을 위해서는 신선한 대변에서 영양형이나 포낭형을 검출하기
전파	• 이질아메바는 영양형과 포낭형이 있음 • 영양형은 인체에 감염되면 위액에 의해 파괴되며 외부에서의 저항력도 약함 • 포낭형은 저항력이 강하여 물속에서도 1개월까지 생존하며, 분변에서는 적당한 환경일 경우 2주까지도 생존할 수 있음 • 분변으로 배출된 포낭형은 식품, 물에 오염되어 경구적으로 침입되며, 회장 하부에서 탈낭하며, 대장으로 하행하여서 점막에 침입하며 분열 증식함 • 인체 감염 후 잠복기는 1개월 정도

감염증상	• 급성 이질, 만성 이질, 간 · 폐 등의 합병증이 있음 • 급성 이질은 점혈변을 배설하며 복통 동반
치료	메트로미다졸 등 아메바증에 쓸 수 있는 약제는 매우 많음
예방관리	• 음용수를 끓여 먹기 • 분변의 위생적인 처치, 음식물 취급자 관리하기 • 배변 후 손씻기 • 파리 등 곤충의 관리를 위생적으로 하기 • 집단생활 시 충란을 보유하고 있는 자의 음식 조리를 금하기 • 환자를 조기발견 및 조기치료하기

② 말라리아원충 기출 13, 17

특징	• 제3급 법정 감염병 • 유행시기는 5 ~ 10월, 위험시간은 밤 9시 ~ 새벽 3시 • 주로 북한 접경지역(인천, 경기, 강원) 주민, 인근부대 군인에게서 발생함
병원체	• 열원충(Plasmodium)에 속하는 원충 • 인체 감염이 가능한 말라리아 원충은 5종(삼일열, 열대열, 사일열, 난형열, 원숭이열)이고 감염된 원충에 따라 임상양상, 잠복기 및 예후의 차이가 존재함 • 삼일열 말라리아 원충은 전 세계 온대 및 아열대 지방을 중심으로 가장 넓게 분포하고 있으며, 열대열 말라리아보다 중증도가 높지 않고 잠복기가 긴 특징을 보임 • 우리나라의 토착형 말라리아는 삼일열원충에 의함
병원소	• 중간숙주는 사람, 최종숙주는 모기 • 얼룩날개모기속(Anopheles spp.)에 속하는 암컷 모기에 의해 전파 • 국내에서는 총 6종의 얼룩날개모기종에서 말라리아 전파능력이 확인됨
진단방법	• **신고를 위한 진단 기준** - **환자**: 말라리아에 부합하는 임상증상을 나타내면서 다음의 진단을 위한 검사 기준에 따라 감염병 병원체 감염이 확인된 사람 - **의사환자** 추정환자: 임상증상 및 역학적 연관성을 감안하여 말라리아가 의심되며, 다음의 추정진단을 위한 검사기준에 따라 감염이 추정되는 사람 병원체 보유자: 임상증상은 없으나 다음의 진단을 위한 검사기준에 따라 말라리아 원충이 확인된 사람 임상증상: 발열, 오한, 발한, 두통, 근육통, 오심, 구토, 설사 등[중증인 경우(주로 열대열 말라리아) 황달, 응고장애, 신부전, 간부전, 쇼크, 의식장애나 섬망, 혼수 등의 급성 뇌증이 나타남]

- **진단을 위한 검사 기준**: 반드시 추정진단 후 확인진단을 시행

구분	검사기준	검사법	세부검사법
추정진단	검체(혈액)에서 특이 항원 검출	신속진단 키트	신속진단키트 (RDT)
확인진단	검체(혈액)에서 도말검사로 말라리아 원충 확인	현미경 검사	현미경 검사
	검체에서 특이 유전자 검출	유전자검출 검사	PCR, LAMP 등

전파

- 얼룩날개모기속(Anopheles spp.)의 암컷 모기가 인체를 흡혈하는 과정에서 전파
- 드물게 수혈, 주사기 공동사용 등에 의해 전파
- 사람 간 직접 전파는 발생하지 않음

감염증상

- **삼일열 말라리아**
  - 초기에 권태감과 서서히 상승하는 발열이 수일간 지속됨
  - 가장 특징적인 증상은 열발작(malarial paroxysm)으로, 48시간 주기로 오한, 고열, 발한 후 해열이 반복적으로 나타남
  - 질병 초기에는 주기성 없이 매일 열이 나기도 하며 타 질환과 감별할 수 있는 특이적 증상이나 의학적 소견이 없는 경우가 많음

오한기	춥고 떨린 후 체온이 상승함
고열기	체온이 39 ~ 41℃까지 상승하며, 피부가 건조함(90분)
하열기 (발한기)	침구, 옷을 적실 정도로 땀이 난 후 체온이 정상으로 돌아감(4 ~ 6시간)

  - 두통이나 구역, 설사 등을 동반할 수 있음
  - **치료하지 않는 경우**: 증상은 1주 ~ 1개월간, 때로는 그 이상에 걸쳐 계속되고 그 후의 재발은 2 ~ 5년간의 주기로 나타나며, 예방약을 복용하는 경우는 전형적 증상이 없음
- **열대열 말라리아**
  - 초기 증상은 삼일열 말라리아와 유사하나 열발작이 24시간, 36시간, 48시간 등 주기적이지 않은 경우도 많으며 오한, 기침, 설사 등의 증상이 나타남
  - 중증이 되면 황달, 응고장애, 신부전, 간부전, 쇼크, 의식장애나 섬망, 혼수 등의 급성 뇌증이 출현함
  - 신속한 치료가 예후에 결정적인 영향을 미치므로 진단 즉시 치료를 시작해야 함
  - 치료하지 않으면 사망률은 10% 이상이고, 치료를 해도 사망률이 0.4 ~ 4%에 달함
- **난형열 말라리아**: 삼일열 말라리아와 유사한 증상을 보이고 5년까지 재발(Relapse) 가능

- 사일열 말라리아
  - 삼일열 말라리아와 유사하며 72시간 주기로 발열, 발한 후 해열이 반복됨
  - 말라리아 원충이 혈액 내에서 낮은 농도로 장기간 유지되다가 재발(Recrudescence)할 수 있음
  - 수십 년 후 헌혈 시 말라리아가 우연히 진단되거나 항암제 투여하면서 말라리아가 재발하는 사례가 보고됨
- 원숭이열 말라리아
  - 사일열 말라리아와 유사한 증상을 보이며, 원숭이 말라리아를 일으키는 종으로 최근 사람에서의 감염이 확인되어 중요성이 부각되고 있음
  - **합병증**: 가장 흔한 합병증으로 저혈당, 젖산산증, 임산부에게서는 사산, 저체중 출생, 조숙 산통 등 심각한 문제 발생
  - **치사율**: 합병증이 없는 열대열 말라리아 환자가 적절한 치료를 받을 경우 0.1% 이하
  - 합병증을 유발하는 중증 열대열 말라리아 치료 후 혼수상태에 빠지는 경우(성인: 20%, 소아: 15%)

치료

- 말라리아 치료는 경구 투여가 원칙이고, 중증 말라리아나 경구 투여가 불가능할 때는 비경구 투여를 하며, 약물의 선택은 열원충의 감수성에 따름
- 성인
  - **클로로퀸**: 총 25mg base/kg을 3일에 나누어 경구 투여하고 내성을 조장할 우려가 있으므로 이보다 낮은 용량 치료는 권고하지 않음

용법 1	처음 10mg base/kg 투여, 2일째 10mg/kg 투여, 3일째 5mg/kg을 투여
용법 2	처음 10mg base/kg 투여, 이후 6시간, 24시간, 48시간에 각각 5mg/kg 투여

  - **메플로퀸**: 체중 kg당 총 20 ~ 25mg을 1회 또는 2 ~ 3회로 나누어 경구 투여
  - **아토바쿠온 - 프로구아닐**: 성인 1일 1회 4정씩 3일간 연속적 경구 투여
  - **피로나리딘 - 알테수네이트**: 1일 1회 연속 3일간 경구 투여 · 음식물과 관계 없이 투여
  - **프리마퀸**: 체중 kg당 0.25 ~ 0.5mg을 1일 1회 연속 14일간 경구 투여
  - **클로로퀸과 동시 투여법의 장점**: 치료기간 단축, 내성 출현 억제
  - 약을 불충분하게 복용하면 재발할 수 있기 때문에 투약 시 충분한 교육 필요

	• 소아 - **클로로퀸**: 총 25mg base/kg을 3일에 나누어 경구 투여하는데, 처음에 10mg base/kg 투여하고 6시간, 24시간, 48시간 후에 5mg/kg을 투여 - **메플로퀸**: 총 치료용량은 체중 kg당 20 ~ 25mg, 2 ~ 3회 나누어 경구 투여 - **아토바쿠온 - 프로구아닐**: 체중에 따라 3일간 연속 투여 - **피로나리딘 - 알테수네이트**: 1일 1회 3일간 연속적으로 투여 - **프리마퀸**: 체중 kg당 0.3mg(인산프리마퀸 체중 kg당 0.5mg)을 1일 1회 14일간 경구 투여 • 임신부 - **클로로퀸**: 성인 용량대로 투여 가능, 신속히 치료 - **프리마퀸**: 사용 불가, 출산 및 수유 종료 후 사용
예방관리	• 사람 간 전파가 없으므로 격리 불필요 • **혈액 격리**: 수혈 등 혈액을 직접 접촉하는 경우 감염가능성 있음 • **헌혈 금지**: 환자 및 병력자는 치료 종료 후 3년간 금지됨 **Plus+ POINT** **헌혈 금지 대상 및 기간** **1. 환자** 치료 종료 후 3년간 헌혈 금지 **2. 발생지역 거주자 또는 복무자** 전혈 및 혈소판 헌혈 금지, 혈장성분 헌혈만 가능 ① 연중 6개월 이상 숙박: 2년간 헌혈 금지 ② 6개월 미만 숙박: 1년간 전혈 및 혈소판성분 헌혈 금지, 혈장성분 헌혈 가능 **3. 발생지역 여행자** 전혈 및 혈소판 헌혈 금지, 혈장성분 헌혈만 가능 ① 1일 ~ 6개월 미만 숙박: 1년간 헌혈 금지 ② 연중 6개월 이상 숙박: 3년간 헌혈 금지 **4. 헌혈제한지역** 3년 평균 인구 10만 명당 10명 이상 말라리아가 발생한 지역 • 모기가 발열기의 환자를 물면 감염력을 가지게 되어 주변인에게 전파 가능, 혈액도말검사에서 생식모세포가 발견되지 않을 때까지 모기에 물리지 않도록 주의 • 복약점검 - 주소지 관할 보건소에 유선으로 3회 이상 복약 여부 확인 - 프리마퀸 복약 시작 시, 프리마퀸 복약 중간시점(복약 후 7일), 프리마퀸 복약 종료 시 - 클로로퀸 3일 + 프리마퀸 14일, 총 17일 동안 복약함

	• **환자 거주지 점검 및 주의사항 안내** - **물리적 방제 실시(유문등 설치)**: 방충망 점검, 모기장 사용권고, 기피제 전달, 야외 활동 시 주의사항 설명 - **모기주의 교육**: 혈액도말검사에서 음성일 때까지 모기에게 물리지 않도록 모기장 사용 등 개인 예방수칙 안내 ※ 매개모기가 발열기의 환자를 물어 감염력을 가지게 되면 주변인에게 감염시킬 수 있음 - **재발 · 재감염 가능성에 대해 교육**: 발열증상 발생 시 즉시 의료기관을 방문하여 치료받을 수 있도록 권고
참고 자료	• 질병관리청, 2020년도 말라리아 관리지침 • 질병관리청, 2019년 말라리아 진료 가이드 • 질병관리청 해외여행질병정보센터 • WHO(http: //www.who.int/mediacentre/factsheets/fs094/en/) • 미국 CDC(https: //www.cdc.gov/malaria/)

제3편

보건통계

제1장 보건통계

1 개념

1. 통계학

자료를 수집하고 분석할 뿐만 아니라 그 분석을 토대로 합리적인 의사결정을 위해 불확실한 상황을 분석하고, 불확실성을 최소로 감소시키려는 과정을 체계적으로 연구하는 학문이다.

2. 보건통계

출생, 질병, 사망 및 보건에 관련 있는 여러 현상들에 관한 자료를 수집 · 분석 · 종합하여 과학적으로 추론하는 방법이다.

2 목적 · 종류 · 기능

1. 목적

(1) 최적의 건강지표를 발견하여 건강 수준을 평가한다.

(2) 건강지표에 영향을 미치는 여러 요인들을 찾아내어 건강과 이들 요인의 관계를 정량적으로 연구한다.

(3) 보건사업 결과의 평가와 지역사회 주민의 건강 지수 평가에 사용되며, 보건사업의 우선순위를 결정하고 보건행정활동의 자료를 제공한다.

(4) 보건사업의 결과는 보건사업의 필요성을 강조하며, 보건사업의 성패를 평가하며 보건 입법을 추구하는 데 중요한 자료를 제공한다.

2. 종류

(1) 기술통계

자료를 수집하고 분석하여 도표나 표를 이용해서 표현하거나 수량적인 계산을 해서 측정값들의 여러 뜻을 알아보는 것이다.

(2) 추론통계

기술통계에서 관찰된 측정값으로부터 결론을 내릴 수 있는 방법을 제공하는 통계로서 비교적 최근에 발전된 통계학이다.

3. 기능 기출 17

보건통계는 한 국가 또는 한 지역사회의 보건 수준을 나타내거나, 보건사업의 기획이나 평가에 활용되는 등 아래와 같이 다양하게 이용된다.

(1) 지역사회나 국가의 보건 수준 및 보건상태의 평가와 비교에 이용한다.
(2) 보건사업의 필요성 결정에 자료로 이용되고, 사업기획 · 진행 · 결과의 평가에 이용한다.
(3) 보건사업의 대한 국가의 지원이나 법률의 제정에 당위성을 제공한다.
(4) 보건사업의 우선순위 결정에 자료를 제공한다.
(5) 보건사업의 활동에 대한 지침이 된다.
(6) 보건사업의 기초자료로서 사업 결정 및 수행 등에 과학적인 근거를 제공한다.

제2장 보건통계 자료수집 및 측정

1 자료수집 기출 19

1. 1차 자료(Primary data)

연구자가 연구 목적을 위해 처음으로 자료를 수집하는 과정으로, 현재 진행 중인 연구의 목적을 달성하기 위해 정보나 근거를 제시해주는 자료로 직접 인용한 것이다.

(1) 생리적 측정법

① **개념**: 생리적 측정은 생리적인 자료를 연구 참여자로부터 얻는 것이다.

② **장점**: 도구를 사용하거나 관찰을 하기 때문에 다른 자료수집방법에 비해 정확하다.

③ **단점**: 도구가 필요하고 도구를 사용할 수 있는 사람이 측정해야 하므로 연구비용이 증가한다.

④ **도구를 사용하지 않은 방법**: 자가보고(배변횟수, 수면양상, 식습관, 오심, 피로 등)와 관찰

⑤ **도구를 사용한 방법**: 혈액분석, 소변검사, 세포검사, 동맥압 감시 등

(2) 설문지법(질문지법)

① **개념**: 설문지법은 보통 질문지라고 부르며, 응답자가 직접 질문에 대해 응답하는 방법이다.

② **장점**: 설문지법은 응답자의 지식, 의견, 자세, 믿음, 생각, 느낌 등을 알아내는 데 유용한 방법이다.

③ **질문의 유형**

구분	내용
개방형 질문 (Open question)	• **개념**: 괄호 안을 채우는 식으로 만들어진 질문 • **장점**: 다양하고 깊이 있는 응답을 얻을 수 있고, 기대하지 못한 새로운 사실을 발견할 수 있음 • **단점**: 응답자가 지루함을 느껴 회수율이 낮고, 자료의 분석이 어려워 시간이 많이 소요됨
폐쇄형 질문 (Closed question)	• **개념**: 응답자에게 선택지를 주어 그 중 하나 이상을 선택하게 하는 질문 • **장점**: 많은 질문을 짧은 시간에 답할 수 있고 자료의 분석이 용이하고, 언어능력이 떨어지는 사람에게서도 자료수집이 가능함 • **단점**: 응답자의 의견과 다른 선택지만 있을 경우, 응답 시 선택지 중에서 선택하는 것이 어렵거나 대상자의 의견이 반영하지 못하기 때문에 대상자를 고려하여 적절한 문항으로 선택지를 구성해야 함

④ 장단점

장점	• 적은 비용으로 빠르게 많은 자료를 모을 수 있음 • 다른 연구방법보다 신뢰도와 타당성을 알아내기 쉬움 • 인터뷰나 관찰연구보다 자료수집을 하는 시간이 적게 듦 • 응답자의 익명성이 보장됨 • 여러 지역의 다양한 응답자에게서 자료를 모을 수 있음
단점	• 우편으로 조사할 경우 비용이 많이 듦 • 회수율이 높지 않음 • 모든 질문에 답을 하지 않을 수 있음 • 질문에 모호한 단어나 문장이 있을 경우라도 응답자에게 이해시켜줄 수 없음 • 응답자가 문맹이면 조사할 수 없음 • 응답자가 모집단을 대표하지 않을 수 있음 • 온라인 설문의 경우 인터넷에 익숙하지 않은 집단을 대상으로 하기가 어려워 모집단의 대표성에 문제가 됨

(3) 온라인 설문조사방법

① 개념

㉠ 이메일을 이용해 설문지를 첨부파일로 발송하고 응답자가 자기기입방식으로 설문지를 작성하여 다시 회신하는 방법이다.

㉡ 응답자가 웹(Web)상에서 직접 기입하는 방법이다.

② 장단점

장점	• 빠른 시간 내에 많은 설문대상자에게 접근할 수 있음 • 한 번의 클릭으로 국경을 초월할 수 있음 • 적은 비용으로 대형 프로젝트를 진행할 수 있음 • 설문 설계부터 분석까지 필요한 기간이 짧음(빠르면 하루만에도 가능함)
단점	• 문항이 많고 복잡할 경우 응답률 저하가 발생함(응답률 하락) • 가독성이 낮아 종이문서에 비해 응답자의 문항 이해도가 저하됨

(4) 면담법(Interview)

① **개념**: 연구자와 응답자가 대화를 주고 받으며 정보를 수집하는 방법이다.

② **면담의 유형**

구분	내용
구조적 면담 (Structured interview)	• **개념**: 연구자(면담자)가 미리 물어볼 것을 정해놓은 상태에서 시행하는 면담 • **장점**: 시간적인 측면에서 이득 • **단점**: 응답자에게서 새로운 정보를 알아내기는 어려움
비구조적 면담 (Unstructured interview)	• **개념**: 면담자가 관심이 있는 주제는 있지만 질문은 미리 정해놓지 않은 상태에서 시행하는 면담 • **장점**: 면담상황에 맞추어 여러 가지 질문을 할 수 있고, 이에 대한 정확한 답변을 들을 수 있어 타당도가 높으며, 응답자에게서 새로운 사실을 들을 수 있음 • **단점**: 응답결과를 서로 비교하기가 힘들고, 신뢰도가 낮음

③ **장단점**

구분	내용
장점	• 넓은 범위의 응답자에게서 자료를 얻을 수 있음 • 응답률이 높음 • 얻은 자료의 대부분을 사용할 수 있음 • 면담이 잘되면 심도 있는 자료를 얻을 수 있음 • 면담 시 비언어적 의사소통을 통해 응답자의 생각을 잘 이해할 수 있음
단점	• 면담자의 훈련이 필요하며, 면담을 위한 준비가 어려움 • 시간과 비용이 많이 듦 • 응답자는 사회에서 용인되는 정도의 응답만 할 수 있음 • 응답자는 응답내용이 녹음되거나 기록된다는 사실을 알기 때문에 불안감을 가질 수 있음 • 응답자의 자료는 면담자의 스타일에 따라 차이가 큼 • 면담자가 응답자의 비언어적 의사표현을 오해할 수 있음

(5) 관찰법

① **개념**: 말 그대로 보고 듣는 것을 기록하는 방법이다.

② **장단점**

구분	내용
장점	• 언어능력이 부족한 대상자에게 유용함 • 관찰대상자가 심리불안정 등으로 자신의 행동을 인식하기 어려울 때 유용함 • 관찰대상자가 조사에 대해 응대하지 않는 상황에서 자료수집이 가능함
단점	• 관찰현상이 나타날 때까지 시간소모가 있음 • 관찰자의 개인적 의견이 반영될 경우 자료의 신뢰성과 타당성에 영향을 줌 • 관찰대상자에게 관찰 사실을 알리지 않을 경우 윤리적 문제가 발생함 • 관찰대상자가 관찰자를 의식할 경우 결과가 왜곡될 수 있음

(6) 투사법(Projective technique)

투사법은 어떤 상황이나 대상에 대한 응답자의 무의식적인 생각을 알아내고자 하는 방법이다.

(7) 델파이 기법(Delphi technique)

델파이 기법은 전문가 집단에게 연구대상에 대한 판단을 조사하여 우선순위를 정하는 방법이다.

2. 2차 자료(Secondary data) 기출 13, 16, 17, 18, 20

(1) 2차 자료는 다른 연구자에 의해 수집되어 공개된 자료를 말한다.

(2) 연구 목적을 위하여 현재 조사에 맞추어 직접 자료를 수집하거나 작성한 1차 자료를 제외한 수행 중인 조사에 도움을 줄 수 있는 기존의 모든 자료이다.

예 사망통계, 출생통계, 국민건강영양조사, 청소년온라인 행태자료. 지역사회건강조사자료, 국민건강보험공단자료, 산업안전보건연구자료, 인구주택총조사자료, 상병자료 등

2 측정

1. 측정의 수준

(1) 명목척도(Nominal scale) 기출 09, 12, 14, 15, 17, 18, 19

① 측정 대상의 특성이나 성질을 나타내는 가장 낮은 수준의 척도이다.

② 수집된 자료의 크기, 순서, 정도를 고려하지 않고, 단지 자료를 구별하기 위하여 명칭을 부여하여 분류하는 것이다.

③ 성별, 인종, 직업 등을 구분하기 위해 쓸 수 있다.

④ 크기, 정도, 순서에 무관하므로, 분류 명칭을 쉽게 바꿀 수 있다.

예 성별(남자/여자), 종교(유/무), 혈액형, 국적, 결혼상태 등

(2) 서열척도(Ordinal scale) 기출 15, 16, 17, 18, 20

① 측정 대상을 어떤 특정한 속성의 정도에 따라 범주화하여 그 정도의 순서대로 배열한 것이다.

② 측정 대상 간의 순서관계를 밝혀주는 척도이다.

③ 크고 작음, 높고 낮음 등의 순위를 부여한다.

④ 순위는 나타낼 수 있지만 간격이 일정하지 않으므로 얼마만큼 크거나 작다고 말할 수 없다.

⑤ 서열척도로 측정된 변수들 간에는 가감승제를 적용할 수 없다.

예 성적(상/중/하), 경제 수준(상/중/하), 교육 정도(초졸/중졸/고졸/대졸 이상 등)

(3) 등간척도(Interval scale) 기출 15, 16, 17, 29, 20

① 측정된 숫자 자체와 숫자의 차이는 의미를 가지나 숫자의 비율은 의미를 가지지 못하는 측정 단위이다.

② 두 관찰값 사이의 차이를 측정할 수 있으며, 순위 사이의 간격이 동일하다.

③ 절대영점의 의미는 없다.

④ 가감은 적용되나 승제는 적용할 수 없다.

예 평균값, 표준편차, 상관계수, 온도, 물가지수, 시험점수 등

(4) 비율척도(Ratio scale) 기출 17, 18, 19, 20

① 측정된 숫자와 그 간격이 의미를 가질 뿐만 아니라 숫자의 비율마저도 의미를 가지는 가장 높은 수준의 척도이다.

② 등간척도와 마찬가지로 측정치 간의 간격이 동일하다. ⇨ 절대영점

③ '길이와 무게가 0'이란 아무것도 존재하지 않으므로 절대영점을 의미한다.

④ 비율척도에서 수치는 실제로 측정된 변수의 양을 의미한다.

⑤ 가감승제를 적용할 수 있다.

예 관절가동범위, 체중, 길이, 성적점수, 진료비, 의료 이용, 신장 등

2. 변수 기출 09, 15, 17, 19

구분	내용
질적변수	① 수치로 측정되지 않음 ② 문자로 표시 ③ 명목척도와 서열척도(예 성별, 경제 수준 등)
양적변수	① 수치로 측정 ② 그 결과가 수의 크기로 얻어지는 자료 ③ 등간척도와 비율척도 ④ 연속변수이며, 무한대 수량화 가능(예 키, 몸무게, 속도 등) ⑤ 이산변수이며, 수량화하기는 하나 가족 수, 점수 등 등간격을 가지고 있음

3. 측정의 유형

(1) 평정척도(Rating scale)

평정척도는 대상이 되는 현상의 속성이나 연구대상자의 반응 등을 연속선상의 점수로 평가하는 척도이다.

예 학생의 성적을 수, 우, 미, 양, 가로 측정하는 것 등

① **서술평정척도(Descriptive rating scale)**

㉠ 서술평정척도는 변수의 속성이나 현상을 서술한 문장이나 어구를 배열하고, 평가자들이 속성의 강도에 따라 값을 부여하거나 범주에 수치를 부여하는 방법이다.

㉡ 주로 3 ~ 7점 척도가 주로 사용된다.

② **도표평정척도(Graphic rating scale)**: 도표평정척도는 평정의 정도를 일직선상에 표시하는 것으로서 일직선을 동일한 간격으로 끊고 그 밑에 지시문을 넣어 해당하는 질문에 표시하게 하는 방법이다.

③ 총화평정척도(Summated rating scale)

㉠ 총화평정척도는 여러 개의 문항으로 구성되어 있는 서술평정척도에 답을 하고 각 문항의 점수를 더하여 총점을 내는 방법이다.

㉡ 총화평정척도를 리커트 척도(Likert scale)라고 부르며, 주로 10 ~ 20개의 문항으로 구성된다.

(2) 시각적상사척도(VAS; Visual analogue scale)

어떤 증상이나 상황에 대한 대상자의 의견이나 감정 등의 강도를 측정하기 위해서 사용된다.

3 통계 용어의 개념

용어	개념
이론(Theory)	어떤 현상을 체계적인 방법으로 설명할 수 있는 일련의 진술
개념(Concept)	어떤 현상을 설명하고, 현실의 한 측면을 상징하는 단어
구성(Construct)	직접적으로 관측될 수는 없으나 어떤 현상을 명확하고 추상적이지 않은 방법으로 설명하기 위해 사용되는 용어
명제(Proposition)	개념들 간의 관계에 대한 선언이나 진술로 이루어진 하나의 문장
경험적 일반화(Empirical generalization)	번스와 그로브(Burns & Grove, 2005)는 경험적 일반화를 '반복적으로 시험되고, 반증되지 않은 서술'이라고 봄 ⇨ 경험적 일반화는 여러 연구들의 결과를 종합한 것
가설(Hypothesis)	연구자가 예상하는 연구의 결과에 대해 설명하는 문장
모델(Model)	어떤 현상을 대변하는 상징적인 형태로서 구체적이든 추상적이든 현실의 한 측면을 기술하기 위해 구조적, 회화적, 도식적, 수학적인 특성을 가지는 것

제3장 표본추출과 변수

1 표본추출

1. 모집단(Population)

(1) 개념

조사의 대상이 되는 자료 전체의 집합으로, 연구의 결과를 일반화시키고자 하는 연구의 대상 전체이다. 즉, 조사자가 정보를 얻기 원하는 대상 전체이다.

(2) 종류

연구자는 연구의 결과를 어디까지 확대해석할 수 있을지 알 수 있도록 표적 모집단과 근접 모집단의 범위를 기술해야 한다.

① 표적 모집단(Target population)

㉠ 연구자가 연구결과를 일반화하고자 하는 전 대상자의 집단이다.

㉡ 예를 들어 '우리나라 심혈관질환 대상자의 건강행태에 영향을 미치는 요인'이라는 주제의 연구를 수행한다면, 표적 모집단은 우리나라의 심혈관질환 대상자를 의미한다.

② 근접 모집단(Accessible population, Study population)

㉠ 시간이나 비용, 인력 등의 문제로 우리나라 전체 인구를 대상으로 연구를 수행하기는 불가능하여 대안으로써 표적 모집단의 기준을 충족하고 연구자가 실제로 접근하여 자료를 수집할 수 있는 집단이다.

㉡ 예를 들어, '서울 지역의 인구를 대상으로 ~'는 근접 모집단이 될 수 있다.

2. 표본과 표본추출

(1) 표본(Sample)

① 모집단의 일부로 설문 또는 실험을 위해 선택된 연구 대상이다.

② 모집단을 모두 연구대상에 넣는 것은 현실적으로 불가능하기 때문에 표본을 정하는 작업은 필수적이다.

(2) 표본추출(Sampling)

① 표본추출(Sampling)은 표본을 선정하는 과정이다.

② 표본 선정 시에 가장 중요하게 고려해야 할 요소는 대표성이다.

③ 대표성이 있다는 것은 표본이 모집단을 대표할 만큼 모집단의 특성(특히 연구변수에 영향을 주는 특성)을 가지고 있다는 것을 의미한다.

④ 모집단과 표본이 완전히 일치할 수는 없기 때문에 표본의 대표성을 보장할 수는 없다.

⑤ 적절한 표본추출방법을 이용하여 오차를 줄이도록 노력할 수는 있다.

Plus⁺ POINT

대상자의 선정 기준(Eligibility criteria)

1. 연구자는 모집단을 정의할 때 기준을 상세하게 제시해야 한다.
2. 이는 모집단 대상의 특성이 되며 이 기준을 만족하는 표본을 잘 추출한다면 이 특성을 가지는 표본은 대표성이 높아질 것이고 연구결과를 모집단까지 일반화시킬 수 있기 때문이다.

(3) 표본 프레임(Sampling frame)

① 표본으로 추출될 요소들의 전체 명단, 즉 모집단 전체의 명부이다.

② 예를 들어, 대상자의 요소가 되는 대상자의 ID 번호 리스트를 의미한다.

(4) 표본추출 편중(Sampling bias)

① 표본추출 편중은 표본추출과정에서 대표성이 부족한 것을 의미한다.

② 표본추출의 기준을 명확히 정하여 표본을 선정해야만 표본추출 편중을 줄일 수 있다.

③ 표본추출 편중은 주로 연구자에 의해서 발생한다.

④ 표본추출 편중은 의식적 또는 무의식적으로 발생할 수 있다.

㉠ **의식적 편중**: 어떠한 목적을 가지고 의도적으로 선별할 때 발생하는 것이다.

㉡ **무의식적 편중**: 의도하지 않은 어떠한 상황 속에 조사자가 무작위 방법이나 우연한 방법으로 길거리 등에서 설문을 조사할 때 잠재적인 선입견이 반영되는 경우 등이 있다.

(5) 표본추출 오차(Sampling error)

① 표본추출 오차는 추출한 표본을 토대로 낸 추정치와 모집단을 토대로 낸 참값의 차이이다.

② 표본추출 오차가 클수록 표본이 모집단을 대표하는 정확도가 낮아진다.

③ 표본추출을 잘한다고 해도 오차는 생길 수 있으며, 연구자가 조절할 수 있는 것이다.

2 표본추출방법

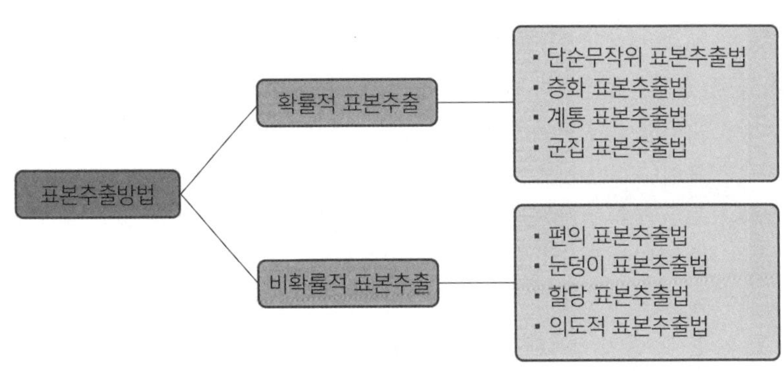

⊙ 표본추출방법의 분류

출제 경향
단순무작위 표본추출법과 층화 표본추출법은 대부분 7급에서 출제되었고, 계통 표본추출법과 군집 표본추출법은 대부분 6 ~ 7급에서 출제되었다.

1. 확률적 표본추출 기출 14, 16, 17, 18, 19, 20

(1) 개념 및 특징

확률적 표본추출(Probability sampling)은 표본으로 추출될 확률을 정확히 알고 표집하는 무작위 추출방법으로, 표본 선정 시 편중(bias)이 적게 발생하기 때문에 표본 분석결과의 일반화가 가능하다.

(2) 유형

① **단순무작위 표본추출법(SRS; Simple random sampling)** 기출 15, 20

㉠ 모집단을 구성하는 각 요소가 표본으로 선택될 확률이 같도록 하여 표본을 선정하는 방법이다.

㉡ 모집단의 각 구성요소에 고유번호를 부여한 후 무작위로 규정된 표본의 수만큼 번호를 뽑아 추출하는 방법이다.

㉢ **장점**: 모집단을 대표하는 표본추출이 가능하고 가장 이상적 방법이다. 모집단의 특성을 모두 알고 있을 필요가 없다.

㉣ **단점**: 실제 표본 프레임을 구하는 것이 불가능한 경우가 많고, 구한다고 하더라도 시간과 비용이 많이 든다.

② **층화 표본추출법(Stratified sampling)** 기출 15, 20, 24

㉠ 연구자가 필요로 하는 표본이 모집단에서 차지하는 비율에 따라 선정되도록 하는 방법이다.

㉡ **장점**: 표본추출 비용과 시간을 절약할 수 있다. 현실적으로 가장 많이 사용한다.

㉢ **단점**: 그룹 간 응답의 차이가 없다면 재추출을 위하여 비용과 시간이 더 필요할 수 있다.

③ **계통 표본추출법(Systematic sampling)** 기출 13, 14

㉠ 단순무작위 표본추출법과 유사하지만, 계통 표본추출법에서는 난수표를 한 번만 이용한다.

㉡ 모집단의 목록에서 일정한 간격을 두고 대상자를 추출하는 방법이다.

㉢ **장점**: 모집단을 대표하는 표본을 뽑을 수 있고, 매번 난수를 찾는 번거로움이 없다.

㉣ **단점**: 실제 표본 프레임을 구하는 것이 불가능한 경우가 많고, 모집단의 배열이 일정한 주기성과 특정한 경향성을 보일 때에는 주기별로 비슷한 특성의 순위가 뽑히기 때문에 대표성에 문제가 발생한다.

④ **군집 표본추출법(집락 표본추출법, Cluster sampling)**

㉠ 모집단에서 단계적으로 무작위 표집을 여러 번 하는 방법으로, 다단계 표집(Multistage sampling)이라고 한다.

㉡ 모집단을 연구목적에 적합하도록 알맞게 묶어 지리적 또는 행정구역을 중심으로 분류하고 단순무작위방식으로 군집을 추출하는 방법이다.

㉢ **장점**: 추출비용과 시간을 절약할 수 있다. 층화 추출법보다 비용과 시간을 더 줄일 수 있다.

㉣ **단점**: 군집 간 응답 성향의 차이가 있다면 조사 결과가 왜곡될 수 있다.

2. 비확률적 표본추출

(1) 개념 및 특징

① 실제 연구조사의 상황에서는 앞에서 언급한 확률적 표본추출방법을 적용하기가 불가능하거나 비현실적인 현상을 연구하기 위한 방법이다.

② 연구자가 주관적으로 표본을 선정하는 방법으로 뽑힐 확률이 모두 같지 않기 때문에 표본 자체의 결과만 해석하는 것이 바람직하고 일반화에 대해 제한점을 가진다.

③ 비확률적 표본추출방법을 사용할 때는 표본 오차 계산이 불가능하다.

(2) 유형

① **편의 표본추출법(Convenience sampling)** 기출 20

㉠ 연구자 자신의 편리한 방법으로 표본을 선정하는 것으로 임의 표본추출방법(Incidental sampling)이다.

㉡ 표본추출의 편중가능성이 크므로 모집단을 대표할 수 없다.

② **눈덩이 표본추출법(Snowball sampling)**

㉠ 특수한 모집단의 경우처럼 대상자를 찾기 어려운 경우에 사용하는 방법이다.

㉡ 알고 있는 소수의 대상자로부터 소개를 받아 연구에 적합한 표본의 크기만큼 키워나가는 방법이다.

③ **할당 표본추출법(Quota sampling)**: 모집단을 어떤 특성에 따라 세부집단으로 구분하고 특정 변수(성별, 연령, 소득수준 등)의 구성비 등 세부집단의 크기에 비례하여 각 집단에서 표본을 임의로 추출하는 방법이다.

④ **의도적 표본추출법(Purposive sampling method, 판단 표본추출법, Judgement sampling)**: 의도적 표본추출법은 연구자가 인구비례와 상관없이 연구목적에 맞는 사람들을 의도적으로 뽑는 방법이다.

Plus⁺ POINT

표본크기 분석(Power analysis) 통계적 분석방법

1. 양적 연구에서 표본 수 산정을 위해 필요한 정보는 통계적 분석방법, 유의수준(Significance, α), 효과크기(Effect size), 그리고 검정력(Power, 1 - β)이 있다.
2. 유의수준은 제1종 오류를 범할 확률의 최대 허용한계(0.05 유의수준)를 말한다.
3. 효과크기란 연구하려는 현상이 모집단에 실제로 어느 정도 존재하는지 그 크기를 말하며 상관관계의 크기 또는 관계의 정도이다.
4. 검정력은 과학적으로 인정받을 수 있는 가설을 경험적으로 검정할 수 있는 통계적 능력을 말한다.
5. 대표적으로 G*power program을 이용한다.

변수
변화하는 수를 의미한다.

3 변수(Variable)

1. 독립변수(Independent variable)

(1) 독립변수는 종속변수의 원인적 요인 또는 선행요인으로, 예측변수(Predictor variable)라고도 한다.
(2) 독립변수는 연구자에 의해 조작되어 다른 변수를 변화시킨 것이다.

2. 종속변수(Dependent variable)

(1) 종속변수는 독립변수의 변화로 인하여 결과적으로 나타나는 변수이다.
(2) 결과변수(Outcome variable) 또는 준거변수(Criterion variable)라고도 한다.
(3) 독립변수의 조작이나 변화는 종속변수의 선행조건이다.

3. 매개변수(Mediating 또는 Intervening variable)

(1) 매개변수는 독립변수와 종속변수 사이에 존재하는 변수이다.
(2) 독립변수의 결과인 동시에 종속변수의 결정요인이 되는 변수이다.
(3) 매개변수를 파악하는 것은 두 변수 간의 관계에 대한 이해를 증진시키며, 매개변수에 따라서 두 변수의 관계의 크기가 결정된다.

4. 외생변수(Extraneous variable)

(1) 매개변수가 독립변수와 종속변수 사이에서 어떤 인과적 관련성이 존재하는 변수이다.
(2) 외생(혼란)변수는 독립변수와 종속변수에 각각 독립적으로 관계를 맺고 있는 변수이다.
(3) 독립변수와 종속변수 사이에 아무런 관계가 없다고 하더라도 외생변수에 의해서 두 변수 간에 관련성이 있는 것처럼 보일 수도 있다.

제4장 서술통계와 추론통계

1 서술통계

1. 개념

연구결과를 숫자, 표, 그래프 등의 방법으로 표본의 특성을 요약하여 보여주는 통계이다.

2. 유형

(1) 도수분포표

도수분포표는 정보의 손실 없이 수적 자료에 규칙을 부여하여 정리하는 방법이다.

예 성적을 정리하고자 5점 간격으로 A⁺, A, B⁺, B 등으로 등급화하여 등급에 따른 학생 수를 확인하고자 할 때 사용한다.

(2) 그래프

① **개념**: 그래프는 자료의 도수분포를 한눈에 알아보기 쉽게 나타내는 방법이다.

② **종류**: 혈액형과 같이 범주형 자료의 도수분포를 나타내는 막대 그래프, 키 같은 연속형 자료의 도수분포를 나타내는 히스토그램, 그리고 꺾은선 그래프를 기본적으로 사용한다.

㉠ **막대 그래프(Bar graph)**: 명목척도, 서열척도로 구성된 자료의 분포를 한눈에 볼 때 사용한다.

㉡ **히스토그램(Histogram)**

ⓐ 서열척도, 등간척도, 비율척도 자료의 분포를 한눈에 볼 때 사용한다.

ⓑ 체중분포의 일반적 특성을 확인하고자 할 때 시각적 자료로 유용하다.

㉢ **꺾은선 그래프(Frequency polygon)**: 서열척도, 등간척도, 비율척도 자료의 분포를 한눈에 볼 때 사용한다.

예 인구 천 명당 병상 수 추이를 조사하고자 할 때 국가 차원에서 조사된 자료를 활용한다.

(3) 백분율(Percentages)

조사한 자료의 수량을 100으로 하여 구성비율을 확인하고자 할 때 활용된다.

(4) 대푯값(Measures of central tendency, 중심경향값) 기출 09, 19

① 대푯값은 측정된 자료에 관한 정보를 하나의 숫자로 요약할 때 사용한다.

② 분포(Distribution) 중 자료의 중심값 또는 자료를 가장 잘 대표하는 값이 차지하는 지점을 의미한다.

③ 종류

평균(Mean)	표본의 값을 모두 더해서 표본수로 나눈 값
최빈값(Mode)	자료의 분포에서 빈도가 가장 많은 값
중앙값(Median)	전체 자료를 크기순으로 나열했을 때 중앙에 위치한 값

산포도(Scatter plots)
X축, Y축을 설정하고 짝지어지는 두 변수를 표시한다.

(5) 산포도(산도도) 기출 18

산포도란 두 변수의 관계를 그림(직교좌표)으로 표현한 것을 말한다.

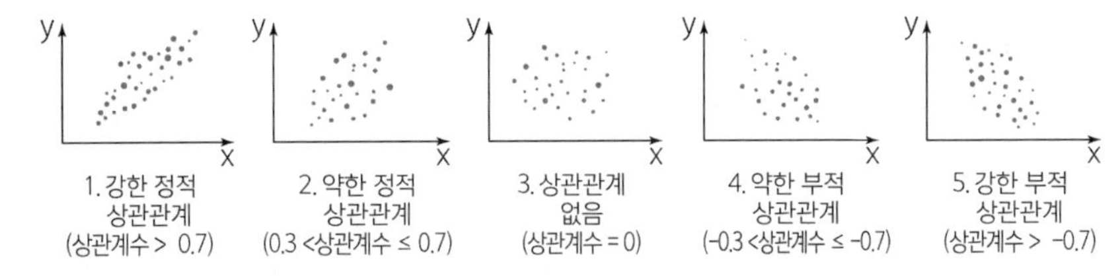

(6) 상관계수(Correlation coefficients) 기출 15, 17, 18

① 상관계수는 두 변수(예 X, Y)의 상관관계를 숫자로 표현한 것으로 계수의 절대값이 클수록 변수 사이에 강한 관계가 있다.

② 상관계수는 -1에서 +1 사이의 값을 가지며, -1은 완벽한 음의 관계, +1은 완벽한 양의 관계를 의미하고, 0은 두 변수가 아무 관계가 없음을 의미한다.

$\lvert r \rvert \le 0.1$	$0.1 \le \lvert r \rvert \le 0.3$	$0.3 \le \lvert r \rvert \le 0.7$	$0.7 < \lvert r \rvert$
거의 무시될 수 있는 상관관계	약한 상관관계	보통 상관관계	강한 상관관계

(7) 정규분포(Normal distribution)

① **정규분포곡선의 개념**: 정규분포곡선은 하나의 최빈값을 가지고 최빈값, 중앙값, 평균값이 동일한 종형의 대칭분포를 이룬다.

② **정규곡선의 특성** 기출 10, 16, 17, 18, 19, 20, 21

㉠ 평균은 중심으로 좌우가 대칭인 종 모양이다.

㉡ 정규곡선은 좌우로 횡축에 무한히 접근하나 닿지는 않는다.

㉢ 정규곡선의 모양과 위치는 분포의 표준편차와 평균에 의하여 결정된다.

㉣ 정규곡선의 전체 면적은 1이며 평균을 중심으로 한다.

㉤ **정규분포의 확률밀도 곡선**

ⓐ $\mu \pm 1\sigma$ 범위 내에 68.26%

ⓑ $\mu \pm 2\sigma$ 범위 내에 95.44%

ⓒ $\mu \pm 3\sigma$ 범위 내에 99.73%

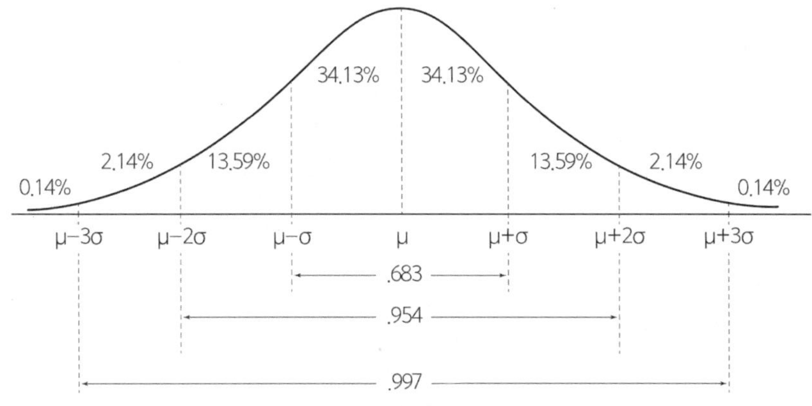

정규분포의 확률밀도곡선

3. 분포의 분산과 형태

(1) 분포의 분산(Measures of variability)

① 분포의 분산은 자료가 퍼진 정도로 분포의 넓이, 변수값 사이의 거리 등을 의미한다.

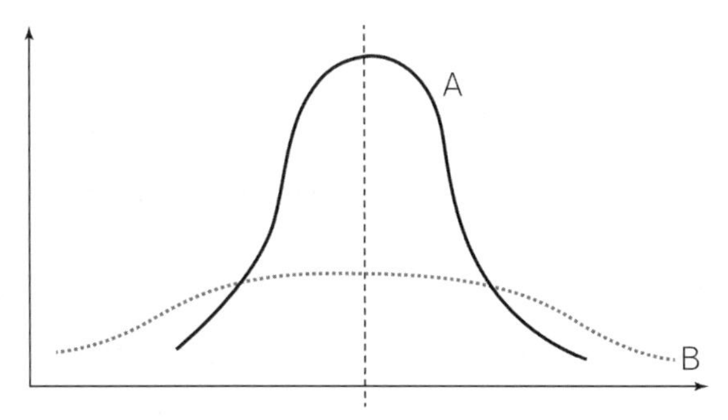

평균이 같고 분산이 다른 두 개의 분포

② 해석적 용어의 개념

범위 (Range)	• 가장 큰 값과 가장 작은 값의 차이 • 분산을 보는 가장 간단한 방법
분산 (Variance)	• 변수의 흩어진 정도를 계산하는 지표 • 개별 자료와 평균값의 차이인 편차를 제곱하여 모두 더한 값을 자료의 수(n)에서 1을 뺀 값으로 나눈 것
표준편차 (Standard deviation)	• 분산에 제곱근을 취한 값으로 자료가 퍼진 정도 • 평균 주변에 자료들이 얼마나 퍼져있는지를 보는 것으로 많이 퍼져있을수록 표준편차는 커짐
표준점수 (Standard score, Z score)	개별 자료와 평균의 차이를 표준편차로 나눈 것
사분위 범위 (Interquartile range)	자료를 크기순으로 배열하고, 누적 백분율을 4등분한 각 점에 해당하는 값

사분위 범위(Interquartile range)
제3사분위수(Q_3)와 제1사분위수(Q_1) 사이의 거리($Q_3 - Q_1$)를 사분위 범위(IQR)라고 하며 자료의 분산을 나타내는 척도로 사용할 수 있다. 사분위 범위는 상위 25%와 하위 25%의 관측값을 제외하고 중앙에 위치한 50%의 관측값의 분산을 나타내므로 극단치의 영향을 받지 않는다.

편차	각 응답값에서 평균을 차감한 값으로 편차들을 모두 합하면 항상 "0"이 됨
평균편차	편차에 대한 절대값의 산술평균
변이계수	표준편차를 산술평균으로 나눈 값으로 측정치의 크기 차이가 많이 날 때 사용되는 상대적 산포도

(2) 분포의 형태

① 왜도(Skewness)

㉠ 좌우가 같은 분포의 모양을 대칭이라고 하며, 갈지 않은 분포를 비대칭이라 한다.

㉡ 비대칭 분포에서 한쪽으로 치우친 정도를 왜도라고 한다.

㉢ 휘어진 분포에서 빈도가 높은 부분(최빈값)이 왼쪽에 있으면 양적 왜도(Positive skewness)라고 하고, 빈도가 높은 부분이 오른쪽에 있으면 음적 왜도(Negative skewness)라고 한다.

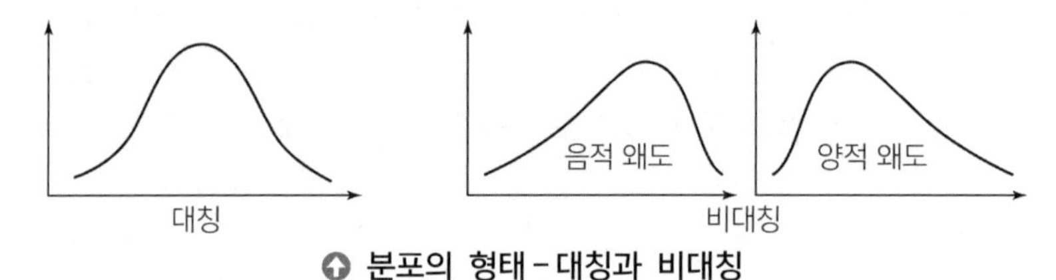

분포의 형태 - 대칭과 비대칭

② 첨도(Kurtosis)

㉠ 자료의 분포에서 최빈값 주변이 뾰족한지, 평평한지 정도를 말한다.

㉡ 첨도는 뾰족한 곡선(Leptokurtotic curve), 납작한 곡선(Platykurtotic curve), 종형 곡선(Bell - type curve)으로 분류한다.

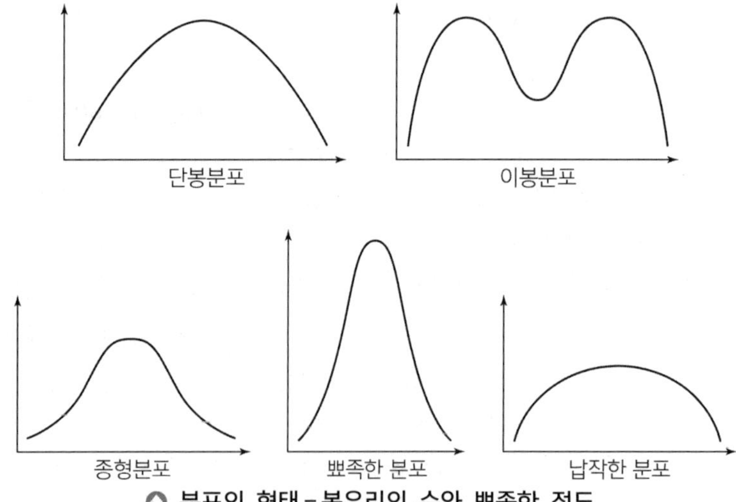

분포의 형태 - 봉우리의 수와 뾰족한 정도

2 추론통계

크게 모수를 추정하는 것과 가설을 검정하는 것을 말한다.

1. 가설검정(Hypothesis testing)

(1) 적절한 연구가설을 수립한다.
(2) 가설을 검정하기 위해 적당한 통계검정방법을 선택한다.
(3) 유의 수준을 설정한다.
(4) 단측검정을 할 것인지, 양측검정을 할 것인지 결정한다.
(5) 연구자료를 토대로 통계검정을 한다.
(6) 계산한 값(Calculated value)과 기각값(Critical value)을 비교한다.
(7) 연구가설 채택 또는 기각을 결정한다.

2. 가설의 개념

(1) 가설

연구자가 예상하는 연구의 결과에 대해 설명하는 문장이다.

(2) 연구가설(H_1) - 대립가설

연구하고자 하는 연구문제에서 더욱 구체화한 것이다.

예 폐암 환자의 흡연 유무 차이가 있다.

(3) 귀무가설(H_0) - 영가설

일반적으로 기각될 것으로 예상하고 세운 가설이다.

예 폐암 환자는 흡연 유무와 차이가 없다.

3. 통계검정방법 선택의 기준

(1) 변수 간의 관계를 보는 것인가, 군 간의 점수를 비교하는 것인가?
(2) 자료의 수준(명목척도, 서열척도, 등간척도, 비율척도)은 어떠한가?
(3) 표본의 크기는 얼마인가?
(4) 총 몇 개의 군을 비교하는가?
(5) 자료가 독립표본인가, 대응표본인가?

4. 유의 수준(Level of significance)

(1) 가설을 검증 시 귀무가설이 실제로 참일 때 귀무가설에 대한 판단의 오류 수준(잘못 기각할 확률)을 의미한다.
(2) 제1종 오류의 위험성을 부담할 최대 확률을 가설의 유의 수준이라고 한다.
(3) 기준인 p는 보통 0.05 값을 이용한다.
(4) p값이 0.05라는 의미는 귀무가설이 '참'임에도 불구하고 귀무가설을 기각할 확률이 100번 중에 5번임을 의미한다.

5. 제1종 오류와 제2종 오류

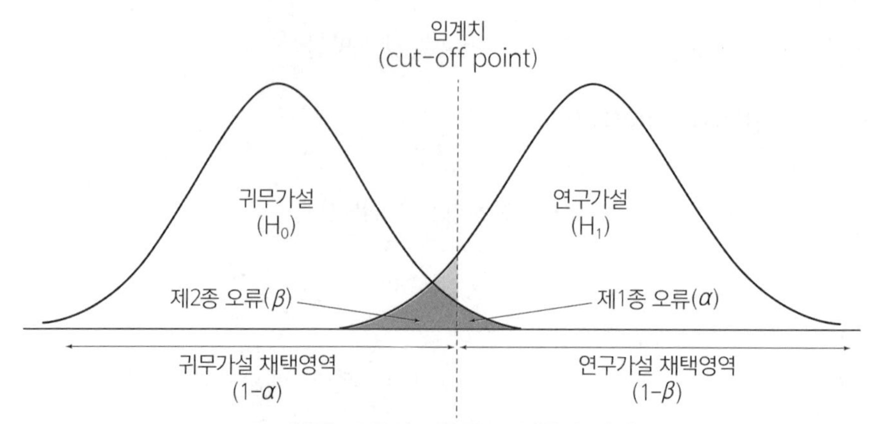

⊙ 제1종 오류와 제2종 오류와의 관계

(1) 제1종 오류

① 특징

㉠ 귀무가설을 중심으로 임계치(cut - off point)를 설정하면 귀무가설 기각영역(임계치의 오른쪽)이 발생하는 것이다.

㉡ 귀무가설이 맞는데도 불구하고 틀렸다고 결론을 내리는 오류이다.

유의 수준과 같은 의미이다.

㉢ 오류의 크기를 α로 표기한다.

② 제1종 오류를 줄일 수 있는 방법

㉠ 유의 수준을 조절하는 것이다(보통 0.05와 0.01 수준을 사용 중).

㉡ 유의 수준 p를 0.05로 했을 때 100번 중 95번은 옳은 결정을 하게 될 것이고 다섯 번은 옳지 않은 결정을 하게 될 것이며, 옳지 않은 결정이라는 것은 참인 영가설을 기각하는 것을 의미한다.

㉢ 제1종 오류를 낮추는 것은 제2종 오류를 범할 가능성을 높인다는 점이다. 참인 영가설을 기각하는 기준이 엄격할수록 거짓인 영가설을 받아들일 가능성이 높아지는 것이다.

유의 수준

추론통계에서는 변수 사이 관계나 집단 사이 변화는 오직 우연에 의해서만 일어난다고 가정하고 수학적 모델을 이용해 그 우연이 일어날 확률을 계산하여 통계적 확률값으로 제시해주는 것이다(p = value, 0.05, 0.01, 0.001).

예 확률 p = 0.05란 100번 중 우연히 발생될 확률이 5번임을 의미하는 것이고, 0.001은 1000번 중 우연이 발생될 확률은 1번임을 의미하는 것이다.

(2) 제2종 오류 기출 19, 20

① 특징

㉠ 연구가설을 중심으로 임계치(cut - off point)를 설정하였을 때이며, 임계치의 왼쪽이다.

㉡ 제2종 오류는 연구가설이 맞는데도 불구하고 귀무가설이 맞다고 결정을 내리는 오류이다.

㉢ 오류의 크기를 β로 표기한다.

② 제2종 오류를 줄일 수 있는 방법

㉠ 검정력을 사용하는 것인데 이를 높이기 위해서는 표본 수를 늘려야 한다.

검정력(Statistical power)

연구가설이 맞는 경우, 이를 옳다고 결정할 확률이다.

㉡ 유의 수준을 정해놓고 제2종 오류를 최소화하는 검정방법을 찾는 방법이 일반적이다.

제1종 오류와 제2종 오류

구분	귀무가설 사실	귀무가설이 사실 아님
귀무가설 채택	옳은 결정($1-\alpha$)	제2종 오류(β)
귀무가설 기각	제1종 오류(α)	옳은 결정($1-\beta$)

6. 모수통계와 비모수통계검정(Parametric and Non-parametric statistical tests)

(1) 모수통계의 개념

① 연속변수로 측정되고 자료가 정규분포할 때 사용하며, 표본의 값으로 모집단의 값을 추정하는 데 이용한다.

② t-검정(t-test), 분산분석(ANOVA), 상관관계(Pearson's correlation), 회귀분석(regression) 등이 있다.

(2) 모수통계의 조건

① 자료의 측정 수준이 등간척도 이상이어야 한다.

② 검정하고자 하는 변수가 모집단에서 정규분포를 따른다.

③ 검정하고자 하는 변수가 모집단에서 등분산(Equal variance)이다.

(3) 모수통계의 종류

① **t-검정(t-test)**: 모수적 통계검정으로 두 군의 평균 차이를 비교할 때 쓰는 통계검정방법이다.

독립표본 t-검정 (Independent t-test)	• 독립된 두 개의 군의 평균을 비교할 때 독립표본 t-검정을 사용 • 정규성을 만족할 뿐만 아니라 두 군의 분산 또한 같아야 함 • 정규성을 만족하지 않을 경우에는 비모수적 방법인 Mann-Whitney U test를 사용
대응표본 t-검정 (Paired t-test)	• 짝지어진 자료의 분석에 사용됨 • 대부분 치료 전, 후의 자료를 통해 치료가 효과 있는지 알아보는 검정방법 • 이처럼 같은 사람들로부터 두 번 측정한 경우나 짝을 이룬 대상자를 측정한 경우, 대응표본 t-검정을 사용 • 정규성을 만족하지 않을 경우, 비모수적 방법인 Wilcoxon's signed-ranks test를 사용

② **분산분석(ANOVA; Analysis of variance)** 기출 21

㉠ 분산분석은 세 군 이상의 평균을 동시에 비교하기 위해 사용하는 통계분석방법이다.

㉡ 연속형 변수(등간척도, 비율척도)로 측정된 자료여야 하고, 정규성 등을 만족해야 한다.

ⓒ 분산분석을 통해 통계적 유의성이 확인되면 대응별 다중비교를 하기 위해 Turkey, Duncan, Scheffe 등의 방법으로 사후검정(Post - Hoc test)을 시행해야 한다.

③ **상관분석(Correlation test)**

㉠ 상관분석은 하나 또는 그 이상의 변수들의 관련성 정도를 검증하기 위한 분석이다.

㉡ 상관관계계수(r)로 상관성 정도를 확인한다.

㉢ 주로 비율척도로 구성된 변수의 상관성을 확인할 때 사용한다.

이변량 상관관계 (Bivariate correlation)	변수 간의 상관관계를 검증하고자 할 때 사용
편(부분) 상관관계 (Partial correlation)	변수 간의 관계에서 다른 변수의 영향을 통제하고 검증하고자 할 때 사용

④ **고급통계검정(Advanced statistical tests)**

㉠ **회귀분석(Regression)**

ⓐ 한 변수를 종속변수로 놓고 다른 변수를 독립변수로 놓아 독립변수가 종속변수에 미치는 영향을 통계적으로 규명하는 방법이다.

ⓑ 독립변수의 변화에 따라 종속변수가 어떻게 변화하는지를 확인하는 방법이다.

단순회귀분석 (Simple regression)	• 독립변수의 값을 기반으로 종속변수 값의 추정치에 대한 평균들을 계산하는 것 • 산점도 내에 점들의 관계양상을 직선으로 설명 • 이 선은 두 변수 사이의 선형관계(linear relationship) 또는 연관성을 가짐
다중회귀분석 (Multiple regression)	독립변수가 2개 이상인 경우의 회귀분석으로 단순회귀분석의 확장

㉡ **공분산분석(ANCOVA; Analysis of covariance)**

ⓐ 분산분석과 마찬가지로 여러 군 간의 차이를 검증하는 것이지만 외생변수(종속변수에 영향을 미칠 수 있으나 실험디자인에서 독립변수로 설정되지 않은 변수)를 공변량(covariate)으로 처리하여 사전에 군 간의 평균이 동일해지도록 통제하는 방법이다.

ⓑ 공분산분석은 분산분석과 회귀분석이 합쳐진 것이다.

(4) 비모수통계

① 모집단의 분포 형태나 모수에 대한 정보가 부족해 모집단의 특성에 대한 가정을 세우기 어렵거나 자료의 측정 수준이 명목척도나 서열척도인 경우 적용하는 통계분석이다.

② 카이제곱 검정(Chi - square test), Mann - Whitney U test, 윌콕슨 부호 순위검정(Wilcoxon singed - ranks test), Kruskal - Wallis test 등이 있다.

카이제곱 검정
(Chi - square test, X^2 검정)

1. 카이제곱 검정은 비모수적 통계검정 방법이다.
2. 명목척도로 측정된 자료에서 사용할 수 있다.

7. 바이어스

(1) 조기발견 바이어스

① 조기발견기간은 무증상 시기에 집단검진을 시행하여 질병을 조기진단하는 시점과 증상 또는 증후가 있어서 질병을 진단받게 되는 시점 사이의 기간이다.

② 질병의 자연사 측면에서 보면 사망하는 시점은 똑같은데 조기발견기간만큼 검진을 받은 사람들의 생존율이 길어진 것처럼 보이는 바이어스이다.

③ 진단의 시기를 앞당김으로써 검진을 받은 사람들의 생존율이 높아 보이게 되는 바이어스이다.

④ **해결방법**

㉠ 진단시점부터 시작하여 생존을 추정할 때 발생하는 것이므로 진단에서 사망까지의 생존 기간을 보지 말고 두 군 간의 사망률을 비교한다.

㉡ 조기 발견 기간을 추정하여 이를 고려하여 두 군 간의 생존율을 비교한다.

(2) 기간 차이 바이어스

① 같은 질병에서도 질병의 진행 속도나 암의 성장 형태는 빠른 것과 느린 것 등 매우 다양하다.

② 집단검진은 대부분 진행 속도가 느린 질병의 발견에 유용하다.

③ 느리게 진행하는 질병은 집단검진으로 더 많이 발견되므로 환자의 예후가 더 좋은 것처럼 나타나는 바이어스이다.

④ 집단검진을 처음 시행했을 때에 가장 크게 나타나고, 집단검진 시행 간격을 줄일수록 감소한다.

⑤ **해결방법**

㉠ 무작위화 임상시험을 수행하는 것이다.

㉡ 발생된 모든 사례의 예후를 비교하는 것이다.

(3) 선택 바이어스

① 집단검진 프로그램에 자발적으로 참여하는 사람들은 그렇지 아니한 사람들과 다른 집단일 수 있기 때문에 나타나는 바이어스이다.

② 생존에 영향을 미치는 여러 가지 요인이 다를 수 있는 것이다.

③ 집단검진 참여자는 보다 건강하며 일반인구보다 낮은 사망률을 가진다.

④ 위험도가 높은 사람들은 가족력 등이 있는 사람들이 참여자가 될 가능성이 높다.

⑤ 이러한 경우 집단검진 프로그램의 효과에도 불구하고 사망률이 높을 수 있다.

⑥ 선택 바이어스는 예상하기 어렵고 그 크기도 수량화하기 어렵다.

⑦ 환자 - 대조군 연구에서 연구대상을 선정할 때 바이어스가 주로 발생한다.

⑧ 후향적 코호트 연구에서는 요인 노출에 대한 기록이 부실할 때 발생한다.

⑨ 특정 사건에 대한 요인 노출 정보가 없는 사람에 비해 요인 노출 정보가 있는 사람들의 기록이 더 잘 보존되어 있을 가능성이 있다. 따라서 이들이 선택적으로 연구대상에 포함되어 선택 바이어스가 발생한다.

⑩ 종류

무응답 바이어스	연구설계에 참여하지 않거나, 무응답인 대상자의 특성이 참여하지 않거나 다름으로 인해 발생하는 바이어스
버크슨 바이어스	연구 대상을 특정 병원에만 한정하여 뽑을 때 연구대상자의 특성에 따라 입원율이 달라서 발생하는 바이어스
선택적 생존 바이어스	치명적 질병이면 이미 많은 대상자가 연구를 시작할 시점에 사망하였을 가능성이 높은데, 이 때 연구에 생존한 대상자만 포함하여 산출되어 결과에 영향을 주는 바이어스
자발적 참여자 바이어스	자발적 참여자들이 연구집단에 비자발적 참여자보다 더욱 건강하거나 특별한 문제가 있어 연구집단에 참여하고자 하는 경우의 바이어스
추적관찰 탈락 바이어스	초기 집단에 추적관찰 중 비참여 등 탈락으로 인해 질병 발생 여부를 확인할 수 있는 대상자가 줄어드는 경우 최종 연구 집단에 선택적 선정이 발생되는 바이어스
기간 차이 바이러스	느리게 진행하는 질병이 집단검진으로 더 많이 발견됨으로써 환자의 예후가 더 좋은 것처럼 나타나는 바이어스

(4) 과다진단 바이어스

① 집단검진의 열정으로 인하여 정상인데 위양성으로 판단되어 정상인이 질병이 있는 군으로 잘못 분류되는 경우, 예후가 좋아 집단검진이 더 유효한 것으로 되거나, 집단검진이 아니었다면 평생 질병이 있는지도 모르고 아무런 문제 없이 지낼 수 있었으나 집단검진으로 인하여 질병자로 구분되는 바이어스이다.

② 이 바이어스의 예방을 위해 진단과정에 대한 엄격한 표준화과정이 요구된다.

③ 과다진단 바이어스의 발생을 감안하여 집단검진의 유효성에 대한 결과를 해석해야 한다.

(5) 정보 바이어스 기출 21

① 측정오류의 정도가 비교하고자 하는 집단 간에 서로 다를 때 초래되는 바이어스이다.

② 종류

면담자 바이어스	설문조사의 편견이나 유도질문 때문에 수집된 정보의 질이나 응답 자체의 차이를 유발하는 경우의 바이어스
측정 바이어스	잘못된 검사방법이나 타당성이 떨어지는 검시방법을 사용하는 바이어스
기억 소실 바이어스와 회상 바이어스	피조사자의 기억력에 의존하여 과거 요인 노출에 대한 정보를 수집하는 경우 정보의 정확성이 떨어지게 되어 연구 결과의 타당성이 떨어지게 되는 바이어스

호손효과	특별한 중재나 실험 없이도 연구에 참여하거나, 위험요인에 대해 반복 측정하는 것으로 인해 행동의 변화가 유발되어 요인 자체에 변화를 가져오는 바이어스
확인 바이어스	질병의 발생의 확인 정도, 즉 질병 정보의 조사과정이 서로 다르다면 집단마다 다른 정도의 오분류가 발생하는 바이어스
시간 바이어스	시간적 흐름에 따라 요인을 측정하거나 질병을 진단하고자 할 때에 개인적 요인이 변화되거나 진단의 기준 자체가 변화됨으로 인해 요인 - 결과 간 관련성에 발생하는 바이어스
조기발견 바이어스	무증상 시기에 집단검진을 시행하여 질병을 조기진단하는 시점과 증상 또는 증후가 있어서 질병을 진단받게 되는 시점 사이의 기간에 발생하는 바이어스

제4편

환경보건

제1장 환경위생

1 환경위생학의 개요

1. 환경위생학의 개념 기출 03, 13

환경위생은 인간의 신체발육, 건강 및 생존에 유해한 영향을 미치거나 미칠 가능성이 있는 인간의 물리적 생활환경에 있어서의 모든 요소를 통제하는 것을 말한다(세계보건기구의 환경위생전문위원회).

Plus⁺ POINT

「환경정책기본법」에 의거한 환경 관련 용어 정의

1. 환경
   ① 환경은 모든 생물의 생존과 관련된 자연적이거나 인위적인 사물과 상황을 말한다.
   ② 생명이 있는 존재에 직·간접으로 상호영향을 미치는 외부 세계이다.
   ③ 자연환경과 생활환경이 있다.
2. 자연환경
   지하·지표(해양을 포함) 및 지상의 모든 생물과 이들을 둘러싸고 있는 비생물적인 것을 포함한 자연의 상태(생태계 및 자연경관을 포함)를 말한다.
3. 생활환경
   대기, 물, 폐기물, 소음, 진동, 악취, 일조 등 사람의 일상생활과 관계되는 환경을 말한다.

2. 환경위생학의 발전

(1) 페텐코퍼(Max. Von. Pettenkofer, 독일, 1818 ~ 1901)

① 환경위생을 근대과학으로 발전시킨 학자이다.
② 뮌헨대학에서 위생학 강좌를 창설하였다(1886).
③ 의식주에 관계되는 분야에 관한 예방의학적 연구에 있어서 이화학적 기술을 도입하여 실험위생학을 발전시켰다.

(2) 클로드 베르나르(Claude Bernard, 프랑스, 1813 ~ 1878)

① 근대 실험의학의 창시자이다.
② 외부환경의 변동에 대해 신체 내부의 여러 가지 기능은 항상 일정하게 조절되어 건강을 유지하도록 하는 항상성을 지니고 있다고 하는 등 환경위생과 건강의 문제를 연관시켜 설명하였다.

(3) 윌리엄 톰슨 세드윅(William T. Sedgwick, 미국, 1855 ~ 1921)

① 1915년 미국 공중보건협회 회장을 포함하여 평생 동안 많은 과학 및 전문 기관의 회장이었다.

② 1913년 MIT - 하버드 공중보건학교의 공동 설립자이다.

③ 메사추세츠 공대(MIT)에 위생공학, 산업위생 연구실을 설립하였다.

2 환경위생학의 범위

1. 환경의 분류

(1) 자연적 환경

① **물리 · 화학적(이화학적) 환경**: 기후, 공기, 토양, 물, 광선, 소리 등이 있다.

② **생물학적 환경**: 동물, 식물, 위생해충 및 곤충, 각종 병원미생물 등이 있다.

(2) 사회적 환경

① **인위적 환경**: 의복, 식생활, 주택, 산업시설 등이 있다.

② **문화적 환경**: 정치, 경제, 사회, 종교, 문화예술, 교육 등이 있다.

2. 환경위생의 내용(세계보건기구의 전문위원회, 1970)

(1) 고형폐기물 처리

고형폐기물의 위생적 취급과 처리를 실시한다.

(2) 수원 위생 검사

급수 시민에게 양질의 안전하고 풍부한 물 공급을 위한 계획 · 설계 · 관리 · 기타 이용 상황을 고려한 수원의 위생 검사를 실시한다.

(3) 폐수 처리와 수질오염 방지

가정하수 오물과 기타 폐액의 처리를 통해 지표수(해수 포함)와 지하수의 수질 오탁을 방지한다.

(4) 산업보건

특히, 물리적 · 화학적 · 생물학적 위험을 방지한다.

(5) 소음제어

(6) 주택과 근접환경(특히, 주택 공립 및 공공건물의 공중위생관리)

(7) 도시와 지역 계획

(8) 공수 해상수송 및 육상수송의 환경보건

(9) 사고방지

(10) 방사선 방어

(11) 대기오염 방지

(12) 식품위생(우유위생 포함)

(13) 인간의 오물 및 인간 · 동물 · 식물에 대한 유해물질에 따른 토양오염의 예방과 관리

(14) 유해곤충 · 절족동물 · 연체동물 · 설치류와 중간숙주의 구제

(15) 전면적 환경보건 대책에 의한 위험 방지

(16) 감염병의 유행, 돌발사고, 재해와 인구 이동 시 위생 조치

(17) 레크리에이션과 관광여행(특히, 공공해안 수영장 캠프장 등의 환경보건)

(18) AIDS 대책

(19) 각종 감염증 대책

제2장 기후·온열과 건강

1 기후 관련 용어와 기후형태

1. 개념

(1) 기후(Climate)

어떤 장소에서 매년 반복되는 정상상태에 있는 대기현상의 종합된 상태를 의미한다.

(2) 기상(氣象)

대기 중에서 일어나는 하나의 자연현상을 대상으로 맑음, 구름, 바람, 기압 등으로 나타난다.

(3) 일기(日氣)

하루 동안의 대기현상을 종합한 것을 의미한다.

(4) 천기(天氣)

어떤 장소의 어떤 시각에서의 기상상태이다.

2. 기후요소

기후요소에는 기온, 기류, 습기, 기압, 강우, 강설, 복사량, 일조량, 구름 등이 있으며, 기후의 3대 요소는 기온, 기류, 습기이다.

3. 기후인자

(1) 기후인자는 기후요소에 영향을 주어 시간적 및 지역적 변화를 일으킨다.

(2) 위도, 고도, 지형, 해류, 수륙분포, 대기순환, 고기압·저기압, 전선 등으로 구분한다.

4. 기단(Air mass)

(1) 기단은 대륙권 내에 형성되는 물리·화학적으로 동일한 성질을 가진 공기덩어리로서 온기단과 냉기단으로 구분한다.

(2) 온난전선은 온기단이 냉기단으로 이동하는 것이고, 한랭전선은 냉기단이 온기단으로 이동하는 것인데, 한랭전선은 보통 다습하며 가벼운 온난전선을 밀어올려 비를 내리게 한다.

5. 기후형태 기출 10, 19, 20

대륙성 기후	① 일교차가 큼 ② 여름은 고온 저기압을 잘 형성함 ③ 겨울은 맑은 날이 많음
해양성 기후	① 기온 변화가 육지보다 적고 완만함 ② 고습다우성 ③ 자외선량과 오존량이 풍부함
사막 기후	대륙성 기후의 극단기후
산악 기후	① 풍량이 많음 ② 자외선과 오존량이 많음
산림 기후	① 온화하고 온도차가 적음 ② 습도가 비교적 높음

아열대와 극대

아열대	1년 중 4 ~ 11개월의 월 평균 기온이 20℃ 이상인 지역
극대	모든 기간의 월 평균 기온이 10℃ 이하인 지역

6. 기후대 기출 19

기후대는 태양의 복사량에 따라 구분되는데, 위도 23.5도를 기준으로 온대와 한대를 나누는 물리적 기후대가 있다.

열대	① 연 평균기온이 20℃ 이상인 지역으로 태양광선이 풍부하며 고온다습 ② 아열대를 사이에 두고 온대와 연결되어 있는 이 지역은 겨울과 여름의 차가 뚜렷하지는 않지만 우기와 건기로 구별 가능 ③ 열대성 감염병인 페스트, 콜레라, 말라리아 등과 장티푸스, 이질, 결핵 등이 빈번히 발생
온대	① 연 평균기온이 0 ~ 20℃인 지역으로 태양광선이 비교적 많고 뚜렷한 4계절과 대륙과 해양의 기후차가 현저함 ② 특히 이 지역은 인구가 밀집되어 있고 문화가 진보되어 있는 반면에 4계절의 현저한 차이와 인구의 조밀, 기후변화 등에 따른 인체적응의 변화 등으로 각종 감염병이 빈번히 발생
한대	① 연 평균기온 10℃ 이하로 태양광선이 적고 밤이 계속되는 겨울이 길고, 밤이 없는 여름은 짧은 것이 특징 ② 긴 겨울밤은 정신적인 면에 영향을 주어 활동의욕의 감소와 불면증을 유발하게 되고, 짧은 여름밤은 활동의욕의 증가와 기분을 상쾌하게 하나 백야인 관계로 수면부족상태를 초래할 수 있음

2 기후순화(Acclimatization)

기후의 3대 요소
기온, 기습, 기류

1. 개념

(1) 살던 지방에서 다른 지방으로 이주하였을 때 그 지방의 새로운 기후조건에 적응하기 위해 이주자의 인체가 기질적 또는 기능적 변화를 일으켜 생존을 영위해 가는 것을 말한다.

(2) 기후순화는 ① 새로운 환경에 옮겼을 때의 생리적인 적응과정과, ② 새로운 환경에 옮겨 장기간 경과했을 경우의 생리적인 순응상태이다.

2. 분류

(1) 개인적 순응성

① 연령, 인종, 성별, 체질, 생활양식, 기후 등에 따라 차이가 있다.

② 연령과 성별로 보면 성인 남자가 순응성이 강하고 어린이는 기후순화가 안 되므로 사망률이 높아진다.

(2) 민족적 순응성

① 이민을 갈 때에는 기후순응성의 법칙을 중요하게 고려해야 한다.

② 이민은 위도에 평행하여 거의 같은 위도의 지방으로 이전하는 것이 좋다.

③ 국가별로 보았을 때 영국인이나 독일인, 프랑스인은 한대에 순응성이 있고, 스페인인이나 이탈리아인은 열대에 순응성이 있다.

3. 순화기전 기출 15, 16, 18

(1) 대상성 순응

새로운 환경조건에 세포 또는 기관이 그 기능을 적응시키는 것으로, 적응의 한도를 넘었을 때 병적인 상태로 돌입한다.

(2) 자극성 순응

환경자극에 의해 저하되었던 기능이 정상적으로 회복되는 것을 말한다.

(3) 수동적 순응

약한 개체가 자신에 대한 최적의 기능을 찾는 것으로, 기후의 유해한 변화로부터 개체를 보호하고자 요양지를 선택하거나 치료 및 예방에 이용되기도 한다.

4. 고온순화 기출 09, 15

(1) 개념

고온 환경에서 고온 스트레스가 지속되어 나타나는 생리적인 적응과정이다.

(2) 고온순화의 생리적 변화

구분	변화
심혈관계의 변화	① 심박출량과 수축력 증가 ② 심박수 감소 ③ 최대산소섭취량 증가 ④ 혈장량 증가
땀 분비의 변화	① 땀 배출 시작이 빨라짐 ② 땀 분비량과 분비속도 증가 ③ 땀의 염분 농도 감소
콩팥기능의 변화	① 신사구체 여과율 증가(20%까지) ② 소변 내 염분 배출 억제

제4편 환경보건 해커스공무원 최성희 공중보건 기본서

5. 기후의 특성에 따른 질병의 발생 기출 15, 19

풍토병	어느 지역의 기후에 수반하여 그 지역에만 주로 발생하는 질병
계절병	계절의 변화에 따라 주로 발병하는 것
기상병	기후의 상태에 따라 질병이 발생하거나 기존 질병의 증상이 악화되는 것

4대 온열 요소
기온, 기습, 기류, 복사열

3 온열조건

1. 기온(Air temperature) 기출 09, 17, 18, 20, 21, 22

(1) 개념

① 대기의 온도이며, 기온은 온열요소 중에서 제일 중요한 위치를 차지한다.
② 온도는 인간이 호흡하는 위치인 지상 1.5m 높이에서 주위의 복사온도를 배제하여 백엽상 안에서 측정한 온도로 정의한다.
③ 실제상 대기의 온도는 일사량과 지면 및 주위의 복사열에 의해서 결정한다.
④ 기온은 ℃(섭씨) 또는 °F(화씨)로 나타내는데 '℃ = 5/9(°F - 32)'의 관계로 표시할 수 있다.
⑤ 기온은 수은 온도계, 최고 · 최저 온도계, 아스만 통풍 온 · 습도계, 자기 온도계 등으로 측정한다.

(2) 대기권의 기온

① 지상 12km 이하의 대기권에서는 지상 100m마다 0.6 ~ 1.0℃ 정도 낮아진다.
② 성층권에서는 고도가 높을수록 온도가 상승한다. 고도가 높은 곳이 하층부보다 기온이 높은 경우 기온역전(Temperature inversion)이라 한다.

기온역전(Temperature inversion)
기온역전현상은 바람이 없으며 맑게 갠 날, 춥고 긴 겨울밤, 눈이나 얼음 등으로 지면이 덮여있을 때 잘 나타난다. 기온역전은 태양이 없는 밤에 지표면의 열이 대기 중으로 복사됨에 따라 발생하는데, 더욱 심화되면 농작물의 생육에 피해를 주며 대기오염에 많은 영향을 준다.

(3) 실내온도

실내의 적정온도 및 활동에 적합한 온도는 18 ± 2℃이고, 침실은 15 ± 1℃이며, 병실의 최적온도는 21 ± 2℃이다.

(4) 일교차(Diurnal range)

① 하루의 최고기온과 최저기온의 차이이다.
② 최저기온은 일출 30분 전이고 최고기온은 오후 2시 전후에 나타난다.
③ 산악의 분지에서는 일교차가 크고, 수목이 우거진 곳에서는 작다.
④ 내륙 > 해안 > 산림지대의 순이고, 저위도보다는 고위도가 일교차가 크다.

(5) 연교차(Annual range) 기출 10, 17, 19

① 1년 동안의 최고기온과 최저기온의 차이이다.
② 해안보다는 내륙이, 저위도보다는 고위도에서 크다.
③ 적도지방에서는 춘분과 추분 때 최고온도이고, 동지와 하지일 때 최저온도이다. 한대지방은 7월이 최고온도이고, 1월이 최저온도이다(한대 > 온대 > 열대의 순).

2. 습도(Humidity)

(1) 특징 기출 15, 16, 18, 19

① 습도는 대기 중에 포함된 수분량에 의해 결정되고, 기온에 따라 변화한다.

② 습도는 인간의 체열방산에 영향을 미쳐 습도가 높을 때는 불쾌감을 느끼고 습도가 낮을 때는 상쾌함을 느끼게 되어 느낌의 온도라고도 한다.

③ 습도에는 포화습도와 비교습도 등이 있으나 보통 기후요소로서는 비교습도를 사용한다.

④ 대기 중의 습도는 성층권(지상 50km) 이하에만 존재하며, 주로 대류권(지상 12km) 이하에 많이 존재하여 구름을 형성한다.

⑤ 낮에는 주로 태양열을 흡수하여 대지의 과열을 막고, 밤에는 지역복사를 차단하여 기후를 완화시킨다.

(2) 습도 관련 용어의 개념

① **포화습도**: 일정 공기가 함유할 수 있는 수증기량의 한계에 도달한 상태를 포화상태라고 하며, 공기 중 수증기량(g)이나 수증기장력(mmHg)을 그 공기의 포화습도라 한다.

② **비교습도(상대습도)** 기출 17(6급), 19: 일정 온도에서 공기 $1m^3$가 포화상태에서 함유할 수 있는 수증기량과 현재 그 중에 함유되어 있는 수증기량과의 비율로서 %로 나타낸다.

$$\frac{\text{절대 습도}}{\text{포화 습도}} \times 100$$

③ **절대습도**: 단위체적 안에 포함된 수분의 절대량을 중량이나 압력으로 표시한 것으로, 현재 공기 $1m^3$ 중에 함유된 수증기량 또는 수증기장력을 의미한다.

④ **포차** 기출 19

㉠ 포화상태에서 함유할 수 있는 수증기량과 현재 그 중에 함유하고 있는 수증기량의 차이이다(포화습도와 절대습도의 차이).

㉡ 습기의 측정은 건습구 온도계, 자기 습도계, 아스만 통풍 습도계, 아우구스트 건습계, 노점 습도계, 비색법 등을 이용한다.

⑤ **쾌적습도** 기출 10, 15, 16, 18, 19, 20: 40 ~ 70%의 범위로서 15℃에서는 70 ~ 80%, 18 ~ 20℃에서는 60 ~ 70%, 24℃ 이상에서는 40 ~ 60%가 적절하다.

3. 기류(Air movement) 기출 19

(1) 특징

① 기류는 대기의 온도 변화와 기압에 의해 발생한다.

② 기류의 강도를 풍속이라 하며, 이것은 초당 기류의 속도를 나타내는 것으로 m/sec로 표시한다.

③ 인간이 느낄 수 있는 최저속도는 0.5m/sec이며, 0.5m/sec 이하는 피부로 느낄 수 없는 불감기류이다. 불감기류 중에서도 0.1m/sec 이하는 무풍상태라 한다.

습도의 작용

대기 중의 습도는 성층권(지상 50km) 이하에만 존재하며, 주로 대류권(지상 12km) 이하에 많이 존재하는 구름을 형성하기도 하고, 낮에는 주로 태양열을 흡수하여 대지의 과열을 막고 밤에는 지열복사를 차단하여 기후를 완화시키는 작용을 한다.

기습 측정 도구

건습구 온도계, 자기 습도계, 아스만 통풍 습도계, 아우구스트 건습계, 노점습도계, 비색법 등이 있고, 이 중 아스만 통풍 습도계를 가장 많이 사용한다.

비교습도

보통 기후요소로써 비교습도를 사용한다.

④ 일반적으로 실내는 0.2 ~ 0.3m/sec, 실외는 1m/sec의 기류(쾌적기류)가 있는 것이 좋다.

⑤ 실내기류 측정에는 힐(Hill, 1916)이 고안한 카타 온도계(Kata thermometer)를 사용하며, 실외기류 측정에는 풍차 속도계, 아네모메타, 피토트튜브를 사용한다.

(2) 기류의 긍정적인 부분

① 기류는 압력과 냉각력으로 우리의 피부에 적당한 자극을 주어 체온을 조절하고 방열작용을 촉진시켜 준다.

② 혈관운동신경뿐만 아니라 신체의 신진대사에 좋은 영향을 준다.

③ 가옥 내 자연환기의 원동력이 되며, 대기의 확산과 희석에 영향을 미쳐 기후변화의 원동력이 된다.

(3) 기류의 부정적인 부분

강한 바람은 생체를 흥분시키며 오래 가면 피로를 가져오게 된다.

복사열(Radiant heat)
복사열은 거리의 제곱에 비례하고 감소한다. 일정 거리가 떨어지면 복사열에 영향은 거의 없다.

4. 복사열(Radiant heat) 기출 16, 19, 20

(1) 복사열은 주로 적외선에 의한 태양광선, 난로 등의 물체로부터의 발열에 의해서 일어나는 것이다.

(2) 실외에서는 항상 직접적인 태양의 복사열이 존재하고, 가열된 주위의 물체로부터 방열에 의한 복사열이 발생한다.

(3) 베르논(H. M. Vernon)이 고안한 흑구 온도계(Globe thermometer)로 측정한다.

체온조절
인간은 항상 체온을 일정하게 유지하는 항온동물이다.

항온동물 체온유지 기전
1. 화학적 조절기능으로 체내에서 열생산을 한다.
2. 이화학적 조절기능으로 피부로부터 복사, 대류, 전도, 증발에 의한 열방산 기능이 있다.

5. 체온조절

(1) 정상 체온

정상 체온은 36.1 ~ 37.2℃ 사이이며, 평상시 36.5℃를 유지한다.

(2) 체온조절기능

① 인체는 신진대사와 외부로부터의 전도 - 대류, 복사에 의해서 열을 받고, 전도 - 대류, 증발 - 대류, 복사에 의해서 열을 발산한다.

② 인체와 환경 사이의 열 교환은 다음과 같은 식이 성립한다.

$$S = M - W + R + C - E$$

- S: 인체에 저장되는 열
- M: 신진대사에 의해 생산되는 열
- W: 외부 작업을 성취하는 데 이용한 열
- C: 전도 - 대류에 의해 교환되는 열
- E: 증발 - 대류에 의해 발산되는 열
- R: 복사열

③ 체온생산은 골격근 59.5% > 간장 21.9% > 신장 4.4% > 심장 3.6% > 호흡 2.8% 순이며, 열 방산은 피부에서의 복사 및 전도가 가장 많다(73.0%).

(3) 체온조절의 생리적 기전

체온조절을 관장하는 중추는 시상하부(Hypothalamus)이다.

체온조절의 생리적 기전 기출 13, 16

구분	생리적 기전	열 생산과 방산
추울 때	수의적인 운동 증가	열 생산 증가
	몸의 떨림, 근육 긴장	
	갑상선 자극 호르몬 분비 증가	
	모공 축소	열 방출 감소
	피부혈관 수축	
더울 때	활동 정체, 근육 이완	열 생산 감소
	갑상선 자극 호르몬 분비 감소	
	식욕부진	
	호흡촉진	열 방출 증가
	노출피부 표면적의 증가	
	피부혈관 확장	
	발한	

체온조절 호르몬
갑상선과 부신, 뇌하수체 호르몬

(4) 최적온도(지적온도, Optimum temperature) 기출 13, 18, 19

① 체온조절에 있어서 가장 적절한 온도를 최적(지적)온도라 한다.

② 일반적인 최적온도는 여름은 21 ~ 22℃, 겨울은 18 ~ 21℃이다. 겨울철의 최적온도(지적온도)가 여름보다 낮은 것은 인체의 순응현상 때문이다.

③ 사람의 온도 식별범위는 0.2 ~ 1.2℃이며, 피부온도가 27 ~ 33℃일 때 가장 민감하고, 피부가 순응할 수 있는 범위는 10 ~ 40℃이다.

4 유해광선

복사선 파장

종류	파장(angstron; Å)
자외선	3,800 이하
가시광선	3,800 ~ 7,700
적외선	7,700 이상

1. 자외선(Ultra Violet) 기출 13, 14, 15, 16, 17, 18, 19

(1) 자외선 중 3,800Å 이하의 전자파는 강한 광화학작용을 한다.

(2) 2,800Å의 파장은 광화학 작용을 하여 비타민 D를 생성함으로써 구루병 예방에 도움이 된다.

(3) 3,200Å 이상은 혈액의 재생기능을 촉진시켜 신진대사를 항진시킨다.

(4) 자외선 파장 중 2,800 ~ 3,150Å 범위를 Dornoray 또는 생명선(Vital ray)이라 한다.

(5) 3,500 ~ 4,000 Å 자외선 파장에서 광화학적 반응을 일으켜 오존, 알데하이드, PAN 등 대기 오염물질이 발생한다.

(6) 장단점

장점	① 비타민 D를 생성하여 구루병 예방 ② 피부결핵, 관절염 치료 작용 ③ 신진대사 및 적혈구 생성 촉진, 혈압 강하작용 ④ 강한 살균작용
단점	① 피부의 홍반 및 색소침착 ② 피부에 부종, 수포, 피부박리 ③ 결막염 · 백내장 발생

(7) 자외선 단계별 대응요령

단계	지수범위	대응요령
위험	11 이상	① 햇볕에 노출 시 수십 분 이내에도 피부 화상을 입을 수 있어 가장 위험함 ② 가능한 실내에 머물러야 함 ③ 외출 시 긴 소매 옷, 모자, 선글라스 이용 ④ 자외선 차단제를 정기적으로 발라야 함
매우 높음	8 이상 11 미만	① 햇볕에 노출 시 수십 분 이내에도 피부 화상을 입을 수 있어 매우 위험함 ② 오전 10시부터 오후 3시까지 외출을 피하고 실내나 그늘에 머물러야 함 ③ 외출 시 긴 소매 옷, 모자, 선글라스 이용 ④ 자외선 차단제를 정기적으로 발라야 함
높음	6 이상 8 미만	① 햇볕에 노출 시 1 ~ 2시간 내에도 피부 화상을 입을 수 있어 위험함 ② 한낮에는 그늘에 머물러야 함 ③ 외출 시 긴 소매 옷, 모자, 선글라스 이용 ⑤ 자외선 차단제를 정기적으로 발라야 함
보통	3 이상 6 미만	① 2 ~ 3시간 내에도 햇볕에 노출 시에 피부 화상을 입을 수 있음 ② 모자, 선글라스 이용 ③ 자외선 차단제를 발라야 함
낮음	3 미만	① 햇볕 노출에 대한 보호조치가 필요하지 않음 ② 그러나 햇볕에 민감한 피부를 가진 사람은 자외선 차단제를 발라야 함

2. 가시광선(Visible ray) 기출 11, 15, 18, 19, 20

(1) 가시광선은 파장이 4,000 ~ 7,000Å의 빛으로 눈의 망막을 자극하여 색깔이나 명암을 구별하게 하는 작용을 한다.
(2) 광선의 양은 동공에 의해서 조절된다.
(3) 조명이 불충분할 때는 근시, 안정 피로, 시력 저하가 발생하며, 작업능률의 저하와 직업성 질환인 안구진탕증을 유발할 수 있다.
(4) 적당한 조도는 100 ~ 1,000Lux이다.

3. 적외선(Infrared ray) 기출 15, 17, 18, 19, 20

(1) 적외선은 고열물체의 복사열을 운반하므로 열선이라고 한다.
(2) 근적외선(30,000Å 이하), 중적외선(30,000 ~ 300,000Å), 원적외선(1,000,000Å)으로 구분한다.
(3) 근적외선은 물을, 중적외선은 유리를, 원적외선은 암염(岩鹽)을 투과한다.
(4) 과도한 적외선은 중추신경의 장애를 일으켜 일사병, 두통, 현기증, 열경련, 피부장애, 즉 화상이나 피부홍반(색소의 침착은 없음)을 초래하기도 한다.
(5) 강한 적외선을 사용하는 용접공, 야금공, 유리공업 종사자는 안구에 강한 적외선이 노출되어 수정체의 혼탁을 일으키는 백내장에 많이 걸린다.

적외선
인체에 미치는 영향으로 피부온도의 상승, 혈관 확장, 피부홍반(색소의 침착은 없음) 등의 작용이 있다.

4. 기상청에서의 하절기 열지수

지수	구분	지속적인 노출 시 위험사항
54 이상	매우 위험	열사 · 일사병 위험 매우 높음
41 이상 ~ 54 미만	위험	신체활동 시 일사병 · 열경련 · 열피폐 높음
32 이상 ~ 41 미만	주의	신체활동 시 일사병 · 열경련 · 열피폐 가능성 있음
27 이상 ~ 32 미만	조심	신체활동 시 피로 위험 높음
27 미만	안전	신체활동 시 피로 위험 낮음

5 기후의 종합 지수

1. 쾌감대(Comfort zone) 기출 17, 18, 19

(1) 일반적으로 성인이 무풍 안정 시 적당한 착의상태에서 쾌감을 느낄 수 있는 온도는 17 ~ 18℃이고, 습도는 60 ~ 65%이다.
(2) 힐과 셰파드(Hill & Shephard)는 온도와 습도와의 관계에서 가장 쾌감을 느낄 수 있는 점을 쾌감점이라고 하였으며, 이 점의 연결을 쾌감선이라고 한다.
(3) A - B, C - D의 사선을 그은 부분은 쾌감대에 해당한다.
(4) X - Y점선은 쾌감점의 연결선으로서 쾌감선이다.
(5) 쾌감대는 이 쾌감선을 중심으로 상하로 분포되어 있으며, 온도가 18℃일 때 습도가 65%, 20℃일 때는 50%의 습도가 가장 쾌적한 쾌감점이 된다.

(6) 쾌감대는 작업량, 개인차, 습구온도, 의복의 착용상태 등에 따라 차이가 있으며 동양인은 서양인에 비하여 쾌감대가 저온쪽으로 분포되어 있는 것으로 알려져 있다.

(7) 안정 시에는 습구온도 16℃에서 기류가 0.65 ~ 0.75m/s일 때 쾌감점이 된다.

(8) 중노동 시에는 습구온도는 14℃에서 1m/s 전후에 쾌감점이 된다.

(9) 의복을 입었을 시 기온 17 ~ 18℃, 습도 60 ~ 65%, 0.2 ~ 0.5m/s 이하 불감기류일 때 쾌감대가 된다.

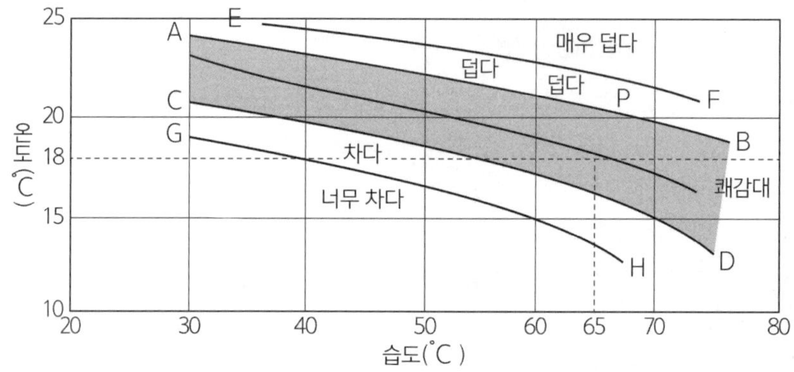

실내에서의 쾌감대와 온·습도와의 관계(무통, 안정 시)

감각온도

엘리스[Ellis(1972)] 등은 화씨(℉)로 표현되는 감각온도를 섭씨(℃)로 표현하는 감각온도로 만들었다. 감각온도의 단점은 습기의 흡수를 고려하지 않아 습도를 강조한 점이 있다는 것이다. 감각온도는 피복, 계절, 성별, 연령 및 기타 조건에 따라 변화한다.

2. 감각온도(Effective temperature) 기출 17, 18, 19, 20

(1) 감각온도란 실효온도 또는 체감온도라고도 하는데, 기온, 습도, 기류의 3인자가 종합적으로 인체에 작용하여 얻어지는 체감온도를 말한다.

(2) 야글루 등(Yaglou, Houghton, Miller)에 의해 고안되었다.

(3) 포화습도(습도 100%), 무풍(기류 0m/sec) 상태에서 동일한 온감(등온감각)을 주는 기온(℉)을 의미한다. 예를 들어, 환경기온이 65℉이고 습도 100%, 무풍인 경우 그 곳에 있는 물체가 느끼는 감각온도는 65℉이다.

(4) 여름철 쾌감 감각온도는 64 ~ 79℉(18 ~ 26℃)이고 겨울철은 60 ~ 74℉(15.6 ~ 23.3℃)이며, 최적 감각온도(optimum effective temperature)는 겨울철이 66℉(18.9℃), 여름철이 71℉(21.7℃)이다. 여름보다 겨울이 낮은 것은 기후에 대한 순응현상 때문이다.

DI의 공식

[건구습도(℉) + 습구온도(℉)] × 0.4 + 15

3. 불쾌지수(DI; Discomfort Index) 기출 09, 11, 13, 14, 15, 16, 17, 18, 19, 20, 21, 24

불쾌지수 = 0.72[건구온도(℃) + 습구온도(℃)] + 40.6

(1) 개념

체감기온을 나타내는 방법으로, 기후상태 때문에 인간이 느끼는 불쾌감이다.

(2) 불쾌지수와 불쾌감의 관계 기출 15, 17, 20

① DI≥70: 다소 불쾌(10% 정도의 사람이 불쾌)

② DI≥75: 50%의 사람이 불쾌

③ DI≥80: 거의 모든 사람이 불쾌

④ DI≥85: 매우 불쾌(모든 사람이 견딜 수 없는 상태)

민족별 불쾌지수에 대한 불쾌비율

한국인		일본인		미국인	
불쾌지수	불쾌하다고 느끼는 비율	불쾌지수	불쾌하다고 느끼는 비율	불쾌지수	불쾌하다고 느끼는 비율
72	2%	72	2%	70	10%
75	10%	75	9%	75	50%
80	50%	80	85%	80 이상	100%
83 이상	100%	85 이상	93%	-	

(3) 불쾌지수 단계별 대응요령

단계	지수범위	대응요령
매우 높음	80 이상	① 전원 불쾌감을 느낌 ② 어린이, 노약자 등 더위에 취약한 사람들은 야외활동을 자제함 ③ 에어컨, 제습기, 실내 환기 등을 통해 실내 온·습도를 조절하거나 무더위 쉼터 등으로 이동하여 휴식 ④ 수분을 미리 충분히 섭취
높음	75 이상 80 미만	① 50% 정도 불쾌감을 느낌 ② 어린이, 노약자 등 더위에 취약한 사람들은 12시 ~ 5시 사이에는 야외활동을 자제하거나 가벼운 옷을 입기 ③ 에어컨, 제습기, 실내 환기 등을 통해 실내 온·습도를 조절함 ④ 지속적으로 수분을 섭취함
보통	68 이상 75 미만	① 불쾌감을 나타내기 시작함 ② 어린이, 노약자 등 더위에 취약한 사람들은 야외활동 시 가벼운 옷을 입기 ③ 수분을 충분히 섭취함
낮음	68 미만	전원 쾌적함을 느낌

4. 카타 냉각력 기출 17, 19

(1) 인체 표면에서의 열 손실 정도를 카타 온도계로 측정하는 것이다.

(2) 냉각력이란 기온, 습도, 기류를 종합해서 인체에서 열을 빼앗는 힘으로, 그 공기가 가지고 있는 냉각력이다.

(3) 기온, 습도가 낮고 기류가 클 때에는 인체의 체온 방산량이 증가하는데, 즉 이는 인체로부터 열을 빼앗은 힘이다.

(4) 힐(Hill, 1916)은 인간이 추위와 더위를 느끼는 것은 신체로부터의 발열량에 의해 결정된다고 보고, 인체모형의 일종인 알코올 카타 온도계를 고안하였다.

(5) 카타 온도계는 냉각력을 구하면 풍속을 알 수 있으므로, 불감 기류와 같은 미풍을 정확히 측정할 수 있기 때문에 실내의 기류 등 기류 측정의 미풍계로도 사용한다.

5. 온열평가지수(WBGT)

온열평가지수는 민라드(Minrad)에 의해 제2차 세계대전 때 열대지방에서 작전하는 미군 병사들에 대한 고온장애를 예방하기 위해 고안되었다. 온열평가지수를 산출하는 식은 다음과 같다.

- 실내: 0.7NWB + 0.3GT
- 실외: 0.7NWB + 0.2GT + 0.1DB

(NWB: 습구 온도, GT: 흑구 온도, DB: 건구 온도)

6. 등온지수(Equivalent warmth)

기온, 습도, 기류에 복사열을 가했을 때 주변 물체와 기온이 동일하게 되었을 때의 등온감각을 주는 상태로 지적 등온지수는 60.9°F이다.

7. 지적온도 기출 12, 13, 19

체온조절에 있어서 가장 적절한 온도를 의미한다.

구분	내용
생리적 지적온도	① 기능적 지적온도, 건강 지적온도라고도 함 ② 인체 내에서 최소한의 에너지 소모로 최대의 생리적 기능을 발휘할 수 있는 온도
주관적 지적온도	① 쾌적 지적온도 ② 감각적으로 가장 쾌적하게 느끼는 온도
생산적 지적온도	① 노동 지적온도 ② 작업생산능률을 최고로 올릴 수 있는 온도

제3장 공기와 건강

1 공기의 의의

1. 공기의 특징

(1) 공기는 지상으로부터 약 1,000km 상공까지의 대기층(Atmosphere)을 형성하고 있는 혼합가스들이다.
(2) 지상에서 11 ~ 12km 이내의 대기층이 대류권(Troposphere)이고, 12km 이상의 대기층은 성층권(Stratosphere)인 동시에 오존(Ozone)층이다.
(3) 20km 이내의 대기층 공기성분은 대체로 지구 표면의 화학성분과 흡사하다.
(4) 대기권 내의 주요 화학성분은 질소와 산소가 전체의 99%를 차지한다.
(5) 공기는 우리에게 아주 필수적인 것으로서 물, 음식물과 함께 절대적인 요소이다. 사람이 마시는 공기의 하루 필요량은 13kL이다.

2. 공기의 자정작용(Self purification) 기출 14, 15, 16, 17, 18, 19, 20

(1) 공기 자체의 희석작용
(2) 강우, 강설 등에 의한 부유분진이나 용해성 가스의 세정작용
(3) 산소(O_2), 오존(O_3), 과산화수소(H_2O_2) 등에 의한 산화작용
(4) 태양광선 중 자외선에 의한 살균작용
(5) 식물의 탄소동화작용에 의한 CO_2와 O_2의 교환작용

3. 공기의 조성 기출 14, 18

성분	농도(%)
질소(N_2)	78.10
산소(O_2)	20.93
아르곤(Ar)	0.93
이산화탄소(CO_2)	0.03
네온(Ne)	0.0018
헬륨(He)	0.0005
크립톤(Kr)	0.0001
수소(H_2)	0.00005
일산화탄소(CO)	0.00001
크세논(Xe)	0.000008
오존(O_3)	0.0000002

4. 호흡(Respiration)

(1) 호흡 시에 일어나는 산소와 이산화탄소의 교환은 이들 가스가 가지는 분압의 차이에 기인한다.

(2) 산소를 흡수하고 이산화탄소 및 수증기를 배출함으로써 흡기와 호기의 공기조성성분이 달라진다.

(3) 호흡을 통해서 취해진 산소는 헤모글로빈(Hb)과 결합하여 HbO_2로서 각 세포조직에 운반되고, 조직에서 발생한 CO_2는 폐포로 운반되어 호기로 배출한다.

(4) **호기와 흡기 및 혈중의 산소와 이산화탄소의 조성비(단위: %)**

구분	산소(O_2)	이산화산소(CO_2)
흡기	20.93	0.03
호기	17.00	4.00
동맥혈	19.00	47.00
정맥혈	13.00	52.00

2 공기와 건강 질환

1. 산소와 건강 질환

(1) 성인이 안정상태에서 공기를 호흡할 때 체내에서 소실되는 산소는 약 4 ~ 5%이다.

(2) 1일 산소소비량은 13kL× 4/100(또는 5/100) = 0.52kL(또는 0.65kL)이다.

(3) 사람이 산소의 감소 내지 증가에 대한 적응력이 커서 감당할 수 있는 허용범위는 15 ~ 27% 정도(가장 이상적인 산소 농도는 21%)이다.

(4) **산소와 관련된 질환** 기출 20

저산소증 (Hypoxia)	① 산소가 부족한 상태에서 일어나는 증상 ② 산소량이 10% 정도가 되면 호흡곤란이 오고, 7% 이하가 되면 질식사
산소중독 (Oxygen poisoning)	① 대기 중의 산소농도(21%)나 산소분압(160mmHg)보다 높은 산소를 장시간 호흡할 때 발생하는 것 ② 일반적으로 100%의 산소를 8 ~ 12시간 이상 호흡할 때 산소중독의 위험 발생 ③ **증상**: 폐부종, 충혈, 이통, 흉통 등이 있으며, 심하면 사망에 이름

2. 이산화탄소(CO_2)와 건강 기출 12, 14, 16, 19, 20

(1) 이산화탄소는 무색, 무취, 약산성의 비독성 가스이다.

(2) 실내공기 오염의 지표로 사용된다.

(3) 공기 중의 이산화탄소는 식물의 동화작용에 의해 동일한 농도가 유지된다.

(4) 성인은 안정 시 호기 중에 4%의 이산화탄소를 배출하여 1시간에 약 20L를 배출한다.

이산화탄소 서한량

이산화탄소의 서한량은 허용 기준으로 0.1%(1,000ppm)이다.

(5) CO_2 농도에 따른 신체반응 증상

농도(%/h)	증상
2.5	영향력이 없음
3	호흡이 깊어짐
4	국소의 자극 증후, 혈압의 상승, 두부 중압감
6	호흡 곤란
8 ~ 10	의식불명
20	수초 내 중추신경의 불수
30	산소부족으로 인한 치사농도

(6) 군집독(Crowd poisoning)

① 실내에 많은 사람이 밀집해 있을 때 공기의 물리적 · 화학적 조건이 문제가 되어 불쾌감, 두통, 권태, 현기증, 구토, 식욕저하 등의 생리적 현상을 일으키는 것을 말한다.

② 이산화탄소의 농도 증가, 기온 및 습도의 변화, 냄새, 연소가스, 분진 등으로 인해 공기의 물리적인 성상이 변화하고 실내 환기의 부족으로 인한 화학적 조성의 변화가 문제가 되어 불쾌감, 두통, 권태, 현기증, 구토, 식욕저하 등의 생리적 현상을 일으킨다.

③ 군집독 예방의 가장 좋은 해결책은 적절한 환기를 하는 것이다.

3. 일산화탄소(CO)와 건강 기출 11, 14, 17, 18, 19, 20

(1) 무색, 무취, 자극성이 없는 기체로서 이산화탄소와는 달리 맹독성이 있다.

(2) 비중이 0.976으로서 공기와 거의 같으므로 혼합되기 쉽고 주로 물체가 불완전연소할 때 많이 발생한다.

(3) 일산화탄소는 헤모글로빈(Hb)과의 친화성이 산소에 비해서 250 ~ 300배나 강하므로 혈액 중에서의 HbO_2 형성을 방해한다.

(4) 산소운반장애와 산소해리장애 작용의 이중작용으로 생체조직의 산소결핍증(Anoxia)을 일으킨다.

(5) 일산화탄소의 서한량은 0.001%(10ppm)이다.

(6) 혈중의 COHb 농도(포화도)에 따른 중독 증상

혈중 COHb 농도(%)	중독증상
0 ~ 10	증상 없음
10 ~ 20	강한 두통, 피부혈관 확장, 전두부 긴박감
20 ~ 30	현기증, 약간의 호흡곤란
30 ~ 40	심한 두통, 구역, 구토, 시력 저하
40 ~ 50	근력 감퇴, 허탈, 호흡 · 맥박의 증진
50 ~ 60	가사, 호흡 · 맥박증진 · 혼수, 경련
60 ~ 70	혼수, 경련, 신장박동 및 호흡의 비약
70 ~ 80	맥박이 약하고 호흡이 느리며, 호흡정지 후 사망
80 이상	즉사

4. 질소(N_2)와 건강 기출 12, 16, 19, 20, 24

(1) 질소는 공기의 78%를 차지한다.

(2) 호흡할 때 단순히 기도를 출입할 뿐이며 생리적인 작용을 하지 않는 불활성 기체이다.

(3) 이상고기압이나 급격한 기압 강하 시에는 인체에 영향을 주게 된다.

(4) **고압환경과 건강장애의 특징**

① **1차 압력현상**: 생체강과 환경 간의 기압차이로 발생한다. 울혈, 부종, 출혈 및 동통을 일으킬 수 있으며, 귀, 부비강 및 치아는 기압 증가로 인해 압박장애가 발생할 수 있다.

② **2차 압력현상**: 고압하에 대기가스의 독성 때문에 나타나는 현상으로 질소, 산소, 이산화탄소가 문제된다.

질소마취	• 4기압 이상에서 공기 중의 질소가스는 마취작용을 나타내서 작업력의 저하, 기분의 변화 등 여러 정도의 다행증이 발생 • 질소의 지방용해도는 물에 비하여 5배나 높으며 혈액 ⇨ 물 ⇨ 지방의 순서로 보통 1기압이 증가할 때마다 10L의 질소가 체내에 용입되어 체외로 배출되지 않음
산소중독	• 산소분압 2기압까지는 조직 내 소모로 큰 지장이 없으나 2기압이 넘으면 산소중독증세가 나타남 • 증상으로는 수지와 족지의 작열통, 시력장애, 현청, 근육경련, 오심 등을 나타내며 고압 산소에 대한 폭로가 중지되면 이러한 증상은 즉시 회복이 됨
이산화탄소	• 산소의 독성과 질소의 마취작용을 증강시킴 • 고압환경의 이산화탄소 농도는 3%를 초과해서는 안 됨

(5) **잠함병(Decompression sickness), 감압병(Caisson disease)**

특징	고기압상태에서 정상기압으로 갑자기 복귀할 때 체액 및 지방조직에 발생되는 질소가스가 주원인이 되어 기포를 형성하여 모세혈관에 혈전현상을 일으키는 것
증상	① 동통성 관절장애, 무혈관성 골괴사 등 ② **중증 합병증**: 마비증상 ③ **잠함병 4대 증상(Heller 등)**: 피부소양감 · 관절통, 척추증상에 의한 마비, 내이와 미로의 장애, 뇌내 혈액순환 장애 및 호흡기계 장애
예방	잠수작업 등을 하는 사람은 작업 전 신체검사, 적성검사 등을 받아 위험요소가 있을 경우 작업 금지
치료방법	계단적 감압(1기압에 20분 이상)

기압에 따른 잠함병 증상

3기압	자극작용
4기압 이상	마취작용
10기압 이상	의식상실

무혈관성 골괴사
질소기포가 뼈의 소동맥을 막아서 일어나는 질환이다.

저압환경과 건강장애
1. 인간이 산소 공급 없이도 생존 가능한 고도는 5 ~ 5.5km이지만, 저압환경에서는 산소 부족과 기계적 장애가 나타나기 때문에 해발 3km 이상에서는 산소호흡기의 착용이 필요하다.
2. 저압에 의한 생리적 반응은 수면장애, 흥분, 호흡촉진, 식욕감퇴, 이명, 현훈, 두통 및 난청 등이 나타날 수 있다.

제4장 물과 건강

1 물의 이해

1. 물의 의의

(1) 물의 특징

① 물은 지구 표면과 인체 내에서 가장 많은 부분을 차지하는 물질로서 모든 생명체가 생명을 영위하는 데 필수적인 물질이다.

② 지구 탄생의 역사에서 물은 최초로 생긴 물질 중 하나이고, 지구에서 가장 풍부한 자원으로 지구를 '물의 행성'이라고도 한다.

③ 인체의 60 ~ 70%는 물로 되어 있으며, 그 중에 약 40%는 세포 내에, 약 20%는 조직 내에, 약 5%는 혈액 내에 분포한다.

④ 물은 세포, 조직, 혈액 내에 흡수되어 있어 염류나 기타 분비물을 용해하고, 식품의 노화, 영양분의 흡수 및 운반, 노폐물의 배설, 체온조절 등의 중요한 역할을 한다.

⑤ 성인의 경우 1일 2.0 ~ 2.5L의 물이 필요하며, 우리의 신체 중 10%의 물을 상실하면 생리적 이상이 오고, 20% 이상을 상실하게 되면 생명의 위험을 초래하게 된다.

(2) 물의 자정작용 기출 11, 15, 16, 18, 19

물은 자연계에서 순환하고 있으며, 그 과정에서 증발과 농축에 의해 정수된다.

물리적 작용	폭기(Aeration)에 의한 가스 교환, 희석, 확산, 여과, 자외선 조사에 의한 탈색과 소독, 중력과 침전에 의한 부유물질의 제거 등
화학적 작용	유기물질이 호기성 세균의 작용에 의하여 산화되어 무기성 질소화합물로 변하고, 철 또는 망간과 결합하여 침전함
생물학적 작용	물속에 있는 세균, 플랑크톤에서 어패류, 조류에 이르는 모든 생물체는 오염물질을 분해하며 물의 자정작용에 관여함

2. 물과 보건

(1) 수인성 질병의 전염원

① 수인성 질병인 콜레라, 장티푸스, 파라티푸스, 세균성 이질 등은 물로 인하여 전염되거나, 오염된 물에 음식물 등이 오염되어 전염되므로 물은 수인성 질병의 전염원으로서 작용하는 것이다.

② 그러나 물에서 그 병원체들은 증가하는 것이 아니라 감소하는데 그 이유는 영양원이 부족하거나, 다른 균에 잡아먹히거나, 일광의 작용에 의해 사멸되거나, 생존온도가 부적당하기 때문이다.

(2) 기생충 질병의 전염원

① 물과 관련 있는 기생충으로는 간흡충, 폐흡충, 광절열두조충, 주혈흡충 등이 있다.

② 회충, 편충 등도 수질의 오염으로 전염될 수 있다.

(3) 유해물질의 오염원

① 산업장에서 유출되는 유해물질로는 수은, 카드뮴, 유기인, 페놀, 비소 등이 있다.

② 산업장의 화학물질 사용 증가로 배출량이나 종류에서 계속 증가하는 경향이 있으며, 이들 유해물질은 각종 중독성 질환을 일으킨다.

(4) 불소의 함량

① 음용수에 과다한 불소의 함량은 반상치의 원인이 된다.

② 불소의 함량이 적은 경우는 충치의 원인이 되는데, 이러한 현상은 8 ~ 9세의 어린이에게 많이 발생한다.

(5) 기타

오염된 물은 생활환경의 악화, 음용수 및 공업용수의 부적합, 악취 및 가스발생, 해충의 서식, 정수과정의 어려움 등을 수반한다.

3. 먹는물의 수질기준 기출 14, 15, 16, 17, 18, 19, 20, 21, 22, 23

관련 법령

「먹는물 수질기준 및 검사 등에 관한 규칙」 [별표 1]

먹는물의 수질기준(제2조 관련)

1. 미생물에 관한 기준
   가. 일반세균은 1mL 중 100CFU(Colony Forming Unit)를 넘지 아니할 것
   나. 총 대장균군은 100mL에서 검출되지 아니할 것
   다. 대장균 · 분원성 대장균군은 100mL에서 검출되지 아니할 것
   라. 분원성 연쇄상구균 · 녹농균 · 살모넬라 및 쉬겔라는 250mL에서 검출되지 아니할 것
   마. 아황산환원혐기성포자형성균은 50mL에서 검출되지 아니할 것
   바. 여시니아균은 2L에서 검출되지 아니할 것
2. 건강상 유해영향 무기물질에 관한 기준
   가. 납은 0.01mg/L를 넘지 아니할 것
   나. 불소는 1.5mg/L(샘물 · 먹는샘물 및 염지하수 · 먹는염지하수의 경우에는 2.0mg/L)를 넘지 아니할 것
   다. 비소는 0.01mg/L(샘물 · 염지하수의 경우에는 0.05mg/L)를 넘지 아니할 것
   라. 셀레늄은 0.01mg/L(염지하수의 경우에는 0.05mg/L)를 넘지 아니할 것
   마. 수은은 0.001mg/L를 넘지 아니할 것
   바. 시안은 0.01mg/L를 넘지 아니할 것

사. 크롬은 0.05㎎/L를 넘지 아니할 것
아. 암모니아성 질소는 0.5㎎/L를 넘지 아니할 것
자. 질산성 질소는 10㎎/L를 넘지 아니할 것
차. 카드뮴은 0.005㎎/L를 넘지 아니할 것
카. 붕소는 1.0㎎/L를 넘지 아니할 것(염지하수의 경우에는 적용하지 아니한다)
타. 브롬산염은 0.01㎎/L를 넘지 아니할 것(수돗물, 먹는샘물, 염지하수·먹는염지하수, 먹는해양심층수 및 오존으로 살균·소독 또는 세척 등을 하여 먹는물로 이용하는 지하수만 적용한다)
파. 스트론튬은 4mg/L를 넘지 아니할 것(먹는염지하수 및 먹는해양심층수의 경우에만 적용한다)
하. 우라늄은 30㎍/L를 넘지 않을 것[수돗물(지하수를 원수로 사용하는 수돗물을 말한다), 샘물, 먹는샘물, 먹는염지하수 및 먹는물공동시설의 물의 경우에만 적용한다]

3. 건강상 유해영향 유기물질에 관한 기준
가. 페놀은 0.005㎎/L를 넘지 아니할 것
나. 다이아지논은 0.02㎎/L를 넘지 아니할 것
다. 파라티온은 0.06㎎/L를 넘지 아니할 것
라. 페니트로티온은 0.04㎎/L를 넘지 아니할 것
마. 카바릴은 0.07㎎/L를 넘지 아니할 것
바. 1, 1, 1 - 트리클로로에탄은 0.1㎎/L를 넘지 아니할 것
사. 테트라클로로에틸렌은 0.01㎎/L를 넘지 아니할 것
아. 트리클로로에틸렌은 0.03㎎/L를 넘지 아니할 것
자. 디클로로메탄은 0.02㎎/L를 넘지 아니할 것
차. 벤젠은 0.01㎎/L를 넘지 아니할 것
카. 톨루엔은 0.7㎎/L를 넘지 아니할 것
타. 에틸벤젠은 0.3㎎/L를 넘지 아니할 것
파. 크실렌은 0.5㎎/L를 넘지 아니할 것
하. 1, 1 - 디클로로에틸렌은 0.03㎎/L를 넘지 아니할 것
거. 사염화탄소는 0.002㎎/L를 넘지 아니할 것
너. 1, 2 - 디브로모 - 3 - 클로로프로판은 0.003㎎/L를 넘지 아니할 것
더. 1, 4 - 다이옥산은 0.05㎎/L를 넘지 아니할 것

4. 소독제 및 소독부산물질에 관한 기준(샘물·먹는샘물·염지하수·먹는염지하수·먹는해양심층수 및 먹는물공동시설의 물의 경우에는 적용하지 아니한다)
가. 잔류염소(유리잔류염소를 말한다)는 4.0㎎/L를 넘지 아니할 것
나. 총트리할로메탄은 0.1㎎/L를 넘지 아니할 것
다. 클로로포름은 0.08㎎/L를 넘지 아니할 것
라. 브로모디클로로메탄은 0.03㎎/L를 넘지 아니할 것
마. 디브로모클로로메탄은 0.1㎎/L를 넘지 아니할 것
바. 클로랄하이드레이트는 0.03㎎/L를 넘지 아니할 것

사. 디브로모아세토니트릴은 0.1mg/L를 넘지 아니할 것
아. 디클로로아세토니트릴은 0.09mg/L를 넘지 아니할 것
자. 트리클로로아세토니트릴은 0.004mg/L를 넘지 아니할 것
차. 할로아세틱에시드(디클로로아세틱에시드, 트리클로로아세틱에시드 및 디브로모아세틱에시드의 합으로 한다)는 0.1mg/L를 넘지 아니할 것
카. 포름알데히드는 0.5mg/L를 넘지 아니할 것

5. 심미적(審美的) 영향물질에 관한 기준
가. 경도(硬度)는 1,000mg/L(수돗물의 경우 300mg/L, 먹는염지하수 및 먹는해양심층수의 경우 1,200mg/L)를 넘지 아니할 것. 다만, 샘물 및 염지하수의 경우에는 적용하지 아니한다.
나. 과망간산칼륨 소비량은 10mg/L를 넘지 아니할 것
다. 냄새와 맛은 소독으로 인한 냄새와 맛 이외의 냄새와 맛이 있어서는 아니될 것
라. 동은 1mg/L를 넘지 아니할 것
마. 색도는 5도를 넘지 아니할 것
바. 세제(음이온 계면활성제)는 0.5mg/L를 넘지 아니할 것
사. 수소이온 농도는 pH 5.8 이상 pH 8.5 이하이어야 할 것
아. 아연은 3mg/L를 넘지 아니할 것
자. 염소이온은 250mg/L를 넘지 아니할 것(염지하수의 경우에는 적용하지 아니한다)
차. 증발잔류물은 수돗물의 경우에는 500mg/L, 먹는염지하수 및 먹는해양심층수의 경우에는 미네랄 등 무해성분을 제외한 증발잔류물이 500mg/L를 넘지 아니할 것
카. 철은 0.3mg/L를 넘지 아니할 것
타. 망간은 0.3mg/L(수돗물의 경우 0.05mg/L)를 넘지 아니할 것
파. 탁도는 1NTU(Nephelometric Turbidity Unit)를 넘지 아니할 것
하. 황산이온은 200mg/L를 넘지 아니할 것
거. 알루미늄은 0.2mg/L를 넘지 아니할 것

6. 방사능에 관한 기준(염지하수의 경우에만 적용한다)
가. 세슘(Cs - 137)은 4.0mBq/L를 넘지 아니할 것
나. 스트론튬(Sr - 90)은 3.0mBq/L를 넘지 아니할 것
다. 삼중수소는 6.0Bq/L를 넘지 아니할 것

4. 정수 처리에 관한 기준 – 수질 검사

먹는물 수질 검사 항목 및 검사주기 기출 21

구분		측정항목
정수장	매일항목 (6항목)	냄새, 맛, 색도, 탁도(濁度), 수소이온 농도 및 잔류염소
	매주검사[1] (7항목)	일반세균, 총대장균군, 대장균 또는 분원성 대장균군, 암모니아성 질소, 질산성 질소, 과망간산칼륨 소비량, 증발잔류물
	매월검사[2] (52항목)	소독부산물 중 총트리할로메탄, 클로로포름, 브로모디클로로메탄 및 디브로모클로로메탄을 포함한 먹는물 수질기준 전 항목
	매분기검사 (6항목)	10개 소독부산물 중 6개 항목(잔류염소, 클로랄하이드레이트, 디브로모아세토니트릴, 디클로로아세토니트릴, 트리클로로아세토니트릴, 할로아세틱에시드)
수도꼭지	매월검사 (4항목)	일반세균, 총대장균군, 대장균 또는 분원성 대장균군, 잔류염소
수도관 노후지역수도꼭지	매월검사 (10항목)	일반세균, 총대장균군, 대장균 또는 분원성 대장균군, 암모니아성 질소, 철, 동, 아연, 망간, 염소이온, 잔류염소
급수과정별 시설	매분기검사 (11항목)	일반세균, 총대장균군, 대장균 또는 분원성 대장균군, 암모니아성 질소, 총트로할로메탄, 동, pH, 아연, 철, 탁도, 잔류염소
마을 · 전용상수도 소규모급수시설	매분기검사[3] (15항목)	일반세균, 총대장균군, 대장균 또는 분원성 대장균군, 암모니아성 질소, 질산성 질소, 냄새, 맛, 색도, 탁도 불소, 망간, 알루미늄, 잔류염소, 브론 및 염소이온(해수에 한함)
마을 · 전용상수도 소규모급수시설	매년 전 항목검사 (58항목)	먹는물 수질기준 전 항목
먹는물 공동시설	매분기검사[4] (6항목)	일반세균, 총대장균군, 대장균 또는 분원성대장균군, 암모니아성 질소, 질산성 질소, 과망간산칼륨 소비량(단, 2분기는 47개 전 항목)

1) 일반세균, 총대장균군, 대장균 또는 분원성 대장균군 항목은 반드시 매주 1회 이상 검사를 실시하고, 기타 항목은 지난 1년간의 수질검사 결과에 따라 매월 1회 이상으로 조정하여 검사 가능
2) 일반세균, 총대장균군, 대장균 또는 분원성 대장균군, 암모니아성질소, 질산성질소, 과망간산칼륨소비량, 냄새, 맛, 색도, 수소이온농도, 염소이온, 망간, 탁도 및 알루미늄 항목은 반드시 매월 1회 이상 검사를 실시하고, 기타 항목은 지난 3년간의 수질검사 결과에 따라 매 분기 1회 이상으로 조정하여 검사 가능
3) 지난 3년간의 수질검사 결과에 따라 매 분기 1회 이상으로 조정하여 검사 가능
4) 3/4분기 중에는 매월 수질 검사 실시

MPN 값 100
물 100cc 대장균 100이 있다는 의미이다.

5. 수질 오염상태의 추정 물질 기출 21

암모니아성 질소의 검출	① **유기질소화합물의 5단계 분해과정**: 단백질 ⇨ 아미노산 ⇨ 암모니아성 질소(NH_3 - N) ⇨ 아질산성 질소(NO_2 - N) ⇨ 질산성 질소(NO_3 - N) ② 암모니아성 질소의 검출은 유기물질에 오염된지 얼마 되지 않았음을 의미함 ③ 또한 분변에 오염이 되었을 가능성이 있는 것을 의미함
과망가니즈산 칼륨(KMnO4)의 과다 검출	① 과망가니즈산 칼륨은 수중의 유기물을 산화하는 데 소비됨 ② 산화의 정도에 따라 과망간산칼륨이 소비됨으로써 그 소비량에 따라 수중의 유기물을 간접적으로 추정함
대장균군 검출	① 대장균군은 일반적으로 그 자체가 직접 유해하지는 않으나 대장균의 검출은 다른 미생물이나 분변의 오염을 추측할 수 있음 ② 검출방법이 간단하고 정확하기 때문에 수질오염의 지표로서 중요성이 있음 ③ 우리나라는 시료 10mL씩 5본이 전부 음성이어야 한다고 규정하고 있으나 일반적으로는 시료 100mL당 대장균수, 즉 최적확수(MPN; Most Probable Number)를 사용함 ④ 대장균지수(Coil idex)가 사용되는데, 이는 대장균을 검출한 최소 시료량의 역수(逆數)로 나타내는 것

2 물의 공급과정

1. 상수도

(1) 상수도의 공급과정 기출 12, 19

수원 ⇨ 도수 ⇨ 정수 ⇨ 송수 ⇨ 배수 및 급수

① 수원(종류)

천수 (天水)	• 비나 눈으로 내리는 물을 말하는데 대기가 오염되면 매연, 분진, 세균의 오염이 많음 • 천수는 집수의 불편으로 지표수나 지하수를 얻지 못하는 지역에서 이용
지하수 (Ground water)	• 지하로 침투한 물은 지하수를 이루는데 지각의 윗부분인 토양층과 암석층에 보관 • 유기물이나 미생물에의 오염은 적고 탁도가 낮으나 경도가 높음
지표수 (Surface water)	• 지표면 위에 고여 있는 하천, 호수 등의 물을 말하는데 수질은 비교적 안정적이지만, 오염의 기회가 많음 • 철저한 위생관리가 요구됨 • 우리나라의 상수도는 대부분 지표수를 사용

해수 (Sea water)	• 해수는 해역에 존재하는 해수와 해수가 침투하여 지하에 존재하는 물 • 주로 도서지역에서는 해수를 담수화하여 상수원으로 사용하고 있음
복류수 (River bed water)	• 복류수는 지하수면이 하천수와 밀착해서 있는 것 • 복류수는 지하수와는 달리 확실한 흐름이 있는 것뿐만 아니라 지표수와의 교환이 이루어짐 • 수질적으로 지표수와 거의 비슷하며, 탁도가 지표수보다는 낮음

② **도수**: 도수(導水)는 수원이 멀리 떨어져 있을 때 물을 정수지까지 운반하는 것으로 도수로에 의해 끌어오는 것이다.

③ **정수**: 정수는 정수지에서 침전(沈澱), 여과(濾過), 소독의 순서로 실시한다.

④ **송수**: 정수장에서 송수로를 통하여 배수장까지 물을 운반하는 것이다.

⑤ **배수 및 급수**: 배수지에서 배수 또는 급수하는데, 배수는 공적 관리의 대상이 되는 선까지를 말하며, 급수는 각 가정으로 물을 보내는 것이다.

(2) 상수도의 정수과정 기출 17, 18, 19, 20

침전 ⇨ 폭기 ⇨ 여과 ⇨ 소독

① **침전**: 물속에 있는 비중이 무거운 부유물을 가라앉혀 색도, 탁도, 냄새, 세균 등을 감소시키는 방법이다.

보통침전	• 침전지에서 천천히 물을 흐르게 하거나 정지시켜서 부유물을 침전시키는 방법 • 탁도와 세균 등이 감소함 • **침전시간**: 12 ~ 14시간
약품침전	• 보통 침전으로는 잘 가라앉지 않는 작고 가벼운 물질은 약품 [$Al_2(SO_4)_3$]을 사용하여 응집시켜 가라앉히는 방법 • **침전시간**: 2 ~ 5시간 • 황산알루미늄은 5 ~ 35ppm 사용

② **폭기**: CO_2, CH_4, H_2S, NH_4 등과 O_2를 교환하는 단계이다.

③ **여과**: 물을 여과 급수하면 물속의 잡균이나 대장균에 의한 발열현상인 수도열(Hannover fever, water fever)뿐만 아니라 수인성 질병도 감소한다.

완속여과	• 1829년 영국의 심슨(Simpson)이 런던에서 템즈 강 물을 최초로 이 방법으로 처리하였기 때문에 영국식 여과법이라 함 • 완속여과법은 보통 침전법으로 침전시킨 후 여과지로 보내는 방법 • 여과지의 상층은 작은 모래(지름 0.25 ~ 0.3mm), 아래층은 큰 돌을 사용하여 물을 통과시키면서 불순물이 제거됨 • **생물막(Vital layer)**: 원수를 여과하면 모래층 상부에 부유물이 남게 되어 콜로이드막이 형성되는 것으로, 여과막은 세균의 99%까지 제거함

인공적 정수처리

3단계	침전 ⇨ 여과 ⇨ 소독
4단계	침전 ⇨ 폭기 ⇨ 여과 ⇨ 소독
5단계	침사 ⇨ 침전 ⇨ 여과 ⇨ 소독 ⇨ 급수

폭기의 기능

1. 냄새와 맛을 제거한다.
2. 이산화탄소, 메탄, 황화수소, 암모니아 등을 제거하기 위한 산소를 공급한다.

	• **Mills – Reincke 현상**: 1893년 미국의 밀스(Mills)가 메사추세스주 로렌스시에서 물을 여과 · 급수하였는데 그 결과 장티푸스, 이질, 설사, 장염 등의 환자와 사망자가 감소하였으며 일반사망률도 떨어지는 것을 알았음. 같은 해 독일의 라인케(Reincke)도 함부르크시에서 강물을 여과하여 공급한 결과, 같은 결과를 얻게 됨
급속여과	• 급속여과는 1872년 미국에서 사용되었기 때문에 미국식 여과법이라 함 • 약품[$Al_2(SO_4)_3$]을 사용하여 침전시킨 후 여과지로 보냄 • **장점**: 수원의 탁도 · 색도가 높거나, 수조류 · 철분의 양 등이 많을 때 적당하며, 추운 지방이나 대도시에서 이용하기 적당함

핵심정리 완속여과법과 급속여과법의 비교 기출 17, 18, 19, 20, 21, 22

구분	완속여과법	급속여과법
침전법	보통침전법	약품침전법
생물막 제거법	사면대치	역류세척
여과지 사용 기간	1 ~ 2개월	1일
1일 처리수심	4 ~ 5m/일	120 ~ 150m/일
탁도 · 색도가 높을 때	여과에 불리	여과에 영향을 받지 않음
이끼류가 발생되기 쉬운 장소	여과에 불리	여과에 영향을 받지 않음
면적	넓은 면적 필요	좁은 면적도 가능
비용	• 건설비 많이 듦 • 운영비 적게 듦	• 건설비 적게 듦 • 운영비 많이 듦
세균제거율	98 ~ 99%	95 ~ 98%

④ **소독**: 물에 염소주입량을 점차로 증가시키면서 잔류염소량을 측정하여 수질에 따라 세 가지 형태로 나타난다.

㉠ **Ⅰ형**: 증류수와 같이 순수한 물인 경우에 나타나는 형태이다.

㉡ **Ⅱ형**: 어느 정도의 유기물이나 피산화성 유기물을 함유하는 경우에 나타난다.

㉢ **Ⅲ형**

ⓐ 암모니아 화합물을 함유한 물에서 볼 수 있다.

ⓑ 암모니아 화합물이 함유된 물은 어느 정도까지는 주입염소량에 따라 잔류염소가 증가하지만 최대점에 달한 후에는 잔류염소가 감소하여 거의 0인 상태이다. ⇨ 파괴점(break point) 또는 불연속점

ⓒ 불연속점 염소처리법은 불연속점 이상으로 염소량을 주입하여 유리 잔류염소가 검출되도록 염소를 주입하는 방법이다.

트리할로메탄(Trihalomethane THM)
염소소독의 독성과 냄새가 나게 하는 성분으로, 트리할로메탄은 먹는물 기준 총 0.1mg/L를 넘지 아니한다.

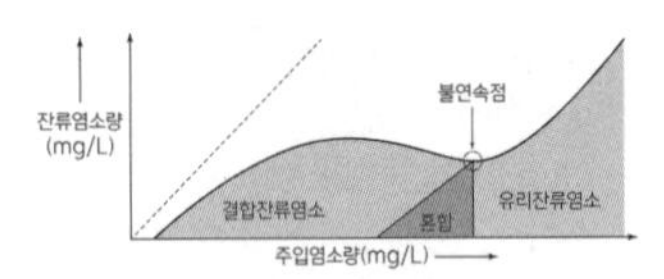

⊙ 불연속 염소소독

⑤ **염소요구량**

㉠ 염소요구량은 보통 투여한 염소량과 접촉시간 후 남아 있는 총 잔류염소와의 차이로서 정의한다.

㉡ 수중에 있는 유기의 피산화성 물질들에 의하여 환원되어 소모되는 염소의 양이다.

⑥ **잔류염소(Residual chlorine)**

㉠ 잔류염소는 염소를 주입하였을 때에 염소요구량에 의해 소모되고 남아 있는 염소이다.

㉡ **종류** 기출 18, 19, 20

결합형 잔류염소 (Combined residual chorine)	• 수중에 있는 암모니아가 염소나 차아염소산과 반응하여 클로라민(chloramine)을 생성하는 것 • 생성된 클로라민(NH_2Cl)과 $NHCl_2$은 살균력이 높으며 염소살균소독에 영향을 미치는 한편, 유리 상태인 치아염소산(HOCl)이나 염소, 치아염소산이론(OCl^-)를 유리 잔류염소(free residual chorine)라 함
유리 잔류염소 (Free residual chorine)	• 결합형 잔류염소에 비해 소독력이 강하므로(살균력 35 ~ 50배) 유리 잔류염소는 0.2mg/L로 가능하지만 결합형 잔류염소의 경우에는 0.4mg/L 정도가 필요함 • 상수의 유리 잔류염소의 규정은 수도전(수도꼭지)에서 0.1mg/L 이상을 유지하도록 되어 있으나(결합잔류염소는 0.4mg/L), 병원 미생물에 오염되었거나 오염될 우려가 있을 때에는 0.4mg/L(결합형은 1.8mg/L) 이상을 유지하도록 규정하였음

Plus⁺ POINT

소독의 종류 기출 13, 14, 15, 16, 18, 19, 20

가열법	• 방법: 자비소독(100℃의 끓는 물에서 15 ~ 20분간)이 가장 안전한 소독법이다. • 장점: 75℃에서 15 ~ 30분간 끓이면 대부분의 병원균은 사멸한다. • 단점: 끓이는 방법은 간단하고 가장 확실한 방법이나 소규모의 먹는 물에만 적용된다.
자외선법	• 장점 및 방법: 파장 2,500 ~ 2,800Å의 것이 가장 살균력이 크다. • 단점: 투과력이 약하여 물이 혼탁하거나 색이 있을 때는 물의 표면밖에 소독하지 못하고 가격 또한 비싸므로 사용 가치가 적다.
오존 소독	• 방법: 오존 소독은 염소 소독보다 소독효과가 강해 미국, 유럽 등에서 사용한다. • 장점: 잔류성이 없고, 소독 시 발생할 수 있는 트리할로메탄이 생성될 염려는 없다. • 단점: 가격이 비싸다.

화학적 소독법 (Chemical method)	• 화학적 소독법의 대표적인 방법으로는 염소 소독법이 있다. • 장점: 소독력이 강하므로 보편적으로 사용되며, 값이 싸고 조작이 간편하다. • 단점: 염소는 독성과 냄새가 있다. • 방법: 염소는 0℃, 4기압에서 액화시킨 액체염소를 사용하여 소독한다. • **불연속점** - 암모니아와 같은 물질을 함유한 물은 곡선과 같이 일단 증가한 잔류염소가 어느 점에서 하강하여 거의 0에 가까워졌다가 다시 증가하기 시작한다. - 불연속점에서는 염소도 소비되고 클로라민도 없는 상태이다. - 그 후에는 주입량에 비례하여 유리 잔류염소가 증가한다. - 불연속점 이상에서 처리하면 경제적이고 소독효과도 크고 물의 냄새와 맛도 제거된다.

⑦ **부활현상(After growth)** 기출 20(6급)

㉠ 염소 소독된 물은 세균이 거의 0 또는 0에 가깝게 감소되는데, 어떤 경우에는 염소처리 얼마 후에 세균이 평상시보다 증가하는 경우를 말한다.

㉡ **부활현상이 발생하는 경우**

ⓐ 세균을 먹이로 하는 수중의 생물이 염소에 의해서 많이 감소되고 또는 전멸되었기 때문에 남아있는 세균이 급증한다.

ⓑ 염소에 의해 조류가 사멸하고, 이것이 남아 있는 세균의 영양원이 되어 세균이 급증한다.

ⓒ 아포 형성균이 잔존하고 염소의 소실에 의해 아포가 후에 다시 증식한다.

ⓓ 일단 약화된 세균이 생활력을 회복하는 것인지 또는 어떤 물질로 표면을 보호받아 살아남은 균이 증식하는 것인지 자세한 것은 알 수 없다.

⑧ **특수정수법**

㉠ **경수(Hard water) 연화법** 기출 21

ⓐ **경수**: 경도의 원인이 되는 칼슘, 마그네슘, 철, 동 등의 이온을 많이 함유한 물로 비누거품이 일지 않는 등의 특징이 있다.

ⓑ **경수의 영향**

• 비누소비량을 증가시킨다.
• 피부를 거칠게 한다.
• 직물을 더럽힌다.
• 직물, 제지, 통조림 및 기타 공장에 사고를 일으킬 수 있다.
• 보일러에 큰 열 손실이나 파괴를 줄 수 있는 스케일(scale)의 원인이 된다.

ⓒ 경수 연화법의 종류 기출 18(6급)

일시경수	• 탄산염은 끓이면 침전되어 물이 연화되는 것 • Ca, Mg의 중탄산염이 함유될 물로 가열에 의해 연화되는 성질
영구경수	• 황산염은 끓여도 변하지 않는 것 • 황산염이 함유된 물로 가열에 의해 연화되지 않으므로 탄산소다(Na_2CO_3), 즉 소다회를 사용하여 Ca, Mg의 황산염인 $CaSO_4$, $MgSO_4$ 등을 침전시켜 연화시킴

영구경수의 예시
제올라이트는 흡착성이 뛰어나 불순물 제거와 탈취에 적합하다.

ⓛ **철(Fe) 제거법**: 철분은 침전과 여과로도 어느 정도 제거되나, 이는 불충분하므로 포기법(Aeration)을 사용해서 수산화제이철이 되어 응괴를 형성하고 침전 · 여과에 의해 제거가 가능하다.

ⓒ **망간(Mn) 제거법**

ⓐ 망간의 농도를 0.1×10^{-6}(ppm) 이하로 유지하기 위하여 제거법을 적용한다.

ⓑ 망간 제거법은 제철법의 경우와 같이 공기 공급(포기)에 의하여 산화되어 불용해성의 수산화망간이 된 것을 침전 · 여과하여 제거한다.

ⓔ **불소주입(Fluoridation)** 기출 19(6급)

ⓐ 불소의 농도는 0.8mg/L가 적당하다.

ⓑ 과잉의 불소가 함유된 물을 음용하면 어린이의 치아에 파손이 와서 반상치가 생기고, 치아에 백반이 생긴다.

ⓒ 극소량의 불소화합물을 마실 경우 우식치가 되며, 우식치는 상아질이 손상되어 치아가 파괴된다.

ⓔ **생물 제거법 = 조류(Algae)** 기출 18, 19

ⓐ 조류 제거에는 황산구리($CuSO_4$)를 제일 많이 사용하며, 이외에 염소 등을 사용한다.

ⓑ 조류의 종류에 따라서 필요 농도는 다르나 황산동의 경우 0.2 ~ 1.5mg/L의 범위로 주입한다.

2. 집합장소 수질 관리

관련 법령

「체육시설의 설치 · 이용에 관한 법률 시행규칙」 [별표 6]

안전 · 위생 기준(제23조 관련)

수영조의 욕수는 다음의 수질기준을 유지하여야 하며, 욕수의 수질검사방법은 「먹는물 수질기준 및 검사 등에 관한 규칙」에 따른 수질검사방법에 따른다(해수를 이용하는 수영장의 욕수 수질기준은 「환경정책기본법 시행령」 제2조 및 별표 1 제3호 라목의 Ⅱ등급 기준을 적용한다).
가. 유리잔류염소는 0.4mg/L부터 1.0mg/L까지의 범위 내이어야 한다.
나. 수소이온농도는 5.8부터 8.6까지 되도록 하여야 한다.

다. 탁도는 1.5NTU 이하이어야 한다.
라. 과망간산칼륨의 소비량은 12㎎/L 이하로 하여야 한다.
마. 총대장균군은 10밀리리터들이 시험대상 욕수 5개 중 양성이 2개 이하이어야 한다.
바. 비소는 0.05㎎/L 이하이고, 수은은 0.007㎎/L 이하이며, 알루미늄은 0.5㎎L 이하이어야 한다.
사. 결합잔류염소는 최대 0.5㎎/L 이하이어야 한다.

관련 법령

「공중위생관리법 시행규칙」 [별표 2]

목욕장 목욕물의 수질기준과 수질검사방법 등(제4조 관련)

Ⅰ. 목욕물의 수질기준

1. 원수
 가. 색도는 5도 이하로 하여야 한다.
 나. 탁도는 1NTU(Nephelometric Turbidity Unit) 이하로 하여야 한다.
 다. 수소이온농도는 5.8 이상 8.6 이하로 하여야 한다.
 라. 과망간산칼륨 소비량은 10mg/L이하가 되어야 한다.
 마. 총대장균군은 100mL중에서 검출되지 아니하여야 한다.
2. 욕조수
 가. 탁도는 1.6NTU(Nephelometric Turbidity Unit) 이하로 하여야 한다. 이 경우 다른 법령에 의하여 목욕장에서 사용할 수 있도록 허가받은 제품을 첨가한 때에는 당해 제품에서 발생한 탁도는 계산하지 아니한다.
 나. 과망간산칼륨 소비량은 25mg/L 이하가 되어야 한다.
 다. 대장균군은 1mL 중에서 1개를 초과하여 검출되지 아니하여야 한다. 이 경우 평판마다 30개 이하의 균체의 군락이 형성되었을 때는 원액을 접종한 평판의 균체의 군락을 평균하며, 기재는 반드시 1mL 중 몇 개라고 표시한다.
 라. 욕조수를 순환하여 여과시키는 경우에는 다음의 구분에 따른 기준에 따라야 한다.
  1) 염소소독을 실시하지 않는 경우: 레지오넬라균은 1,000CFU(균총형성단위, colony forming unit)/L를 초과해 검출되지 않아야 한다.
  2) 염소소독을 실시하는 경우: 레지오넬라균은 1,000CFU/L를 초과해 검출되지 않아야 하고, 유리잔류염소(遊離殘留鹽素) 농도는 0.2mg/L 이상 0.4mg/L 이하가 되어야 한다.
3. 해수를 목욕물로 하는 경우

화학적 산소 요구량(COD)(mg/L)		수소이온농도(PH)	총대장균군 (총대장균군수/100mL)
원수	욕조수		
2 이하	4 이하	7.8 ~ 8.3	1,000 이하

Ⅱ. 수질검사방법 등

1. 원수의 수질검사방법은 먹는물수질공정시험기준에 의한다. 다만, 욕조수의 대장균군검사는 「환경분야 시험 · 검사 등에 관한 법률」 제6조 제1항에 따라 고시된 수질오염공정시험기준의 총대장균군 - 평판집락법에 따른다.
2. 욕조수의 대장균군 또는 레지오넬라균 검사에 필요한 시료를 채취하는 경우의 채수 방법은 욕조의 대각선(욕조에 대각선이 없는 경우에는 욕조의 양쪽 끝 간의 거리가 긴 지점을 연결한 선을 말한다)을 기준으로 목욕물을 3등분하여 물의 표면에서 같은 양의 목욕물을 채수하되, 균일하게 혼합하여 1개의 시료로 사용한다.
3. 목욕물의 수질검사에 필요한 시료를 채취하는 경우 이화학시험용은 1개의 용기에 2l 이상을 채취하여야 하고, 대장균군 시험용은 멸균된 100ml 이상의 용기에 채취하되, 채취된 시료는 섭씨 10℃ 이하의 저온으로 유지하여야 하고, 6시간 이내에 검사기관의 검사실에 도착하여야 한다.
4. 1개의 용기에 욕조수의 레지오넬라균 검사에 필요한 시료를 1L 이상 채취하고 봉인하여 검사 기관으로 수송해야 한다.
5. 욕조수의 레지오넬라균 검사 방법 등은 국립환경과학원이 정하여 공고한 환경 중 레지오넬라 표준분석법에 따른다.
6. 욕조수의 유리 잔류염소농도 검사는 검사 도구를 이용하여 도구의 사용방법에 알맞은 방법으로 검사한다.

3. 하수 관리

(1) 하수의 개념

생활에서 발생하는 배수의 총칭으로, 오수와 우수로 구분한다.

① **오수**: 가정에서 발생하는 생활하수, 공장이나 사업장에서의 폐수, 지하수 등이 집합된 것이다.

② **우수**: 빗물이 도로 등의 배수로를 통하여 모인 물이다.

(2) 하수도

① **개념**: 상수도에 대응하는 필수적인 사회기반시설로서 수돗물 또는 지하수를 사용한 후 오염된 물을 채집 · 정화하여 자연으로 되돌림으로써 공중위생과 하천수질을 보전하고 도시의 빗물을 안전하고 신속하게 배출하여 도시의 침수를 방지하는 등 매우 중요한 역할을 담당하는 우리생활의 필수시설이다.

② 하수도는 운반방법에 따라 합류식, 분류식, 혼합식 등으로 구분된다.

㉠ **합류식**

ⓐ **개념**: 우리나라에서 가장 많이 사용하는 방법으로 가정 하수, 오수 및 천수 등 모든 하수를 운반하는 것을 의미한다.

ⓑ **장단점** 기출 07, 15, 16, 17, 19

장점	• 건설비가 적게 들고 시공이 용이함 • 빗물로 인해 하수도가 자연히 청소됨 • 하수관이 크므로 공사나 청소, 점검이 용이함 • 빗물로 오염도가 희석됨
단점	• 건조한 날이 계속되면 악취가 나고 세균번식의 가능성이 높음 • 빗물이 많게 되면 하수처리능력보다 하수량이 많아 불완전처리를 하거나 방류시키게 됨 • 천수를 별도로 이용할 수 없음

ⓛ **분류식** 기출 07, 15, 16, 17, 19

ⓐ **개념**: 하수 중 천수를 별도로 운반하도록 되어 있는 것을 의미한다.

ⓑ **장단점**

장점	하수처리장의 처리효율과 방류 수질의 안정성이 매우 높음
단점	시설투자비와 유지관리비가 합류식보다 많이 듦

ⓒ **혼합식**: 천수와 사용수의 일부를 함께 운반하도록 되어 있는 것을 의미한다.

관련 법령

「하수도법」 제2조【정의】 이 법에서 사용하는 용어의 뜻은 다음과 같다.

1. "하수"라 함은 사람의 생활이나 경제활동으로 인하여 액체성 또는 고체성의 물질이 섞이어 오염된 물(이하 "오수"라 한다)과 건물 · 도로 그 밖의 시설물의 부지로부터 하수도로 유입되는 빗물 · 지하수를 말한다. 다만, 농작물의 경작으로 인한 것은 제외한다.
2. "분뇨"라 함은 수거식 화장실에서 수거되는 액체성 또는 고체성의 오염물질(개인하수처리시설의 청소과정에서 발생하는 찌꺼기를 포함한다)을 말한다.
3. "하수도"란 하수와 분뇨를 유출 또는 처리하기 위하여 설치되는 하수관로 · 공공하수처리시설 · 간이공공하수처리시설 · 하수저류시설 · 분뇨처리시설 · 배수설비 · 개인하수처리시설 그 밖의 공작물 · 시설의 총체를 말한다.
4. "공공하수도"라 함은 지방자치단체가 설치 또는 관리하는 하수도를 말한다. 다만, 개인하수도는 제외한다.
5. "개인하수도"라 함은 건물 · 시설 등의 설치자 또는 소유자가 해당 건물 · 시설 등에서 발생하는 하수를 유출 또는 처리하기 위하여 설치하는 배수설비 · 개인하수처리시설과 그 부대시설을 말한다.
6. "하수관로"란 하수를 공공하수처리시설 · 간이공공하수처리시설 · 하수저류시설로 이송하거나 하천 · 바다, 그 밖의 공유수면으로 유출시키기 위하여 지방자치단체가 설치 또는 관리하는 관로와 그 부속시설을 말한다.

7. "합류식하수관로"란 오수와 하수도로 유입되는 빗물 · 지하수가 함께 흐르도록 하기 위한 하수관로를 말한다.
8. "분류식하수관로"란 오수와 하수도로 유입되는 빗물 · 지하수가 각각 구분되어 흐르도록 하기 위한 하수관로를 말한다.
9. "공공하수처리시설"이라 함은 하수를 처리하여 하천 · 바다 그 밖의 공유수면에 방류하기 위하여 지방자치단체가 설치 또는 관리하는 처리시설과 이를 보완하는 시설을 말한다.
9의2. "간이공공하수처리시설"이란 강우(降雨)로 인하여 공공하수처리시설에 유입되는 하수가 일시적으로 늘어날 경우 하수를 신속히 처리하여 하천 · 바다, 그 밖의 공유수면에 방류하기 위하여 지방자치단체가 설치 또는 관리하는 처리시설과 이를 보완하는 시설을 말한다.
10. "하수저류시설"이란 하수관로로 유입된 하수에 포함된 오염물질이 하천 · 바다, 그 밖의 공유수면으로 방류되는 것을 줄이고 하수가 원활하게 유출될 수 있도록 하수를 일시적으로 저장하거나 오염물질을 제거 또는 감소하게 하는 시설(「하천법」 제2조 제3호 나목에 따른 시설과 「자연재해대책법」 제2조 제6호에 따른 우수유출저감시설은 제외한다)을 말한다.
11. "분뇨처리시설"이라 함은 분뇨를 침전 · 분해 등의 방법으로 처리하는 시설을 말한다.
12. "배수설비"라 함은 건물 · 시설 등에서 발생하는 하수를 공공하수도에 유입시키기 위하여 설치하는 배수관과 그 밖의 배수시설을 말한다.
13. "개인하수처리시설"이라 함은 건물 · 시설 등에서 발생하는 오수를 침전 · 분해 등의 방법으로 처리하는 시설을 말한다.
14. "배수구역"이라 함은 공공하수도에 의하여 하수를 유출시킬 수 있는 지역으로서 제15조의 규정에 따라 공고된 구역을 말한다.
15. "하수처리구역"이라 함은 하수를 공공하수처리시설에 유입하여 처리할 수 있는 지역으로서 제15조의 규정에 따라 공고된 구역을 말한다.

(3) 하수 처리방법

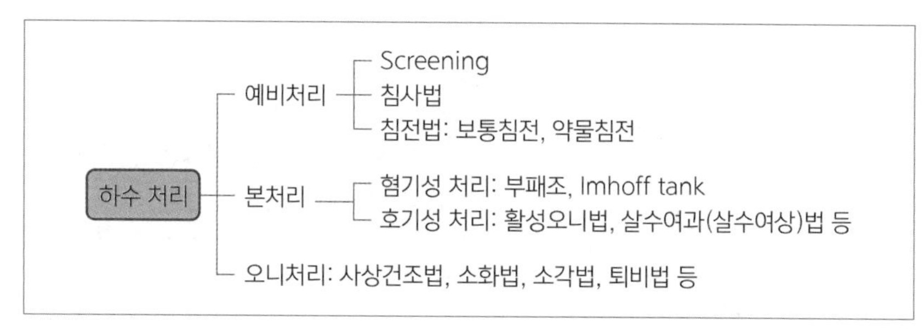

하수 처리방법의 종류

1. 예비처리(스크린, 침사법, 침전법), 본처리(혐기성 처리, 호기성 처리)로 분류하는 방법
2. 1차, 2차, 3차 처리로 분류하는 방법
3. 물리적, 화학적, 생물학적 처리로 분류하는 방법

① **예비처리(물리적 처리방법)** 기출 16, 17, 18

㉠ 하수 중에 부유하는 물질이나 침강성 물질을 물리적으로 제거하는 방법이다.

㉡ 중력 침강, 부상 분리 등의 시설이 이용되며 대개 하수처리장에서 최초 침전지까지의 공정에 해당한다.

㉢ Screening: 하수 유입구에 제진망(Screen)을 설치하여 부유물이나 고형물을 제거하는 방법이다.

㉣ **침사법 및 침전법**: 침사조에서 유속을 감소시켜 토사 등의 비중이 큰 물질을 침전시키는 것이다. 침전법에는 보통침전과 약물침전법이 있다. 약물침전법에 사용되는 약품에는 황산알루미늄, 소석회 염화철 등이 있으며, 주로 황산알루미늄과 소석회를 함께 사용한다.

② **본처리(생물학적 처리방법)**

㉠ 하수 중에 용존되어 있는 유기물 및 예비처리(1차 처리)에서 처리되지 않는 유기성 고형물을 제거하기 위해 생물학적 처리방식을 주로 이용하며, 80% 이상의 제거율을 나타낸다.

㉡ 하수 중에 존재하는 분해 가능한 유기물질과 부유물질을 미생물을 이용하여 제거시키는 방법이다.

㉢ **혐기성 처리** 기출 15, 16, 17, 18, 19

ⓐ 하수에 공기를 차단하여 혐기성균을 증식시킴으로써 물질을 분해하는 방법이다.

ⓑ 탄소계 물질을 분해하여 메탄·유기산을 생성하고, 단백질 등 질소계 물질을 분해하여 암모니아, 아미노산 등을 생성한다.

ⓒ 무산소상태에서 혐기성균이 증식함으로써 탄소계 물질을 분해하여 이산화탄소, 메탄, 유기산을 생성하고, 단백질 등 질소계 물질을 분해하여 아미노산 등을 생성하며, 황화물을 분해하여 황화수소 등의 화합물을 만드는 과정을 말한다.

ⓓ 혐기성 처리는 호기성 처리에 비하여 유기물질의 제거율이 다소 낮은 반면에 산소공급이 불필요하며 오니의 발생량이 적다.

ⓔ 부패조와 임호프조(Imhoff tank)를 이용하는 방법이 있다.

부패조	• 침전실과 소화실이 분리되어 있지 않으며 단순한 조(tank)로서 하수의 부유물인 부사를 형성하여 무산소형태를 만들어 혐기성균의 분해작용을 촉진시킴으로써 처리하는 방법 • 부사를 뚫고 올라온 가스로 냄새로 악취가 발생함 • 현재 폐수 처리에는 거의 사용하지 않음
임호프조 (Imhoff tank)	부패조의 결점을 보완하여 1조 내에 2개의 층이 있어 상층(침전실)에서는 침전이 진행되고 하층(소화실)에서는 오니의 소화가 이루어짐

㉣ 호기성 처리 기출 19

ⓐ 산소가 있는 곳에서 호기성균에 의해 유기물의 산화를 촉진하는 과정이다.

ⓑ 호기성 처리는 이산화탄소가 많이 발생한다.

ⓒ 활성오니법

- **개념** 기출 13, 16, 17, 18, 19, 20: 영국에서 1912년에 시작되어 현재 가장 진보된 호기성 하수처리방법으로 호기성균이 풍부한 오니를 하수량의 24%를 첨가하여 충분한 산소를 공급함으로써 호기성균의 활동을 촉진시켜 유기물을 산화시키는 방법으로 생물학적 처리 방법이다.
- **장단점**

장점	• 대용량 규모의 폐수 처리 • 경제적이며 처리면적이 적어도 가능 • 비교적 안정된 처리 효율
단점	• 잉여오니 과다 • 유량 및 수질 변동에 취약 • 운영 관리기술의 요구

ⓓ 살수여과법(살수여상법)

- **개념** 기출 16, 17, 18, 19, 23: 접촉여과법의 진보된 형태로 주로 도시하수의 2차 처리를 위하여 사용되며, 1차 침전지 유출수를 미생물 점막으로 덮힌 쇄석이나 기타 매개층 등 필터 위에 뿌려서 미생물막과 폐수 중의 유기물을 접촉시켜 처리하는 방법이다.
- **장단점**

장점	• 포기(공기 공급)에 동력이 필요 없음 • 건설비와 유지비가 적음 • 운전이 간편함 • 폐수의 수질이나 수량 변동에 덜 민감함 • 온도에 의한 영향이 적음 • Bulking 문제가 없음 • 슬러지 반송이 필요 없음
단점	• 여름철에 위생해충의 발생과 악취가 심함 • 높은 수압이 필요함

ⓔ 산화지법

- 비용이 적게 들고 BOD의 부하 변동에 강하나 처리효율이 낮고 넓은 부지를 필요로 하는 방법으로서 소도시에서 주로 사용한다.
- 호기성균이 유기물을 분해하고, 조류는 이들 유기물과 햇빛을 이용해 광합성을 하여 산소를 방출하고, 세균은 방출된 산소를 이용하여 유기물을 분해하는 것을 이용한 방법이다.

Plus⁺ POINT

하수 처리과정

1. 수처리과정
   침사지 ⇨ 최초침전지 ⇨ 폭기조 ⇨ 최종침전지 ⇨ 방류펌프장의 과정을 거친다.

침사지	• 유입된 하수 중에 비중이 큰 돌, 모래 등의 물질은 침전시킴 • 비중이 작아 물 위로 뜨는 플라스틱 병 등을 스크린을 통해 걷어냄
최초침전지	침사지에서 걸러내지 못한 작은 입자나 부유물 등을 걸러냄
폭기조	• 폭기는 물 속에 공기를 불어넣어 물과 공기를 충분히 접촉시키는 조작 • 하수에 폭기하여 미생물로 하여금 물을 정화하게 하며, 포기조라고도 함
최종침전지	• 미생물을 화학적으로 처리하여 침전시켜 상등수와 침전 슬러지로 분리함 • 침전된 슬러지 일부는 포기조로 반송하고 남은 슬러지는 농축조로 보내짐
방류펌프장	모든 처리를 거친 처리수를 방류함

2. 슬러지(오니)처리과정
   ① 슬러지의 함수율이 높으면 다루기 어렵고 양이 많아져 함수율을 줄이고 고형물의 농도를 높이기 위해 농축, 소화처리, 건조시키는 과정이다.
   ② 슬러지는 최종 매립 등의 방식으로 처리한다.

관련 법령

「환경정책기본법 시행령」[별표 1] - 3. 수질 및 수생태계

가. 하천

1) 사람의 건강보호 기준

항목	기준값(mg/L)
카드뮴(Cd)	0.005 이하
비소(As)	0.05 이하
시안(CN)	검출되어서는 안 됨(검출한계 0.01)
수은(Hg)	검출되어서는 안 됨(검출한계 0.001)
유기인	검출되어서는 안 됨(검출한계 0.0005)
폴리클로리네이티드비페닐(PCB)	검출되어서는 안 됨(검출한계 0.0005)
납(Pb)	0.05 이하
6가 크롬(Cr6+)	0.05 이하
음이온 계면활성제(ABS)	0.5 이하
사염화탄소	0.004 이하
1, 2 - 디클로로에탄	0.03 이하
테트라클로로에틸렌(PCE)	0.04 이하
디클로로메탄	0.02 이하
벤젠	0.01 이하
클로로포름	0.08 이하
디에틸헥실프탈레이트(DEHP)	0.008 이하
안티몬	0.02 이하
1, 4 - 다이옥세인	0.05 이하
포름알데히드	0.5 이하
헥사클로로벤젠	0.00004 이하

2) 생활환경 기준

등급		상태(캐릭터)	기준								
			수소 이온 농도 (pH)	생물 화학적 산소 요구량 (BOD) (mg/L)	화학적 산소 요구량 (COD) (mg/L)	총유기 탄소량 (TOC) (mg/L)	부유 물질량 (SS) (mg/L)	용존 산소량 (DO) (mg/L)	총인 (total phosphorus) (mg/L)	대장균군 (군수/100mL)	
										총 대장균군	분원성 대장균군
매우 좋음	Ia		6.5~8.5	1 이하	2 이하	2 이하	25 이하	7.5 이상	0.02 이하	50 이하	10 이하
좋음	Ib		6.5~8.5	2 이하	4 이하	3 이하	25 이하	5.0 이상	0.04 이하	500 이하	100 이하
약간 좋음	Ⅱ		6.5~8.5	3 이하	5 이하	4 이하	25 이하	5.0 이상	0.1 이하	1,000 이하	200 이하
보통	Ⅲ		6.5~8.5	5 이하	7 이하	5 이하	25 이하	5.0 이상	0.2 이하	5,000 이하	1,000 이하
약간 나쁨	Ⅳ		6.0~8.5	8 이하	9 이하	6 이하	100 이하	2.0 이상	0.3 이하		
나쁨	Ⅴ		6.0~8.5	10 이하	11 이하	8 이하	쓰레기 등이 떠 있지 않을 것	2.0 이상	0.5 이하		
매우 나쁨	Ⅵ			10 초과	11 초과	8 초과		2.0 미만	0.5 초과		

[비고]

1. 등급별 수질 및 수생태계 상태
   가. 매우 좋음: 용존산소(溶存酸素)가 풍부하고 오염물질이 없는 청정상태의 생태계로 여과·살균 등 간단한 정수처리 후 생활용수로 사용할 수 있음
   나. 좋음: 용존산소가 많은 편이고 오염물질이 거의 없는 청정상태에 근접한 생태계로 여과·침전·살균 등 일반적인 정수처리 후 생활용수로 사용할 수 있음
   다. 약간 좋음: 약간의 오염물질은 있으나 용존산소가 많은 상태의 다소 좋은 생태계로 여과·침전·살균 등 일반적인 정수처리 후 생활용수 또는 수영용수로 사용할 수 있음
   라. 보통: 보통의 오염물질로 인하여 용존산소가 소모되는 일반 생태계로 여과, 침전, 활성탄 투입, 살균 등 고도의 정수처리 후 생활용수로 이용하거나 일반적 정수처리 후 공업용수로 사용할 수 있음
   마. 약간 나쁨: 상당량의 오염물질로 인하여 용존산소가 소모되는 생태계로 농업용수로 사용하거나 여과, 침전, 활성탄 투입, 살균 등 고도의 정수처리 후 공업용수로 사용할 수 있음

바. 나쁨: 다량의 오염물질로 인하여 용존산소가 소모되는 생태계로 산책 등 국민의 일상생활에 불쾌감을 주지 않으며, 활성탄 투입, 역삼투압 공법 등 특수한 정수처리 후 공업용수로 사용할 수 있음

사. 매우 나쁨: 용존산소가 거의 없는 오염된 물로 물고기가 살기 어려움

아. 용수는 해당 등급보다 낮은 등급의 용도로 사용할 수 있음

자. 수소이온농도(pH) 등 각 기준항목에 대한 오염도 현황, 용수처리방법 등을 종합적으로 검토하여 그에 맞는 처리방법에 따라 용수를 처리하는 경우에는 해당 등급보다 높은 등급의 용도로도 사용할 수 있음

2. 상태(캐릭터) 도안

가. 모형 및 도안 요령

<table>
<tr><th colspan="2" rowspan="2">등급</th><th rowspan="2">도안 모형</th><th rowspan="2">도안 요령</th><th colspan="3">색상</th></tr>
<tr><th>원</th><th>물방울</th><th>입</th></tr>
<tr><td>매우 좋음</td><td>Ia</td><td></td><td></td><td></td><td>파란색(cyan, C) 100 ~ 90%,
빨간색(mazenta, M) 20 ~ 17%,
검은색(black, K) 5%</td><td>빨간색(mazenta, M) 60%,
노란색(yellow, Y) 100%</td></tr>
<tr><td>좋음</td><td>Ib</td><td></td><td></td><td rowspan="5">검은색
(black, K)
15%</td><td>파란색(cyan, C) 85 ~ 80%,
노란색(yellow, Y) 43 ~ 40%,
빨간색(mazenta, M) 8%</td><td>빨간색(mazenta, M) 60%,
노란색(yellow, Y) 100%</td></tr>
<tr><td>약간 좋음</td><td>II</td><td></td><td></td><td>파란색(cyan, C) 57 ~ 45%,
노란색(yellow, Y) 96 ~ 85%,
검은색(black, K) 7%</td><td>-</td></tr>
<tr><td>보통</td><td>III</td><td></td><td></td><td>파란색(cyan, C) 20%,
검은색(black, K) 42 ~ 30%</td><td>-</td></tr>
<tr><td>약간 나쁨</td><td>IV</td><td></td><td></td><td>빨간색(mazenta, M) 35 ~ 30%,
노란색(yellow, Y) 100%,
검은색(black, K) 10%</td><td>-</td></tr>
<tr><td>나쁨</td><td>V</td><td></td><td></td><td>빨간색(mazenta, M) 65 ~ 55%,
노란색(yellow, Y) 100%,
검은색(black, K) 10%</td><td>-</td></tr>
<tr><td>매우 나쁨</td><td>VI</td><td></td><td></td><td>-</td><td>빨간색(mazenta, M) 100 ~ 90,
노란색(yellow, Y) 100%,
검은색(black, K) 10%</td><td>-</td></tr>
</table>

나. 도안 모형은 상하 또는 좌우로 형태를 왜곡하여 사용해서는 안 된다.

3. 수질 및 수생태계 상태별 생물학적 특성 이해표

생물등급	생물 지표종		서식지 및 생물 특성
	저서생물(底棲生物)	어류	
매우 좋음 ~ 좋음	옆새우, 가재, 뿔하루살이, 민하루살이, 강도래, 물날도래, 광택날도래, 띠무늬우묵날도래, 바수염날도래	산천어, 금강모치, 열목어, 버들치 등 서식	• 물이 매우 맑으며, 유속은 빠른 편임 • 바닥은 주로 바위와 자갈로 구성됨 • 부착 조류(藻類)가 매우 적음
좋음 ~ 보통	다슬기, 넓적거머리, 강하루살이, 동양하루살이, 등줄하루살이, 등딱지하루살이, 물삿갓벌레, 큰줄날도래	쉬리, 갈겨니, 은어, 쏘가리 등 서식	• 물이 맑으며, 유속은 약간 빠르거나 보통임 • 바닥은 주로 자갈과 모래로 구성됨 • 부착 조류가 약간 있음
보통 ~ 약간 나쁨	물달팽이, 턱거머리, 물벌레, 밀잠자리	피라미, 끄리, 모래무지, 참붕어 등 서식	• 물이 약간 혼탁하며, 유속은 약간 느린 편임 • 바닥은 주로 잔자갈과 모래로 구성됨 • 부착 조류가 녹색을 띠며 많음
약간 나쁨 ~ 매우 나쁨	왼돌이물달팽이, 실지렁이, 붉은깔따구, 나방파리, 꽃등에	붕어, 잉어, 미꾸라지, 메기 등 서식	• 물이 매우 혼탁하며, 유속은 느린 편임 • 바닥은 주로 모래와 실트로 구성되며, 대체로 검은색을 띰 • 부착 조류가 갈색 혹은 회색을 띠며 매우 많음

4. 화학적 산소요구량(COD) 기준은 2015년 12월 31일까지 적용한다.

나. 호소

1) 사람의 건강보호 기준: 가목 1)과 같다.

2) 생활환경 기준

등급		상태 (캐릭터)	기준									
			수소이온 농도 (pH)	화학적 산소 요구량 (COD) (mg/L)	총유기탄소량 (TOC) (mg/L)	부유 물질량 (SS) (mg/L)	용존 산소량 (DO) (mg/L)	총인 (mg/L)	총질소 (total nitrogen) (mg/L)	클로로필-a (Chl-a) (mg/m³)	대장균군 (군수/100mL)	
											총 대장균군	분원성 대장균군
매우 좋음	Ia		6.5 ~ 8.5	2 이하	2 이하	1 이하	7.5 이상	0.01 이하	0.2 이하	5 이하	50 이하	10 이하
좋음	Ib		6.5 ~ 8.5	3 이하	3 이하	5 이하	5.0 이상	0.02 이하	0.3 이하	9 이하	500 이하	100 이하
약간 좋음	II		6.5 ~ 8.5	4 이하	4 이하	5 이하	5.0 이상	0.03 이하	0.4 이하	14 이하	1,000 이하	200 이하
보통	III		6.5 ~ 8.5	5 이하	5 이하	15 이하	5.0 이상	0.05 이하	0.6 이하	20 이하	5,000 이하	1,000 이하
약간 나쁨	IV		6.0 ~ 8.5	8 이하	6 이하	15 이하	2.0 이상	0.10 이하	1.0 이하	35 이하	-	-
나쁨	V		6.0 ~ 8.5	10 이하	8 이하	쓰레기 등이 떠 있지 않을 것	2.0 이상	0.15 이하	1.5 이하	70 이하	-	-
매우 나쁨	VI		-	10 초과	8 초과	-	2.0 미만	0.15 초과	1.5 초과	70 초과	-	-

[비고]

1. 총인, 총질소의 경우 총인에 대한 총질소의 농도비율이 7 미만일 경우에는 총인의 기준을 적용하지 않으며, 그 비율이 16 이상일 경우에는 총질소의 기준을 적용하지 않는다.
2. 등급별 수질 및 수생태계 상태는 가목 2) 비고 제1호와 같다.
3. 상태(캐릭터) 도안 모형 및 도안 요령은 가목 2) 비고 제2호와 같다.
4. 화학적 산소요구량(COD) 기준은 2015년 12월 31일까지 적용한다.

다. 지하수

지하수 환경기준 항목 및 수질기준은 「먹는물관리법」 제5조 및 「수도법」 제26조에 따라 환경부령으로 정하는 수질기준을 적용한다. 다만, 환경부장관이 고시하는 지역 및 항목은 적용하지 않는다.

라. 해역

1) 생활환경

항목	수소이온농도 (pH)	총대장균군 (총대장균군수/100mL)	용매 추출유분 (mg/L)
기준	6.5 ~ 8.5	1,000 이하	0.01 이하

2) 생태기반 해수수질기준

등급	수질평가 지수값(Water Quality Index)
Ⅰ(매우 좋음)	23 이하
Ⅱ(좋음)	24 ~ 33
Ⅲ(보통)	34 ~ 46
Ⅳ(나쁨)	47 ~ 59
Ⅴ(아주 나쁨)	60 이상

3) 해양생태계 보호기준 (단위: μg/L)

중금속류	구리	납	아연	비소	카드뮴	6가크로뮴(Cr^{6+})
단기 기준*	3.0	7.6	34	9.4	19	200
장기 기준**	1.2	1.6	11	3.4	2.2	2.8

* 단기 기준: 1회성 관측값과 비교 적용

** 장기 기준: 연간 평균값(최소 사계절 동안 조사한 자료)과 비교 적용

4) 사람의 건강보호

등급	항목	기준(mg/L)
모든 수역	6가크로뮴(Cr^{6+})	0.05
	비소(As)	0.05
	카드뮴(Cd)	0.01
	납(Pb)	0.05
	아연(Zn)	0.1
	구리(Cu)	0.02
	시안(CN)	0.01
	수은(Hg)	0.0005
	폴리클로리네이티드비페닐(PCB)	0.0005
	다이아지논	0.02
	파라티온	0.06
	말라티온	0.25
	1.1.1-트리클로로에탄	0.1
	테트라클로로에틸렌	0.01
	트리클로로에틸렌	0.03
	디클로로메탄	0.02
	벤젠	0.01
	페놀	0.005
	음이온 계면활성제(ABS)	0.5

제5장 주택위생

주택의 기본적 4대 조건
건강성, 안정성, 기능성, 쾌적성

1 주택의 이해

1. 주택의 기본조건

(1) 외부의 환경으로부터 보호되어야 한다.
(2) 여름은 더위로부터 보호되고 겨울은 추위로부터 보호되며, 각종 소음이나 환경오염의 영향에서 보호되어야 한다.
(3) 질병발생의 위험이나 각종 사고의 위험이 없어야 한다.
(4) 일상생활에 편리하며, 가족 간 적당한 접촉이 일어날 수 있도록 가족 수에 따라 알맞은 공간의 확보가 필요하다.
(5) 안전과 보안 및 외부와의 구분이 될 수 있어야 한다.
(6) 경제성과 능률성이 있어야 한다.
(7) 생리적으로 적합하고 심리적으로 안정감이 있어야 한다.

2. 주택의 보건학적 조건

(1) 대지(垈地) 기출 17

① 환경조건은 한적하고 교통이 편리하며 환경오염원이 없어야 한다.
② 지형은 언덕의 중복(中腹)에 위치하고 넓으며, 방향은 남향이나 동남향, 동서향 10도 이내이어야 한다.
③ 지질은 건조하고, 물의 침투성이 크며 유기물에 오염되지 않은 사토(砂土)가 적합하다.
④ 지반이 견고하여야 하며, 매립지의 경우는 매립 후 최소한 10년 이상이 경과한 것이어야 한다.
⑤ 지하수위는 최소 1.5m 이상이야 하며, 3m 정도인 것이어야 한다.
⑥ 하수처리가 잘 되어야 한다.

(2) 구조

주택의 구조는 그 지방의 기후, 생활습관 등에 따라 달라질 수 있으나 기후에 적응하고, 편리하며, 경제적 · 위생적이며, 환기나 조명 등이 고려되어야 한다.

2 주택위생의 방법

1. 환기(Ventilation) 기출 17, 18, 19, 20

(1) 환기의 특징

① 신선한 실외공기와 오염된 실내공기를 교환하여 인체의 유해작용을 방지하는 수단이다.

② 실내환기를 위해 창의 넓이는 그 방바닥 넓이의 1/20 이상이어야 한다.

(2) 실내공기를 오염시키는 원인

① 호흡과 기타에 의한 이산화탄소의 증가

② 연료의 연소 때 나타나는 일산화탄소와 이산화탄소의 증가

③ 공장이나 도로에서 발생하는 도시공해로 인한 공기오염

④ 인체와 기타에서 발생하는 열, 냄새, 수증기 등의 증가

⑤ 먼지, 세균에 의한 오염

⑥ 흡연 등에 의한 오염 등

(3) 환기방법

① **자연환기(Natural ventilation)**: 창문, 문틈을 통해 실외공기와 실내공기가 자연적으로 교환되는 것이다.

㉠ **중력환기(Gravity ventilation)**: 실내·외의 온도차에 의하여 이루어지는 환기이다.

㉡ **중성대(Neutral zone)**: 실내기온이 실외기온보다 높을 때 압력의 차이에 의해서 실내로 들어오는 공기는 하부로, 나가는 공기는 상부로 이동하며, 그 중간에 압력 0의 지대가 형성된다.

㉢ **풍력환기**: 풍향 측의 압력 증대로 생기는 양압과 풍향 배측의 압력 감소에 기인하는 음압에 의한 압력 차에 의하여 형성되는 환기로서, 풍압은 풍속의 제곱에 비례한다.

$$P = KSV^2$$

- P = 풍압(kg)
- V = 풍속(m/sec)
- S = 수풍넓이(m^2)
- K = 상수(기상학에서는 0.12)

② **인공환기(Artificial ventilation)**: 인공환기방법은 공기조정법(Carrier식), 배기(흡인)식 환기법, 송기식 환기법, 평형식 환기법 등이 있다.

㉠ **공기조정법(Carrier system)**

ⓐ 공기의 온도, 습도, 기류를 인공적으로 조절하는 방법이다.

ⓑ 공기의 온도와 습도를 조절할 수 있고, 배기의 오염물을 처리하는 여과시설을 일반적으로 갖추고 있기 때문에 보건학적으로 가장 이상적인 방법이다.

환기장치의 종류

구분	내용
전체 환기 장치	자연적 또는 기계적인 방법에 의하여 작업장 내의 열 수증기 및 유해물질을 희석, 환기시키는 장치 또는 설비
국소 박이 장치	발생원에서 발생되는 유해물질을 후드, 덕트, 공기정화장치, 배풍기 및 배기구를 설치하여 배출하거나 처리하는 장치
공기 정화 장치	후드 및 덕트를 통해 반송된 유해물질을 정화시키는 고정식 또는 이동식의 제진, 집진, 흡수, 흡착, 연소, 산화, 환원방식 등의 처리장치

ⓛ **배기식 환기법(Exhaust ventilation)**

ⓐ 선풍기 또는 팬(Fan)에 의해 흡입 · 배기하는 방법이다.

ⓑ 오염물 배기나 처리에 유효하다.

ⓒ **송기식 환기법(Plenum ventilation)**

ⓐ 선풍기 또는 팬(Fan)에 의해서 신선한 외부공기를 불어넣는 방법이다.

ⓑ 실내오염공기가 흩어져서 불쾌감을 초래하기도 한다.

ⓒ 오염물 제거에는 효과가 없으나 신선한 공기를 공급하여 주며 오염물을 희석시킨다.

ⓔ **평형식 환기법(Balanced ventilation)**

ⓐ 배기식과 송기식을 병용한 환기방법이다.

ⓑ 평형식 환기법으로 고려한 점은 건축구조와의 관련, 실내의 미관, 실내의 열원과의 문제, 진애, 소음 등이 있다.

ⓒ 평형식 환기법에서 보통 많이 사용하는 방법은 위로부터 수평으로 흡입하고 밑에서 수평으로 배출하는 방법이다.

(4) 환기량

① 1시간 내에 실내에서 교환되어야 하는 공기량을 말한다.

② 환기량의 측정은 CO_2나 CO 및 유해가스의 농도를 지표로 하고 있다.

③ 일반적으로는 CO_2의 서한도를 지표로 하여 산출한다.

$$V = \frac{K}{CO - C}$$

- V = 1인당 소요 환기량
- K = 1인당 1시간당 호출 CO_2의 양(22.61)
- CO = CO_2의 서한량(0.1%)
- C = CO_2의 실외 농도(0.03%)

실내공기질 측정

실내공기질 측정을 실시하여야 되는데 측정항목은 ① 포름알데히드, ② 벤젠, ③ 톨루엔, ④ 에틸벤젠, ⑤ 자일렌, ⑥ 스티렌이다. 주민 입주 3일 전까지 시장 · 군수 · 구청장에게 제출하고, 주민입주 3일 전부터 60일간 공동주택 관리사무소 입구 게시판과 각 공동주택 출입문 게시판에 주민들이 잘 볼 수 있도록 공고하여야 한다.

Plus+ POINT

실내공기오염물질

1. 미세먼지(PM 10)
2. 이산화탄소(CO_2)
3. 포름알데하이드
4. 총부유세균
5. 일산화탄소(CO)
6. 이산화질소(NO_2)
7. 라돈(Rn)
8. 휘발성유기화합물(VOC)
9. 석면
10. 오존
11. 초미세먼지(PM 2.5)
12. 곰팡이
13. 벤젠
14. 톨루엔
15. 에틸벤젠
16. 자일렌
17. 스티렌

관련 법령

「실내공기질 관리법 시행규칙」 제2조의3【위해성평가의 절차 및 방법】 ① 국립환경과학원장은 다음 각 호의 순서에 따라 법 제4조의8 제1항에 따른 위해성평가(이하 "위해성평가"라 한다)를 실시하여야 한다.

1. 대상 물질의 물리 · 화학적 특성 및 다중이용시설별 노출 특성에 대한 자료 수집
2. 사람의 건강 또는 환경에 대한 피해발생 가능성을 고려한 대상 물질의 유해성 확인
3. 대상 물질의 노출량에 따른 반응평가
4. 대상 물질의 노출시나리오를 기반으로 한 노출평가
5. 대상 물질의 위해(危害)도 결정

② 국립환경과학원장은 위해성평가를 실시하기 위하여 필요한 경우에는 관계 중앙행정기관의 장과 지방자치단체의 장에게 위해성평가에 필요한 자료의 제공 및 실태조사 등의 협조를 요청할 수 있다.
③ 제1항 및 제2항에서 규정한 사항 외에 위해성평가의 실시에 필요한 사항은 국립환경과학원장이 정하여 고시한다.

관련 법령

「실내공기질 관리법 시행규칙」 [별표 3]

실내공기질 권고기준(제4조 관련)

오염물질 항목 / 다중이용시설	이산화 질소 (ppm)	라돈 (Bq/m³)	총휘발성 유기 화합물 (μg/m³)	곰팡이 (CFU/m³)
가. 지하역사, 지하도상가, 철도역사의 대합실, 여객자동차터미널의 대합실, 항만시설 중 대합실, 공항시설 중 여객터미널, 도서관·박물관 및 미술관, 대규모점포, 장례식장, 영화상영관, 학원, 전시시설, 인터넷컴퓨터게임시설제공업의 영업시설, 목욕장업의 영업시설	0.1 이하	148 이하	500 이하	-
나. 의료기관, 산후조리원, 노인요양시설, 어린이집, 실내 어린이놀이시설	0.05 이하		400 이하	500 이하
다. 실내주차장	0.30 이하		1,000 이하	-

제4편 환경보건 해커스공무원 최성희 공중보건 기본서

관련 법령

「실내공기질 관리법 시행규칙」 [별표 2]

실내공기질 유지기준(제3조 관련)

<table>
<tr><th>오염물질 항목
다중이용시설</th><th>미세먼지 (PM-10) (㎍/㎥)</th><th>미세먼지 (PM-2.5) (㎍/㎥)</th><th>이산화 탄소 (ppm)</th><th>폼알데 하이드 (㎍/㎥)</th><th>총부유 세균 (CFU/㎥)</th><th>일산화 탄소 (ppm)</th></tr>
<tr><td>가. 지하역사, 지하도상가, 철도역사의 대합실, 여객자동차터미널의 대합실, 항만시설 중 대합실, 공항시설 중 여객터미널, 도서관·박물관 및 미술관, 대규모 점포, 장례식장, 영화상영관, 학원, 전시시설, 인터넷컴퓨터게임시설제공업의 영업시설, 목욕장업의 영업시설</td><td>100 이하</td><td>50 이하</td><td rowspan="3">1,000 이하</td><td>100 이하</td><td>-</td><td rowspan="2">10 이하</td></tr>
<tr><td>나. 의료기관, 산후조리원, 노인요양시설, 어린이집, 실내 어린이놀이시설</td><td>75 이하</td><td>35 이하</td><td>80 이하</td><td>800 이하</td></tr>
<tr><td>다. 실내주차장</td><td>200 이하</td><td>-</td><td>100 이하</td><td>-</td><td>25 이하</td></tr>
<tr><td>라. 실내 체육시설, 실내 공연장, 업무시설, 둘 이상의 용도에 사용되는 건축물</td><td>200 이하</td><td>-</td><td>-</td><td>-</td><td>-</td><td>-</td></tr>
</table>

[비고]

1. 도서관, 영화상영관, 학원, 인터넷컴퓨터게임시설제공업 영업시설 중 자연환기가 불가능하여 자연환기설비 또는 기계환기설비를 이용하는 경우에는 이산화탄소의 기준을 1,500ppm 이하로 한다.
2. 실내 체육시설, 실내 공연장, 업무시설 또는 둘 이상의 용도에 사용되는 건축물로서 실내 미세먼지(PM-10)의 농도가 200㎍/㎥에 근접하여 기준을 초과할 우려가 있는 경우에는 실내공기질의 유지를 위하여 다음 각 목의 실내공기정화시설(덕트) 및 설비를 교체 또는 청소하여야 한다.
   가. 공기정화기와 이에 연결된 급·배기관(급·배기구를 포함한다)
   나. 중앙집중식 냉·난방시설의 급·배기구
   다. 실내공기의 단순배기관
   라. 화장실용 배기관
   마. 조리용 배기관

관련 법령

「실내공기질 관리법 시행규칙」 [별표 4의2]

신축 공동주택의 실내공기질 권고기준(제7조의2 관련)

1. 폼알데하이드 210㎍/㎥ 이하
2. 벤젠 30㎍/㎥ 이하
3. 톨루엔 1,000㎍/㎥ 이하
4. 에틸벤젠 360㎍/㎥ 이하
5. 자일렌 700㎍/㎥ 이하
6. 스티렌 300㎍/㎥ 이하
7. 라돈 148Bq/㎥ 이하

2. 주택의 채광과 조명

(1) 자연조명(채광, Natural lighting)

① 주간의 태양광선과 대기 중의 수증기, 먼지 등의 입자에 직사광선이 확산, 반사 또는 투과하여 생기는 천공광(sky light)에 의한 조명이다.

② 적혈구와 헤모글로빈량의 증가로 산소 흡수능력을 증가시키고, 구루병의 예방 및 실내공기나 피부의 세균을 살균시킨다.

(2) 인공조명(Artificial lighting)

① 인공조명이란 고체, 액체 또는 가스 등의 연소산물을 이용하거나 전기를 이용하여 조명하는 방법이다.

② 대부분이 전기 에너지를 이용한다.

③ 보건위생상으로도 가장 바람직한 방법이다.

④ 전기를 이용한 전등에는 형광등, LED등, 아크등, 수은 등이 있다.

(3) 인공조명의 방법 기출 18, 20

① **직접조명**: 조명효율이 크고 경제적이나, 눈부심을 일으키고, 강한 음영으로 불쾌감이 발생한다.

② **인공조명**: 보통 낮에는 200 ~ 1,000Lux, 밤에는 20 ~ 200Lux의 조도가 필요하며 되도록 고르게 분포시켜야 한다.

③ **간접조명**: 반사에 의한 산광상태로 온화하며, 음영이나 눈부심이 생기지 않으나 조명 효율이 낮고, 설비 유지비가 다소 비경제적이다.

④ **반간접조명**: 직접조명과 간접조명의 절충식으로 반투명의 역반사각에 의해 작업면사에 오는 광선의 1/2 이상을 간접광, 나머지를 직접광에 의하는 방법이다.

(4) 인공조명에서 일반적으로 고려되어야 할 조건 기출 20

① 조도는 작업상 충분할 것

② 광색은 주광색에 가깝고, 유해 가스의 발생이 없어야 할 것

③ 열의 발생이 적고, 폭발이나 발화의 위험이 없을 것

주택의 자연조명에서 고려되어야 할 사항

1. **창의 방향**
   남향
2. **창의 넓이**
   보통 창의 넓이는 거실 넓이의 1/5 ~ 1/7이 적당하다(「건축법 시행령」 1/10 이상 확보).
3. **거실의 안쪽의 길이**
   보통 거실의 안쪽 길이는 바닥에서 창틀 상단 높이의 1.5배 이하이다.
4. **개각과 입사각**
   보통 개각은 4 ~ 5°가 좋으며 개각이 클수록 밝다. 입사각은 28° 이상이 좋으며, 입사각이 클수록 밝다.
5. **벽의 색조**
   밝은 색의 경우 심리적으로 크고, 명랑하고, 가볍고, 따뜻한 느낌을 주는 반면 어두운 색은 작고 침울하고 차가운 느낌을 주게 된다. 천정면과 벽면의 반사는 조도분포를 균등하게 하는 데 큰 역할을 한다. 백색의 광선반사율은 70 ~ 80%, 황색 55 ~ 65%, 담녹색 40 ~ 65%, 회색 15 ~ 55%, 농녹색 10 ~ 20%이다.
6. **차광방법**
   빛의 양이 많으면 시력이 쉽게 피로해지기 때문에 커튼이나 유리창, 기타 차광물을 사용하여 빛의 양을 조절한다.

④ 조도를 균등히 유지할 수 있도록 할 것
⑤ 가급적 간접조명이 되도록 할 것
⑥ 취급이 간편하고, 가격이 저렴할 것
⑦ 빛이 좌(우)상방에서 비출 것

(5) 조도의 단위와 측정방법 기출 16, 18

구분	내용
광속	① 광원에서 단위시간에 나오는 빛의 양 ② **단위의 표시**: 루멘(lumen) ③ **1촉광에서 나오는 광원**: 12.56lumen
조도	① 단위넓이에서 투시되는 광속의 밀도 ② 단위넓이(1m²)에 1lumen의 광속이 투사되는 것을 1Lux라고 함 ③ 1촉광의 광원이 1m 거리에서 평활평면을 비치는 명도 ④ 조도의 균등성은 작업상 중요하며, 30% 이하인 경우가 이상적임
광도	① 광원에서 어느 방향의 단위 입체각 내로 나가는 광속을 그 광원의 광도 ② **단위의 표시**: 촉광(candle)
휘도	① 광원을 직시하는 방향에서 광도를 눈으로 볼 수 있는 넓이로 나눈 수치 ② 광원의 단위넓이당 광도로서 sb(stilb)를 사용함
시속도 및 시력	① **시속도**: 일정한 조도하에서 물체를 식별할 수 있는 속도 ② **시력**: 눈으로 물체를 식별하는 능력 ③ 시속도와 시력은 조도에 비례함
발광효율	① 사용되는 전력에 대해 발생하는 광량 ② 전력량에 따라 변화하는 광량 ③ **단위**: 1m/W
반사율	① 빛을 받은 평면에서 반사되는 빛의 밝기 ② 검은색은 평면은 0%, 흰색은 100% 반사율을 나타냄

(6) 조명과 보건

① **가성근시**: 조도가 낮을 때 눈의 시력 조절을 위한 안내압(眼內壓)이 항진되어 모양근이 피로하게 되어 발생한다.
② **안정피로(Asthenopia)**: 조도 부족이나 눈부심이 심할 때 대상물의 식별을 위하여 눈이 너무 무리하게 되어 발생한다.
③ **안구진탕증(Nystagmus)**: 부적당한 조명하에서 안구가 상하좌우로 부단히 동요하는 증상이다.
④ 전광성안염이나 용접, 고열작업자 등에 발생하는 백내장 등의 원인이 될 수 있으며, 작업능률의 저하나 재해발생의 원인이 된다.

3. 실내온도 조절

(1) 적정 실내온도

실내의 최적온도는 18 ± 2℃의 범위, 실내의 최적습도는 40 ~ 70%이다.

(2) 난방방법 기출 09

기온을 기준으로 조절한다.

국소난방	화로, 전기난로, 석유난로 등을 실내에 두는 방법
중앙난방	열 공급장치를 실외에 설치하고, 그 열을 각 실에 보내어 난방하는 방법
지역난방	중앙난방의 방식에 의하여 열을 공급하는 것으로 중앙난방식의 한 가지로 분류되기도 하며, 광범위한 지역 내의 많은 건물에 온열을 공급하는 방법

(3) 냉방 기출 17, 19

국소냉방장치	선풍기, Air conditioner 등
중앙냉방장치	Carrier system

Plus⁺ POINT

1. 새집 증후군(Sick house syndrome)
   ① **개념**: 새집으로 이사한 뒤 눈이 따갑거나 목과 머리가 아프고, 아토피성 피부염이 생기는 증상들을 말한다.
   ② **원인**: 보통 새집에 있는 합판, 바닥재, 가구 등에 들어 있는 포름알데히드와 휘발성 유기화합물 등 유해물질 때문에 생긴다. 비단 새 집, 새 건물뿐 아니라 리모델링이나 도배를 했을 때, 가구, 카펫 등을 교체했을 때도 이러한 증상들이 유발될 수 있다.
   ③ **증상**: 극심한 두통과 구토, 눈과 목의 통증, 아토피성 피부염, 맥관 부종이라는 두드러기, 천식, 만성 피로, 불면, 불안, 초조 등이 있다. 특히 석면, 포름알데히드 등이 배출하는 물질은 환경호르몬의 일종으로 내분비계의 균형을 무너뜨려 몸의 이상을 일으키는 원인이 된다.
   ④ **예방 및 관리**: 새집증후군을 예방하기 위해서는 친환경소재를 사용하거나 환기를 충분히 해 주어야 한다. 집안온도를 35 ~ 40℃로 올린 뒤 8시간 이상 난방을 하는 베이크 아웃(bake out)으로 유해성분의 약 70% 정도가 날아가도록 할 수 있다.
2. 헌집 증후군(Sick house syndrome)
   ① **개념**: 오래된 집 안 곳곳에 숨어 있는 곰팡이와 세균, 집먼지진드기 등의 오염물질이 건강에 나쁜 영향을 주는 현상으로, 새집 증후군과 같이 병든집 증후군(sick house syndrome)이라고도 한다.
   ② **원인**: 습기 찬 벽지와 벽 안에 피는 곰팡이, 배수관에서 새어 나오는 각종 유해가스, 인테리어 공사 뒤 발생할 수 있는 휘발성 유기화합물 등이다. 특히 오래된 집일수록 장마철 때에는 고온다습해진 실내 환경으로 인해 세균이나 곰팡이가 생기기 쉬울 뿐만 아니라 집먼지진드기의 대량 서식이 용이하게 된다.
   ③ **증상**: 곰팡이는 기관지염이나 천식, 알레르기 등을 유발하며 오래된 배수관이나 가스관에서 새어 나오는 메탄가스와 암모니아, 일산화탄소, 이산화탄소, 이산화황 등은 두통 또는 현기증을 유발할 수 있다.
   ④ **예방 및 관리**: 환풍장치를 설치하여 습기를 제거하며 낡은 배수관을 교체하거나 자주 환기를 시켜주어야 한다.

3. 빌딩 증후군(Sick building syndrome)

① **개념**: 실내공기가 오염되어 건물 안에서는 머리가 아프고, 어지러우며, 쉽게 피로하고, 나른하며, 눈이나 목이 따갑고, 소화가 잘 되지 않고, 메스꺼운 증상을 보이다가 건물 밖으로 나가면 증상이 없어지는 것이다.

② **원인**: 실내 공기의 오염물질로 과거에는 알레르기를 일으키는 곰팡이 먼지, 담배연기에서 나오는 일산화탄소 등이 주목받아 왔으나, 최근에는 건축자재에서 나오는 벤젠, 솔벤트 등 화학물질, 냉방병을 일으키는 레지오넬라균 등 미생물에 관심이 더 크다. 빌딩 증후군은 물리적 요인과 정신적 요인에 의해 복합적으로 나타난다. 물리적 요인에는 담배연기, 건축자재, 사무용품 등에서 방출되는 라돈, 석면 등이 있고, 정신적 요인에는 직업만족도, 근무분위기, 스트레스 등이 있다.

③ **예방 및 관리**: 빌딩 증후군을 줄이기 위해서는 밀폐된 공간의 환기시설을 강화하고 주기적으로 그 오염도를 측정해 실내 공기질의 개선 등 관리가 필요하다. 장기적으로는 빌딩 내의 인공적인 환기보다는 외부의 신선한 공기를 받아들일 수 있는 환기구조 개선이 있어야 하며, 또한 실내공기 오염원 제거 외에도 근무환경의 물리적·정신적 요인에 대한 개선도 필요하다.

제6장 의복

1 의복의 의의 기출 12

1. 의복의 개념

(1) 체표면과 의복 내외 표면에 한정된 공간 전체를 말한다.
(2) 의복위생은 복장을 구성하는 각 피복재료가 함유한 공기는 물론 피복과 피복 간에 개재된 공기층까지도 포함하는 개념이다.

2. 의복의 목적

(1) 인체의 체온조절, 신체의 청결, 신체의 보호를 하고, 사회생활에서의 예의 · 품격 · 개인의 취향 등을 나타낸다.
(2) 의복의 위생학적 조건은 온도 · 습도 · 기류 등의 기후 조절력이 좋고, 피부에 피해를 주지 않으면서 피부 보호력이 커야 하며, 체온 조절력이 커야 한다.

2 의복기후

1. 의복기후의 개념

(1) 의복기후는 의복과 신체 표면 사이에 형성되는 기후를 말한다.
(2) 일반적으로 안정 시 32 ± 1℃의 기온과 습도는 50 ± 10%, 기류는 10cm/sec 이하를 유지할 때 쾌감을 느끼며 30℃ 이하에서는 냉감을, 34℃ 이상에서는 더위를 느낀다.
(3) 보행 시에는 기온이 30 ± 1℃, 습도 50 ± 10%, 기류 40cm/sec에서 쾌감을 느낀다.

2. 의복기후와 관련 요소

열전도율	① 공기의 열전도율을 100으로 하였을 때 동물털은 6.1, 견직물은 19.2, 마직은 29.5임 ② 전도율과 함기성은 반비례함
함기량	의복의 함기량이 적을수록 열전도율이 높아져 보온효과가 작아짐
압축성 (신축성)	피부의 단위넓이에 일정한 힘을 가했을 때 그 부피를 축소시킬 수 있는 성능을 의미함
통기성	피복재료의 기공의 대소나 다소, 함기량, 직물의 조직, 두께, 풀먹임 등에 따라 달라짐

의복과 보건

1. 혈액순환이나 호흡에 방해되지 않도록 하기
2. 신체적 활동이 제약이 크게 없도록 하기
3. 가능하면 가볍게 입기
4. 지나친 압박이 없도록 하기
5. 의복의 오염이나 병원균에 오염되지 않도록 관리하기

<table>
<tr><td>보온성</td><td>① 의복의 보온성과 관계있는 것은 의복의 재료, 함기량, 통기성, 열전도율, 색깔, 의복의 모양 등
② 열전도율이 작고, 함기량, 함수량이 많고, 통기량이 적은 것이 보온성이 높음
③ 피복재료의 열전도율의 대소는 함기량의 다소와 반비례함</td></tr>
<tr><td>흡습성</td><td>직접 피부에 접하는 데 쓰이는 피복재료, 특히 내의나 양말 등의 경우에는 적당한 흡습성이 있어야 함</td></tr>
<tr><td>흡수성</td><td>① 물에 습윤되는 성질
② 흡수성의 순위: 인조섬유 > 식물성 섬유 > 동물성 섬유</td></tr>
<tr><td>내열성</td><td>① 광선에 대해서는 견직도 레이온, 나일론처럼 약하며 양모가 가장 약함
② 열에 가장 약한 것은 화학섬유 < 목면 < 마직 < 양모 < 견직의 순</td></tr>
<tr><td>복사성과 투과성</td><td>① 복사열의 흡수, 투과, 반사에 따라 보온성이 달라짐
② 자외선의 투과성은 기공이 클수록 좋음</td></tr>
<tr><td>오염성</td><td>① 가스, 냄새의 흡수성과 오염흡착성으로 구분하며, 모직물은 가스를 잘 흡수하나 오물을 투과함
② 목면은 오염되기 쉽고, 모 · 견직물은 잘 오염되지 않음</td></tr>
</table>

3. 의복의 열전도율

(1) 열전도율(Rubner)

동물의 털(6.1) < 견직물(19.2) < 마직(29.5)

(2) 함기성

마직(50%) < 무명(70 ~ 80%) < 모직(90%) < 모피(98%)

(3) 피복의 함기성과 반비례한다.

방한력 좋은 순서

방한복(4 CLO) > 방한화(2.5 CLO) > 방한장갑(2 CLO) > 보통 작업복(1 CLO)

4. 방한력

(1) 개념

열 차단력을 의미하며, 단위는 CLO이다.

(2) 1 CLO

기온 21℃, 기습 50% 이하, 기류 0.1m/sec에서 피부온도가 33℃로 유지될 때 의복의 방한력이다.

제7장 위생해충 및 쥐

1 위생해충의 개념 및 원칙

1. 위생해충의 개념

(1) 사람이나 동물에 직접적으로 질병을 옮기거나 질병을 간접적으로 매개함으로써 육체적, 정신적 피해 및 혐오감(nuisance)을 유발하는 곤충이다.

(2) 질병 매개와는 관계없이 단순히 사람에게 불쾌감, 불결감 및 혐오감을 주거나 일상생활에 불편을 주는 동물이다.

2. 구충 · 구서의 일반적 원칙 기출 18, 20

(1) 발생원 및 서식처 제거

구제대상 동물의 발생원 및 서식처를 제거하는 것은 근본적이고 중요한 대책이다.

(2) 발생 초기에 구제

해충의 증식은 기하급수적이므로 발생 초기에 구제하는 것은 성충을 구제하는 것보다 수십 배의 효과를 가진다.

(3) 생태습성에 따른 구제

대상 동물의 생태습성을 정확히 파악하여야만 효과적인 구제가 가능하다.

(4) 동시에 광범위하게 실시

구충 · 구서는 한 가정 또는 한 지역을 하여도 다른 가정에서 옮겨올 수 있으므로 일시에 광범위하게 실시한다.

2 질병의 전파양식 및 위생곤충의 역할

1. 위생곤충의 생물학적 전파 기출 21

구분	매개방법	매개질환
증식형	병원체가 곤충의 몸 속에 들어와 증식하여 옮겨가는 것	흑사병, 뇌염, 황열, 재귀열, 발진티푸스, 발진 열, 뎅기열, 유행성 재귀열
발육형	곤충이 병원균을 픽업하여 발육만 해서 옮겨주는 것	사상충증
발육증식형	곤충이 병원균을 픽업하여 발육도 하고 수도 증가하는 것	말라리아, 수면병

배설형	곤충이 병원균을 배설하여 전파하는 것	발진티푸스, 발진열
경란형	곤충모체의 유전에 의한 것	록키산홍반열, 양충병, 진드기 매개 재귀열 등

2. 위생곤충의 역할

질병의 매개체 역할, 알레르기 반응, 곤충공포증, 피부염, 식품의 오염 등을 유발한다.

3 위생해충이 입히는 피해와 구제방법

1. 위생해충의 피해

기계적 외상	곤충에 물렸을 때에 피부조직의 파괴
이차적 감염	자교(刺咬)에 의한 기계적 외상이나 파리나 지네 등에게 물린 부위에 병원성 박테리아 감염에 의한 피부염
체내 기생	인체조직에 침입하여 기생하는 경우
독성물질의 주입	지네, 독거미 등에 물렸을 때에 독성물질의 주입으로 인한 피해
자교 시 주입된 이물질에 대한 감수성	곤충에 물렸을 때 침 등 이물질에 대한 감수성으로 붓거나 발작이 일어나는 경우

2. 위생해충의 구제방법

환경관리	발생원 및 서식처 제거
물리적 방법	트랩 이용(trapping), 유문등, 방사선 사용 등
화학적 방법	① 살충제, 발육억제제, 불임제, 기피제 등 화학물질을 이용하는 해충 구제방법 ② 살충제의 독성의 표시는 중앙치사량(LD50: lethal dose)으로 표시하는데, 이것은 실험대상 동물의 50%를 치사시킬 수 있는 살충제의 양을 의미함
생물학적 방법	포식동물(천적) 이용, 불임웅충의 방산 및 기생충 등
통합적 방법	① 물리적, 화학적, 생물학적 방법 중 두 가지 이상의 방법을 사용하는 것 ② 세계보건기구 매개종 생태 및 구제전문위원회(1983)에 의하면 효과적으로 구제할 수 있는 경제성을 고려한 모든 기술과 관리의 이용을 의미함

살충제의 조건

1. 인축에 대한 독성이 낮거나 없을 것
2. 방제대상 해충에는 살충효과가 클 것
3. 환경오염 및 악취가 없을 것
4. 살충작용의 범위가 좁을 것
5. 살충제의 물리적 성질이 양호할 것

3. 위생해충의 생태

(1) 파리(Flies) 기출 15, 17

종류	① 우리나라에는 19개 과가 있으며 이 중에서 집파리과(Muscidae), 검정파리과(Calliphoridae), 쉬파리과(Sarcophagidae), 체체파리과(Glossinidae)는 의학상 문제가 됨 ② 우리나라에 가장 많이 활동하는 것은 집파리임
생활사 및 습성	① 파리류는 모두 완전변태를 하는 곤충으로, 알 ⇨ 유충(구더기, 3회 탈피) ⇨ 번데기 ⇨ 성충으로 발육함 ② 산란수는 1회에 50 ~ 150개이며, 일생 동안 4 ~ 5회 산란함 ③ 알의 부화기간은 6 ~ 24시간이고, 유충 기간은 3 ~ 4일에서 10여 일 정도이며, 번데기 기간은 종류에 따라 4 ~ 5일에서 2 ~3주임
피해내용	① **소화기계 감염병**: 장티푸스, 콜레라, 세균성 이질, 식중독 병원체 등을 전파 ② **호흡기 질환**: 결핵, 디프테리아 등을 전파 ③ **기생충 질환**: 회충, 편충, 요충, 촌충 등을 전파 ④ **기타**: 폴리오, 화농균, 승저균 등 전파하며, 불쾌감과 수면을 방해함
구제방법	① **환경적 방법**: 서식처 및 발생원을 제거 ② **유충 구제법**: 발생 초기에 구제하는 것으로 살충제 및 생석회 등을 이용 ③ **물리적 구제법**: 파리채로 성충을 구제하는 방법과 끈끈이와 트랩을 사용 ④ **화학적 구제법**: 속효성 및 잔효성 살충제를 분무하는 방법을 사용

(2) 모기(Mosquitos) 기출 14, 15, 19

종류	① 중국얼룩날개모기(Anopheles sinensis Wiedemann) ② 작은빨간집모기(Culex tritaeniorhynchus Giles) ③ 토고숲모기(Aedes togoi Theobald) ④ 흰줄숲모기(Aedes albopictus) ⑤ 열대숲모기(Aedes aegypti)
생활사 및 습성	① 모기는 절족류, 곤충강, 쌍시목(雙翅目), 문과(蚊科)에 속함 ② 모기는 일반적으로 여름철에 많이 발생 ③ 웅충이 군무하면 암모기가 특유의 비상음을 듣고 찾아 교미 ④ 완전변태를 하는 곤충으로 알(난) ⇨ 유충 ⇨ 번데기 ⇨ 성충의 네 시기를 거치는데, 번데기의 3시기에는 수중생활을 하고 성충이 되면 육서생활을 함
피해내용	① **모기가 매개하는 감염병** • **말라리아**: 중국얼룩날개모기(Anopheles sinensis Wiedemann) • **일본뇌염**: 작은빨간집모기(Culex tritaeniorhynchus Giles) • 말레이 사사충증토고숲모기(Aedes togoi Theobald) • 황열, 뎅기열 등 ② 그 밖에 피부교자, 흡혈 및 수면방해 등으로 피해를 줌

구제방법	① **환경적 방법**: 발생지의 제거가 가장 중요하고, 물이 하수구와 웅덩이 등에 장기간 정체되지 않도록 하기 ② **유충 구제방법** • 중국얼룩날개모기와 작은빨간집모기는 대수역에 산란하므로 구제하기가 곤란하지만, 토고숲모기는 소수역에 발생하므로 구제 가능 • 유충의 구제는 석유를 물에 도포함으로써 표면에 석유막이 형성되어 호흡장애를 일으키게 하는 방법과 살충제 사용 ③ **성충 구제방법**: 속효성 및 잔효성 살충제를 분무기를 사용하는 살포법이나 연무법 등을 사용함 ④ **기타**: 기피제, 모기향 등을 사용

(3) 이(Lice)

종류	몸이, 머릿니, 사면발이(사람의 음모) 등 3종
생활사 및 습성	① **불완전변태**: 알 ⇨ 유충(3회 탈피) ⇨ 성충 ② 산란의 최적온도는 30 ~ 40℃이고 20℃ 이하에서는 산란할 수 없음 ③ 4 ~ 6월에 가장 번식력이 강함 ④ 참호열, 재귀열, 발진열의 전파 가능 ⑤ 저작형의 구기를 하며 사람에 기생함
피해내용	교자에 의해 소양감과 불쾌감, 수면방해 등을 하며, 발진티푸스, 발진열을 매개함
구제방법	살충제를 사용

저작형 구기
잎이나 동물체를 물어서 뜯어 먹는 데 적합한 형태의 곤충 입 구조이다.

(4) 바퀴(Cockroach) 기출 15, 16, 17, 19, 20

종류	① **독일바퀴(Blattella germanica)**: 황갈색의 소형종으로 우리나라 가주성 바퀴 중 내륙지방, 해안지방에 가장 많이 분포 ② **이질바퀴(미국바퀴, Periplaneta americana)**: 미국에서 흔히 볼 수 있으며, 우리나라는 부산, 포항, 울산 등의 항구도시에서 많이 서식함 ③ **먹바퀴(Periplaneta fuliginosa)**: 크기가 3 ~ 4cm인 대형종 ④ 일본바퀴(집바퀴, Periplaneta japonica)
생활사 및 습성	① **불완전변태**: 알(egg) ⇨ 자충(nymph) ⇨ 성충(adult)으로 발육 ② 알은 난협(卵莢)의 속에 보호되어 산란 ③ 부화된 자충은 종류에 따라 다르나 보통 5 ~ 8회 탈피하면서 성충이 됨 ④ 성충이 되면 교미활동을 하고 암놈은 죽을 때까지 산란을 계속함 ⑤ 수명은 3 ~ 4개월에서 1년 이상으로 종류에 따라 다름 ⑥ **잡식성**: 먹이를 구할 수 있고 온도나 습도가 어느 정도 일정한 곳이면서 햇빛이 없는 곳이면 어디서나 서식할 수 있음 ⑦ **질주성**: 야간활동성이며 활동에 있어서 동작이 매우 민첩한 질주성을 가짐 ⑧ **군거생활**: 여러 마리가 모여 사는 군서(군거)생활

난협
알을 복부 끝에 달고 다니다가 부화 직전 어디에나 떨어뜨리는 것이다.

	⑨ **야간활동성**: 광선에 주로 영향을 받는 것이 아니고 24시간 단위의 생리적인 일주성(Time clerk)이 작용하기 때문에 밤에 전등을 켜도 활동
피해내용	① **세균성 질병**: 장티푸스, 세균성 이질, 콜레라, 결핵, 폐렴, 디프테리아, 살모넬라, 파상풍 등 ② **바이러스 질병**: 유행성 간염, 폴리오 등 ③ **기생충 질환**: 회충, 구충, 아메바성 이질 등
구제방법	① **환경위생관리**: 바퀴의 은신처와 먹이를 제거하는 방법으로 장기적인 구제대책 ② **트랩 설치**: 가정에서 가장 손쉽게 할 수 있는 구제방법으로 상품화된 것 ③ **살충제 사용**: 독이법(Poison baits), 연무법 또는 훈증법, 잔류 분무 및 분제 살포

(5) 진드기(Acarine)

종류	① **큰 진드기**: 재귀열에 매개 ② **작은 진드기(응애)**: 옴, 여드름 진드기는 인체의 피부에 기생 ③ **털 진드기**: 양충이라고 하며 쯔쯔가무시병을 매개
생활사 및 습성	알에서 부화하면 유충이 되고 자충을 거쳐 성충이 됨
피해내용	① **참진드기(Ticks)**: 진드기 뇌염, 큐열(Q - fever), 록키산홍반열, 재귀열 등을 전파 ② **좀진드기**: 쯔쯔가무시병, 유행성 출혈열 등을 전파
구제방법	① 진드기와 접촉을 피하기 ② 기피제를 피부에 도포하기

(6) 벼룩 기출 15, 17

종류	① **사람벼룩**: 인축에 기생하고 교자에 의해 피해를 주며 페스트를 감염 ② **열대쥐벼룩**: 가주성 흡혈과 페스트를 감염
생활사 및 습성	① **완전변태**: 알 ⇨ 유충(3회 탈피) ⇨ 번데기 ⇨ 성충의 4기를 거침 ② 성충의 수명은 6개월이며 완전변태를 함 ③ 저온고습한 곳에 서식하며 암수 모두 주·야간에 흡혈 ④ 벼룩에는 사람벼룩과 인도쥐벼룩이 있음. 그 중 사람벼룩은 온대지방에 많고 인축, 야생동물에도 기생하며 주로 야간에 암수 모두 흡혈 ⑤ 인도쥐벼룩은 인축에 흡혈하며 쥐로부터 페스트와 발진열을 매개 전파
피해내용	① **직접피해**: 교자에 의해 소양감, 불쾌감 및 2차 세균감염 발생 ② **간접피해**: 페스트와 발진열을 전파
구제방법	① 환경을 개선하여 서식처가 없도록 청결 유지 ② 애완동물에 구충 및 구서하기

(7) 쥐(Rats) 기출 12, 18, 19

종류	① **시궁쥐(집쥐, Rattus novegicus)**: 집쥐라고도 하며, 체중이 300 ~ 500g이고 몸통보다 꼬리가 짧은 것이 곰쥐와 구별됨 ② **곰쥐(지붕쥐, Rattus rarrus)**: 지붕쥐라고도 하며, 몸체가 날씬하고 몸체보다 꼬리가 긴 것이 시궁쥐와 구별됨 ③ **생쥐(Mus musculus)**: 무게가 20g 정도로 극히 소형 쥐로 머리에 비해 귀가 크며 몸통과 꼬리 길이가 비슷함
생활사 및 습성	① 쥐는 견치가 없고 문치가 상하 양턱에 각각 2개씩 있으며, 문치가 1년에 13cm 계속 자라기 때문에 항상 갉는 습성을 가지고 있음 ② 청각과 후각은 잘 발달되어 있으나 색맹이며 근시 ③ 식성은 잡식성으로 고형물 섭취 후 반드시 물을 먹는 특성이 있음 ④ 가주성 쥐는 야간 활동성으로 일몰 직후부터 활동을 시작하여 밤 12시 ~ 새벽 1시까지 계속되나 굶주린 쥐는 낮에도 활동 ⑤ 쥐는 집단생활을 하며 수명은 보통 1 ~ 3년임 ⑥ 출생 후 4개월이 되면 임신이 가능함
피해내용	① **세균성 질병**: 페스트, 서교열, 렙토스피라증, 살모넬라증 등 ② **바이러스성 질병**: 신증후군 출혈열 ③ **리케치아성 질병**: 쯔쯔가무시병(양충병), 발진열 등 ④ **기생충 질환**: 선모충증, 아메바성이질, 리슈마니아증(Leishmamiasis) 등
구제방법	① **환경적 방법**: 서식처의 제거나 쥐의 먹이가 있는 곳에 대한 방서장치 등 ② **천적 이용**: 족제비, 오소리, 고양이 등 ③ **트랩 이용**: 쥐틀과 쥐덫 등 ④ **살서제 사용**: 살서제를 먹이에 섞어 쥐가 섭취하게 한 후 중독사시키는 방법

소독

1 소독

1. 소독 관련 용어의 개념 기출 15, 17, 18

소독(Disinfection)	병원성 미생물의 생활력을 파괴하여 감염력을 없애는 것
멸균(Sterilization)	모든 미생물의 생활력은 물론 미생물 자체를 없애는 것
방부(Antiseptic)	병원성 미생물의 발육과 그 작용을 제지 또는 정지시켜 음식물 등의 부패나 발효를 방지하는 것

2. 소독, 멸균, 방부와의 관계

(1) 멸균(Sterilization)은 소독이 되지만 소독은 멸균이 되지 못한다.
(2) 소독은 방부가 되지만 방부가 소독은 되지 못한다.
(3) 즉, 멸균, 소독, 방부 순서로 강력하다.
(4) 소독은 병원균은 있으나 질병을 발생시킬 수 없는 상태로 만드는 것이다.

소독의 강도 순서
방부 ⇨ 소독 ⇨ 살균 ⇨ 멸균

Plus⁺ POINT

소독을 결정할 때의 고려사항
1. 전염방법이 직접전파인지, 간접전파인지를 확인하기
2. 호흡기를 통해서 전파되는지, 소화기계를 통해서 전파되는지 또는 곤충이 매개하는지를 확인하기
3. 병원체가 바이러스인지, 세균인지 또는 포자형성 균인지, 아닌지를 확인하기
4. 소독대상물은 무엇이며, 그 성질은 어떠한지를 알기

2 멸균 및 소독약의 살균기전

1. 산화작용

과산화수소, 오존, 염소 및 그 유도체, 과망간산칼륨 등

2. 균체단백의 응고작용

석탄산, 알코올, 크레졸, 포르마린, 승홍 등

3. 균체효소의 불활성화작용

알코올, 석탄산, 중금속염 등

4. 가수분해작용

강산, 강알칼리, 열탕수 등

5. 탈수작용

식염, 설탕, 알코올 등

6. 중금속염의 형성

승홍, 머큐로크롬, 질산은 등

7. 핵산에 작용

자외선, 방사선, 포르마린, 에틸렌 옥사이드 등

8. 세포막의 삼투성 변화작용

석탄산, 중금속염, 역성비누 등이며, 각종 살균제의 소독효과는 여러 가지 기전에 의하여 복합적으로 작용한다.

3 소독방법

1. 물리적 소독법

(1) 열처리법 기출 12, 15, 16, 17, 18, 19, 20

① **건열멸균법(Dry heat sterilization)**: 화염 등을 이용하는 멸균방법이다.

구분	내용
건열멸균법	• 건열멸균기(Dry oven)를 이용하여 유리기구, 주사침, 유지 또는 글리세린, 분말금속류, 자기류 등에 주로 사용 • 보통 170℃에서 1 ~ 2시간 처리하며, 고무제품에는 사용할 수 없음
화염멸균법	• 알코올 램프, 분젠, 천연가스 등을 이용하여 금속류, 유리막대, 백금 루프, 도자기류 등의 소독을 위하여 불꽃 속에 20초 이상 접촉시키는 방법 • 표면의 미생물을 멸균시키는 방법
소각법	오염물질이 가연성이고, 재생 가치가 없는 물질들을 불에 태우는 것으로 가장 강한 멸균법

② **습열멸균법**(Moist heat sterilization): 습열멸균은 건열에 비하여 세포 내 열전도성이 크기 때문에 단시간 내에 멸균효과를 가져 올 수 있어 가장 광범위하게 사용되는 멸균방법이다.

구분	내용
자비멸균법 (Boiling heat sterilization)	• 100℃ 끓는 물에서 15 ~ 20분간 처리하는 방법 • 아포형성균은 완전 사멸되지 않으나 영양형은 수분 내에 사멸 • 석탄산 5%나 크레졸 2 ~ 3%를 첨가하면 소독효과가 높아짐 • 식기류, 도자기류, 주사기, 의류 등의 소독에 사용
고압증기멸균법 (Steam sterilization under pressure)	• 포자형성균의 멸균에 제일 좋은 방법 • 실험실이나 연구실에서 많이 사용 • 초자기구, 의류, 고무제품, 자기류, 거즈 및 약액 등에 주로 사용 • 고압멸균기를 사용하며, 시간은 보통 다음과 같음 (psi: pound per square inch = Lbs) - 10psi(Lbs): 115℃, 1,680 기압 ⇨ 30분간 - 15psi(Lbs): 121℃, 2,021 기압 ⇨ 20분간 - 20psi(Lbs): 126℃, 2,361 기압 ⇨ 15분간
유통증기멸균법 (Free flowing steam sterilization)	• 고압증기멸균법이 부적당할 때 사용 • 아놀드멸균기나 코흐멸균기를 사용하여 100℃의 유통증기를 30 ~ 60분간 통과시킴 • 대상물은 자비소독의 경우와 같음 • 포자를 사멸시킬 수 없으므로 간헐멸균을 하는데, 간헐멸균은 1일 1회 100℃의 증기를 30분간 통과시켜 3일에 걸쳐 3회 실시 • 유통증기로 처리하지 않을 때는 20℃의 실온에서 보관하여 포자가 발아할 수 있도록 함
저온소독법 (Pasteurization)	• 고온처리가 부적합한 유제품, 알코올, 건조과실 등에 사용되는 방법 • 주로 포자를 형성하지 않는 결핵균, 소유산균, 살모넬라균 등의 살균에 이용 • 우유는 63℃에서 30분, 건조 과실은 72℃에서 30분, 아이스크림 원료는 80℃에서 30분, 포도주는 55℃에서 10분간 소독 • 주류는 주로 부패 방지를 위함
초고온순간멸균법 (Ultra high temperature sterilization)	• 멸균처리기간의 단축과 영양물질의 파괴를 줄이기 위하여 고안된 방법 • 우유는 135℃에서 2초간 처리

(2) 무가열 소독법 기출 18, 19, 20

① 열을 가하지 않고 균을 사멸시키거나 균의 활동을 억제하는 방법이다.

② 자외선멸균법, 초음파멸균법, 전류 및 방사선멸균법, 냉동법, 세균여과법, 무균조작법, 희석법 등이 있다.

구분	내용
자외선멸균법 (Ultra violet sterilization)	• 자외선 중에서 2,650Å(265nm) 부근의 자외선은 세포의 DNA에 흡수되어 피리미딘이합체(Pyrimidine dimers)를 형성하게 하여 세포의 돌연변이를 유발하여 세균을 사멸시키는 방법 • 무균실, 수술실, 제약실 등에서 공기, 식품, 기구 및 용기 등의 소독에 사용
초음파멸균법 (Ultrasonic sterilization)	• 8,800cycle의 음파는 강력한 교반작용(Agitation)으로 충체를 파괴하여 살균하는 방법 • 식품, 액체약품, 시약 등 살균에 사용
방사선멸균법 (Radiation sterilization)	• 방사선은 미생물 세포 내 핵의 DNA나 RNA에 작용하여 단시간 내에 살균작용하는 방법 • 코발트(60Co), 세슘(137Cs) 등에서 발생하는 방사선을 이용하여 멸균 • 강한 투과력으로 각종 용기, 목재, 플라스틱 제품, 포장상품 등을 포장을 개봉하지 않고도 중심부까지 멸균할 수 있음 • 방사선의 잔류성 및 취급자의 방사선 오염의 우려 등 안전성 및 유해성에 상당한 주의 필요
냉동법 (Cooling)	• 식품의 저장에 주로 사용되며, 냉동법은 대부분의 경우 살균의 효과는 거의 기대하지 못하고, 균의 번식이나 활동만 억제함 • 냉장 저장된 식품을 실온에 보관하면 적절한 환경이 이루어질 경우 곧 균이 증식하게 됨
무균조작법 (Aseptic manipulation)	• 미생물의 오염을 방지하는 방법 • 무균작업대, 무균실 등에서 조작함으로써 이미 멸균된 물체의 오염을 방지하는 것 • 자외선 등으로 무균실, 무균작업대 등
희석법 (Dilution)	병원 미생물이 질병을 발생하기 위해서는 일정한 양이 필요한데 희석을 하여 양을 저하시켜 질병의 발생을 억제하는 방법
세균여과법 (Bacteriologic filtration)	• 각종 화학물질이나 열을 이용할 수 없는 시약, 주사제 등의 액체상태의 물질을 세균여과기를 이용하는 방법 • 여과기의 여과공 크기는 0.1 ~ 0.4㎛로 세균이 통과하지 못하나, 소형 바이러스 등은 제거되지 못함
저주파 전류법	저주파 전류를 이용하여 균체가 함유하고 있는 염화나트륨 이온을 유리시킴으로써 살균작용

2. 화학적 소독법

(1) 소독제의 이상적 조건 기출 15, 18, 20, 21

① **살균력이 강할 것**: 높은 석탄산계수(Phenol coefficient)를 가질 것
② **안전성(Safety)**: 인체에 무해 · 무독할 것
③ 부식성, 표백성이 없을 것
④ **용해성(Solubility)**: 물이나 알코올에 잘 녹을 것
⑤ **안정성(Stability)**: 독성이 없을 것
⑥ 가격이 저렴하고, 사용방법이 간단할 것
⑦ 냄새가 없고 탈취력이 있을 것
⑧ 생물학적으로 분해가 되어 환경오염을 발생시키지 않을 것

(2) 소독제의 살균기전

① 산화작용
② 균체단백의 응고작용
③ 균체의 효소 불활성화작용
④ 가수분해작용
⑤ 탈수작용
⑥ 중금속염의 형성작용

(3) 석탄산계수(Phenol coefficient)

① 소독제의 살균력을 비교하기 위해 이용한다.
② 순수하고 성상이 안정된 석탄산을 표준으로 시험균주를 5분 이내에는 죽일 수 없으나 10분 이내에 완전히 죽일 수 있는 석탄산의 희석배수와 시험하려는 소독약의 희석배수의 비로 표시한 것을 말한다.

$$\text{석탄산계수} = \frac{\text{소독약의 희석배수}}{\text{석탄산의 희석배수}}$$

3. 소독제의 종류 기출 14, 15, 17, 18, 19, 20, 21

구분	내용
염화제2수은 ($HgCl_2$)	① 승홍(Mercury dichlorde) ② 무색, 무취 ③ 보통 푹신(Fuchsin)이나 에오신(Eosin) 색소를 첨가하여 사용 ④ 살균력은 좋으나 금속을 부식시킴 ⑤ 인체의 피부점막에 자극을 주며 인체에 축적되어 수은중독 발생
질산은 ($AgNo_3$)	① 눈의 결막염, 인두염 및 요로감염증에 주로 사용 ② 자극성이 거의 없음 ③ 특히 0.1% 질산은 용액은 신생아 농루안의 예방 및 치료에 사용
표백분 ($CaOCl_2$)	① 물에 가하면 염소가스를 발생하여 강한 살균력을 발생함 ② 자극성이 있어 의료용으로는 사용하지 못함 ③ 주로 수영장, 목욕탕, 하수 등의 소독에 이용

크레졸 (Cresol)	① 물에 난용이므로 동량의 크레졸 비누액 3에 97의 비율로 크레졸 비누액을 만들어 사용 ② 바이러스에는 소독효과가 적으나 세균소독에는 효과가 큼 ③ 피부자극성도 없으나 냄새가 강함
알코올류 (Alcohol)	① 주로 에틸알코올(Ethyl alcohol)이 사용됨 ② 피부 및 기구소독에 사용 ③ 눈 · 구강 · 비강 등의 점막에는 사용하지 않는 것이 좋음 ④ 포자형성균에는 효과가 없고, 무포자형성균에 유효하며, 70 ~ 75%의 농도가 소독효과가 좋음 ⑤ Ethyl alcohol의 대용으로 30 ~ 50%의 Isopropyl alcohol이 사용
역성비누 (Invert soap)	① 역성비누는 분자 중의 양이온이 활성화되어 살균력이 강함 ② 무미 · 무해하여 식품소독에 좋음 ③ 자극성이나 독성이 없으며, 침투력도 강함
약용비누 (Germecidal soap)	① 비누에 여러 가지 살균제를 첨가하여 살균작용과 동시에 세정효과를 갖도록 만든 것 ② 주로 미생물 실험기구, 손, 피부소독, 창상의 소독 등에 이용
포르말린 (Formalin)	① 세균 단백질을 응고시켜, 강한 살균력이 강함 ② 강한 자극성이 있으므로 주로 방부제, 선박 등의 소독에 사용
석탄산 (Phenol)	① 방역용 석탄산은 3%(3 ~ 5%)의 수용액을 사용하는데, 저온에서는 잘 용해되지 않으며, 산성도가 높고, 고온일수록 소독효과가 크기 때문에 열탕수로 사용하는 것이 좋음 ② **장점**: 살균력이 강하고 유기물에도 소독력이 떨어지지 않음 ③ **단점**: 피부 점막에 자극성이 강하고, 금속을 부식시키며, 냄새와 독성이 강함
생석회 (산화칼슘, CaO)	① 포자를 형성하는 세균이 아니면 효과가 있으며, 석회수는 생석회 분말 2, 물 8의 비율로 만들어 건조한 소독 대상물에 사용 ② 습기가 있는 분변 등 인축의 배설물, 하수, 오수, 오물 및 토사물의 소독에 적당
과산화수소 (H_2O_2)	① 보통 3%의 수용액을 사용 ② 무포자균을 효과적으로 살균 ③ 자극성이 적어 화농성 창상, 구내염, 인두염이나 구강 세척제로 광범위하게 이용
붕산 (H_3BO_3)	① 무색의 광택이 있는 결정성 분말 ② 살균력은 약하나 자극성이 없음 ③ 상처 세척에 3%, 위 및 방광 세척에 1 ~ 3%로 사용 ④ 습진이나 피부염에 5 ~ 10% 연고로 사용

석탄산계수(phenol coefficient)

순수하고 성상이 안정된 석탄산을 표준으로 시험균주를 5분 이내에는 죽일 수 없으나 10분 이내에 완전히 죽일 수 있는 석탄산의 희석배수와 시험하려는 소독약의 희석배수의 비로 표시한 것이다.

$$석탄산계수 = \frac{소독약의\ 희석배수}{석탄산의\ 희석배수}$$

4. 소독 대상물에 의한 소독방법

(1) 대소변, 배설물, 토사물

① 완전소독방법은 소각법이 좋다.

② 약품으로는 석탄산수, 크레졸수, 생석회 분말 등을 사용한다.

(2) 의복, 침구류, 모직물

① 일광소독, 증기소독, 자비소독을 사용한다.

② 크레졸수, 석탄산수에 2시간 정도 담가둔다.

(3) 초자기구, 목죽제품, 자기류

석탄산수, 크레졸수, 승홍수, 포르말린수에 담그거나 뿌리며, 내열성이 강한 것은 증기소독 및 자비소독을 할 수 있다.

(4) 고무제품, 피혁제품, 모피, 칠기

석탄산수, 크레졸수, 포르말린수 등을 사용한다.

(5) 변소, 쓰레기통, 하수구

분변에는 생석회를, 변기 또는 변소에는 석탄산수, 크레졸수, 포르말린수를 뿌린다.

(6) 병실

석탄산수, 크레졸수, 포르말린수를 사용한다.

(7) 환자 및 환자 접촉자의 손

석탄산수, 크레졸수, 승홍수, 역성비누를 사용하고 몸은 목욕을 시킨다.

(8) 시체

석탄산수, 크레졸수, 승홍수, 알코올 등을 뿌리고 관 내에는 석회를 뿌린다.

제9장 환경보건

1 환경보건

1. 개념

환경보건이란 인간의 신체발육, 건강 및 생존에 유해한 영향을 미치거나 미칠 가능성이 있는 물리적 환경의 모든 요소를 통제하는 것이다(WHO).

2. 환경보건정책

(1) 환경보건정책의 목적(「환경보건법」 제1조)

「환경보건법」은 환경오염과 유해화학물질 등이 국민건강 및 생태계에 미치는 영향 및 피해를 조사·규명 및 감시하여 국민건강에 대한 위협을 예방하고, 이를 줄이기 위한 대책을 마련함으로써 국민건강과 생태계의 건전성을 보호·유지할 수 있도록 한다.

(2) 제5차 국가환경종합계획

「환경정책기본법」에 따라 매 20년마다 관계 중앙행정기관의 장과 협의하여 수립했던 국가환경종합계획을, 2019년에 제5차 국가환경종합계획(2020 ~ 2040)을 수립하였다.

3. 환경오염의 종류 기출 14, 18

대기오염, 수질오염, 토양오염, 해양오염, 방사능오염, 소음 · 진동, 악취 등이 있다.

4. 환경문제의 발생원인

(1) 경제 성장
(2) 인구 증가(환경파손 = 인구규모 × 1인당 환경손상)
(3) 도시화
(4) 지역 개발
(5) 환경보건의 인식 부족

5. 환경보전 국제적 대책 회의

(1) 람사르협약(1971)

① 1971년 이란의 람사르에서 채택되었다.
② 1975년에 발효된 람사르협약은 국경을 초월해 이동하는 물새를 국제자원으로 규정하여 가입국의 습지를 보전하는 정책을 이행할 것을 의무화하고 있다.

환경보전(「환경정책기본법」)

환경보전이란 환경오염으로부터 환경을 보존하고 오염된 환경을 개선함과 동시에 쾌적한 환경의 상태를 유지·조성하기 위한 행위이다.

환경오염(「환경정책기본법」)

「환경정책기본법」에 의거하여 사업 활동, 기타 사람의 활동에 따라 발생되는 대기오염, 수질오염, 토양오염, 해양오염, 방사능오염, 소음·진동, 악취 등으로 사람의 건강이나 환경에 피해를 주는 상태이다.

환경오염의 특성

다양화	환경오염을 일으키는 원인물질의 다양화는 예전에는 없던 환경오염을 일으킴
누적화	산업화 및 인구의 폭발적 증가로 환경이 자정능력을 잃게 되어 환경오염이 누적·심화됨
광역화	도시의 확장으로 일정 지역에 심해진 환경오염은 그 주변 지역에까지 영향을 주게 됨
다발화	많은 생산시설, 인구 등으로 환경오염을 발생시킬 수 있는 요소들이 산재해 있으므로 자주 또는 계속적으로 환경오염이 발생

유엔관리 세계 3대 환경협약

1. 기후변화협약(1992)
2. 생물다양성협약(1992)
3. 사막화방지협약(1994)

③ 습지를 바닷물 또는 민물의 간조 시 수심이 6m를 초과하지 않는 늪과 못 등의 소택지와 갯벌로 정의하고 있다.
④ 우리나라는 1997년 7월 28일 국내에서 람사르협약이 발효되면서 세계에서 10번째로 람사르협약에 가입하였다.

차수	연도	개최지	주요 안건
1차	1980년	이탈리아 칼리아리	습지의 기준 및 목록 지정 등
2차	1984년	네덜란드 흐로닝언	국가 보고서 등
3차	1987년	캐나다 리자이나	상임위원회 설치 등
4차	1990년	스위스 몽트뢰	국제협력, 몽트뢰 목록 등
5차	1993년	일본 구시로	지중해 습지 등
6차	1996년	오스트레일리아 브리즈번	도서국가, 이란, 연안습지 등
7차	1999년	코스타리카 산 호세	외래 침입종, 강 유역, 인플루엔자 등
8차	2002년	스페인 발렌시아	습지와 문화 등
9차	2005년	우간다 캄팔라	자연재해, 빈곤, 조류 인플루엔자 등
10차	2008년	대한민국 창원	'건강한 습지, 건강한 인간', 논습지의 생물다양성 등
11차	2012년	루마니아	-
12차	2018년	두바이	-

(2) 국제연합인간환경회의(스톡홀름회의, 1972)

① 1972년 스웨덴 스톡홀름에서 113개국 대표가 모인 스톡홀름회의를 개최하였다.
② 회의의 슬로건은 '하나뿐인 지구(Only One Earth)'였다.
③ **스톡홀름회의에서 내려진 3가지 중요한 결정**
㉠ 유엔인간환경선언 채택
㉡ '세계환경의 날' 지정 권고를 포함한 인간환경을 위한 행동계획 채택
㉢ 유엔환경기구(UNEP)의 창설 권고
④ 유엔인간환경선언(Declaration of the United Nations Conference on the Human Environment)은 인간환경의 보전과 향상에 대한 공동인식과 일반원칙을 발표하였다.
⑤ 인간환경을 위한 행동계획은 인근 주거환경의 계획과 관리, 천연자원관리의 환경적 측면 고려, 국제적으로 중요한 오염물질의 파악과 규제, 환경교육, 정보사회 문화적 측면의 고려, 개발과 환경 등의 5개 분야에 걸쳐 109개의 활동 권고안을 채택하였다.
⑥ 유엔인간환경회의의 개최일인 6월 5일을 '환경의 날'로 지정하였다.

(3) 런던협약(1972)

① 1972년 런던에서 체결되었고, 우리나라는 1993년에 가입하였다.

② 이 협약은 비행기나 선박에서 주로 배출되는 쓰레기나 기타 물질을 버림으로써 발생하는 해양오염을 지키기 위한 협약으로, 해양오염 방지협약이다.

(4) 비엔나협약(1985)

① 이 협약의 오존층을 변화시키거나 변화시킬 수 있는 인간활동 때문에 초래되거나 초래될 수 있는 역효과로부터 인간의 건강과 환경을 보호하기 위한 적절한 조치를 취하기 위함이다.

② 즉, 오존층 파괴 원인물질을 규제하는 것이다.

(5) 몬트리올의정서(1987)

① 1987년 9월 16일, 유엔환경계획에 의해 캐나다 몬트리올에서 채택되었고, 1989년 1월에 발효되었다.

② 목적은 오존층 파괴물질인 염화불화탄소(CFCs)의 생산과 사용을 규제하려는 목적에서 제정한 협약이다.

③ **염화불화탄소**: 오존층 파괴물질이면서 기후온난화 기여물질로 그 유해성이 크다는 연구들이 발표되고 몬트리올의정서 국제협약에서 생산을 금지시켰다.

(6) 기후 변화에 관한 정부간 협의체(IPCC; Intergovernmental Panel on Climate Change)

① 세계 기상 기구(WMO)와 국제연합환경계획(UNEP)에 의해 1988년 설립 및 조직되었다.

② **주요 임무**: 인간 활동에 대한 기후 변화의 위험을 평가하고 기후 변화에 관한 국제연합기본협약(UNFCCC)의 실행에 관한 보고서를 발행하는 것이다.

(7) 바젤협약(1989)

① 1989년 3월 22일 유엔환경계획(UNEP) 후원하에 스위스 바젤(Basel)에서 채택된 협약으로 1992년 5월 5일 20개국이 비준서를 기탁·가입함으로써 정식 발효하였고, 우리나라는 1994년에 가입하였다.

② 유해폐기물의 국가 간 이동 및 그 처리의 통제에 관한 협약이다.

(8) 리우유엔환경개발회의(1992) 기출 21

① 1972년 스웨덴 스톡홀름에서 개최된 유엔인간환경회의의 영향을 받아 재확인을 한 선언이다.

② 개발 위주의 경제 성장 및 산업화의 지속으로 자연생태계의 자정능력이 저하되어 지구 전체의 환경이 급속히 악화되고 있으며 이에 따라 환경보전과 경제 개발을 동시에 조화시키면서 지속가능한 경제 성장을 달성하기 위한 국제적 논의가 활발히 전개되었다.

③ **리우선언 채택**: 지속 가능한 개발목표 달성을 위한 기본원칙이다.

④ **의제 21 채택**: 리우선언의 이행을 위한 21세기 지구환경보전 실천강령, 각국 및 국제기구의 이행과제를 사회경제, 자원, 주요단체, 이행수단 등 4개 분야, 40개 장으로 분류하여 정책목표와 지침을 제시하였다.

⑤ **산림원칙 성명 채택**: 모든 산림의 관리, 보호 및 지속 가능한 개발에 관한 지구적 합의 형성을 위한 기본원칙에 관해 성명하였다.

⑥ 기후변화협약 및 생물다양성협약에 서명하였다.

⑦ 국제사회의 의제 21 이행 상황을 주기적으로 점검 · 평가하고, 효과적인 지구환경보전 전략 수립을 위하여 '유엔지속개발위원회(UNCSD)'를 설치하기로 합의하였다.

(9) 사막화 방지협약(1994)

① 기후변화협약(UNFCCC), 생물다양성협약(UNCBD)과 더불어 UN 3대 환경협약이다.

② 사막화를 방지하기 위한 협약이다.

③ 사막화는 지구의 대기순환이 장기적으로 변하여 생기는 기후적인 요인과 지나친 방목 · 경작 · 연료 채취 등과 같은 요인으로 진행되기 때문에 사막화를 경험한 국가들이 지구환경을 보호하고자 하는 것이다.

(10) 교토의정서(1997)

① 1997년 교토에서 개최된 기후변화협약 제3차 총회에서 채택되고, 2005년 공식 발효가 되었다.

② 교토의정서는 기후변화협약에 따른 지구온난화의 규제 및 방지를 위한 국제협약이다.

③ 교토의정서를 인준한 국가는 여섯 종류의 온실 가스의 배출을 감축하며 배출량을 줄이지 않는 국가에 대해서는 비관세 장벽을 적용하게 된다.

④ **감축목표**: 교토의정서의 목표는 2008년부터 2012년까지의 기간 중에 선진국 전체의 온실가스 배출량을 1990년 수준보다 최소 5.2% 이하로 감축하는 것이다.

⑤ **감축대상 가스**: 이산화탄소, 메테인, 아산화질소, 과플루오린화탄소, 수소불화탄소, 육불화황

⑥ 교토의정서에는 의정서 비준을 위해 공동이행제도, 청정개발체제, 배출권 거래제도 등과 같은 제도를 도입하였다.

㉠ **공동이행제도**: 온실가스 배출 감소에 의해 얻은 일종의 마일리지(포인트)를 주는 제도이다.

㉡ **청정개발체제**: 배출감축 프로젝트를 수행하여 '공인된 감축분(CERs)'의 형태로 배출권을 얻는 것이다.

㉢ **배출권 거래제도**: 국가나 기업마다 설정된 온실가스 배출 허용 기준치에 대해 목표 이상의 감소를 실현한 기업 및 국가와 기준 허용치를 넘은 기업 및 국가가 서로의 배출권을 거래하는 제도이다.

지속가능한 개발 세계 정상회의(2002)

1. 2002년에 남아프리카공화국의 요하네스버그에서 개최된 리우회의(1992)에서 채택된 '리우선언'과 '의제 21'의 성과를 평가하고 미래의 이행 전략을 마련하기 위한 세계 정상들의 합의이다.
2. 2015년까지 열악한 식수 위생환경에 있는 인구를 감축하고, 생물종들의 소멸을 줄이기로 하였으며, 대체 에너지의 사용량을 증가하기로 하였다.
3. 교토의정서(1997)는 2020년까지 환경 유해 물질의 생산과 소비를 최소한으로 감축하기로 하였다.

(11) 스톡홀름협약(2001)

① 2001년 5월에 채택되어, 2004년 5월 17일에 발효되었다.

② 잔류성 유기 오염물질에 관한 스톡홀름협약이다.

③ 잔류성 유기 오염물질의 감소를 목적으로 지정 물질의 제조·사용·수출입 금지 또는 제한하는 협약이다.

④ 법제처에서 보면 이 조약은 잔류성 유기 오염물질에 관한 스톡홀름협약 부속서 개정으로 지속적으로 관리되고 있다.

(12) 나고야의정서(2010)

① 2010년 나고야의정서가 채택되었고, 2014년 10월 12일 발효되었다.

② 1993년 발효한 생물다양성협약의 내용을 바탕으로 재확인하는 의정서이다.

③ 생물다양성 보존 및 자원의 지속가능한 이용, 접근 및 자원 제공국과 이용국 간의 양자 간 이익을 공정하고 공평하게 공유해야 한다.

(13) 발리로드맵(2007)

① 2007년 12월 3일에 제13차 기후변화협약 당사국회의가 인도네시아 발리에서 개최되었다.

② 선진국과 개발도상국 모두가 참여하는, 새로운 협상의 장을 여는 발판을 마련하기 위해 개최된 회의이다.

③ 2008년부터의 교토의정서에는 미국, 중국, 인도 등 대량배출국이 불참하였고 2012년으로 종료되기 때문에 보다 포괄적인 기후변화대책이 필요하였다.

④ 2012년 이후에는 선진국뿐만 아니라 개발도상국까지 온실가스 감축에 참여하는 방안을 향후 2년간 본격적으로 논의하게 되며 기후변화 대응을 위한 범지구적 파트너십체제를 구축하는 것을 의미한다.

(14) 파리기후변화협약(2015)

① 2015년 12월 12일 성립, 2016년 11월 4일 발효되었으며, 2019년 10월 현재 우리나라를 포함해 197개국이 참여하고 있다.

② 파리협정은 선진국에만 감축의무를 지웠던 교토의정서와 달리 195개 당사국 모두가 지켜야 하는 첫 합의이다.

③ 파리기후변화협약에서는 교토의정서를 대체하는 신(新) 기후변화체제를 마련했다는 것에 의미가 있다.

④ 모두 참여 국가에 자발적으로 감축 목표를 설정하고 정기적으로 이행점검을 받는 국제법적 기반을 마련했다.

⑤ 교토의정서와 파리기후변화협약 차이점

구분	교토의정서	파리기후변화협약
목표	온실가스 배출량 감축 (1차: 5.2%, 2차: 18%)	2℃ 목표 1.52℃ 목표 달성 노력
범위	주로 온실가스 감축에 초점	온실가스 감축만이 아니라 적응, 재원, 기술이전, 역량배양, 투명성 등을 포괄
감축 의무국가	주로 선진국	모든 당사국
목표 설정방식	하향식	상향식
목표 불이행 시 징벌 여부	징벌적(미달성량의 1.3배를 다음 공약기간에 추가)	비징벌적
목표 설정 기준	특별한 언급 없음	진전원칙
지속가능성	공약기간에 종료 시점이 있어 지속가능한지 의문	종료시점을 규정하지 않아 지속가능한 대응 가능
행위자	국가 중심	다양한 행위자의 참여 독려

출처: 교토의정서 이후 신 기후체제 파리협정 길라잡이, 환경부, 2016.

Plus⁺ POINT

환경보전 국제적 대책

국제협약명	개최 시기	주요 내용
람사르협약	1971년	• 국제습지조약, 물새서식지 습지 보호 • 보호대상 습지 지정, 람사르습지 목록 관리 및 관련 정보 상호 교환
스톡홀름회의	1972년	'인간환경선언' 선포
런던협약	1972년	• 해양오염방지협약 • 폐기물 투기에 의한 해양오염 방지를 위한 각국의 의무 규정
비엔나협약	1985년	오존층 파괴 원인물질의 규제
몬트리올의정서	1987년	• 오존층 파괴물질의 규제에 관한 국제협약 • 염화불화탄소(CFCs)와 할론 규제
바젤협약	1989년	유해폐기물의 국가 간 이동 및 그 처리의 통제에 관한 협약
리우환경회의	1992년	• '리우선언'과 '의제 21' 채택 • 지구온난화 방지협약 • 생물다양성 보존협약
사막화 방지협약	1994	심각한 한발 또는 사막화를 경험한 국가들의 사막화 방지를 통한 지구환경 보호
교토의정서	1997년	기후변화협약에 따른 온실가스 감축목표에 관한 의정서
스톡홀름협약	2001년	• 잔류성 유기 오염물질에 관한 협약 • 환경호르몬 규제
나고야의정서	2010년	생물다양성협약 적용범위 내의 유전자원과 관련된 전통지식에의 접근과 이 자원의 이용으로 발생하는 이익 공유
도하기후변화협약	2012년	• 지구온난화를 규제·방지하기 위한 협약 • 교토의정서 합의 내용을 2020년까지 8년간 연장 합의
파리기후변화협약	2015년	• 지구온난화를 규제·방지하기 위한 협약 • 2100년까지 지구온도 상승을 2도 이내로 유시
발리로드맵	2007년	• 2007년 12월 15일 기후변화협약 제13차 당사국 총회에서 채택한 합의문 • 온실가스 감축 관련 기후변화협약

2 환경영향평가

1. 개념

(1) 개발계획을 수립 및 시행하는 과정에서 당해 사업의 경제성, 기술성뿐만 아니라 환경요인까지 종합적으로 비교·검토하여 환경적으로 바람직한 사업계획안을 모색하는 과정이다.

(2) 특정 사업이 환경에 영향을 미치게 될 각종 요인들에 대해 그 부정적 영향을 제거하거나 최소화하기 위해 사전에 그 환경영향을 분석하여 검토하는 것이다.

(3) 어떤 지역에서 개발사업을 시행할 경우 사업 결과가 환경에 미치게 될 영향을 미리 예측·평가하고 그 대처방안을 마련해 환경오염을 사전에 예방하는 제도이다.

2. 목적

사업 시행 전 미리 환경보전 측면에서 충분한 고려가 이루어지도록 함으로써 환경오염을 사전에 예방하는 데 그 의의가 있으며, 환경적으로 건전하고 지속가능한 개발이 되도록 함으로써 쾌적한 환경을 유지·조성하는 것을 목표로 한다.

3. 구분

「환경영향평가법」(2019)에서는 환경영향평가를 전략영향평가, 환경영향평가, 소규모 환경영향평가로 구분하였다.

구분	내용
전략영향평가	환경에 영향을 미치는 계획을 수립할 때에 환경보건계획과의 부합여부 확인 및 대안의 설정·분석 등을 통하여 환경적 측면에서 해당 계획의 적정성 및 입지의 타당성 등을 검토하여 국토의 지속 가능한 발전을 도모하는 것
환경영향평가	환경에 영향을 미치는 실시계획·시행계획 등의 허가·인가·승인·면허 또는 결정 등을 할 때에 해당 사업이 환경에 미치는 영향을 미리 조사·예측·평가하여 해로운 환경영향을 피하거나 제거 또는 감소시킬 수 있는 방안을 마련하는 것
소규모 환경영향평가	환경보전이 필요한 지역이나 난개발이 우려되어 계획적 개발이 필요한 지역에서 개발사업을 시행할 때 입지의 타당성과 환경에 미치는 영향을 미리 조사·예측·평가하여 환경보전방안을 마련하는 것

4. 기본원칙 - 「환경영향평가법」 제4조

(1) 보전과 개발이 조화와 균형을 이루는 지속가능한 발전이 되도록 하여야 한다.

(2) 환경보전방안 및 그 대안은 과학적으로 조사·예측된 결과를 근거로 하여 경제적·기술적으로 실행할 수 있는 범위에서 마련되어야 한다.

(3) 환경영향평가의 대상이 되는 계획 또는 사업에 대하여 충분한 정보 제공 등을 통해 환경영향평가의 과정에 주민 등이 원활하게 참여할 수 있도록 노력하여야 한다.

(4) 환경영향평가의 결과는 지역주민 및 의사결정권자가 이해할 수 있도록 간결하고 평이하게 작성되어야 한다.

(5) 환경영향평가는 계획 또는 사업이 특정 지역 또는 시기에 집중될 경우에는 이에 대한 누적적 영향을 고려하여 실시되어야 한다.

(6) 환경영향평가는 계획 또는 사업으로 인한 환경적 위해가 어린이, 노인, 임산부, 저소득층 등 환경유해인자의 노출에 민감한 집단에게 미치는 사회·경제적 영향을 고려하여 실시되어야 한다.

5. 기능

정보기능	환경영향에 관한 정보를 정책결정권자, 지방자치단체 및 지역주민에게 제공할 뿐만 아니라 환경영향평가 절차에 참여하는 행정기관, 주민으로부터 지역의 환경정보를 제공받을 수 있는 것
합의 형성기능	환경영향평가절차를 통하여 사업에 대한 이해·설득 등의 합의 형성을 촉진할 수 있는 것
유도기능	환경적인 측면에서 유용한 정보를 제공하여 친환경적인 계획안이 되도록 유도하는 기능
규제기능	환경영향평가제도를 규제제도와 연계하여 제도화하는 것

6. 내용

(1) 전략환경영향평가의 대상(「환경영향평가법」 제9조)

① 도시의 개발에 관한 계획
② 산업입지 및 산업단지 조성에 관한 계획
③ 에너지 개발에 관한 계획
④ 항만의 건설에 관한 계획
⑤ 도로의 건설에 관한 계획
⑥ 수자원의 개발에 관한 계획
⑦ 철도(도시철도 포함)의 건설에 관한 계획
⑧ 건설에 관한 계획
⑨ 하천의 이용 및 개발에 관한 계획
⑩ 개간 및 공유수면의 매립에 관한 계획
⑪ 관광단지의 개발에 관한 계획
⑫ 산지의 개발에 관한 계획
⑬ 특정지역의 개발에 관한 계획
⑭ 체육시설의 설치에 관한 계획
⑮ 폐기물·분뇨·가축분뇨 처리시설의 설치에 관한 계획
⑯ 국방·군사시설의 설치에 관한 계획
⑰ 토석·모래·자갈·광물 등의 채취에 관한 계획
⑱ 기타 환경에 영향을 미치는 시설의 설치에 관한 계획

(2) 환경영향평가 등의 평가 분야 및 평가 항목(「환경영향평가법 시행령」 [별표 1])

평가 분야(21)	평가 항목
자연 · 생태환경 분야(2)	동 · 식물상, 자연환경자산
대기환경 분야(4)	기상, 대기질, 악취, 온실가스
수환경 분야(3)	수질(지표 · 지하), 수리 · 수문, 해양환경
토지환경 분야(3)	토지이용, 토양, 지형 · 지질
생활환경 분야(6)	친환경적 자원순환, 소음 · 진동, 위락 · 경관, 위생 · 공중보건, 전파장해, 일조장해
사회 · 경제환경 분야(3)	인구, 주거(이주의 경우 포함), 산업

7. 건강영향평가제도(HIA; Health Impact Assessment)

(1) 개념

① 계획된 정책 및 프로그램이 인체 건강에 미칠 수 있는 영향에 대하여 판단함으로써 사전 예방적 차원에서 접근할 수 있도록 하는 절차 및 방법이다.

② 우리나라의 경우는 건강영향평가를 실시하지 않고, 환경영향평가 대상사업 중 위생 · 공중보건 항목을 추가하여 평가한다.

(2) 목적

대상사업의 시행이 야기하는 건강결정요인의 변화로 인해 특정 인구집단의 건강에 미치는 잠재적 영향을 확인하며, 인체건강에 미치는 긍정적인 영향을 최대화하고 부정적인 영향과 건강불평등을 최소화하여 사업계획을 조정하거나 대책을 마련하도록 의사결정권자에게 정보를 제공하기 위함이다.

(3) 내용

① 대기, 악취, 수질과 소음 · 진동을 포함한 대기질의 변화를 살피고 이에 따른 건강평가이다.

② 건강영향평가 항목의 추가 · 평가 대상사업은 산업입지 및 산업단지 조성사업, 에너지 개발사업, 폐기물 처리시설, 분뇨 처리시설 및 축산폐수 공공처리시설의 설치사업으로 「환경보건법 시행령」에 규정한다.

Plus⁺ POINT

내분비계장애물질의 정의 및 특성 기출 10, 14, 16, 17, 18, 20, 21

1. 내분비계장애물질
DDT, PCB 등 환경 중의 화학물질이 사람이나 생물체의 몸 속에 들어가서 성장, 생식 등에 관여하는 호르몬(내분비계)의 정상적인 작용을 방해하여 정자 수의 감소, 암수 변환, 암 등을 유발할 수 있다고 하는 화학물질이다.

2. 내분비계(호르몬계)
생체의 항상성, 생식, 발생, 행동 등에 관여하는 각종 호르몬을 생산, 방출하는 계통으로서, 체내의 영향, 대사 등 항상성 유지, 외부자극에 대한 반응, 성장, 발육, 생식에 대한 조절 및 체내의 에너지 생산, 이용, 저장과 관련된 기능을 수행한다.

3. 미국 환경청(US EPA)

체내의 항상성 유지와 발생과정을 조절하는 생체 내 호르몬의 생산, 분비, 이동, 대사, 결합작용 및 배설을 간섭하는 외인성 물질로 정의한다.

4. OECD(1996년 전문가 워샵)

① 정의: 생물체 및 그 자손에게 악영향을 미치고, 그 결과, 내분비계의 작용을 변화시킬 수 있는 외인성 화학물질이다[An exogenous substance that causes adverse health effects in an intact organism, or its progeny, consequent to changes in endocrine function(OECD, 1996)].

② 다이옥신, DDT, PCB 등 내분비계 장애로 추정되고 있는 물질은 일반적으로 환경 중에서 잘 분해되지 않아 생물체 내에 축적되는 성질을 가지고 있다.

③ 따라서 배출된 물질은 공기와 물, 토양 등 여러 매체로 이동하고, 식품, 농수산물 등에도 축적되어 사람에게까지 노출될 수 있다.

④ 급성적으로 독성을 나타내지는 않으나 장기적으로 생태계에 위해가 될 수 있는 물질들이 많아 내분비계 장애물질로 추정되고 있는 물질 중 상당수는 이미 금지되었거나 그 사용이 제한된 화학물질이다.

내분비계장애물질(환경부) 기출 22

국내사용 금지물질(20종)	
농약(15종)	aldicarb(살충제), DBCP(살충제), DDT(살충제), beta-HCH(살충제), lindane(살충제), PCP(방부제,살균제), toxaphene(살충제), maneb(살균제), zineb(살균제), chlordane(살충제), dieldrin(살충제), heptachlor(살충제), 2,4,5-T(제초제), nitrofen(제초제), amitrole(제초제)
산업용 화학물질(2종)	PCBs(변압기절연유), PBBs(난연제)
부산물/대사물(3종)	DDE(DDT 대사물), h-epoxide(heptachlor 대사물), oxychlordane(chlordane 대사물)
취급 제한 등 규제되고 있는 물질(27종)	
농약(19종)	endosulfan(살충제), ethylparathion(살충제), trifluralin(제초제), 2,4-D(제초제), carbaryl(살충제), cypermethrin(살충제), dicofol(살충제), fenvalerate(살충제), malathion(살충제), methomyl(살충제), ziram(살균제, 가황촉진제, 안료, 도료, 잉크첨가제), alachlor(제초제), benomyl(살균제), esfenvalerate(살충제), mancozeb(살균제), metiram(살균제), metribuzin(제초제), vinclozolin(살균제), permethrin(살충제)
산업용 화학물질(2종)	tributyltin oxide(방오제), 4-nitrotoluene(합성중간체)
부산물/대사물(2종)	dioxins/furans(소각시설 부산물)
관찰물질 지정(4종)	alkyl(C=5~9)phenol[pentyl~nonylphenol](합성중간체, 안료, 도료, 잉크첨가제), bisphenol A(합성수지), DEHP(가소제), BBP(가소제)
미규제물질(20종)	
자료 수집, 검토 중(5종)	benzophenone(생산출발물질/중간체, 안료, 도료, 잉크첨가제), DBP(가소제), DCHP(가소제), DEP(가소제), diethylhexyl adipate(가소제)
부산물/대사물(4종)	benzo(a)pyrene(불순물, 부산물), octachlorostyrene(대사물, 부산물), styrene dimers/trimers(불순물, 부산물)
국내 유통된 사례가 없는 물질(11종)	농약(6종): hexachlorobenzene(살균제,합성중간체), atrazine(제초제), kepone(살충제), methoxychlor(살충제), mirex(살충제), transnonachlor(살충제)
	산업용 화학물질(5종): DHP(가소제), DprP(가소제), DPP(가소제), 2,4-Dichlorophenol(원료중간체), n-butylbenzene(합성중간체)

다이옥신의 특징 기출 22

1. 상온(25°C)에서 무색의 결정성 고체이다.
2. 자연계에 한 번 생성되면 잘 분해되지 않고 안정적으로 존재한다.
3. 토양이나 침전물들 속에서 축적되고 생물체 내로 유입되면 수십년 혹은 수백년까지도 존재할 수 있다.
4. 물에 잘 녹지 않는다.
5. 생물체 안으로 들어온 다이옥신은 잘 배설되지 않는다.
6. 다이옥신류는 250~400℃ 온도범위에서 소각할 때 생성(불완전연소할 때 발생)된다.
7. 750℃ 이상의 고온으로 소각 시에는 오히려 분해 및 파괴되는 물질이다.
8. 소각장이나 화학공장에서 배출된 다이옥신으로 주변의 목초지나 토양이 오염된다.
9. 오염된 목초나 곡물을 소, 돼지, 닭 등의 사료로 이용하면 다이옥신이 가축에 2차적으로 축적된다.
10. 오염된 하천이나 바다의 어류를 먹음으로써 다이옥신이 인체 내에 3차적으로 축적된다.

3 대기오염

1. 개념

대기 중에 인위적으로 배출된 오염물질이 한 가지 또는 그 이상이 존재하여 오염물질의 양·농도·지속시간에 따라 어떤 지역의 불특정 다수인에게 불쾌감을 일으키거나 해당 지역에 공중보건상 위해를 끼치고, 인간이나 동물·식물의 활동에 해를 주어 생활과 재산을 향유할 정당한 권리를 방해받는 상태이다(WHO).

2. 대기오염물질 기출 12, 14, 15, 17, 18, 19, 20, 23

<table>
<tr><td rowspan="12">1차 오염물질</td><td rowspan="6">입자상 물질</td><td>분진(먼지, Dust)</td><td>① 대기 중에 떠다니거나 흩날려 내려오는 입자상 물질(10μm 이상)
② <u>고체상의 입자</u>: 1 ~ 100μm
③ 강한 분진과 부유분진, 부유분진은 겨울에 가장 많고 출퇴근 시간에 가장 많음(10μm 이하)</td></tr>
<tr><td>매연(Smoke), 검댕(Soot)</td><td>① 매연: 불완전연소로 생성되며 연료가 연소할 때 발생되는 유리탄소 및 미세입자물질의 응결체로 입자(0.01 ~ 1.0μm)
② 검댕입자: 1μm 이상</td></tr>
<tr><td>훈연</td><td>물체의 승화(0.001 ~ 1μm)</td></tr>
<tr><td>안개</td><td>매우 작은 물방울이 대기 중에 떠다니는 현상</td></tr>
<tr><td>박무</td><td>엷은 안개로 시정거리 1km 이상으로 무수히 많은 미세한 물방울이나 습한 흡습성 알갱이가 대기 중에 떠 있어서 먼 곳의 물체가 흐려 보이는 현상(1μm 이하)</td></tr>
<tr><td>연무</td><td>시정거리 1km 이상으로 공기의 색이 우윳빛으로 뿌옇게 보이는 현상(2 ~ 200μm)</td></tr>
<tr><td rowspan="6">가스상 물질</td><td>아황산가스(SO_2)</td><td>석탄과 석유류, 불쾌한 자극취, 무색, 불연성 기체, 산성비의 원인</td></tr>
<tr><td>황산수소(H_2S)</td><td>맹독성 물질, 계란 썩은 냄새</td></tr>
<tr><td>이산화질소(NO_2)</td><td>① 석유와 석탄 연소과정에서 발생
② 산성비 생성과 옥시던트 생성에 주요 원인물질
③ 피해는 식물 < 사람</td></tr>
<tr><td>아산화질소(N_2O)</td><td>① 약간 달콤한 냄새를 가진 공기보다 무거운 무색의 불활성 기체
② 기체로 흡입 시 웃음을 일으키는 기분을 좋게 해준다고 알려진 웃음가스</td></tr>
<tr><td>탄화수소</td><td>① 탄소와 수소의 화합물
② 자동차 같은 수송기관에서 발생
③ 탄화수소는 이산화질소와 반응하여 자외선을 받으면 광화학적 작용을 일으켜 산성이 강한 2차 오염물질인 옥시던트를 생성하기 때문에 문제가 있음</td></tr>
</table>

링겔만 매연 농도표(Ringelmann Smoke Scale)

1. 적용범위
   이 시험방법은 굴뚝 등에서 배출되는 매연을 링겔만 매연농도표(Ringelmann Smoke Chart)에 의해 비교 측정하는 시험방법에 대하여 규정한다.
2. 링겔만 매연농도(Ringelmann Smoke Chart)법
   보통 가로 14cm, 세로 20cm의 백상지에 각각 0, 1.0, 2.3, 3.7, 5.5mm 전폭의 격자형 흑선(格子型 黑線)을 그려 백상지의 흑선부분이 전체의 0%, 20%, 40%, 60%, 80%, 100%를 차지하도록 하여 이 흑선과 굴뚝에서 배출하는 매연의 검은 정도를 비교하여 각각 0에서 5도까지 6종으로 분류한다.
3. 측정방법
   될 수 있는 한 무풍(無風)일 때 연돌구(煙突口) 배경의 검은 장해물을 피해 연기의 흐름에 직각인 위치에 태양광선을 측면으로 받는 방향으로부터 농도표를 측정치의 앞 16m에 놓고 200m 이내(가능하면 연돌구에서 16m)의 적당한 위치에 서서 연도배출구에서 30 ~ 45cm 떨어진 곳의 농도를 측정자의 눈높이의 수직이 되게 관측·비교한다.
4. <u>매연은 모든 배출시설에서 2단계 구분 없이 링겔만 비탁표 2도 이하로 규정되어 있다.</u>

	일산화탄소 (CO)	① 산소가 충분하지 않은 상태에서 연료가 연소되면서 생성되는 물질 ② 무색, 무미, 무취 ③ 질식성 가스 ④ 헤모글로빈과의 친화력이 산소에 비해 210배 강함 ⑤ 일산화탄소 흡입 시 산소의 공급이 차단되어 중독을 일으킴. 대표적 예시로 연탄 가스 중독의 원인
	이산화탄소 (CO_2)	① 실내 공기오염의 지표로 사용 ② 정상 대기 중의 농도는 303 ~ 320ppm ③ 지구의 온실효과를 유발하는 온실가스 ④ 매년 약 0.7ppm 정도 증가
	암모니아 (NH_3)	① 무색의 자극성 기체 ② 유기물의 부패 시 생성
	불화수소 (HF)	① 알루미늄공업, 인산비료공업, 유리공업 등에서 발생 ② 인체보다 농작물에 피해를 더 줌
2차 오염 물질	오존(O_3)	① 3개의 산소가 결합 ② 무색물질, 자극적인 냄새 ③ 공기보다 약간 무거우나 물에는 잘 녹지 않음 ④ 오존은 자연적으로 발생하거나 주로 자동차 배기가스에 의해 2차적으로 발생하는 2차 오염물질로 산화력이 매우 강함 ⑤ 질소산화물이 자외선과 광화학반응을 일으키는 과정에서 생성 ⑥ **오존이 인체에 미치는 영향**: 피부, 인후, 폐에 노출되며 가슴 통증, 기침, 메스꺼움, 인후자극, 충혈 등 ⑦ 오존에 의한 피해를 줄일 수 있는 방안 ⑧ 자동차 배기가스 규제기준 강화 ⑨ 오존 태양빛이 강한 날은 외출금지 ⑩ **비타민 C와 E 섭취**: 오존으로 조직 손상 예방 ⑪ 대기오염 정화 식물의 식재
	PAN류 (Peroxyacetyl nitrate)	① PAN, PPN 및 PBN 등 ② 무색의 자극성 기체로 눈, 코, 인후부의 자극증상 발생 ③ 열적으로 불안정함 ④ 과산화 에탄올과 이산화질소 가스로 분해 ⑤ 대류권에서 존을 형성
	알데하이드 (Aldehyde)	강한 자극성이 있는 가스

휘발성 유기화합물의 종류

1. 관련근거

「대기환경보전법」 제2조 제10호

2. 배출시설(시행령 제45조 제1항)의 관리대상 휘발성 유기화합물의 종류

연번	제품 및 물질명
1	아세트알데히드
2	아세틸렌
3	아세틸렌 디클로라이드
4	아크롤레인
5	아크릴로니트릴
6	벤젠
7	1, 3-부타디엔
8	부탄
9	1-부텐, 2-부텐
10	사염화탄소
11	클로로포름
12	사이클로헥산
13	1, 2-디클로로에탄
14	디에틸아민
15	디메틸아민
16	에틸렌
17	포름알데히드
18	n-헥산
19	이소프로필 알콜
20	메탄올
21	메틸에틸케톤
22	메틸렌클로라이드
23	엠티비이(MTBE)
24	프로필렌
25	프로필렌옥사이드
26	1, 1, 1-트리클로로에탄
27	트리클로로에틸렌
28	휘발유
29	납사
30	원유
31	아세트산(초산)
32	에틸벤젠
33	니트로벤젠
34	톨루엔
35	테트라클로로에틸렌
36	자일렌(o-, m-, p-포함)
37	스틸렌

Plus⁺ POINT

추가 오염물질 기출 14, 16, 17, 18, 19, 20

1. 석면
   ① 석면은 자연계에서 생산되는 섬유상 광물의 총칭이다.
   ② 내화성, 내마모성, 내약품성이 뛰어나 많은 제품에 사용한다.
   ③ 석면타일, 석면슬레이트 등의 건축용 자재와 전기제품에 많이 사용되었지만 석면섬유가 흡입되어 장기간 노출될 경우 석면 폐증, 폐암 등을 발생한다.
2. 라돈(Rn)
   ① 라돈은 우라늄의 붕괴과정에서 생성되는 방사성 물질이다.
   ② 자연적으로 존재하는 암석이나 토양에서 발생하는 자연방사능 가스이다.
   ③ 라돈의 발생은 건물 지반, 토양, 광석, 건축용 자재 등 다양한 종류에서 발생한다.
   ④ 라돈에 장기간 노출 시 폐암을 유발할 수 있다.
3. 포름알데히드(Formaldehyde)
   ① 포름알데히드는 휘발성 유기화합물의 일종이다.
   ② 자극성 냄새가 있는 가연성 무기 기체로 휘발성 유기화합물과 함께 새집 증후군의 원인물질이다.
   ③ 실내에서의 포름알데히드의 농도는 온도와 습도, 건축물의 수명, 실내 환기율에 따라 달라진다.
   ④ 포름알데히드는 건축용 자재, 실내가구의 칠, 접착제, 생활용품 등에서 다양하게 방출된다.
4. 휘발성 유기화합물(Volatile oranic compounds, VOCs) 기출 23
   ① 휘발성 유기화합물은 휘발하기 쉬운 수백 종의 화합물의 집합체를 의미한다.
   ② 소위 새집 증후군의 원인이 되는 휘발성 유기화합물은 대부분 건축용 자재에서 시공 초기 단계에 다량 방출되며 시간이 경과함에 따라 방출량이 점차 감소한다.

3. 광화학 스모그 기출 13, 15, 17, 18, 19

항목	런던형 스모그	로스앤젤레스형 스모그
발생 시의 온도	-1 ~ 40℃	24 ~ 32℃
발생 시의 습도	85% 이상	70% 이하
기온역전의 종류	복사성(방사성) 역전	침강성 역전
풍속	무풍	5m/sec 이하
스모그 최성 시의 시계	100m 이하	1.6 ~ 0.8km 이하
가장 발생하기 쉬운 달	12월, 1월	8월, 9월
주된 사용연료	석탄과 석유계	석유계
주된 성분	SO_x, CO, 입자상 물질	O_3, NO_2, CO, 유기물
반응 유형	열적	광화학적, 열적
화학적 반응	환원	산화
최다 발생시간	이른 아침	낮
인체에 대한 영향	기침, 가래, 호흡기계 질환	눈의 자극

Plus+ POINT

스모그의 유형

런던형 스모그	• 유황 스모그라고도 하며 공기 중에 아황산가스(SO_2)의 함량이 많을 때 발생 • 직접 굴뚝에서 나오는 오염물질에 의하여 생김 • 공기 중에 습기와 부유 먼지가 많을 경우 더욱 악화됨
로스앤젤레스형 스모그	• 광화학 스모그라고 하며, 대기가 안정되어 있는 상태에서 주로 자동차 배출가스에서 나오는 질소산화물, 탄화수소 등이 축적되고 강렬한 햇빛의 작용으로 강산성 물질인 옥시던트가 생기는 현상 • 맑은 날에도 안개가 낀 것처럼 보이는 상태 • 식물이 해를 입으며 시야가 흐려지고 눈병이 발생하며, 호흡기 질환이 생김 ⇨ 유독성이 강한 오존가스가 원인 • 우리나라 서울의 경우 겨울은 런던형 스모그, 여름은 로스앤젤레스형 스모그가 발생

4. 대기환경의 기준(제2조 관련) 기출 21, 22

항목	기준	측정방법
아황산가스(SO_2)	① **연간 평균치**: 0.02ppm 이하 ② **24시간 평균치**: 0.05ppm 이하 ③ **1시간 평균치**: 0.15ppm 이하	자외선 형광법
일산화탄소(CO)	① **8시간 평균치**: 9ppm 이하 ② **1시간 평균치**: 25ppm 이하	비분산적외선 분석법
이산화질소(NO_2)	① **연간 평균치**: 0.03ppm 이하 ② **24시간 평균치**: 0.06ppm 이하 ③ **1시간 평균치**: 0.10ppm 이하	화학 발광법
미세먼지(PM-10)	① **연간 평균치**: 50㎍/m^3 이하 ② **24시간 평균치**: 100㎍/m^3 이하	베타선 흡수법
초미세먼지(PM-2.5)	① **연간 평균치**: 15㎍/m^3 이하 ② **24시간 평균치**: 35㎍/m^3 이하	중량농도법 또는 이에 준하는 자동측정법
오존(O_3)	① **8시간 평균치**: 0.06ppm 이하 ② **1시간 평균치**: 0.1ppm 이하	자외선 광도법
납(Pb)	**연간 평균치**: 0.5㎍/m^3 이하	원자흡광 광도법
벤젠	**연간 평균치**: 5㎍/m^3 이하	가스크로마토그래피

5. 대기오염경보 단계별 대기오염물질의 농도 기준(「대기환경보전법 시행규칙」 [별표 7] - 2019.2.13.)

대상 물질	경보단계	발령기준	해제기준
미세먼지 (PM - 10)	주의보	기상조건 등을 고려하여 해당 지역의 대기 자동측정소 PM - 10시간당 평균농도가 150㎍/m³ 이상 2시간 이상 지속인 때	주의보가 발령된 지역의 기상조건 등을 검토하여 대기 자동측정소의 PM - 10시간당 평균농도가 100㎍/m³ 미만인 때
	경보	기상조건 등을 고려하여 해당 지역의 대기 자동측정소 PM - 10시간당 평균농도가 300㎍/m³ 이상 2시간 이상 지속인 때	경보가 발령된 지역의 기상조건 등을 검토하여 대기 자동측정소의 PM - 10시간당 평균농도가 150㎍/m³ 미만인 때는 주의보로 전환
초미세먼지 (PM - 2.5)	주의보	기상조건 등을 고려하여 해당 지역의 대기 자동측정소 PM - 2.5시간당 평균농도가 75㎍/m³ 이상 2시간 이상 지속인 때	주의보가 발령된 지역의 기상조건 등을 검토하여 대기 자동측정소의 PM - 2.5시간당 평균농도 가 35㎍/m³ 미만인 때
	경보	기상조건 등을 고려하여 해당 지역의 대기 자동측정소 PM - 2.5시간당 평균농도가 150㎍/m³ 이상 2시간 이상 지속인 때	경보가 발령된 지역의 기상조건 등을 검토하여 대기 자동측정소의 PM - 2.5시간당 평균농도가 75㎍/m³ 미만인 때는 주의보로 전환
오존(O_3)	주의보	기상조건 등을 고려하여 해당 지역의 대기 자동측정소 오존농도가 0.12ppm 이상인 때	주의보가 발령된 지역의 기상조건 등을 검토하여 대기 자동측정소의 오존 농도가 0.12 ppm 미만인 때
	경보	기상조건 등을 고려하여 해당 지역의 대기 자동측정소 오존농도가 0.3ppm 이상인 때	경보가 발령된 지역의 기상조건 등을 고려하여 대기 자동측정소의 오존 농도가 0.12ppm 이상 0.3ppm 미만인 때는 주의보로 전환
	중대 경보	기상조건 등을 고려하여 해당 지역의 대기 자동측정소 오존농도가 0.5ppm 이상인 때	중대경보가 발령된 지역의 기상조건 등을 고려하여 대기 자동측정소의 오존 농도가 0.3 ppm 이상 0.5ppm 미만인 때는 경보로 전환

(1) 오존 농도가 0.12ppm 이상일 때 - 주의보

주민의 실외활동 및 자동차 사용의 자제 요청 등

(2) 오존 농도가 0.3ppm 이상일 때 - 경보

주민의 실외활동 제한 요청, 자동차 사용의 제한명령 및 사업장의 연료사용량 감축 권고 등

(3) 오존 농도가 0.5ppm 이상일 때 – 중대경보
주민의 실외활동 금지 요청, 자동차의 통행금지 및 사업장의 조업시간 단축명령 등

(4) 이때 오존 농도는 1시간 평균 농도를 기준으로 하며, 해당 지역에 1개 측정소라도 경보단계별 발령 기준을 초과하면 경보를 발령한다.

6. 대기오염의 역사 기출 17, 18, 19, 20, 22

사건	환경	피해	원인
Meuse Valley (1930.12.)	분지, 무풍상태, 기온역전, 연무발생, 공장지대 (철·금 속·유리·아연공장)	평상시 사망자의 10배, 급성호흡기질환 발생, 호흡곤란	아황산가스, 황산, 불소화합물, 일산화탄소, 미세입자
요코하마(橫濱) (1946년 겨울)	무풍상태, 농연무 발생, 공업지대	심한 천식 발생	원인불명이나 대기오염물질로 추측
Donora (1948.10.)	분지, 무풍상태, 기온역전, 연무 발생, 공장지대 (철·전 선·황산·아연공장)	18명 사망, 만성 심폐질환, 해소, 호흡곤란	아황산가스 및 아황산 미세입자 혼합, SO_2
Poza Rica (1950.11.)	공장조작의 사고로 대량의 황화수소가스 유출, 기온역전	22명 사망, 해소, 호흡곤란, 점막자극	황화수소가스
욧가이 천식 (1950 ~ 1960년대)	석유화학공단	천식, 만성기관지염, 만성호흡기계 질환	아황산가스, 이산화질소, 포름알데히드
London (1952.12.)	하천평지, 무풍상태, 기온역전, 연무 발생, 90% 이상의 습도, 인구조밀	만 명 이상의 사망, 심폐성 질환 다발, 만성기관지염, 천식 기관지 확장증, 폐섬유증 환자에게 치명적	석탄 연소 시의 아황산가스, 미립 에어로졸, 아황산가스
Los Angeles (1954)	해안분지, 기온역전, 인구 증가, 자동차 수 증가, 석유계 연료소비 증가	눈, 코, 기도, 폐 등 점막이 지속적 반복성 자극, 일상생활의 불쾌감, 가축·식물·과실의 손해, 건축물의 손해	자동차 배기가스, CO, SO_2, SO_3, NO_2, O_3, aldehyde, keton, acrolein, nitrolefin, formaldehyde, 광화학 스모그
Mexico city (1987.2.)	고산지 분지, 공장지대, 자동차 매연, 저산소량	납, 카드뮴, 수은 등 중금속 함유 먼지	사정거리 악화, 재산상의 피해문제, 중금속 노출로 인한 모유의 문제
Beijing	무풍상태, 기온역전, 석탄 난방과 자동차 배기가스	심혈관, 호흡기 질환자 증가, 사망률 증가	석탄 연소 시의 아황산가스, 자동차 배기가스, 미립 에어로졸

7. 대기오염과 기상 - 기온역전

(1) 기온역전은 공기의 층이 반대로 형성되는 것이다.

(2) 정상적으로 더운 공기는 가벼워 위로 올라가고 그 자리에 찬 공기가 대치되게 되며, 찬 공기는 지표면의 열로 데워지게 되어 다시 위로 올라가게 되어 공기의 수직흐름이 발생한다.

(3) 기온역전은 생성원이나 생성위치에 따라 접지역전(Surface inversion)과 공중역전(Elevated inversion)으로 구분한다.

(4) 접지역전의 가장 대표적인 것으로 복사성 역전, 공중역전의 가장 대표적인 것으로 침강성 역전이 있다.

구분	내용
복사성 역전 (Radiational inversion)	① 일몰 후에 하부 공기층이 지열의 복사로 인하여 냉각됨으로써 발생하는 것 ② 야간에는 대지가 복사에 의해 냉각되어 대지에 접한 공기가 노점 이하로 낮아지기 때문 ③ 주로 야간에 발생 ④ 복사성 또는 지표성 역전(Surface inversion)은 바람이 적고 구름이 없는 맑은 날 밤에 잘 발달하고 지표 200m 이하에서 주로 발생
침강성 역전 (Subsidence inversion)	① 맑은 날 고기압 중심부에서 공기가 침강하여 압축을 받아 따뜻한 공기층을 형성되는 것 ② 고기압 지역을 도는 공기는 침강하여 오는데 그 공기가 단열압축을 받아 더운 공기층이 형성되고 이것이 차가운 공기 이동을 막는 뚜껑역할을 하여 오염물질이 보다 위에 있는 차가운 공기 중으로 이동하지 못하게 됨 ③ 로스엔젤레스의 대기오염은 침강성 역전이 주원인
전선성 역전 (Front inversion)	온난전선과 한랭전선이 통과할 때 발생하는 역전현상
지형성 역전 (Geographical inversion)	① 계곡이나 분지 내에서 야간의 방사냉각에 의하여 생기는 무거운 냉기가 경사면을 따라 밑으로 내려가기 때문에 골짜기 밑은 기온이 낮아짐 ② 지형성 역전은 계곡, 분지의 야간지대에 일어나며 또한 해안지역에서 낮에는 찬 해풍이 불어오고 육지의 더운 공기가 상승할 때에 발생함 ③ 뮤즈계곡 사건은 지형성 역전에 의해 일어난 것
해류성 역전 (해풍성 역전)	① 한류와 난류가 겹치는 곳에서 발생 ② 더운 공기가 차가운 지표면을 통과할 때 지표면의 냉기에 의해 공기가 냉각되어 발생되는 역전현상 ③ 한류와 난류가 교차하는 해안에서 자주 발생

8. 대기오염의 영향

인체에 미치는 영향, 동식물에 미치는 영향, 경제적 손실, 지구환경에 미치는 영향 등이 있다.

(1) 인체에 미치는 영향

① 만성기관지염, 기관지 천식, 폐기종, 인·후두염 등의 호흡기와 심장·순환계 등

② 시야 장애, 악취, 불쾌감, 심리적 영향 등

(2) 동식물에 미치는 영향

① 불소에 오염된 풀을 먹은 소나 양은 이가 손상되어 먹이의 섭취가 어려운 경우

② 광합성작용이나 호흡작용을 저해

③ 식물의 잎 끝에 얼룩무늬나 반점이 생김

(3) 경제적 손실(영향)

① 금속의 부식, 작물과 토양 악화, 건축물 표면의 부식, 예술품의 손상, 착색물의 변색 등

② 재산상 피해를 일으키는 원인은 부식, 흡착, 제거, 직·간접 화학적 피해, 전자화학적 부식 등

(4) 지구환경에 미치는 영향 기출 11, 13, 14, 15, 16, 17, 20

구분	내용
온실효과	① 온실가스가 증가하면 대류권의 기온은 상승해서 기후가 온난해짐 ② 온실효과를 유발 ③ 지구대기 내의 이산화탄소층과 수분층의 축적은 태양열의 진입을 방해하지 못한 반면, 지구 복사선을 흡수함으로써 대기의 온도를 상승시키는 작용
오존층의 파괴	① 오존층은 고도 20 ~ 30km에 존재하여 지상에 도달하며, 인체 및 생태계에 유해한 태양의 자외선을 차단하는 역할 ② 오존층이 파괴되면 유해 자외선이 지구에 직접 도달하여 유전자가 파괴되므로 피부암, 백내장을 유발 ③ 오존층을 파괴하는 주 요인으로는 프레온가스(CFCs), 이산화탄소(Co_2), 메탄가스(CH_4), 산화질소(N_2O) 등
열섬효과	① 도심지역은 주변지역보다 평균기온이 약 1 ~ 2℃ 정도 더 높음 ② 낮보다 밤에 심함 ③ 여름보다 겨울에 심함 ④ 밤 최저기온이 25℃가 넘는 열대야현상도 열섬에 기인함
산성비	① **산성비(Acid rain)**: pH가 5.6 이하의 값을 가지는 빗물 ② 공장이나 자동차 배기가스에서 배출된 황산화물과 질소산화물이 대기 중 산화되어 황산, 질산으로 변환되고 비 또는 안개의 형태로 지상에 강하하는 것 ③ **산성비로 인한 현상** • 호수나 하천의 산성화로 인한 수중식물의 피해 • 삼림과 농작물의 피해 • 빌딩, 철재 구조물, 대리석 건물 등의 부식으로 인한 피해 • 인간의 호흡기 질병 등을 유발

폭염	① 하루 최고 기온이 33°C 이상인 상태가 2일 이상 지속될 때 폭염주의보 ② 하루 최고 기온이 35°C 이상인 상태가 2일 이상 지속될 때 폭염경보
엘니뇨(El Nino)	① 열대 태평양 적도 부근에서 남미 해안으로부터 중태평양에 이르는 넓은 범위에서 무역풍과의 상호작용으로 해수면의 온도가 지속적으로 높아지는 현상 ② 대기 순환의 변화를 가져와 세계 각 지역에 이상기후현상이 2 ~ 7년마다 한 번씩 불규칙하게 발생하는데, 주로 9월에서 다음해 3월 사이에 발생 ③ 엘니뇨는 해양생물의 환경을 바꾸기 때문에 생물권에 영향을 미침
라니냐(La Nina)	적도 무역풍이 평년보다 강해지면서 태평양의 해수면과 수온이 평년보다 상승하게 되고, 찬 해수의 용승현상 때문에 적도 동태평양에서 저수온현상이 강화되는 것

(5) 황사 현상(Yellow sand phenomenon) 기출 15

① **개념**: 주로 중국 북부의 몽골지역, 고비사막에서 바람에 의하여 하늘 높이 올라간 미세한 모래먼지가 대기 중에 확산되어 하늘을 덮었다가 서서히 강하하는 현상이다.

② **황사의 부정적인 영향요인**

㉠ 황사 현상은 태양빛을 차단, 산란시킴으로써 시정을 악화시키며 식물의 기도를 막아 광합성 작용을 방해하여 농작물이나 활엽수의 기공을 막아 이들이 자라는 데 장애를 일으킨다.

㉡ 황사 현상이 자주 발생하게 되면 농작물이나 산림 등에 큰 피해가 발생할 수 있다.

㉢ 반도체, 항공기 등 정밀기계 작동에도 문제를 일으켜 적지 않은 손상을 입히기도 한다.

㉣ 황사가 인체에 주는 피해는 호흡기관으로 깊숙이 침투해서 기관지염을 일으키기도 하고 눈에 접촉해 결막염, 안구건조증 등의 질환을 유발한다.

③ **황사 위기 경보 단계 발령 기준**

단계	발령 기준
관심	• 우리나라에 영향을 끼칠 가능성이 있는 황사 발생 • 황사로 인한 미세먼지(PM 10) "매우나쁨(일평균 PM 10 150$\mu g/m^3$ 초과)" 예보 시
주의	• 황사로 인한 미세먼지 경보가 발령되고, 대규모 재난이 발생할 가능성이 나타날 때 • 미세먼지(PM 10) 시간당 평균농도가 300$\mu g/m^3$이상 2시간 지속
경계	• 황사특보(경보)가 발령되고, 대규모 재난이 발생할 가능성이 농후할 때 • 미세먼지(PM 10) 시간당 평균농도가 800$\mu g/m^3$이상 2시간 지속될 것으로 예상될 때

심각	• 황사특보(경보)가 발령되고, 대규모 재난이 발생할 가능성이 확실할 때 • 황사로 인한 재난사태 선포 기준 도달 예상 시 • 미세먼지(PM 10) 1시간 평균농도가 2,400$\mu g/m^3$ 이상이 24시간 지속 후 24시간 지속 예상 시 • 미세먼지(PM 10) 1시간 평균농도가 1,600$\mu g/m^3$ 이상이 24시간 지속 후 48시간 지속 예상 시

④ 황사 발생 대비 국민행동 요령 기출 18

㉠ 황사 발생 전[황사로 인한 미세먼지(PM 10) "매우나쁨" 예보 시]

가정	• 황사가 실내로 들어오지 못하도록 창문 등을 점검 • 외출 시 필요한 보호안경, 마스크, 긴소매 의복, 위생용기 등을 준비 • 노약자, 호흡기 질환자의 경우는 실외활동을 자제
학교 등 교육기관	• 기상예보를 청취, 지역실정에 맞게 휴업 또는 단축수업 검토 • 학생 비상연락망 점검 및 연락체계 유지 • 맞벌이부부 자녀에 대한 자율학습 대책 등 수립 • 황사 발생 대비 행동요령 지도 및 홍보 실시
축산 · 시설원예 등 농가	• 가축이 활동하는 운동장 및 방목장의 가축 대피 준비 • 노지에 방치 · 야적된 사료용 볏짚 등에 비닐 등 피복물품 준비 • 동력 분무기 등 황사세척용 장비 점검 및 정비 • 비닐하우스, 온실 등 시설물의 출입문 및 환기창 점검

㉡ 황사 발생 중[황사로 인한 미세먼지(PM 10) 경보 및 황사특보(경보) 발령 시]

가정	• 창문을 닫고 가급적 외출을 삼가되, 외출 시 보호안경, 마스크를 착용하고 귀가 후 손과 발 등을 깨끗이 씻기 • 황사에 노출된 채소, 과일 등 농수산물은 충분히 세척한 후에 섭취 • 식품 가공, 조리시 철저한 손 씻기 등 위생관리로 2차 오염 방지 • 노약자, 호흡기 질환자의 경우 실외활동 금지
학교 등 교육기관	어린이집과 각급학교의 실외활동 금지 및 수업 단축 또는 휴업
축산 · 시설원예 등 농가	• 방목장의 가축은 축사 안으로 신속히 대피시켜 황사 노출을 방지함 • 비닐하우스, 온실 및 축사의 출입문과 창문을 닫고 외부 공기와의 접촉을 가능한 적게 할 것 • 노지에 방치 · 야적된 사료용 볏짚 등을 비닐, 천막 등으로 덮기

ⓒ 황사 종료 후[황사로 인한 미세먼지(PM 10) 경보 및 황사특보(경보) 해제 후]

구분	내용
가정	실내 공기의 환기 및 황사에 노출된 물품 등은 세척 후 사용
학교 등 교육기관	학교 실내외 방역 및 청소, 감기 · 안질 등 환자는 쉬게 하거나 일찍 귀가조치
축산 · 시설원예 등 농가	• 축사, 방목장 사료조 및 가축과 접촉되는 기구류 등은 세척 및 소독 • 황사에 노출된 가축은 황사를 털어낸 후에 구연산 소독제 등으로 분무 소독 • 가축 질병의 발생 유무 관찰 및 병든 가축 발견 시 신고 • 비닐하우스, 온실 등에 쌓인 황사 제거

미세먼지별 경보 등급

구분	등급(μg/m³)			
	좋음	보통	나쁨	매우나쁨
미세먼지(PM 10)	0 ~ 30	31 ~ 80	81 ~ 150	151 이상
미세먼지(PM 2.5)	0 ~ 15	16 ~ 35	36 ~ 75	76 이상

(6) 사막화(Desertification)

① 유엔환경계획(UNEP)은 사막화를 인간의 영향 혹은 기후변동에 의해 연간 수량 600mm 이하의 건조지역과 반건조지역에서 사막이 확장되는 현상으로 규정한다.

② 사막화란 부적절한 인간활동에 기인하는 건조, 반건조, 건성 반습윤 지역에서 발생한 토지의 황폐화현상이다.

③ 사막화의 자연적 요인은 극심한 가뭄과 장기간에 걸친 건조화현상이다.

④ **사막화의 원인과 피해**

구분	내용
원인	• 관개농업으로 물의 과잉공급에 의해 지하수면의 상승과 이에 따른 토양의 염류화 • 지나친 방목이나 경작 • 산림의 과잉 벌채 • 화전 • 적절하지 못한 관개 • 지구온난화 및 산성화 등
피해	• 숲의 파괴에 따른 산소 부족으로 야생동물의 멸종위기 직면 • 하류에서의 홍수 발생 • 물을 저장할 수 있는 능력 저하로 물 부족현상 초래 • 이산화탄소량의 증가에 따른 지구온난화의 환경재앙 등

(7) **대기오염 방지대책**

① 에너지의 사용 규제 · 대체
② 방지기술의 향상과 보급
③ 산업구조의 고도화
④ 입지대책 등 사전 조사
⑤ 대기오염 방지에 대한 지도 · 계몽 및 법적 규제
⑥ 오염자 비용부담원칙의 적용

4 수질오염

1. 개념

(1) 인간생활 및 산업 활동에 의해서 야기된 생활폐수, 공장폐수, 농약 및 분뇨 등이 하천수 또는 지하수에 흘러들어가서 물의 자정작용능력이 없어지는 것을 말한다.

(2) 폐기물의 양이 증가하여 물의 자정능력이 상실된 상태이다.

2. 주요 특성

(1) 원인과 결과의 양면성이 있다.
(2) 여러 요인 상호간에 상승작용이 있다.
(3) 오염의 발생과 원인규명 및 피해의 복구까지 상당한 시간 차이가 난다.
(4) 자정능력의 상실로 인한 오염의 누적현상이 나타난다.

3. 발생원 기출 16, 17, 19, 20

(1) **점 오염원(Point source)**

① 오염 배출을 정확히 확인할 수 있는 배출구(점)를 통해 방류되므로 오염원의 발생지점을 쉽게 알 수 있다.
② 수질처리를 위해 일정한 곳으로 모으기가 쉽다.
③ 오염의 농도가 매우 높다.
④ 생활하수, 산업폐수, 축산폐수 등이 있다.
⑤ 우리나라 수질오염의 주요 원인을 발생량을 기준으로 보면 생활하수, 산업폐수, 축산폐수의 순이며, 생물학적 산소요구량 기준으로 보면 산업폐수, 생활하수, 축산폐수의 순이다.

(2) **비점 오염원(Non-point source)**

① 오염원의 확인이 어렵고 규제관리가 용이하지 않은 오염원이다.
② 도시, 도로, 농지, 산지, 공사장 등 불특정 장소에서 불특정하게, 주로 빗물과 함께 수질오염물질을 배출하는 배출원이 해당한다.
③ 기상의 영향으로 오염물질의 유입이 비지속적이다.
④ 토사, 영양물질, 유기물질, 농약, 중금속 물질, 협작물, 기름 등이 있다.

4. 현상

(1) 부영양화

① 물 속의 영양분 중에서 질소나 인이 있게 되면 생물의 번식이 있거나 녹색 식물의 성장을 촉진시켜 수중의 용존산소량을 고갈시키는 현상이다.

② 유기물이 지나치게 많으면 호기성 세균이 갑자기 증식하여 산소가 고갈되고, 혐기성 세균에 의해 불완전한 분해가 일어나 유기물이 부패됨으로써 물에서 고약한 냄새가 발생한다.

(2) 적조현상

① 플랑크톤이 다량으로 번식하여 바다나 호수가 붉게 변하는 것을 말한다.

② 질소나 인을 많이 함유한 생활하수나 비료성분이 유입되면 플랑크톤이 다량으로 번식하여 바다나 호수가 붉게 변하는 것이다.

③ 이런 경우 물 속 산소가 부족하게 되거나, 플랑크톤 자체의 독성 또는 플랑크톤의 점액질이 물고기의 아가미를 덮어 어패류가 죽거나, 수질 악화로 수산업에 막대한 피해가 발생한다.

(3) 녹조현상

① 영양염류의 과다로 호수에 녹조류 등이 다량으로 번식하여 물빛이 녹색으로 변하는 것이다.

② 녹조는 상수원으로 이용되는 강이나 호수에 발생하여 먹는 물에 영향을 줄 수 있다.

③ 녹조현상을 막기 위해서는 생활하수를 충분히 정화하여 영양염류가 바다나 호수로 유입되지 않도록 해야 한다.

5. 수질오염 사건

(1) 미나마타병(1952)

① 수은중독으로 인해 발생한다.

② **증상**: 신경학적 증상과 징후로 사지, 혀, 입술의 떨림, 혼돈, 그리고 진행성 보행 실조, 발음장애, 감정변화, 행동장애 등이 나타난다.

(2) 이타이이타이병(1945)

① 카드뮴이 과다 흡수되어 만성중독된 형태이다.

② **증상**: 골연화증, 보행장애, 심한 요통과 퇴행관절통, 신장기능장애 등이 나타난다.

(3) 가네미 사건(1968)

① PCB(Poly Chlorinated Biphenyl)중독으로 발생한 사건이다.

② PCB는 전기제품의 합성접착제로서 보호피막과 열전도체 등 여러 가지 용도로 사용되고 있어 오염의 가능성이 크다.

③ **증상**: 식욕부진, 구토, 안면색소침착, 피부질환, 간질환, 신경장애 등이 나타난다.

6. 수질오염지표 기출 14, 15, 16, 17, 18, 19, 20, 21, 22

생화학적 산소요구량 (BOD; Biochemical Oxygen Demand)	① 물 속의 유기물질을 미생물이 분해할 때 필요한 산소의 양 ② BOD가 높으면 유기물질이 다량 함유되어 세균이 이것을 분해, 안정화하는 데 많은 양의 유리산소를 소모하였다는 것을 의미함 ③ BOD는 ppm 또는 mg/L로 표시함 ④ **세계보건기구의 BOD 권장치**: 6×10^{-6}(ppm) 이하 • **1급 상수원수**: 1×10^{-6}(ppm) 이하 • **2급 상수원수**: 3×10^{-6}(ppm) 이하 • **3급 상수원수**: 6×10^{-6}(ppm) 이하 ⑤ **어족 보호를 위한 권장허용량**: 5ppm 이하
용존산소 (DO; Dissolved Oxygen)	① 물 속에 녹아 있는 산소의 양 ② 용존산소는 수질의 자정능력 측정, 물의 오염도 측정, 각 처리단계의 수질기준 판단지표로 활용되기 때문에 매우 중요함 ③ **세계보건기구의 용존산소 기준**: 5×10^{-6}(ppm) 이상을 제시함 ④ 수중의 DO가 5×10^{-6}(ppm) 이하가 되면 어류가 생존할 수 없는 오염상태 ⑤ **용존산소의 일반적 특징** • 오염된 물은 용존산소량이 낮음 • BOD가 높은 물은 용존산소량이 낮음 • 수중의 염류 농도가 증가할수록 또는 유기물이 많을수록 용존산소의 농도는 감소함 • 수중의 온도가 높을수록 용존산소의 농도는 감소함 • 수면의 교란상태가 클수록, 기압이 높을수록 용존산소량은 증가함 • 용존산소량이 적은 물은 피산소성 분해가 일어나기 쉬움
화학적 산소요구량 (COD; Chemical Oxygen Demand)	① 수중 오염물질이 화학적으로 산화 분해되어 안정화하는 데 필요한 산소 폐수 내의 유기물을 간접적으로 측정하는 방법 ② 유기물을 화학적으로 산화시킬 때 얼마만큼의 산소가 화학적으로 소모되는가를 측정하는 방법 ③ 산화반응을 촉진하기 위하여 사용되는 산화제로는 과망간산칼륨($KMnO_4$)과 중크롬산칼륨($K_2Cr_2O_7$)이 사용되는데, 우리나라에서는 환경오염공정시험법에서 과망간산칼륨을 사용하도록 하고 있음 ④ 일반적으로 폐수의 COD값은 BOD값보다 높은데, 이는 미생물에 의해서 분해되지 않는 유기물이 산화제에 의해서 산화되기 때문임 ⑤ 미생물에 의해서 완전 분해되고 산화제에 의해서 완전 분해되면 COD = BOD임
pH	5.8 ~ 8.5가 어류의 생존에 가장 적합한 농도
부유물질	① 유기와 무기의 물질을 함유한 고형물로 0.1 ~ 2μm 이하 현탁물질이라고도 하며 시료를 여과 또는 원심분리에 의해 분리시킬 때 제거되는 고형물 입자로서 0.1 ~ 2μm 이하를 말함 ② 수중의 부유물질이 유기물질인 경우는 용존산소를 소모시키며, 많은 경우는 어류의 아가미에 부착되어 폐사를 시키고 빛의 수중 전달을 방해하거나 수중 식물의 광합성에 장해를 일으킴 ③ 무기물과 유기물을 함유하는 고형물질로서 침전 가능한 물질과 침전 불가능한 물질로 구분하며 탁도를 높임

7. 수질오염 방지대책

(1) 수질 및 배출 허용 기준의 법적 제정과 지도를 실시하기
(2) 오염의 관측을 계속적으로 실시하여 계절별, 지역별, 지점별로 각종 오염물질의 오염도와 피해를 측정하고, 그 결과로부터 오염의 원인, 오염의 정도, 피해를 조사하고 방지대책에 참조하기
(3) 하수 · 폐수 처리의 완비로서 모든 배출원에 의무적으로 설치하도록 하여 처리되지 않고 배출되는 사례가 없도록 하기
(4) 오염 방지시설을 하여도 수질오염이 유발되고 그 피해가 심하다고 할 때에는 배출 사업장을 타 지역으로 이전시키기
(5) 환경영향평가제도의 실시로 공업단지 등을 조성할 때, 사전에 수질오염에 대한 영향을 평가하여 영향이 있을 것으로 판단되는 경우 단지 조성을 하지 않도록 하기
(6) 총량규제제도 도입을 실시하기
(7) 계몽 및 수질보전 운동을 전개하여 모든 국민들이 수질오염에 대한 피해를 인식하고 스스로 오염시키는 행위를 자제하도록 하기

5 토양과 건강

1. 토양오염의 정의(「토양환경보전법」 제1조)

(1) 토양오염이란 사업활동이나 그 밖의 사람의 활동에 의하여 토양이 오염되는 것으로 사람의 건강 · 재산이나 환경에 피해를 주는 상태이다.
(2) 토양오염 물질이란 토양오염의 원인이 되는 물질로서 환경부령으로 정하는 물질이다(「토양환경보전법」, 2018).
(3) 현재 「토양환경보전법」에 의해 토양오염 물질로 관리되고 있는 물질은 중금속, 석유류(유류누출 지표물질), 농약(유기인화합물), 독성물질(페놀류, 시안화합물) 등이 있다.

토양오염 물질(「토양환경보전법 시행규칙」 [별표 1])
1. 카드뮴 및 그 화합물 2. 구리 및 그 화합물 3. 비소 및 그 화합물 4. 수은 및 그 화합물 5. 납 및 그 화합물 6. 6가크롬화합물 7. 아연 및 그 화합물 8. 니켈 및 그 화합물 9. 불소화합물 10. 유기인화합물 11. 폴리클로리네이티드비페닐 12. 시안화합물 13. 페놀류 14. 벤젠 15. 톨루엔 16. 에틸벤젠 17. 크실렌 18. 석유계 총 탄화수소 19. 트리클로로에틸렌 20. 테트라 클로로에틸렌 21. 벤조(a)피렌 22. 1, 2 - 디클로로에탄 23. 다이옥신(퓨란을 포함한다) 24. 그 밖의 위 물질과 유사한 토양오염 물질로서 토양오염의 방지를 위하여 특별히 관리할 필요가 있다고 인정되어 환경부장관이 고시하는 물질

2. 토양오염과 건강

(1) 토양오염은 식물의 생육을 저해하거나 유독한 식물을 길러 모든 생물의 생존을 위협한다.

(2) 토양오염의 영향으로서 현재까지 남아 있는 것은 일시 대량으로 사용된 합성농약의 잔류와 거기서 자라난 식물이 인체에 미치는 영향이다.

① DDT는 만성적으로는 간이나 뇌의 장애를, 급성으로는 떨림이나 마비를 일으킨다.

② DDE나 DDD도 염증마비, 신장애 등의 중독증상을 일으키며 같은 유기염소계의 앨드린도 토양 중에 오래 체류하여 신장애, 마비 등의 증상에 영향을 준다.

유해 폐기물의 4가지 특성
1. 인화성
2. 부식성
3. 반응성
4. 용출특성(용출독성)

6 폐기물과 건강

1. 폐기물의 정의

폐기물이란 쓰레기, 연소재, 오니, 폐유, 폐산, 폐알칼리 및 동물의 사체 등으로, 사람의 생활이나 사업활동에 불필요한 물질을 말한다(「폐기물관리법」 제2조, 2018).

2. 의료폐기물의 종류(「폐기물관리법 시행령」 [별표 2])

구분		내용
격리의료 폐기물(7일)		「감염병의 예방 및 관리에 관한 법률」 제2조 제1호의 감염병으로부터 타인을 보호하기 위하여 격리된 사람에 대한 의료행위에서 발생한 일체의 폐기물
위해의료 폐기물	조직물류 폐기물(15일)	인체 또는 동물의 조직·장기·기관·신체의 일부, 동물의 사체, 혈액·고름 및 혈액생성물(혈청, 혈장, 혈액제제)
	병리계 폐기물(15일)	시험·검사 등에 사용된 배양액, 배양용기, 보관균주, 폐시험관, 슬라이드, 커버글라스, 폐배지, 폐장갑
	손상성 폐기물(30일)	주사바늘, 봉합바늘, 수술용 칼날, 한방침, 치과용 침, 파손된 유리재질의 시험기구
	생물·화학 폐기물(15일)	폐백신, 폐항암제, 폐화학치료제
	혈액오염 폐기물(15일)	폐혈액백, 혈액투석 시 사용된 폐기물, 그 밖에 혈액이 유출될 정도로 포함되어 있어 특별한 관리가 필요한 폐기물
일반의료 폐기물		혈액·체액·분비물·배설물이 함유되어 있는 탈지면, 붕대, 거즈, 일회용 기저귀, 생리대, 일회용 주사기, 수액세트
비고		① 의료 폐기물이 아닌 폐기물로서 의료 폐기물과 혼합되거나 접촉된 폐기물은 혼합되거나 접촉된 의료 폐기물과 같은 폐기물로 봄 ② 채혈진단에 사용된 혈액이 담긴 검사튜브, 용기 등은 조직물류 폐기물로 봄

관련 법령

「폐기물관리법」 제2조 【정의】

용어	정의
폐기물	쓰레기, 연소재(燃燒滓), 오니(汚泥), 폐유(廢油), 폐산(廢酸), 폐알칼리 및 동물의 사체(死體) 등으로서 사람의 생활이나 사업활동에 필요하지 아니하게 된 물질
생활폐기물	사업장폐기물 외의 폐기물
사업장폐기물	「대기환경보전법」, 「물환경보전법」 또는 「소음·진동관리법」에 따라 배출시설을 설치·운영하는 사업장이나 그 밖에 대통령령으로 정하는 사업장에서 발생하는 폐기물
지정폐기물	사업장폐기물 중 폐유·폐산 등 주변 환경을 오염시킬 수 있거나 의료폐기물(醫療廢棄物) 등 인체에 위해(危害)를 줄 수 있는 해로운 물질로서 대통령령으로 정하는 폐기물

의료폐기물	보건·의료기관, 동물병원, 시험·검사기관 등에서 배출되는 폐기물 중 인체에 감염 등 위해를 줄 우려가 있는 폐기물과 인체 조직 등 적출물(摘出物), 실험 동물의 사체 등 보건·환경보호상 특별한 관리가 필요하다고 인정되는 폐기물로서 대통령령으로 정하는 폐기물
의료폐기물 전용용기	의료폐기물로 인한 감염 등의 위해 방지를 위하여 의료폐기물을 넣어 수집·운반 또는 보관에 사용하는 용기
처리	폐기물의 수집, 운반, 보관, 재활용, 처분
처분	폐기물의 소각(燒却)·중화(中和)·파쇄(破碎)·고형화(固形化) 등의 중간처분과 매립하거나 해역(海域)으로 배출하는 등의 최종처분
재활용	• 폐기물을 재사용·재생이용하거나 재사용·재생이용할 수 있는 상태로 만드는 활동 • 폐기물로부터 「에너지법」 제2조 제1호에 따른 에너지를 회수하거나 회수할 수 있는 상태로 만들거나 폐기물을 연료로 사용하는 활동으로서 환경부령으로 정하는 활동
폐기물처리시설	폐기물의 중간처분시설, 최종처분시설 및 재활용시설로서 대통령령으로 정하는 시설
폐기물감량화시설	생산 공정에서 발생하는 폐기물의 양을 줄이고, 사업장 내 재활용을 통하여 폐기물 배출을 최소화하는 시설로서 대통령령으로 정하는 시설

제13조의2【폐기물의 재활용 원칙 및 준수사항】 ① 누구든지 다음 각 호를 위반하지 아니하는 경우에는 폐기물을 재활용할 수 있다.

1. 비산먼지, 악취가 발생하거나 휘발성유기화합물, 대기오염물질 등이 배출되어 생활환경에 위해를 미치지 아니할 것
2. 침출수(浸出水)나 중금속 등 유해물질이 유출되어 토양, 수생태계 또는 지하수를 오염시키지 아니할 것
3. 소음 또는 진동이 발생하여 사람에게 피해를 주지 아니할 것
4. 중금속 등 유해물질을 제거하거나 안정화하여 재활용제품이나 원료로 사용하는 과정에서 사람이나 환경에 위해를 미치지 아니하도록 하는 등 대통령령으로 정하는 사항을 준수할 것
5. 그 밖에 환경부령으로 정하는 재활용의 기준을 준수할 것

② 제1항에도 불구하고 다음 각 호의 어느 하나에 해당하는 폐기물은 재활용을 금지하거나 제한한다.

1. 폐석면
2. 폴리클로리네이티드비페닐(PCBs)이 환경부령으로 정하는 농도 이상 들어있는 폐기물
3. 의료폐기물(태반은 제외한다)
4. 폐유독물 등 인체나 환경에 미치는 위해가 매우 높을 것으로 우려되는 폐기물 중 대통령령으로 정하는 폐기물

③ 제1항 및 제2항 각 호의 원칙을 지키기 위하여 필요한 오염 예방 및 저감 방법의 종류와 정도, 폐기물의 취급 기준과 방법 등의 준수사항은 환경부령으로 정한다.

폐기물 정책

1. 폐기물 정책(관리) 우선순위
   원천감량 ⇨ 재사용 ⇨ 재활용 ⇨ 자원재생 ⇨ 소각 ⇨ 매립
2. 우리나라에서는 재활용을 가장 많이 사용하고, 매립과 소각의 사용은 감소하는 추세이다.

소각 시 발생하는 유기물질

질소산화물(NO_2), 염화수소, 황산화물, 이산화탄소(CO_2), 일산화탄소(CO), 분진, 다이옥신 등

3. 폐기물 정책

(1) 폐기물 정책의 최종적인 목표

폐기물의 발생을 최소화하고 발생된 폐기물을 재활용하며, 그 나머지를 안전하게 처리함으로써 환경을 보전하고 모든 국민이 쾌적한 환경 속에서 살아갈 수 있도록 하는 것이다.

(2) 폐기물 정책 패러다임(환경부)

구분	그간의 정책	새로운 정책방향
정책여건	폐기물로 인한 환경오염 심화	기후변화, 원자재·에너지 고갈
목표	쾌적한 생활환경 조성	자원순환사회 구축
추진정책	감량 ⇨ 재활용 ⇨ 처리	효율적 생산·소비 ⇨ 물질 재활용 ⇨ 에너지회수 ⇨ 처리 선진화
주요과제	쓰레기종량제, 생산자책임 재활용제도 및 처리시설 설치	자원순환성평가, 재활용품질인증, 폐자원 등 에너지화, 처리 광역화
핵심개념	폐기물	자원(순환·천연)

4. 폐기물 처리방법

(1) 폐기물 처리란 폐기물의 소각·중화·파쇄·고형화 등의 중간처리와, 매립하거나 해역으로 배출하는 등의 최종처리를 말한다.

(2) 폐기물을 재활용하기 위한 전 단계로 파쇄·선별·운반을 용이하게 하기 위한 압축시설, 부피를 줄이고 그 열을 회수하기 위한 열적 처리공정, 유기물을 재활용하기 위한 퇴비화, 중금속 함량이 높은 물질을 고형화시키는 고형화 처리 등의 처리방법이 이용된다.

(3) 폐기물 처리방법의 종류

① 소각법 기출 18

㉠ 소각 처리는 열적 처리방법 중 하나로 최근에 많이 이용되는 방법이다.

㉡ 소각은 폐기물의 발생량이 많아지면서 매립장의 확보와 재이용이 어려운 경우 고체폐기물을 연소시켜 그 양을 줄이고 발생된 잔여물을 매립처리하는 방법이다.

㉢ 장단점

장점	• 설치 면적이 작음 • 위생적으로 처리가 됨 • 잔유물이 적고 유기물이 없으므로 매립에 적당함 • 기후 및 기상에 영향을 받지 않음 • 폐열을 이용할 수 있음 • 시 중심에 설치하여 운송시간 및 운송비를 절약할 수 있음

단점	• 시설 · 유지비가 많이 듦 • 화재의 위험성과 대기오염의 우려가 있음 • 소각장소의 선택에 애로가 많음 • 숙련공이 필요함

② 매립법

㉠ 폐기물을 모아서 파묻는 방법으로 발생된 폐기물을 분리수거하여 재활용성 폐기물은 회수하고, 나머지 폐기물도 선별과정을 거쳐 각각의 특성에 맞춰 처리하고 마지막에 남은 폐기물을 최종적으로 매립하는 방법이다.

㉡ 매립은 처리비용이 가장 적으며 공정이 간단하여 전 세계 고형폐기물의 90% 이상이 이 방법으로 처리되고 있다.

㉢ 장단점

장점	• 투기 처분에 비하여 악취의 발생이나 화재의 위험성이 적음 • 쥐, 모기, 파리 등의 위생해충이나 동물의 출현이 적음 • 쓰레기의 사전분리가 필요 없어 비용이 적게 들어 경제적이며 조작이 간단함
단점	• 항상 주의깊은 감시를 하지 않으면 단순한 투기와 마찬가지의 결과가 되어 버리므로 어떠한 매립일지라도 위생 기술자의 감독이 필요함 • 위생적 매립지는 비교적 커야 되므로 도시의 경우 저렴한 가격으로 적당한 장소를 구하기가 힘듦 • 피산소성 균에 의한 부패로 메탄, 암모니아, 황화수소 등의 악취가 발생하고 파이프, 콘크리트관이 부식됨 • 지표수 오염, 지하수 오염의 문제가 발생할 수 있음

매립 시 발생하는 유기물질

이산화탄소(CO_2) 및 메탄(CH_4) 가스

(4) 폐기물 처리와 건강

① 매립은 우수에 의해 침출수 발생 위험이 있어 이로 인해 수질 및 토양의 오염이 발생할 수 있다.

② 폐기물을 불완전하게 소각했을 때는 다이옥신 발생 등 대기오염 발생가능성이 있을 수 있다.

③ 유해폐기물의 경우 불완전하게 처리 시 중금속 오염이 발생한다.

Plus⁺ POINT

기타 폐기물 처리방법

1. 퇴비법(Compositing)

   폐기물 중 플라스틱, 고무 등을 제외한 유기물질을 친산소성 또는 피산소성 균을 이용 처리하여 퇴비로 만드는 방법이다. 유기물을 퇴비화하는 데 있어서 일반적으로 발효에 영향을 미치는 인자는 ① 탄소와 질소의 비(C/N 비), ② 수분, ③ 온도, ④ pH 등이다.

2. 투기 처분(Dumping)

   가장 오래된 처리법인 투기는 가장 비위생적인 방법이다. 투기 처분하면 악취가 발생하고, 쥐나 파리의 서식처가 되어 간염병 전파의 매개체 역할을 하게 된다.

3. 재활용법(Recycling)

폐기물의 재활용은 폐기물의 양을 감소시킴으로써 환경의 악화를 방지하고, 처리비용의 절감과 자원을 절약하며, 폐기물의 에너지로 재사용할 수 있다. 많은 나라에서 폐기물 예치금제도를 채택하고, 우리나라는 생산자 부담방식을 사용하고 있다.

4. 동물사료이용법(Animal feeding)

부엌 쓰레기를 동물사료로 이용 시 10℃에서 30분 동안 삶아 선모충을 사멸시켜야 한다. 동물사료로 쓰레기를 활용할 경우에 인수공통감염병이 우려된다.

5. 하수도 투입법

가정, 상점에서 분쇄기를 사용하여 부엌 쓰레기를 분쇄한 후 하수도에 흘려보내는 방법으로, 고형물은 6mm 이하의 입자로 분쇄하여 처리한다.

관련 법령

「환경보건법」 제1장 총칙

제1조【목적】 이 법은 환경오염과 유해화학물질 등이 국민건강 및 생태계에 미치는 영향 및 피해를 조사·규명 및 감시하여 국민건강에 대한 위협을 예방하고, 이를 줄이기 위한 대책을 마련함으로써 국민건강과 생태계의 건전성을 보호·유지할 수 있도록 함을 목적으로 한다.

제2조【정의】 이 법에서 사용하는 용어의 뜻은 다음과 같다.

1. "환경보건"이란 「환경정책기본법」 제3조 제4호에 따른 환경오염과 「화학물질관리법」 제2조 제7호에 따른 유해화학물질 등(이하 "환경유해인자"라 한다)이 사람의 건강과 생태계에 미치는 영향을 조사·평가하고 이를 예방·관리하는 것을 말한다.
2. "환경성질환"이란 역학조사(疫學調査) 등을 통하여 환경유해인자와 상관성이 있다고 인정되는 질환으로서 제9조에 따른 환경보건위원회 심의를 거쳐 환경부령으로 정하는 질환을 말한다.
3. "위해성평가"란 환경유해인자가 사람의 건강이나 생태계에 미치는 영향을 예측하기 위하여 환경유해인자에의 노출과 환경유해인자의 독성(毒性) 정보를 체계적으로 검토·평가하는 것을 말한다.
4. "역학조사"란 특정 인구집단이나 특정 지역에서 환경유해인자로 인한 건강피해가 발생하였거나 발생할 우려가 있는 경우에 질환과 사망 등 건강피해의 발생 규모를 파악하고 환경유해인자와 질환 사이의 상관관계를 확인하여 그 원인을 규명하기 위한 활동을 말한다.
5. "환경매체"란 환경유해인자를 수용체(受容體)에 전달하는 대기, 물, 토양 등을 말한다.
6. "수용체"란 환경매체를 통하여 전달되는 환경유해인자에 따라 영향을 받는 사람과 동식물을 포함한 생태계를 말한다.
7. "어린이"란 13세 미만인 사람을 말한다.
8. "어린이활동공간"이란 어린이가 주로 활동하거나 머무르는 공간으로서 어린이놀이시설, 어린이집 등 영유아 보육시설, 유치원, 초등학교 등 대통령령으로 정하는 것을 말한다.

2025 대비 최신개정판

해커스공무원 최성희 공중보건 기본서 | 1권

개정 4판 1쇄 발행 2024년 7월 5일

지은이	최성희 편저
펴낸곳	해커스패스
펴낸이	해커스공무원 출판팀
주소	서울특별시 강남구 강남대로 428 해커스공무원
고객센터	1588-4055
교재 관련 문의	gosi@hackerspass.com 해커스공무원 사이트(gosi.Hackers.com) 교재 Q&A 게시판 카카오톡 플러스 친구 [해커스공무원 노량진캠퍼스]
학원 강의 및 동영상강의	gosi.Hackers.com
ISBN	1권: 979-11-7244-176-0 (14510) 세트: 979-11-7244-175-3 (14510)
Serial Number	04-01-01